Guide
DU JARDINAGE ET DE L'AMÉNAGEMENT PAYSAGER
au Québec

Conception graphique de la couverture: Nancy Desrosiers
Conception de la maquette intérieure et mise en pages: Josée Amyotte
Collaboration à la mise en pages: Mario Paquin
Calibrage des couleurs: François Trottier
Photographies: Benoit Prieur
Illustrations: Brigitte Mongeau

Coordonnatrice de l'édition: Linda Nantel
Révision des textes: Nicole Raymond
Correction: Sylvie Tremblay

Page couverture:
- Photographie: Benoit Prieur
- Prise au jardin de Monique LeClerc
- Conception de l'aménagement: Hettie Smulders

DISTRIBUTEURS EXCLUSIFS:

- Pour le Canada et les États-Unis:
  LES MESSAGERIES ADP*
  955, rue Amherst, Montréal H2L 3K4
  Tél.: (514) 523-1182
  Télécopieur: (514) 939-0406
  * Filiale de Sogides ltée

- Pour la Belgique et le Luxembourg:
  PRESSES DE BELGIQUE S.A.
  Boulevard de l'Europe 117
  B-1301 Wavre
  Tél.: (10) 41-59-66
       (10) 41-78-50
  Télécopieur: (10) 41-20-24

- Pour la Suisse:
  TRANSAT S.A.
  Route des Jeunes, 4 Ter
  C.P. 125
  1211 Genève 26
  Tél.: (41-22) 342-77-40
  Télécopieur: (41-22) 343-46-46

- Pour la France et les autres pays:
  INTER FORUM
  Immeuble Paryseine, 3 Allée de la Seine, 94854 Ivry Cedex
  Tél.: 01 49 59 11 89/91
  Télécopieur: 01 49 59 11 96
  Commandes: Tél.: 02 38 32 71 00
                 Télécopieur: 02 38 32 71 28

BENOIT
PRIEUR

Guide
DU JARDINAGE ET DE L'AMÉNAGEMENT PAYSAGER
au Québec

LES ÉDITIONS DE
L'HOMME

Données de catalogage avant publication (Canada)

Prieur, Benoit

   Guide du jardinage et de l'aménagement paysager au Québec

   ISBN 2-7619-1111-3

     1. Jardinage - Québec (Province).   2. Jardins - Architecture - Québec (Province).   I. Titre.

SB451.36.C3P75 1993   635'.09714   C93-096205-2

© 1994, Les Éditions de l'Homme,
une division du groupe Sogides
(1ʳᵉ édition parue en 1993)

Dépôt légal: 1ᵉʳ trimestre 1994
Bibliothèque nationale du Québec

ISBN 2-7619-1111-3

Je dédie ce livre à Monique Noël, Monique LeClerc, Marielle Poirier et Édith Smeesters chez qui le plaisir de jardiner est devenu la passion d'une vie.

Merci aux paysagistes et aux jardiniers dont les réalisations illustrent certains chapitres de ce livre.

Rien ne se perd,
Rien ne se crée,
Tout se transforme.
(Loi de la conservation de la matière)
Lavoisier (1743-1794)

Préface

Par une belle journée de juillet, il y a de cela plusieurs années, mon frère aîné me fit comprendre que la tâche de tailler la haie de troènes bordant le champ de notre voisin me serait désormais dévolue. Me tendant une cisaille qui avait survécu à la guerre de quatorze, mon frère me déclara d'un ton d'évêque: «Garçon, fais de ton mieux! Mais rappelle-toi, cette haie doit être aussi droite que la ligne d'horizon…»

Je parvins à resserrer les lames de la pauvre cisaille et, en écartant le plus possible les poignées de bois patinées par le temps, je me mis à l'œuvre. Dans la chaleur de l'été, le parfum enivrant de la sève chaude montait et m'exaltait, me projetant dans ce merveilleux mariage d'odeurs et de couleurs. À la nuit tombante, lorsque les moindres rognures furent ramassées, la paume de mes mains exhibait mes premières cloques. J'avais onze ans et j'étais devenu jardinier.

Aujourd'hui, ma grande haie de cèdres n'a pas à redouter les coups de cisaille. Elle pousse librement ou avec si peu de contrainte. Comme mon jardin d'ailleurs: fou mais docile; toujours éclatant, avec juste ce qu'il lui faut de malice et d'impudence…, l'air naturel quoi! Le travail du jardinier invite en effet à trouver un compromis entre la nature libre, véritable explosion de vitalité, et le désir qui pousse la plupart des êtres humains à tout ordonner, à tout domestiquer.

Benoit Prieur jardine, comme moi, pour le plaisir. Il n'y va pas par quatre chemins; il nous entraîne dans le vif du sujet. Connaître sa terre, c'est plonger la main dans le sol, c'est la laisser glisser entre le pouce, le majeur et l'index pour mieux en apprécier la texture. Quel beau geste que celui-là! Avec un enthousiasme communicatif, l'auteur nous guide et nous rassure. Comme pour nous simplifier le travail, il nous donne des trucs, nous révèle les pistes à suivre pour nous créer un refuge qui sera notre jardin d'éden. En le lisant, m'est revenue en mémoire une petite phrase que me répétait l'un de mes maîtres: «L'ennui naquit un jour de l'uniformité.»

Rien de cela ici; avec Benoit Prieur, c'est l'imagination qui règne! Écoutons-le! Il n'en tient qu'à nous de composer notre jardin à partir de ce qui nous environne. En l'accordant à nos besoins et, sans négliger la touche poétique, en imprégnant ce jardin de nos désirs et de nos émotions, nous créerons un jardin unique. Les parfums, les couleurs ainsi que les visiteurs, oiseaux ou papillons, compléteront l'œuvre en lui communiquant la gaieté dont nous avons tous besoin.

Le jardinage est l'activité qui contribue le mieux à l'amélioration de notre environnement immédiat. Comme le dit si justement un vieux proverbe français: «Si tu veux être heureux quelques heures, bois ton vin; quelques années, marie-toi, mais pour être heureux toute la vie, entoure-toi d'amis sincères et cultive ton jardin.»

Jean-Claude Vigor

11

INTRODUCTION

Jardiner, c'est dans ma nature

C'est par la connaissance et le respect de la nature que l'on obtient, pour longtemps, les plus belles récoltes. Nos aïeux savaient en tirer parti. Avec leurs moyens limités, ils pratiquaient un jardinage intelligent. Aujourd'hui, peut-on définir le jardinage idéal?

Moi, je jardine pour le plaisir, la main dans la main avec Dame Nature. En général, elle me donne tout ce que je veux, et même plus. Mais de toute façon, j'ai accepté depuis longtemps de me contenter de ce qu'elle m'offre. Je suis rarement déçu.

Mon jardinage à moi — pour le plaisir — n'a que trois grands principes:
- me simplifier la tâche par tous les moyens,
- n'empoisonner personne par des pratiques abusives,
- faire partager mon enthousiasme à mes voisins.

C'est dans cet esprit que j'ai conçu ce livre. Vous trouverez donc tout au long des chapitres, parmi les techniques horticoles expliquées dans des termes simples, des rubriques contenant des conseils pour vous faciliter la tâche, pour vous distinguer, pour réduire l'entretien et pour économiser.

Cet ouvrage contient aussi des conseils pour acheter sans vous tromper, des techniques que je vous suggère d'essayer, des plantes à découvrir, des précautions à prendre, des mises en garde, des erreurs à éviter. Vous lirez souvent la mention: «Il est recommandé, mais pas obligatoire», parce que jardiner est un plaisir et ne doit pas devenir une corvée.

Deux autres rubriques jetteront une lumière nouvelle sur l'utilisation des engrais dits chimiques. Elles s'intitulent: «Si vous ne voulez pas mettre d'engrais» et «Si vous voulez mettre de l'engrais» et elles vont rarement l'une sans l'autre. On pourra toujours discuter de la possibilité de cultiver sans engrais chimique en agriculture, mais quand il s'agit d'une plate-bande de fleurs ou d'un potager, aucun doute possible: l'engrais chimique n'est pas nécessaire. Ma conviction n'est pas inspirée par le plus pur esprit écologique. Je connais des techniques de jardinage éprouvées qui font bon usage de la matière organique végétale. Or, celle-ci contient tout ce dont les plantes ont besoin puisque, justement, ce sont les plantes qui la composent. C'est un cycle naturel qu'il faut respecter.

Loin de moi l'idée de proscrire systématiquement l'utilisation des engrais. Quand les techniques élémentaires du jardinage ont été mises en pratique, les engrais peuvent augmenter sensiblement les récoltes. Mais quand une terre est

régulièrement enrichie de matière organique, quand on parvient à en équilibrer les éléments par des moyens naturels, le maigre surplus de récolte ou de fleurs qu'on peut obtenir en ajoutant des engrais chimiques ne justifie pas la dépense. À moins que vous ne participiez à un concours de la plus grosse citrouille au Québec!

Dans ce livre, vous ne trouverez aucune recommandation sur les pesticides dits «chimiques», aussi appelés pesticides de synthèse. Dans un jardin ordinaire de fleurs et de légumes — le vôtre ne doit pas être si différent du mien —, les ennemis ne sont pas assez nombreux et assez virulents pour qu'il faille les attaquer avec le même déploiement que pour une grande culture traditionnelle. Toute solution doit être proportionnelle au problème.

Avec deux ou trois pesticides naturels: insecticides (contre les insectes) et fongicides (contre les maladies), il est facile de venir à bout des ennemis de la grande majorité des plantes ornementales, des légumes et des fruits. Si votre terre est équilibrée, si vous plantez ou semez des variétés résistantes, il se peut même que vous n'ayez pas à utiliser de pesticides naturels. Notre mauvaise habitude d'utiliser des produits dangereux vient du fait qu'ils agissent plus radicalement. Mais il est erroné de penser qu'ils sont plus faciles à employer. Pourquoi donc risquer l'empoisonnement quand on peut l'éviter sans effort?

Il est impossible de jardiner sans tenir compte de la nature. Or, la nature prend souvent soin d'elle-même. Certaines plantes en protègent d'autres et les aident à pousser, certains insectes en dévorent d'autres ou font le régal des grenouilles et des oiseaux. Dans la terre, des bactéries transforment la matière organique en nourriture pour les plantes. Quand le jardinier permet à la nature d'entrer sans réserve dans son jardin, il met toutes les chances de succès de son côté.

À la joie de la réussite, s'ajoute la joie de la découverte quand, à chaque printemps, à chaque été, de nouvelles fleurs s'épanouissent, de nouveaux fruits se forment. Si vous voulez partager ma joie de la découverte, arrêtez-vous aux rubriques «Mes préférés» dans plusieurs sections de la quatrième partie.

Jardiner pour le plaisir, c'est jardiner avec ses cinq sens. Admirer la ramure d'un grand arbre. Humer le parfum envoûtant d'une fleur. Caresser la terre avec les doigts. Croquer une tomate bien mûre. Entendre piailler les oiseaux heureux de trouver au jardin abri et nourriture.

Jardiner pour le plaisir, c'est vibrer avec cette nature dont nous ne sommes humblement que des éléments bien vulnérables.

♦ PREMIÈRE PARTIE ♦

Préparation au
jardinage

PRÉPARATION AU JARDINAGE

- Nature et jardinage
- À l'ombre ou au soleil?
- Jardinage régional
- Les six grands travaux du jardinier
- Le jardinier bien outillé
- Accessoires pour mieux jardiner
- Acheter de la terre
- Connaître sa terre
- Enrichir sa terre
- La tourbe de sphaigne pour améliorer la terre
- Le compost, plat préféré des végétaux
- La fertilisation, un surplus pour les plantes
- Bien travailler sa terre
- Comment éviter la bousculade du printemps
- Notions d'entretien minimum
- Savoir planter et transplanter
- Savoir semer
- L'arrosage bien pensé
- Contrôler facilement les mauvaises herbes
- Des paillis à tout faire
- Comment éloigner maladies, insectes et animaux parasites

Nature et jardinage

Voici les cinq éléments naturels avec lesquels doit composer le jardinier. Ces cinq éléments forment avec lui une équipe imbattable.

Pour bien comprendre comment poussent les plantes et pour faire bon usage des techniques de jardinage, il importe de connaître l'environnement des plantes et l'interaction existant entre les différents éléments de cet environnement. Quand on comprend bien leur rôle, on augmente ses chances de succès tout en se simplifiant la vie.

1. L'AIR: LES PLANTES RESPIRENT ET NOUS FONT RESPIRER

L'air est composé de plusieurs gaz dont les plus importants sont: l'azote (environ 78 %), l'oxygène (environ 21 %) et le gaz carbonique (environ 0,003 %). Les plantes respirent par leurs tiges, leurs feuilles et leurs racines; jour et nuit, elles absorbent de petites quantités d'oxygène et rejettent un volume équivalent de gaz carbonique. Pendant la journée, par contre, les plantes absorbent du gaz carbonique et rejettent de grandes quantités d'oxygène par le phénomène de la **photosynthèse,** mot qui signifie: fabriquer (de nouvelles cellules) avec la lumière.

Sans les plantes, terrestres et aquatiques, il n'y aurait pas d'**oxygène** sur Terre et aucun être vivant ne pourrait survivre. D'où l'importance pour le genre humain de ne pas saccager espaces verts, forêts et océans afin qu'ils puissent fabriquer encore longtemps l'oxygène qui nous tient en vie.

Par ailleurs, l'air contient de la **vapeur d'eau** dont une toute petite partie vient de la respiration et de la transpiration des feuilles et des tiges. Cette humidité empêche les plantes de se dessécher. Le vent, qui est de l'air en mouvement, a un effet desséchant sur les plantes. Lorsqu'il vente, celles-ci doivent mettre en place des mécanismes de

17

défense (vivre au ralenti) et puiser dans le sol, par les racines, le surplus d'eau nécessaire pour compenser les pertes.

2. LA LUMIÈRE: POURQUOI LES PLANTES SONT VERTES

La lumière vient du **soleil.** Elle semble blanche, mais en fait, elle contient toutes les couleurs de l'arc-en-ciel. Quand les rayons lumineux contiennent plus de rouge que de bleu, les plantes profitent d'une photosynthèse plus active.

Les plantes grandissent, fleurissent et produisent des fruits grâce au phénomène de la photosynthèse, aussi appelée *fonction chlorophyllienne.* Pour fabriquer feuilles, tiges, fleurs, fruits et racines, elles puisent dans le sol **l'eau** et **les éléments minéraux** qui, une fois dans les feuilles, sous l'action de la lumière et de la chaleur, se transforment en matière organique vivante: les cellules. On peut donc comparer les feuilles à un estomac qui digère et redistribue les minéraux.

La lumière agit sur les feuilles grâce à la chlorophylle contenue dans les tissus. La chlorophylle donne leur **couleur verte** aux plantes. Dans les plantes rouges, jaunes ou d'une autre couleur, elle est cachée par d'autres pigments. Une plante qui manque de lumière jaunit ou perd des feuilles, car la chlorophylle disparaît quand elle n'est pas assez exposée aux rayons lumineux. Plus les feuilles d'une plante sont grandes et saines, plus elles contribuent à la formation de nouvelles tiges, feuilles, fleurs, fruits, racines.

Comme nous, les plantes craignent les rayons ultra-violets. Comme nous, elles brûleraient s'il n'y avait autour de la Terre une couche protectrice d'ozone. L'**ozone,** grâce auquel le ciel est bleu, est en partie détruit par les gaz contenus dans les aérosols. Le jardinier a besoin de la nature et la respecte. Il évite donc d'utiliser les produits en aérosol.

3. LA CHALEUR: LES PLANTES DORMENT EN HIVER

Les plantes ont besoin de chaleur. La preuve: chez nous, en hiver, elles perdent leurs feuilles et vivent au ralenti. Sous les tropiques, où il fait plus chaud et où les jours sont plus longs, elles sont vertes toute l'année.

La photosynthèse n'a lieu qu'en présence de **chaleur.** La tolérance des plantes au froid varie d'une espèce à l'autre. Au printemps, les plantes annuelles meurent au moindre gel, tandis que les bulbes vivaces (tulipes et autres) résistent. Une épinette peut survivre à l'hiver dans toutes les régions du Québec, alors qu'une aralie ne supporte que le climat de la région de Montréal, et encore, lorsqu'elle est placée à l'abri du vent.

Les graines aussi ont des besoins en chaleur différents selon l'espèce à laquelle elles appartiennent. Ainsi, le petit **pois** et la **laitue** préfèrent germer par temps frais alors que les **concombres** et les **melons** ne germent que par temps chaud.

Lorsqu'il fait très chaud ou qu'il vente beaucoup, toutes les fonctions biologiques des plantes diminuent d'intensité, sauf l'absorption d'eau par les racines. Lorsque l'évaporation par les feuilles est supérieure à l'absorption par les racines, les feuilles se recroquevillent ou flétrissent. Si, à ce moment-là, la concentration d'**engrais** dans la terre est trop forte, l'absorption d'eau se trouve entravée et les risques de brûlure sont aggravés.

Le **noir** absorbe la chaleur plus que n'importe quelle autre couleur. Plus une terre est foncée, plus elle se réchauffe vite au printemps. Mais elle est aussi plus chaude en été, provoquant parfois un flétrissement rapide des plantes. On noircit une terre en y apportant de la matière organique ou de l'humus (de la matière organique décomposée) ou en la couvrant d'un plastique noir. On la rafraîchit en été en la protégeant d'un paillis décoratif. Voir les chapitres *Enrichir sa terre* et *Des paillis à tout faire*.

Les terres argileuses retiennent plus d'eau que les terres sablonneuses. Elles se réchauffent donc plus lentement au printemps et se refroidissent plus vite en automne. Par contre, en période de sécheresse, elles abreuvent les plantes plus longtemps.

4. LA TERRE: LÀ OÙ COMMENCE LA VIE

La terre comprend trois éléments: des **particules** solides, entourées d'**eau,** entre lesquelles circule de l'**air.** L'eau contient les sels minéraux qui alimentent la plante. L'air permet aux racines de respirer; sans air, elles s'asphyxient et pourrissent. Pour qu'une terre soit bonne, il faut donc, avant toute chose, qu'elle soit aérée (de 20 à 30 % de son volume doit être constitué d'air). On aère une terre en y ajoutant certains ingrédients et en la travaillant. Voir les chapitres *Enrichir sa terre* et *Bien travailler la terre*. Plus une terre est riche et équilibrée, plus on peut espérer en tirer de belles récoltes. La meilleure façon de l'**enrichir,** c'est d'utiliser d'abord les ressources de la nature. Voir le chapitre *Enrichir sa terre*.

Dans le langage horticole, une terre riche et équilibrée est appelée: terre franche. Elle convient à toutes les plantes. Elle contient, en proportions variables, de l'argile, du sable et de l'humus. Voir le chapitre *Connaître sa terre*.

Outre sa fonction nutritive, la terre sert de **support** aux racines. Plus elle est meuble et profonde, plus les racines s'y ancrent solidement.

5. L'EAU: À LA FOIS NOURRITURE ET VÉHICULE

En période de végétation active, la plupart des végétaux sont composés de 75 à 90 % d'eau. L'eau est donc un aliment indispensable.

Elle contient des **éléments nutritifs** nécessaires à la fabrication des sucres, des graisses et des protéines que l'on retrouve dans les végétaux.

L'eau est absorbée par des poils situés à l'extrémité des racines qu'on appelle «poils absorbants». Lorsqu'on fertilise un arbre, un arbuste, un conifère, il faut le faire là où les poils sont les plus abondants, c'est-à-dire, en règle générale, à l'aplomb de l'extrémité des branches.

Si les **poils absorbants** sont exposés à l'air libre, ils sèchent et meurent. C'est pourquoi il importe de travailler rapidement lors d'une transplantation. Les plantes s'arrangent toujours pour remplacer les poils morts, mais cela retarde d'autant la croissance des feuilles et des tiges et la production de fleurs et de fruits.

La capacité d'une plante à extraire l'eau de la terre varie beaucoup d'une espèce à une autre. Ainsi, un **cactus** est capable de trouver de l'eau dans une terre qui nous paraît sèche, à condition qu'elle en contienne bien sûr. Une **azalée,** par contre, peut flétrir dans une terre qui nous semble encore humide. Dans la pratique, on classe les végétaux selon leur habitat naturel: milieu humide, ombre, soleil, et on leur prodigue les soins nécessaires pour recréer cet habitat.

Pendant l'hiver, dans les arbres, arbustes et conifères, la quantité d'eau contenue dans les cellules est à son minimum. Au contraire, la concentration en **sucres** est très élevée, surtout dans les racines, où ces sucres sont mis en réserve pour assurer un départ vigoureux de la végétation au printemps.

L'eau provient de la **pluie** ou de l'**arrosage.** Bien sûr, on ne peut contrôler la première et il faut suppléer à ses insuffisances par le deuxième. Pour réduire celui-ci au minimum, mieux vaut disposer d'une bonne terre et la recouvrir d'un paillis. Voir les chapitres *Connaître sa terre, Enrichir sa terre* et *Des paillis à tout faire*.

À l'ombre ou au soleil?

Parfois, quand on regarde la photo d'une fleur, d'un arbuste, d'un arbre ou d'un conifère, on se laisse séduire et on le veut chez soi. Mais un problème se pointe à l'horizon de l'enthousiasme: la plante a des exigences précises quant à l'ombre et au soleil et elle ne s'acclimatera peut-être pas à l'endroit où on la destine.

QUESTIONS DE LANGAGE

Pas facile de savoir ce dont a besoin une plante d'ombre, de mi-ombre ou de plein soleil. Voici quelques petites questions délicates:

- Si l'ombre d'une épinette passe sur une plante de soleil, celle-ci va-t-elle blanchir?
- Si, au milieu de l'été, le soleil plombe pendant deux ou trois heures sur une plante d'ombre, va-t-elle être carbonisée?
- Qu'est-ce que la mi-ombre? Le soleil éclaire-t-il parfois juste à moitié? Faut-il attendre une éclipse partielle pour cultiver les plantes de mi-ombre?
- Comment exprimer simplement les exigences lumineuses des plantes?

MARQUEZ LES HEURES

Pour se conformer aux exigences des plantes en ce qui concerne la lumière, il suffit de respecter quelques petites règles. C'est un des secrets de la réussite.

- Tout d'abord, modifiez un peu vos habitudes d'achat: choisissez l'**endroit** à décorer avant de choisir la plante qui vous plaît plutôt que de faire l'inverse.
- Procédez ensuite à un examen des lieux: étudiez la composition de la terre et calculez le nombre d'**heures** approximatif pendant lesquelles le soleil éclaire cet endroit chaque jour, au cours de l'été bien sûr.
- Pas besoin de vous lever à l'aurore pour savoir où frappent les premiers rayons du soleil matinal. En observant sa trajectoire et en notant l'heure de son lever annoncée pendant les bulletins de météo, vous pourrez facilement deviner quelles sont les parties de votre terrain qui sont ensoleillées avant le moment où vous sortez du lit.
- Dans votre choix de plantes, basez-vous d'abord sur les conditions d'ensoleillement. C'est une question de survie.
- Cherchez, parmi les plantes qui pourront vivre à l'endroit désigné, une espèce qui vous plaise par ses dimensions, sa floraison, sa rusticité.
- Demandez au vendeur de vous donner des précisions sur les exigences de la plante.

DES MESURES SIMPLES

En général, on peut dire qu'une plante de soleil est une plante qui a besoin d'au moins **six heures** d'ensoleillement par jour. Le reste du temps, elle peut être à l'ombre, mais c'est mieux si elle jouit d'encore plus de soleil.

Une plante d'ombre tolère — le mot est important — jusqu'à **deux heures** de soleil par jour.

Quant à la plante de mi-ombre, elle se situe entre les deux, c'est-à-dire qu'elle apprécie recevoir **de deux à six heures** de soleil par jour.

Toutes les ombres n'ont pas la même intensité. Ainsi, l'ombre est beaucoup plus dense sous un érable que sous un févier ou un bouleau. Si les branches d'un arbre descendent jusqu'à 1 m du sol, son ombre est plus intense que si ses branches ne descendent qu'à 2 m. Parce qu'il y a plus d'espace sous les branches, le sol reçoit plus de clarté.

POUR VOUS DISTINGUER

Si vous désirez planter des arbres, mais qu'aucune plante d'ombre ne vous plaît, choisissez des espèces de **petites dimensions,** qui ne déploieront pas beaucoup d'ombre sur votre terrain. Certains arbres poussent naturellement en boule, d'autres en colonne, certains sont à feuillage vert, d'autres à feuillage coloré, à floraison printanière ou non. Le soleil en a vite fait le tour et vous pourrez planter des plantes de soleil à leurs pieds.

MISE EN GARDE

La plupart des **légumes** sont des plantes de soleil: il leur en faut au moins huit heures par jour. Les **laitues** et les **choux** peuvent supporter trois ou quatre heures de soleil en moins parce qu'ils aiment la fraîcheur et que la chaleur risque de faire monter les laitues en graines.

21

Jardinage régional

Jardiner avec succès, c'est comprendre la nature et son environnement. Dans notre grand pays au climat essentiellement continental, l'environnement climatique varie d'une région à l'autre. Réussir nécessite du jardinier qu'il limite son choix de plantes à celles qui survivront chez lui. Mais cela ne l'empêche pas de mettre en œuvre des moyens simples pour adoucir le climat de son jardin et y introduire des espèces moins rustiques.

QU'EST-CE QU'UNE PLANTE RUSTIQUE?

Quand on regarde le Québec sur une mappemonde, on s'aperçoit que ce qu'on appelle couramment l'est est en réalité le nord-est. Cela explique pourquoi le climat y est plus rigoureux qu'à l'ouest, qui se trouve être, en réalité, le sud-ouest. On peut jardiner de la même façon de Lacolle à Val-d'Or et de Gaspé à Hull, à cette différence près que le nombre d'espèces capables de survivre à l'hiver diminue quand on monte vers le nord.

Une plante (arbre, arbuste, conifère, vivace, bulbe) est rustique si elle supporte les rigueurs de l'hiver et si elle **repousse,** sans traumatisme grave, chaque printemps. Quand on dit qu'une plante est rustique, on se réfère toujours à un climat donné: elle est rustique dans une certaine région et non pas n'importe où. Dans une région donnée, les plantes les plus rustiques sont celles qui poussent à l'état sauvage. Les horticulteurs ont sélectionné certaines espèces indigènes pour en faire des variétés ornementales. La plupart des plantes vivaces listées dans ce livre sont rustiques partout. Mais leur développement peut varier selon la latitude de la région où elles sont cultivées et l'épaisseur de la couche de neige protectrice en hiver. En hiver, les plantes rustiques vivent grâce aux réserves de **sucres** qu'elles ont accumulées dans leurs tissus, généralement dans les racines.

Les fleurs annuelles, les bulbes d'été et les légumes ne sont pas rustiques. On les cultive seulement pour en profiter pendant l'été.

Les arbres, les arbustes et les conifères existent en moins grand nombre que les vivaces et ceux qui sont rustiques partout sont en nombre restreint. Dans la quatrième partie de ce livre, le nom de chaque espèce sera suivi d'un chiffre indiquant la zone la plus nordique dans laquelle elle survit sans protection spéciale.

QU'EST-CE QU'UNE ZONE DE RUSTICITÉ?

Pour permettre aux jardiniers de savoir quelles plantes sont rustiques dans leur région, on a découpé la carte climatique en zones appelées «zones de rusticité». Les régions peuplées du Québec sont divisées en quatre zones: zones 2, 3, 4 et 5. Pour plus de précision, chacune a été subdivisée en deux: zones 2a et 2b, 3a et 3b, etc.

Il arrive souvent qu'une plante résiste à l'hiver dans une région plus froide que la zone qu'on lui a attribuée. Cela peut être dû à des variations climatiques locales: autour d'un lac, à l'abri d'un boisé, dans un creux de terrain protégé, le climat est moins rude. Le jardinier pris d'affection pour une plante en particulier peut toujours essayer de la faire survivre dans son jardin. Un premier échec ne doit pas vous empêcher d'essayer une autre fois. Il existe en effet des méthodes de protection hivernale qui permettent de faire un pied-de-nez aux vents glacés. Dans la troisième partie de cet ouvrage, vous apprendrez comment protéger pour l'hiver les arbustes, conifères et rosiers. Voir les chapitres appropriés.

Il est possible de créer autour de chez soi un climat — on dit aussi «micro-climat» — propice aux essais les plus osés. Il suffit pour cela de planter, sur un ou deux côtés du jardin, une **haie de conifères**: thuyas («cèdres») dans les petits espaces, épinettes, pins, pruches dans les plus grands. Avec un tel brise-vent, on peut espérer gagner une zone de rusticité, c'est-à-dire cultiver, par exemple, des plantes de zone 5 en zone 4.

VOTRE ZONE DE RUSTICITÉ

Repérez dans cette liste votre ville ou la ville la plus proche de l'endroit où vous demeurez. Le chiffre et la lettre qui l'accompagnent vous indiquent quelle est la zone de rusticité de votre région.

Acton Vale 4b	Coaticook 4b	La Pocatière 4a
Alma 3a	Côte-Saint-Luc 5b	LaPrairie 5a
Amos 1b	Cowansville 4b	LaSalle 5b
Amqui 4a	Deux-Montagnes 5a	L'Assomption 5a
Ancienne-Lorette 4b	Dolbeau 3a	La Tuque 3b
Arvida 3a	Dollard-des-Ormeaux 5b	Laval 5a
Asbestos 4a	Dorion 5b	Lennoxville 4b
Baie-Comeau 3a	Dorval 5b	Longueuil 5b
Baie-Saint-Paul 3b	Drummondville 5a	Loretteville 4b
Beaconsfield 5b	Eastman 4b	Louiseville 4b
Beauceville 4a	Fabreville 5a	Magog 4b
Beauport 4b	Farnham 4b	Maniwaki 3b
Belœil 5b	Gaspé 4a	Marieville 5a
Berthierville 5a	Gentilly 4b	Mascouche 5a
Black Lake 4b	Granby 4b	Matane 4a
Blainville 5a	Grand-Mère 4b	Mont-Joli 4a
Boucherville 5b	Ham-Nord 4b	Mont-Laurier 3b
Bromont 4b	Hauterive 3a	Montmagny 4a
Brossard 5b	Hemmingford 5b	Montréal 5b
Cabano 4a	Hudson 5b	Mont-Saint-Hilaire 5a
Candiac 5b	Hull 5a	Napierville 5a
Cap-Chat 4a	Îles-de-la-Madeleine 4b-5a	New Richmond 3b
Cap-de-la-Madeleine 4b	Joliette 5a	Nicolet 4b
Cap-Rouge 4b	Jonquière 4a	Oka 5a
Carleton 4a	Lac-Etchemin 4a	Ottawa 5a
Chambly 5a	Lachine 5b	Outremont 5b
Charlesbourg 4b	Lachute 4b	Percé 4a
Châteauguay 5b	Lac-Mégantic 4a	Pierrefonds 5b
Chicoutimi 4a	La Malbaie 3b	Plessisville 4b

VOTRE ZONE DE RUSTICITÉ (suite)

Pointe-au-Pic 3b
Pointe-Claire 5b
Pont-Rouge 4b
Port-Cartier 4a
Princeville 4b
Québec 4b
Rawdon 4b
Repentigny 5a
Rigaud 5b
Rimouski 4a
Roberval 3a
Rosemère 5a
Rougemont 5a
Rouyn-Noranda 2a
Roxboro 5b
Sainte-Agathe-des-Monts 4a
Sainte-Anne-de-Bellevue 5a
Saint-Anselme 4a
Saint-Basile-le-Grand 5b
Saint-Bruno-de-Montarville 5b

Sainte-Catherine 5a
Saint-Constant 5a
Sainte-Dorothée 4b
Saint-Eustache 5a
Saint-Georges-de-Beauce 4a
Saint-Hubert 5b
Saint-Hyacinthe 4b
Saint-Jean-sur-Richelieu 5a
Saint-Jérôme 4b
Saint-Jovite 4a
Sainte-Julie 5b
Saint-Lambert 5b
Saint-Luc 5a
Saint-Paul-d'Abbotsford 4b
Saint-Raymond de Portneuf 4a
Saint-Rémi 5a
Sainte-Rose 5a
Saint-Sauveur 4b
Sainte-Thérèse 4b
Sept-Iles 3a

Shawinigan 4a
Sherbrooke 4b
Sillery 4b
Sorel 5a
Terrebonne 5a
Thetford Mines 4b
Trois-Rivières 4b
Val-d'Or 2a
Val-Morin 4b
Valleyfield 5a
Varennes 5a
Verchères 5a
Verdun 5b
Victoriaville 4b
Warwick 4b
Waterloo 4b
Westmount 5b
Windsor 4b

Les six grands travaux du jardinier

Le jardinier doit effectuer six travaux importants avant de planter ou de semer. En voici un résumé.

1. Une **analyse de sol** pour découvrir en particulier son degré d'acidité (ou pH): tous les deux ans dans le potager, tous les trois ans dans la pelouse et les plates-bandes. Voir le chapitre *Connaître sa terre.*

2. La **rectification du pH** doit être effectuée à la suite de l'analyse de sol. Pour la plupart des plantes, le pH idéal se situe entre 5,5 et 6,5. L'apport de matière organique et la fertilisation minérale acidifient le sol. Voir le chapitre *Enrichir sa terre.*

3. Un **apport de matière organique**: la dose dépend de la richesse du sol. Il existe nombre de matières organiques: fumier de vache ou de mouton bien décomposé, compost domestique ou commercial, terre noire, tourbe de sphaigne, terreau de feuilles mortes ou de gazon séché, engrais verts, résidus de paillis, paille. Voir le chapitre *Le compost, plat préféré des végétaux.*

4. Le **bêchage**: dans le potager et les plates-bandes d'annuelles, on doit bien bêcher tous les ans. On bêche aussi les emplacements de futures plantations d'arbres, d'arbustes ou de conifères. En même temps, on enfouit la matière organique. Voir le chapitre *Bien travailler sa terre.*

5. Un **binage** dans les plates-bandes d'arbustes et de vivaces. On en profite pour enfouir une mince couche de matière organique. Voir le chapitre *Bien travailler sa terre.*

6. Le **paillage** du potager et des plates-bandes non recouvertes par une végétation dense. Pailler, c'est protéger les plantes contre les mauvaises herbes, la sécheresse et l'érosion superficielle du sol à l'aide d'un paillis. Voir le chapitre *Des paillis à tout faire.*

Les autres travaux — désherbage, arrosage, sarclage, traitements, taille — sont des travaux d'entretien que l'on peut réduire à leur plus simple expression. Voir le chapitre *Bien travailler sa terre* ainsi que le chapitre *Notions d'entretien minimum.*

Le jardinier bien outillé

À chaque tâche son outil. Bien sûr, mais dans le souci de se simplifier la vie, le jardinier doit apprendre à utiliser ses outils au maximum, à s'en servir pour exécuter des travaux pour lesquels ils n'ont pas été conçus au départ. Le débutant qui ne veut pas trop investir peut se procurer quatre outils élémentaires: une bêche, un râteau de jardin, une binette et un sécateur. La panoplie du jardinier aguerri devrait contenir une douzaine d'outils. En voici la liste, agrémentée d'un mode d'emploi. Vous trouverez ensuite ici une seconde liste énumérant des outils moins nécessaires.

DOUZE OUTILS À TOUT FAIRE

La bêche

Elle sert à:
- Bêcher le potager, les plates-bandes et l'endroit où vous planterez arbres, arbustes et conifères. Elle est d'emploi facile dans n'importe quelle sorte de terre, mais dans une terre argileuse, il vaut mieux utiliser une fourche à bêcher. Voir la section *Les outils dont on a peu ou pas besoin*, plus loin.
- Découper les bordures de la pelouse.
- Découper puis dégager (en la glissant par en dessous) des plaques de gazon.
- Trancher les racines d'arbres, d'arbustes ou de conifères que l'on veut transplanter.
- Déterrer les plantes que l'on veut transplanter.
- Ramasser les déchets, la terre, le sable, etc.

REMARQUE: Il existe un modèle léger pour jardiniers légers.

La binette (ou gratte)

Elle sert à:
- Émietter la croûte qui se forme à la surface de la terre après les pluies et les arrosages.
- Déraciner les mauvaises herbes. On peut aussi utiliser un sarcloir dont la lame passe horizontalement sous les racines des mauvaises herbes.
- Bêcher superficiellement les plates-bandes et le potager, soit pour remplacer le bêchage annuel, soit pour préparer la terre avant de planter ou de semer une deuxième récolte de légumes ou de fleurs. Cette opération peut être jumelée avec l'enfouissement d'une mince couche de matière organique (fumier et compost surtout).
- Avec un des coins inférieurs de la lame, creuser des sillons pour les semis ou plantations de fleurs ou de légumes.
- Creuser les trous de plantation des annuelles, vivaces et légumes.
- Niveler les plates-bandes; remonter la terre qui a été entraînée par les eaux de pluie.

REMARQUE: Il existe un modèle léger pour jardiniers légers.

La cisaille

Elle sert à:
- Tailler les haies (choisir un modèle puissant et solide).
- Couper les fleurs fanées sur les touffes de vivaces, les annuelles, les rosiers.
- Rabattre les vivaces à l'automne.
- Tailler les bordures de la pelouse.
- Récolter les fines herbes.

Le couteau (ou greffoir)

Il sert à:
- Couper des fleurs pour les mettre en vase.
- Couper les liens servant au tuteurage des annuelles, des vivaces et des légumes.
- Nettoyer une plaie sur un arbre ou un arbuste (une écorce coupée net se cicatrise mieux qu'une écorce déchirée).
- Greffer les rosiers, arbres fruitiers, quelques arbustes.
- Prélever des boutures d'arbustes ou de vivaces.
- Couper les tiges excédentaires des vivaces et annuelles vigoureuses, ainsi que des arbustes à bois tendre.
- Nettoyer les légumes au moment de la récolte.

Le croc

Le croc est une fourche à quatre dents plates ou rondes, mais au lieu d'être dans le prolongement du manche comme les autres fourches, il forme avec lui un angle d'environ 75 °.

Il sert à:
- Ameublir la terre après le bêchage et casser les mottes.
- Bêcher la terre sur une dizaine de centimètres pour un travail rapide.
- Brasser le tas de compost.
- Étendre le compost, le fumier, la terre sur les plates-bandes.
- En guise de binette, briser la croûte formée par les eaux de pluie et les arrosages.

- Déterrer les pommes de terre.
- Déterrer vivaces et annuelles que l'on veut transplanter.
- Arracher les grosses touffes de mauvaises herbes.
- À l'automne, arracher annuelles et légumes qui ont gelé.

La griffe à trois dents

Avec les modèles à dents amovibles, on peut exécuter un travail plus précis en enlevant la dent du milieu, plus courte que les deux autres.

Elle sert à:
- Déloger les jeunes mauvaises herbes (pour les plus grosses, utilisez la binette ou le croc ou encore arrachez-les à la main).
- Briser la croûte formée par les eaux de pluie et les arrosages.
- Déraciner le chiendent sans couper ses rhizomes (tiges souterraines). On sait en effet que le moindre morceau de rhizome peut donner, l'année suivante, une nouvelle plante.
- Remplacer le râteau pour tracer des motifs décoratifs sur la terre des plates-bandes non recouvertes d'un paillis.
- Creuser des sillons dans le potager ou dans le jardin de fleurs pour la plantation de très jeunes plants ou pour les semis.
- Enfouir une mince couche de matière organique (fumier, compost, etc.) dans les plates-bandes de vivaces, de rosiers ou d'arbustes.

La pelle ronde

Elle sert à:
- Remuer et transporter la terre, le sable, le gravier, le compost, le fumier, la tourbe de sphaigne, etc.
- Creuser des trous de plantation.

- Déraciner des souches mortes de petits arbres ou d'arbustes.
- Déterrer les plantes que l'on veut transplanter.
- Dégager des pierres.
- Bêcher, mais le travail est plus facile avec une bêche.

Le plantoir

Il sert à:
- Creuser des trous pour la plantation ou la transplantation des annuelles, vivaces, bulbes, légumes.
- Trancher les petites touffes de plantes vivaces pour les diviser.
- Déterrer les jeunes plants de vivaces et d'annuelles et les bulbes pour les changer de place.
- Creuser des sillons pour semer des graines de fleurs ou de légumes.
- Récolter des plantes sauvages là où c'est permis en vue de les acclimater au jardin.

Le râteau à feuilles

Il sert à:
- Ramasser les feuilles mortes.
- Ramasser le gazon tondu, vert ou séché, quand la tondeuse n'est pas munie d'un sac.
- Les dents tournées vers le haut, tenir lieu de fourche: on entasse dessus feuilles ou déchets de tonte.
- Tracer des motifs décoratifs sur la terre des plates-bandes non recouvertes d'un paillis.
- Débarrasser la surface des plates-bandes des particules les plus grosses (déchets et cailloux).
- Déchaumer (enlever le gazon mort au printemps), mais le travail est plus facile à exécuter avec un râteau déchaumeur.

REMARQUE: Il existe un modèle étroit pour ratisser là où la végétation est dense.

Le râteau déchaumeur

Bien qu'il soit le plus lourd de tous les râteaux, il est celui qui permet de déchaumer au printemps avec le moins d'effort et le moins d'ampoules aux mains. Il suffit en effet de le glisser sur la pelouse pour que ses dents, en forme de demi-lune, délogent l'herbe sèche. L'angle d'attaque des dents est réglable en fonction de la taille de l'utilisateur pour que celui-ci travaille dans une position confortable. Réduisez l'angle si les dents accrochent la pelouse et en arrachent des touffes.

Il sert à:
- Déchaumer.
- Déloger la mousse dans les pelouses.
- Niveler la terre des plates-bandes et des futures pelouses.
- Affiner la terre en vue des semis.

REMARQUE: Les deux dernières fonctions peuvent être exécutées surtout dans les terres légères. Dans les terres argileuses, les dents se couvrent rapidement de terre, ce qui réduit de beaucoup l'efficacité du râteau.

Le râteau de jardin

Il sert à:
- Émietter la terre en surface et enlever les particules les plus grosses (mottes, pierres, déchets). Dans ce cas, il est le troisième outil à intervenir au jardin après la bêche et le croc.
- Nettoyer les plates-bandes des mauvaises herbes déracinées au sarcloir et de tout autre déchet organique.
- Désherber de façon préventive: on le passe une fois par semaine sur la terre pour détruire les mauvaises herbes aussitôt qu'elles commencent à germer.
- Tracer des motifs décoratifs sur la terre des plates-bandes non recouvertes de paillis.
- Faire des sillons dans le sable (généralement blanc) quand celui-ci est utilisé comme élément décoratif (jardins zen).
- Avec l'envers du râteau (le côté opposé aux dents), étendre de la terre ou du compost sur les plates-bandes ou sur la pelouse (surfaçage ou terreautage).
- Avec l'envers du râteau, niveler la terre des plates-bandes et des pelouses avant le semis ou la plantation.
- Avec un coin de l'envers ou l'extrémité du manche, creuser des sillons pour les semis.
- Avec le dos du râteau (le côté plat), le manche à la verticale, tasser la terre après avoir semé des graines de légumes, de fleurs ou de gazon.

REMARQUE: Il existe un modèle étroit, appelé râteau à fleurs, pour ratisser entre les plantes là où la végétation est dense.

Le sécateur

Plus que pour n'importe quel outil, le jardinier doit porter une attention très spéciale à l'achat d'un sécateur. Les meilleurs sont munis d'une lame fine et tranchante glissant sur une contre-lame courbée. Les sécateurs autrement constitués s'émoussent très vite et blessent les branches en écrasant les tissus. La différence de prix n'est pas assez importante pour risquer de se retrouver avec un mauvais sécateur.

Il sert à:
- Tailler arbres, arbustes, conifères, rosiers.
- Raccourcir les racines des plantes à transplanter.
- Couper les fleurs fanées des annuelles, vivaces, rosiers, arbustes.
- Couper des fleurs pour les mettre en vase.
- Rabattre les vivaces en automne, quand elles ont gelé.
- Couper du fil de fer (certaines marques seulement).

LES OUTILS DONT ON A PEU OU PAS BESOIN

L'aérateur

Manuel ou mécanique, il devrait être passé sur la pelouse, au printemps, au moins une fois tous les deux ans. On peut le louer.

L'arrache-pissenlit

À manche long ou court, facilite l'arrachage des racines de pissenlit et de plantain. Utilisé régulièrement, rend inutile l'application d'herbicide. Il peut être remplacé par un couteau de cuisine bien aiguisé: on l'enfonce obliquement dans la terre, au ras de la mauvaise herbe dont on sectionne la racine dans un mouvement tournant.

La brouette

Pour éviter une grosse dépense, empruntez-la à un voisin ou louez-la quand vous en aurez besoin, c'est-à-dire deux ou trois jours par an si votre jardin est établi.

Le coupe-bordure

Peut être aisément remplacé par la bêche.

L'émondoir

Cet outil à long manche est utilisé pour tailler les branches que l'on ne peut pas atteindre avec un sécateur. Très peu utilisé: vous pouvez le louer ou l'emprunter.

L'épandeur d'engrais

Utilisé pour épandre de l'engrais sur la pelouse, de une à quatre fois par année, si vous le désirez. Vous pouvez le louer. Certains centres de jardinage le prêtent à leurs clients quand ils achètent de l'engrais.

La fourche à bêcher

Remplace la bêche pour travailler les terres argileuses, pour diviser les plantes vivaces, pour transplanter n'importe quelle plante ou arbuste. Sert aussi de fourche à tout faire: remuer le tas de compost, épandre du fumier ou du compost, etc.

La fourche à quatre dents rondes

Peut être remplacée par la fourche à bêcher. Utile surtout pour brasser le tas de compost ou pour transporter de la paille ou du foin.

La hache

Sert rarement sinon pour trancher les racines des souches que l'on veut arracher. Utile aussi pour couper les pots de fibres bruns dans lesquels certaines plantes sont vendues. On peut la louer quand on en a besoin.

La houe combinée

Un seul outil pour sarcler, biner, bêcher superficiellement, faire des trous de plantation. La binette et la griffe à trois dents font le même travail et sont plus maniables.

La masse

Pour planter les tuteurs des arbres. De plus, quand on attache avec de gros élastiques, sous la partie métallique, un morceau de bois de 5 cm x 10 cm x 50 cm, la masse devient un instrument de compactage: terre, sable, poussière de pierres, asphalte, pavés de béton, etc.

Le motoculteur ou bêche rotative

Pour labourer (bêcher) les grandes surfaces. On peut le louer. Attention cependant: ne pas l'utiliser dans un terrain où il y a du chiendent parce qu'il déchiquète les rhizomes (tiges souterraines) et rend cette mauvaise herbe encore plus virulente.

Les outils à manche court

Outils miniatures très utiles pour les jardins de balcon. Ailleurs ils obligent à travailler à genoux ou à quatre pattes.

La pelle carrée

Pour mélanger différents ingrédients d'un terreau ou pour préparer du mortier ou du béton. Peut être remplacée par la pelle ronde ou la bêche, sinon on peut la louer ou l'emprunter.

La pioche

Pour creuser des trous de plantation dans les terrains argileux ou pour creuser les fondations d'une allée ou d'un patio. On peut la louer ou l'emprunter.

Le plantoir à bulbes

Utile seulement dans les terres meubles. Peut être remplacé par un plantoir ordinaire. Pour

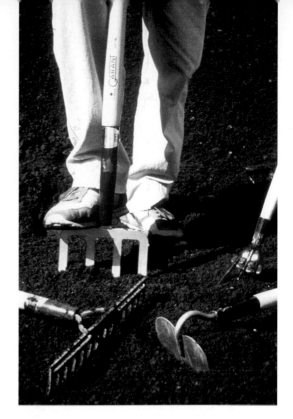

la plantation en touffes, faire un trou à la bêche et déposer les bulbes au fond.

Le rouleau

Utilisé au printemps pour aplanir les parties de la pelouse soulevées par le gel, ou lors de l'établissement d'une nouvelle pelouse. On peut le louer.

Le sarcloir à lame

Très facile d'emploi et maniable. Peut remplacer la binette ou la griffe à trois dents, mais n'est pas aussi polyvalent. Une fois retourné, on peut s'en servir pour niveler la terre sur de petites surfaces.

La scie égoïne

Toujours utile pour couper les grosses branches; peut aussi servir pour les coupes grossières de bois de construction.

Le sécateur à long manche

Le long manche permet d'augmenter la force déployée pour couper. Utile surtout pour couper les branches trop grosses pour le sécateur conventionnel et pas assez grosses pour qu'on doive utiliser la scie égoïne. Fait des plaies franches qui se cicatrisent mieux que les plaies de scie.

Le taille-bordure électrique

Très utile pour couper le gazon aux endroits où la tondeuse ne peut se rendre. Pour éviter d'avoir à en faire l'achat, réduire au maximum le nombre de ces endroits: voir le chapitre *Notions d'entretien minimum*. Peut être remplacé par une cisaille.

Le taille-haie électrique

Ne devrait pas être utilisé pour tailler des tiges vieilles de plus d'un an, car il a tendance à déchiqueter le bois dur. Si c'est le cas, la cicatrisation se fait mal et les maladies peuvent entrer par les plaies déchirées. Peut être remplacé par une cisaille.

L'ENTRETIEN DES OUTILS

Des outils propres, affûtés et exempts de rouille permettent un travail facile, bien fait, avec le minimum d'efforts.

Les outils de jardin

Pour protéger vos outils des caprices de la température, rangez-les à l'abri. Après chaque usage, lavez-les au jet d'eau pour empêcher la terre de durcir sur les parties qui travaillent: dents et lames. Une fois par année, affûtez les outils à lame comme la bêche, la binette et le sarcloir. À la fin de la saison, avant de remiser vos outils, badigeonnez-les de vieille huile.

- Procurez-vous un récipient d'au moins 40 cm de largeur et 60 cm de hauteur: un vieux baril ou une vieille poubelle peut faire l'affaire.
- Remplissez-le aux trois quarts avec du sable.
- Versez dans le sable assez d'huile (neuve ou vieille) pour l'imbiber complètement.
- Une fois les outils lavés, passez-les plusieurs fois dans le sable huileux. Le sable étant un abrasif, il nettoie, et l'huile lubrifie. Le tout ne prend que quelques minutes quand vous avez fini de jardiner. Vos outils reçoivent ainsi la meilleure protection possible. Ils dureront longtemps.

Les outils tranchants

La sève des plantes est un des facteurs qui font rouiller les lames de sécateur, scie, hache, etc. Or, les lames rouillées coupent mal. En cours de saison, nettoyez-les de temps en temps avec un morceau de laine d'acier fine. Enduisez-les plusieurs fois par saison d'huile végétale (maïs, tournesol).
Si vous coupez des branches malades, désinfectez les lames et contre-lames avec de l'alcool aussitôt après usage. Avant de remiser les outils pour l'hiver:

- passez les lames de scie et de hache au papier sablé fin, affûtez-les (ou faites-les affûter): les premières avec des limes carrées ou triangulaires, les secondes avec une pierre à aiguiser;
- démontez le sécateur, nettoyez-en toutes les parties avec une laine d'acier, affûtez la lame avec une pierre fine;
- huilez le tout.

Accessoires pour mieux jardiner

Même pour le plaisir, il est difficile de jardiner sans quelques accessoires. En voici une vingtaine. Vous pourrez peut-être vous passer de certains d'entre eux. D'autres ne vous coûteront presque rien si vous n'êtes pas à cheval sur de rigoureux principes d'esthétique. Enfin, nombre d'entre eux peuvent être destinés à plusieurs usages.

ABRIS ET CLOCHES

Si vous voulez prolonger la période de production des légumes en devançant le printemps et en prolongeant l'automne, procurez-vous des abris de toile ou de plastique: tunnels, cloches, etc. À l'intérieur, la température moyenne autour des plantes est de 5 à 10 °C supérieure à la température de l'air ambiant. Grâce à ces accessoires, vous pourrez gagner de trois semaines à un mois au printemps et à l'automne. Cependant, cela n'est possible qu'à la condition que vous surveilliez vos cultures de près — le temps nécessaire pour ce faire décourage beaucoup de monde, l'auteur y compris. Voici les qualités essentielles d'un bon abri: léger mais peu sensible au vent, aéré le jour, hermétique la nuit, assez grand pour que les plantes puissent y grandir sans contrainte. Suivez le mode d'emploi du fabricant.

ARROSOIR

L'arrosoir sert à arroser les semis et les plantes fraîchement transplantées. Pour éviter que l'eau ne creuse des trous, n'emporte les semis ou ne mette les racines à nu, laissez toujours la pomme d'arrosoir en place. Il existe des arrosoirs en métal ou en plastique, à cou long ou court, de capacité variable. Optez pour la durabilité.

ATTACHES

Les attaches servent à maintenir ensemble une plante (arbre, arbuste, plant de tomates, de concombres, vivaces et annuelles hautes) et son tuteur. Utilisez des attaches maison — vieux bas de nylon, bandes de tissu en coton, morceaux de vieux matelas de mousse enroulés autour d'une ficelle — ou bien achetez des attaches à crémaillère qui s'installent en un tournemain. N'utilisez jamais de ficelle ou de fil de fer: ils pénètrent dans les tiges et les branches. Laissez toujours de l'espace entre la plante et son tuteur et, pour éviter qu'ils ne frottent l'un sur l'autre, croisez les attaches maison dans cet espace.

BORDURES DE PLASTIQUE

On installe les bordures de plastique entre la pelouse et les plates-bandes, entre la pelouse et les allées de pierre ou de pavé, entre les plates-bandes et les allées. Les plus efficaces et les plus discrètes sont faites de plastique souple, noir, non ondulé, et sont munies à leur partie supérieure d'un renflement qui en facilite la pose. Les bordures épousent toutes les formes. Elles coûtent assez cher, mais elles permettent de réduire considérablement l'entretien des plates-bandes et des allées.

CLÔTURE À NEIGE

En jardinage, on utilise la clôture à neige pour quatre usages:
- protéger les arbres, arbustes et conifères qui risquent de recevoir la neige lancée par les souffleuses;
- servir de chapeau aux arbustes et conifères bas afin que la neige ne les écrase pas;

- empêcher que la neige ne casse les haies basses de conifères;
- provoquer l'accumulation de neige à des endroits précis, particulièrement autour des plantes peu rustiques. Dans ce cas, la clôture est placée entre les plantes et la direction d'où viennent les vents dominants.

COLLETS À ROSIERS

Ce sont des bandes de plastique troué d'environ 25 cm de largeur dont on entoure la base des rosiers greffés pour ensuite les remplir de terre sablonneuse ou de tourbe de sphaigne. Cela protège les rosiers contre l'alternance du gel et du dégel. On enlève les collets quand le sol est dégelé. Ils peuvent être avantageusement remplacés par des cônes à rosiers.

CÔNES À ROSIERS

L'utilisation de cônes à rosiers faits de polystyrène, constitue la façon la plus efficace — et la plus facile aussi — de protéger les rosiers greffés: hybrides de thé, grandifloras, polyanthas, floribundas. Taillez les rosiers à 30 ou 40 cm du sol, éliminez les tiges horizontales, placez le cône au-dessus du rosier et mettez dessus une brique ou une grosse pierre plate. Pour augmenter la stabilité du cône, on peut recouvrir sa base de terre. La forme du cône importe peu, mais sa base doit être triangulaire ou hexagonale — pas ronde — pour qu'on puisse disposer plus facilement les cônes les uns à côté des autres.

CORDEAU

Un cordeau est constitué d'une corde solide dont chaque extrémité est attachée à un piquet. Il sert à indiquer la ligne droite quand on sème ou quand on plante, ou lorsque l'on veut tracer ou redécouper les bords d'une plate-bande ou d'une pelouse rectiligne. Placez la corde à 2 ou 3 cm au-dessus du sol et tendez-la au maximum entre les deux piquets.

EMBOUTS

Les embouts sont des accessoires d'arrosage que l'on visse à l'extrémité d'un tuyau. Ce sont: les arrosoirs oscillants pour la pelouse, les pommes genre douche (avec ou sans rallonge de métal) pour les légumes et les fleurs, les vaporisateurs munis d'un réservoir pour appliquer engrais solubles, insectides et fongicides. Le choix des modèles est une question de disponibilité, de prix et de goût personnel. Le jardinier ne devrait jamais utiliser d'embout qui augmente la pression de l'eau. Une pression supérieure à la pression du robinet risque d'abîmer les feuilles, compacte la terre, entraîne la formation d'une croûte, empêche l'eau de pénétrer profondément et allonge passablement le temps d'arrosage, ce qui n'est pas à dédaigner.

ÉTIQUETTES

Aucun jardinier ne devrait ignorer le nom français et le nom latin des plantes qui ornent son jardin. Il peut les inscrire sur un plan tenu à jour ou placer près de chaque plante une étiquette de bois (un bâton de «popsicle», par exemple) ou de plastique. Pour que l'inscription ne s'efface pas avec le temps, utilisez de l'encre indélébile.

FILET DE PLASTIQUE

Il en existe deux sortes:
- Pour la protection hivernale: Il est préférable à la toile de jute pour envelopper les conifères érigés genre thuya («cèdre») ou genévrier. Roulez-le comme on le fait d'un bas avant de le mettre, enfilez-le par la tête du conifère, puis glissez-le avec précaution jusqu'en bas, toujours roulé. Remontez-le ensuite en le déroulant jusqu'au sommet. En maintenant les branches serrées les unes contre les autres, il empêche la neige de s'y accumuler, de les écarter ou de les casser.

- Pour la protection des arbres et arbustes fruitiers contre les oiseaux et les petits animaux. Efficace, mais à n'utiliser qu'en cas de problème grave. Plusieurs formats disponibles, tous à petites mailles.

GANTS

Pour ceux qui n'aiment pas se salir les mains ou qui veulent se protéger des épines quand ils taillent les rosiers. Choisissez des gants de toile de bonne qualité.

PIQUETS POUR HAUBAN

Un hauban est un morceau de corde ou de fil de fer que l'on tend entre le tronc d'un arbre ou d'un conifère et un piquet planté en terre pour le maintenir en place. Il remplace le tuteur là où le tuteurage est impossible ou difficile. On peut acheter des piquets spéciaux, mais des piquets de tente font parfaitement l'affaire.

PLATEAUX À SEMIS

Le nombre de genres de plateaux à semis actuellement sur le marché est très élevé. Voici un guide d'achat:
- Vieilles caissettes d'annuelles en polystyrène: économiques, pour les semis à la volée, de préférence une sorte de graines par caissette. Il faut repiquer les plantules lorsqu'elles sont assez grosses.
- Caissettes de semis à alvéoles multiples d'environ 14 cm x 18 cm: pour semis à la volée de petites quantités de plusieurs sortes de graines. Il faut repiquer les plantules.
- Caissettes à alvéoles de plastique: il en existe de plusieurs dimensions. Les plus petites sont utilisées pour le semis à raison d'une ou deux graines par alvéole. Les plus grandes sont utilisées pour le repiquage. Elles sont réutilisables.
- Caissettes à alvéoles de tourbe pressée: les alvéoles reposent dans un plateau de plastique. Avantage principal: l'alvéole se détache et on l'enfouit dans la terre avec la plante; il n'y a donc aucun traumatisme causé aux racines. Inconvénient: les alvéoles ne sont pas réutilisables. Il existe différentes dimensions, les plus grandes étant utilisées pour le repiquage et le démarrage des bulbes de bégonia tubéreux.
- Disques *Jiffy-7*: Disques de tourbe pressée enveloppés dans un filet de plastique. Ils se gonflent quand on les trempe dans l'eau. On dépose alors la graine dans la tourbe et la plante s'enracine directement dedans. On peut acheter des plateaux de plastique à alvéoles contenant une cinquantaine de disques.
- Cubes fertiles: Cubes composés d'un substrat stérile et inerte contenant des fertilisants naturels. Le tout est déposé dans un plateau de plastique. On dépose la graine dans une cavité prévue à cet effet et on ne s'occupe plus de la plante jusqu'à sa transplantation au jardin.
- Il est possible de faire des semis dans des pots de 10 cm à raison d'un plant par pot, ou dans des pots de 15 cm en mettant plusieurs plants par pot pour ensuite les repiquer. Pour une manutention plus facile, placer les pots dans un plateau de plastique sans trous de drainage.

POTS DE PLASTIQUE

Les pots de plastique sont utiles en jardinage pour:
- les semis de petites quantités de graines (10 et 15 cm);
- le démarrage des bulbes annuels (10 et 15 cm);
- le forçage des bulbes vivaces (10 et 15 cm);
- la plantation des géraniums quand on les fait hiverner dans la maison (15 et 20 cm);
- l'enracinement des portions de plantes vivaces que l'on a séparées du pied-mère: voir le chapitre *Savoir planter et transplanter* (15 et 20 cm);

- l'enracinement des boutures d'arbustes et de plantes vivaces.

PULVÉRISATEUR

Le pulvérisateur est un appareil à pression avec lequel on traite les plantes contre les insectes et les maladies. Il est plus précis que le vaporisateur que l'on installe à l'extrémité d'un tuyau d'arrosage. C'est donc lui qu'il faut choisir quand on emploie des produits toxiques. Il permet aussi des traitements très localisés avec de petites quantités de produits.

SACS DE PLASTIQUE

Il y a toujours du nettoyage à faire dans un jardin et tous les déchets ne peuvent finir sur le tas de compost. Pour économiser, réutilisez les vieux sacs de terre, de compost, de fumier, de tourbe, etc., comme sacs à déchets.

SPIRALES PROTECTRICES

Si vous soupçonnez la présence de mulots ou d'autres rongeurs sur votre terrain en hiver, entourez les troncs des jeunes arbres — les arbres fruitiers et les pommetiers surtout — de spirales de plastique. Elles contribuent aussi à décourager les chats de faire leurs griffes sur l'écorce.

TOILES

Il en existe deux sortes:
- La toile géotextile: étendue sur la terre, elle laisse passer l'eau et les engrais, mais empêche les mauvaises herbes de germer. Elle est très utilisée sur les plates-bandes que l'on veut décorer d'un paillis. Inconvénient: si des mauvaises herbes germent dans le paillis, leurs racines risquent de s'agripper à la toile et de l'endommager. On s'en sert aussi dans la construction de bassins, sous la toile de plastique.

- La toile de plastique noir: elle empêche aussi la germination des mauvaises herbes, mais elle est totalement imperméable. Il faut donc arroser avant de l'étendre sur une plate-bande ou dans le potager. Dans le jardin d'agrément, on peut la substituer à la toile géotextile. Dans le potager, on l'utilise telle quelle, en pratiquant des trous à l'emplacement des légumes. Elle est réutilisable. Comme il ne faut pas cultiver les légumes deux années de suite au même endroit, on la coupe en sections que l'on identifie à tel ou tel légume et qu'on change de place chaque année.

TREILLIS

Indispensables quand on cultive des plantes grimpantes annuelles ou vivaces qui ne s'agrippent pas d'elles-mêmes à leur support. Comme les tuteurs, les treillis doivent être discrets pour ne pas voler la vedette aux plantes: choisissez-les d'une couleur neutre.

TUTEURS

Il faut de solides tuteurs pour les arbres (voir le chapitre *Savoir planter et transplanter*) et des discrets pour les légumes, vivaces et annuelles hautes. Les tuteurs de bois du commerce sont traités pour ne pas pourrir trop vite. Mais on obtient le même résultat avec des branches d'arbre d'au moins 4 cm de diamètre dont on a gardé l'écorce. Avantage supplémentaire de ces tuteurs naturels: leur couleur est neutre et disparaît dans la végétation. Pour les plantes relativement légères, utilisez des piquets de clôture à neige, ou encore des tuteurs de bambou, naturels ou teintés vert.

TUYAU D'ARROSAGE

Choisissez la qualité et la durabilité. Optez pour des tuyaux en caoutchouc: ils ne s'écrasent pas et ne se percent pas même s'ils sont exposés au soleil.

Acheter de la terre

Avant de construire des maisons sur un terrain vierge, les entrepreneurs en-lèvent la bonne terre et la vendent à des commerçants spécialisés qui la revendent en vrac ou en sacs. Quand on achète une maison, on achète par conséquent un ter-rain désertique, généralement couvert de terre glaise plus ou moins imperméable. Avant de pouvoir jardiner, il faut donc, malheureusement, acheter de grandes quantités de terre, pas toujours de bonne qualité.

LA TERRE EN VRAC

La vente de terre en vrac n'est pas réglemen-tée. On peut vous vendre n'importe quoi, même une terre à maïs pleine de résidus d'herbicide. La prudence est de rigueur. Voi-ci quelques conseils d'achat.

Quand vous commandez, précisez que vous voulez **de la terre à jardin mélangée.** Elle devrait contenir, en proportions variables, les éléments suivants: de la terre minérale (argileuse, sablonneuse ou sablo-argileuse), de la terre végétale (terre noire) et, dans certains cas, de la tourbe de sphaigne. Les proportions commerciales courantes sont de 1/3-1/3-1/3.

Soyez prudents si vous demandez de la ter-re pour **pelouse**! Vous vous retrouverez peut-être avec une terre composée essen-tiellement de sable. Résultat: votre pelouse s'enracinera vite, mais elle passera ses étés à mourir de soif. Les mauvaises herbes en profiteront pour s'installer et votre beau ta-pis n'aura pas duré deux saisons. Exigez donc de la terre à jardin même pour la pe-louse.

Quand le camion arrive, ne laissez pas son conducteur décharger tout de suite son con-tenu. Allez voir ce qu'on vous envoie. **Obser-vez** la terre, remuez-la, touchez-la, écrasez-la entre vos doigts. S'il y a trop de morceaux de bois, trop de mottes de glaise, trop de terre ar-gileuse (elle fait une boule compacte quand on la serre dans la main), trop de sable (elle s'effrite, n'a aucune cohésion), si elle est trop humide, bref, si vous doutez de sa qua-lité, refusez-la. Une fois que le premier ca-mion aura vidé son chargement chez vous et que les suivants arriveront, il sera trop tard pour dire non.

Ne commandez jamais de la **terre noire** seulement, à moins que ce ne soit en petites quantités pour améliorer la terre de vos plates-bandes ou de votre potager. La terre noire est généralement sablonneuse et très acide (pH 3 ou 4 en moyenne, sauf sur les fonds d'argile). Demandez à votre fournisseur si l'acidité de la terre a été corrigée avec de la chaux. Sinon, faites-le vous-même. Le ni-veau d'acidité, ou pH, acceptable par la ma-jorité des plantes est situé entre 5,5 et 6,5. Pour la définition du pH, voir le chapitre *Connaître sa terre*.

La terre que vous venez d'acheter va influen-cer pour longtemps à la fois vos techniques de jardinage et vos chances de réussite. Fai-tes donc plus ample connaissance avec elle et apportez-en à votre détaillant horticole pour qu'il en fasse une **analyse** chimique mais aussi une analyse physique: propor-tions de sable, d'argile, d'humus. Voir le cha-pitre *Connaître sa terre*.

Au fil des années, vous pourrez y ajouter les ingrédients qui en feront la terre fertile que vous souhaitez avoir. Voir le chapitre *Enri-chir sa terre*.

Mettez-en beaucoup. Pour calculer le volume de terre dont vous avez besoin, mesurez la largeur et la longueur du terrain à couvrir et multipliez-les ensemble pour obtenir la surface. Avant de déterminer la profondeur de la terre fertile que vous y mettrez, rappelez-vous que la terre est un investissement aussi important que les fondations de votre maison. Ne faites pas les choses à moitié. Comptez au moins 15 cm de bonne terre pour une pelouse — 20 cm, c'est encore mieux — et 30 cm pour une plate-bande ou un potager.

POUR VOUS FACILITER LA TÂCHE

- Si vous calculez en mesures **métriques,** mesurez longueur et largeur en mètres, puis multipliez-les pour obtenir la surface en mètres carrés. Pour obtenir le volume de terre nécessaire en mètres cubes, multipliez le chiffre obtenu par 0,15 (pour 15 cm d'épaisseur) ou par 0,30 (pour 30 cm d'épaisseur).
- Si vous calculez en mesures **anglo-saxonnes,** mesurez la longueur et la largeur en pieds. Multipliez-les pour obtenir la surface en pieds carrés. Pour obtenir le volume de terre nécessaire en pieds cubes, divisez par deux (pour 6 po de terre = $^{1}/_{2}$ pied = 15 cm) ou multipliez par $^{2}/_{3}$ (pour 8 po de terre = $^{2}/_{3}$ de pied = 20 cm). Pour obtenir le volume en verges cubes (la mesure commerciale), divisez le nombre de pieds cubes par 27.
- **Équivalence** approximative entre le métrique et l'anglo-saxon: 1 verge cube = $^{3}/_{4}$ de mètre cube; 1 mètre cube = 1 $^{1}/_{4}$ verge cube.

REMARQUES: Quand il achète de la terre, le consommateur devrait pouvoir exiger quatre **informations** de son fournisseur:
- sa provenance;
- sa composition physique;
- sa composition chimique;
- son pH (acidité).

La vente de terre en vrac devrait être normalisée et classifiée de façon qu'un jardinier puisse obtenir la même terre partout.

LA TERRE EN SACS

Pourquoi acheter de la terre en sacs?

- Parce qu'on a besoin de moins d'un mètre cube de terre.
- Pour terreauter un petit coin de pelouse, c'est-à-dire en épandre de 3 à 5 cm d'épaisseur.
- Pour rehausser une plate-bande: ajoutez-en de 5 à 10 cm d'épaisseur et mélangez-la à la terre existante.
- Pour améliorer la terre à l'endroit où l'on plante arbres, arbustes ou conifères: mélangez-en quelques pelletées à la terre existante.
- Pour mettre au fond du trou de plantation des bulbes annuels et vivaces: mettez-en 6 à 8 cm d'épaisseur.
- Pour empoter des portions de vivaces qu'on veut faire enraciner avant de les transplanter.
- Pour réaliser des semis en caissettes ou dans un coin du jardin.
- Pour réparer la pelouse: creusez un trou de 10 cm de profondeur, remplissez-le de nouvelle terre mélangée à la terre existante, puis semez le gazon.
- Pour confectionner vos propres mélanges de terreau pour plantes d'intérieur.

Quelle terre choisir?

Peu de détaillants ensachent encore leur propre terre, mais en général, ceux qui le font ont une bonne recette.

Demandez à votre fournisseur de vous montrer un **échantillon** de la terre que vous voulez acheter. Essayez-la au moins dans un coin chez vous avant de vous en faire livrer cinquante sacs. Elle doit être légère, moelleuse, un peu humide. Prenez-en un peu dans votre main, pressez-la, ouvrez la main: la motte de terre ne doit pas s'effriter, la trace de vos doigts doit rester imprimée dessus, mais la motte doit pouvoir se défaire d'une simple pression du doigt.

Les **terres à jardin** commerciales sont des mélanges de terre brune, de terre végétale, de tourbe de sphaigne et de sable. Les proportions varient d'une marque à l'autre. N'achetez pas de la **terre noire** pure, sauf comme additif à un mélange. Elle est trop acide et souvent trop légère.

POUR RÉUSSIR

Quand vous voulez améliorer une plate-bande ou un potager, n'utilisez pas de la terre, mais du fumier ou du compost en sac, ou toute autre matière organique. Si la terre existante est très argileuse, ajoutez, en plus, quelques sacs de sable et de la chaux (qui rend l'argile moins compacte). Pour plus d'informations, voir le chapitre *Enrichir sa terre*.

Connaître sa terre

On peut conduire une voiture sans avoir jamais lu le manuel d'entretien. On peut se servir d'un ordinateur sans connaître une seule de ses composantes. On peut même jardiner sans savoir ce que la terre contient. Mais voiture, ordinateur et terre donneront de bien meilleurs rendements si l'on prend la peine de faire connaissance. En jardinage, l'outil de la connaissance, c'est l'analyse de terre.

LA MAÎTRISE DE L'ANALYSE

Rares sont les jardiniers qui font eux-mêmes leur analyse de terre. En général, les détaillants horticoles offrent ce service à bon prix. Que cela n'empêche pas les jardiniers intéressés de se procurer une **trousse** d'analyse: les renseignements que l'on retire d'une connaissance même approximative de ses plates-bandes sont parfois très révélateurs. On peut alors choisir l'espèce la plus susceptible de réussir dans telle ou telle sorte de terre.

Comme ces trousses renferment un mode d'emploi très clair, nous nous bornerons ici à expliquer ce que tout jardinier doit faire en vue d'une analyse de terre: prélever des échantillons.

Les trois éléments à connaître

Jardiner est un loisir, pas une corvée. Par conséquent, pas question ici de s'enliser dans des détails agronomiques. L'analyse de terre doit vous fournir trois informations élémentaires:
- la composition physique de la terre;
- sa composition chimique;
- son degré d'acidité.

À partir de ces trois éléments, vous pourrez décider de la manière d'améliorer ou d'enrichir votre terre pour qu'elle vous donne les meilleurs rendements possibles. Voir le chapitre *Enrichir sa terre*.

Fréquence des analyses

La terre évolue. Sa composition est modifiée par les cultures, les apports de matière organique et d'engrais, sans oublier les pluies acides. Plus vous serez passionné, exigeant et précis, plus vous ferez analyser votre terre souvent. Une fois par année, c'est beaucoup, mais si vous y tenez absolument, limitez-vous au potager.

Une analyse **tous les trois ans,** c'est une bonne moyenne si vous voulez vérifier régulièrement que votre terre s'améliore, à tout le moins qu'elle ne se dégrade pas.

Au minimum il faut effectuer une analyse de terre **tous les cinq ans,** pour vérifier que l'équilibre entre les différents éléments de la terre se maintient. Dans l'intervalle, vous y ajouterez de la matière organique tous les ans ainsi qu'un peu de chaux. Tous les trois ans, vous vérifierez l'acidité de votre terre, surtout dans la pelouse. Achetez une trousse à pH. Voir la section *La terre acide* du présent chapitre.

Le prélèvement d'échantillons

Le prélèvement des échantillons se fait en automne quand les récoltes sont terminées, dans une terre humide mais pas trempée. Suivez les six étapes suivantes.

1. Procurez-vous des **récipients** chez le détaillant horticole à qui vous allez confier l'analyse. Si vous faites l'analyse

ANALYSE DU SOL

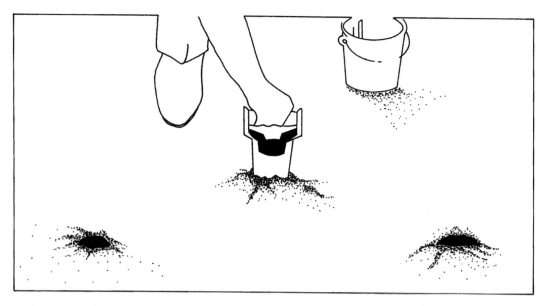

Prélevez vos échantillons de sol à l'aide d'un plantoir propre.

Mélangez les échantillons dans un récipient avant de verser la terre dans la boîte.

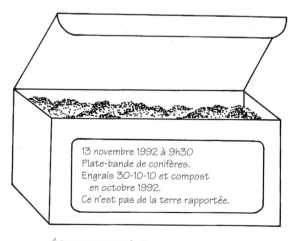

13 novembre 1992 à 9h30
Plate-bande de conifères.
Engrais 30-10-10 et compost
  en octobre 1992.
Ce n'est pas de la terre rapportée.

Étiquetez votre boîte.

vous-même, utilisez des vieux pots en plastique de yogourt, de margarine, de miel, etc. Lavez-les soigneusement auparavant.

2. Vous prélèverez deux ou trois échantillons par type de culture: fleurs, pelouse, potager, de la façon qui est décrite à l'étape 3. Placez tous les **échantillons** du même type de culture dans le même récipient. Si vous pensez que la composition de la terre est différente dans les plates-bandes de la façade et dans celles de la cour arrière, prenez un échantillon de chacune et disposez-les dans des récipients distincts.

3. Avec un plantoir propre, creusez un **trou** de 10 cm de diamètre et de 20 cm de profondeur, puis prélevez une tranche de terre de 1 à 2 cm d'épaisseur sur toute la hauteur du trou.

4. Avant de verser la terre dans le récipient, éliminez celle des 3 cm de la **surface** ainsi que les cailloux et les gros déchets organiques.

5. Prélevez un ou deux autres échantillons à d'autres endroits et **mélangez-les** dans le récipient. Répétez l'opération pour chaque type de culture.

6. **Étiquetez** les récipients en y inscrivant les renseignements suivants: jour et heure du prélèvement; cultures que le terrain a reçues au cours des trois dernières années; engrais qui ont été utilisés au cours de la dernière année; matière organique qui a été enfouie pour la dernière fois et moment où elle l'a été; notez aussi si la terre a été rapportée ou si c'est la terre d'origine.

LA TERRE, C'EST DU SOLIDE

Dans les terres cultivées, on trouve quatre grands éléments solides: le sable, l'argile, le calcaire et l'humus, ainsi que deux autres éléments importants: l'air et l'eau.

Le sable

- Comme il ne retient pas l'eau, il facilite le drainage et l'égouttement après les pluies et les arrosages.
- Il donne sa porosité à la terre.
- Une terre sablonneuse se réchauffe rapidement.
- Les plantes s'y enracinent facilement.

L'argile

- Elle est composée de particules très fines qui se collent ensemble au contact de l'eau.
- Elle retient l'eau pendant longtemps et la cède lentement. Elle donne sa consistance à la terre.
- Une terre argileuse se réchauffe très lentement: c'est un inconvénient au printemps, un avantage en été.

Le calcaire

- Sa présence dans le sol a un effet à la fois physique et chimique.
- Il empêche les fines particules d'argile de se coller les unes aux autres et les force à former de toutes petites mottes, avec pour résultat que la terre sera plus facile à travailler.
- En ce qui concerne l'aspect chimique, il permet de rendre plus performantes les terres acides. Voir la section *La terre acide* du présent chapitre.
- On ajoute du calcaire dans les sols qui en manquent grâce à la chaux horticole surtout, mais aussi aux cendres de bois et à la poudre d'os.

L'humus, clé de la fertilité

- C'est une matière noire (donc chaude), spongieuse, résultant de la décomposition de la matière organique.

- Il retient l'eau, mais la cède facilement quand les plantes en ont besoin. Il rend les arrosages plus efficaces et régularise les mouvements de l'eau dans le sol. Sa présence est vitale partout où l'arrosage est réglementé.
- Il donne légèreté et fertilité à la terre.
- Il sert de lien entre l'argile et le sable. Il réduit donc les risques d'érosion. C'est un anti-désert.
- Dans le sol, il facilite et régularise l'absorption des éléments nutritifs par les racines.
- Une terre humifère est aussi appelée terre végétale ou terre noire. Celle que l'on trouve le plus souvent dans le commerce est très sablonneuse. Elle se réchauffe donc vite au printemps, mais risque d'être trop chaude et trop sèche en été.
- En se décomposant, l'humus libère des éléments fertilisants directement assimilables par les plantes. Il a donc un rôle important dans la chimie du sol.
- Comme il se décompose, il faut le remplacer, donc incorporer régulièrement de la matière organique à la terre. Voir le chapitre *Enrichir sa terre*.

L'air et l'eau

- Dans la terre, les quatre éléments solides sont mélangés et forment des particules ou agrégats de différentes grosseurs. Entre les particules, circulent l'air (pour respirer) et l'eau (pour boire) indispensables à la vie des racines, des bactéries et des animaux utiles du sol (vers de terre, etc.).
- Dans une terre tassée, l'air est quasi absent, l'eau s'égoutte mal et la matière organique pourrit au lieu de fermenter comme elle doit le faire pour être utile. Il est donc essentiel d'ameublir la terre, donc de la bêcher, avant de planter quoi que ce soit.

La terre idéale

Lorsqu'on dispose d'une analyse de terre qui nous donne la proportion des quatre éléments solides, il est relativement facile de déterminer comment améliorer la terre pour la rendre de plus en plus fertile. Du point de vue strictement physique, une terre capable de produire les plus hauts rendements (en légumes, en fruits, en fleurs), une terre idéale donc, devrait contenir $3/5$ de sable, $1/5$ d'argile et $1/5$ divisé à part égale entre le calcaire et l'humus, à la condition que les particules qui la forment ne soient pas trop fines, sinon elles se colleraient ensemble à la moindre pluie.

Peu de terres sont idéales. Pourtant, il semble qu'on puisse y faire pousser presque n'importe quoi. Alors, faire de votre terre une terre idéale peut être un but à atteindre à long terme. Améliorez-la un peu tous les ans et continuez à prendre plaisir à jardiner.

LA TERRE LABORATOIRE

En plus d'être un milieu physique, la terre est un milieu chimique. Elle contient, dissous dans l'eau, des éléments minéraux naturels. On appelle éléments minéraux ou éléments fertilisants des substances que les plantes absorbent par les racines pour grandir, fleurir et fructifier. On classe ces éléments en deux catégories: les éléments mineurs et les éléments majeurs.

Les éléments mineurs

Ce sont: le fer, le magnésium, le manganèse, le bore, le cuivre et le molybdène. Tous ces éléments sont généralement présents dans la terre sous une forme naturelle. Les plantes en ont besoin en quantités infimes, variables d'une espèce à l'autre: l'absorption est sélective.

Les éléments majeurs

On appelle éléments majeurs certains éléments que les plantes consomment en grande quantité. On a créé des **engrais chimiques** dans le but d'augmenter la quantité d'éléments fertilisants à la disposition des plantes en espérant, par le fait même, accélérer la croissance et augmenter les rendements. Ces engrais sont caractérisés par une formule de trois chiffres: le premier indique le pourcentage d'azote; le second, le pourcentage d'acide phosphorique; le troisième, le pourcentage de potasse.

Le jardinier avisé utilisera les engrais chimiques de façon parcimonieuse après avoir amélioré sa terre par des méthodes naturelles (apport de matière organique surtout).

L'azote

L'azote entre dans la composition des protéines. On en retrouve dans les tissus végétaux, en particulier sous forme de chlorophylle, pigment qui donne leur couleur verte aux feuilles et qui joue un rôle primordial dans la croissance des plantes. L'azote est donc l'élément le plus important de cette croissance. C'est si vrai que si une plante reçoit une forte dose d'azote au moment où elle prépare sa floraison — plusieurs mois à l'avance —, elle choisira de ne pas fleurir, préférant utiliser l'azote pour se développer.

L'acide phosphorique

Présent sous forme de phosphates, l'acide phosphorique joue un rôle important dans la formation des fleurs et des fruits. Il permet aux tiges des arbres, des arbustes et des conifères de durcir à la fin de l'été pour ne pas geler pendant l'hiver. Il stimule aussi la formation de nouvelles racines; c'est pourquoi on recommande tellement d'ajouter de la poudre d'os (ou des cendres de bois) à la terre au moment de toute plantation ou transplantation.

La potasse

La potasse favorise l'absorption de l'eau et la circulation de la sève dans les racines, les tiges et les feuilles. De plus, elle joue un grand rôle dans la mise en réserve des sucres et des graisses que l'on trouve dans les tissus végétaux. Par ailleurs, elle améliore sensiblement la résistance aux maladies, ainsi que la couleur et la saveur des fruits et des légumes.

Le calcium

Le calcium est aussi un élément majeur même s'il est absorbé en quantités moins importantes que les trois autres. Il complète leur travail et permet de maintenir un équilibre dans les tissus des plantes. Dans le sol, il sert de monnaie d'échange entre les différents éléments minéraux.

LA TERRE ACIDE

Le degré d'acidité d'une terre peut avoir une influence déterminante sur le comportement des plantes et leur rendement.

Il y a trois sortes de terres cultivées: les terres alcalines, les terres neutres et les terres acides. Dans la majorité des cas, les terres de jardinage sont acides. La plupart des plantes poussent naturellement en terre légèrement acide. Celles qui préfèrent les terres alcalines ou les terres très acides y donnent des résultats raisonnables.

Le degré d'acidité d'une terre se mesure par le **pH** (p minuscule, H majuscule), abréviation de: potentiel Hydrogène. L'hydrogène est le facteur clé de l'acidité des corps chimiques.

L'échelle du pH varie de **0 à 14.** Une terre neutre a un pH de 7. En deçà de 7, la terre est acide, au-delà, elle est alcaline. Les terres noires sont acides; les terres calcaires — quasiment inexistantes au Québec — et certaines terres argileuses sont alcalines. Le pH de la plupart des terres cultivées se situe entre 4,5 et 7,5; la plupart étant entre 5,5 et 6,5. Le pH moyen recherché par le jardinier tourne autour de 6,5.

Au Québec, la terre a surtout tendance à s'acidifier, rarement le contraire. Trois facteurs causent son acidification: les engrais chimiques, la matière organique et les pluies acides. Le jardinier devra donc diminuer l'acidité d'une terre plus fréquemment que l'augmenter. Voir le chapitre *Enrichir sa terre*. On augmente l'acidité d'une terre seulement quand on veut cultiver des plantes comme les rhododendrons, les azalées, les hydrangées, les bleuets.

LA TERRE GROUILLANTE DE VIE

Ce que l'analyse de terre ne vous dira pas, c'est qu'une terre saine et fertile contient un nombre astronomique de minuscules êtres vivants, comme les bactéries, et de petits animaux, dont les plus utiles sont évidemment les vers de terre. Notez qu'une terre où l'on utilise pesticides et engrais de synthèse en masse perd de sa fertilité parce qu'elle contient relativement peu de ces êtres vivants.

Le grand talent des vers de terre

Pour les jardiniers avertis, une abondance de vers de terre est un signe de terre fertile. Les vers ingurgitent des particules de terre et de la matière organique, les digèrent et les rejettent sous forme d'excréments très riches en azote, en potasse, en phosphore, en calcium et en magnésium.

Plus une terre est **riche** en matière organique, plus il y a de vers de terre. Plus elle contient de vers de terre, plus la terre s'enrichit en humus de haute qualité.

Les vers se promènent dans la partie superficielle de la terre, laissant de minuscules canaux derrière eux. Ils l'**aèrent** donc, la rendant ainsi plus propice au développement des racines. Les canaux, qui remontent fréquemment à la surface, favorisent la pénétration et l'écoulement de l'eau.

Les vers de terre préfèrent les terres qui ne se dessèchent pas trop vite. On favorisera donc leur prolifération en recouvrant les sols légers d'un **paillis.** Voir le chapitre *Des paillis à tout faire.*

Infiniment petits, mais grandement utiles

On classe les micro-organismes selon le rôle qu'ils jouent.

Les bactéries fixatrices d'azote

L'air est composé en majorité d'azote. Par ailleurs, l'azote entre dans la fabrication des cellules, il est l'élément constituant principal des protéines et il favorise la croissance. Certaines plantes, celles qui appartiennent à la famille des **légumineuses,** comme le trèfle, la luzerne, le pois, le caragana, possèdent des racines sur lesquelles des bactéries très spécifiques fixent l'azote de l'air. Quand ces plantes meurent ou quand on les enfouit, l'azote est libéré et les plantes qui se développent à cet endroit par la suite en retirent un profit immédiat. Le jardinier économe et écologiste s'empressera d'utiliser ce **phénomène naturel** pour enrichir sa terre. Voir la section *Les engrais verts* dans le chapitre *Enrichir sa terre.*

Les bactéries qui fabriquent de l'engrais

La nature n'a jamais eu besoin des hommes pour fabriquer des engrais. Mais les hommes ont inventé des **engrais artificiels** (on dit aussi «de synthèse») pour des raisons économiques: produire plus, plus vite et à moindre effort.

Le jardinier qui cultive pour le plaisir n'a pas à se soucier de rendement ni de rentabilité. Il se contente de ce que la nature lui donne. La nature a mis à sa disposition de puissants moyens de produire sans artifices de magnifiques plantes, portant de magnifiques fleurs, fruits ou légumes. Des moyens qui lui permettront, au prix de peu d'efforts, d'économiser en achetant moins d'engrais ou pas du tout. Et si le jardinier choisit de faire quand même usage d'engrais, ce sera avec les mêmes **précautions** que s'il consommait lui-même des surplus vitaminiques.

Ces moyens naturels sont connus sous le nom de cycle de l'azote ou, plus globalement, cycle des éléments nutritifs. En voici les principales caractéristiques:

- Tous les végétaux absorbent les éléments minéraux dissous dans la terre et les transforment, par le phénomène de la photosynthèse (voir le chapitre *Nature et jardinage*), en matière organique vivante: feuilles, tiges, fruits et fleurs.
- Dès qu'ils meurent, les végétaux tombent au sol et commencent à se désagréger. La même chose se produit quand ils sont ingérés par les animaux: le fumier est donc une source importante de matière organique.
- Sous l'action des bactéries contenues dans la terre — il y en a des millions par gramme de terre —, la matière organique morte se transforme lentement en humus. Voir la section *La terre, c'est du solide* du présent chapitre.
- Durant le processus de décomposition, les cellules et les tissus perdent leurs membranes; les hydrates de carbone et les minéraux se dissocient.
- Au fur et à mesure que l'humus se décompose à son tour, les minéraux reprennent leur liberté. On les retrouve dissous dans l'eau que contient la terre sous forme de sels minéraux.
- Lorsqu'une nouvelle plante s'installe — ou est plantée par le jardinier — à l'endroit où la matière organique s'est décomposée, elle y trouve les éléments minéraux — une grande partie, en tout cas — dont elle a besoin. Elle les absorbe et les transforme en feuilles, tiges, fruits, fleurs.

REMARQUE: Évidemment, le jardinage serait bien plus simple si les plantes étaient capables de puiser directement dans la matière organique morte les éléments minéraux qui s'y trouvent sous une forme complexe. Mais la nature n'a pas voulu doter les racines d'un tel pouvoir. Elle a laissé au jardinier le soin de choisir la façon dont il veut enrichir sa terre.

Enrichir sa terre

Les plantes vivent toutes de la même façon: elles fabriquent de nouvelles feuilles, tiges, fleurs et fruits avec les éléments nutritifs qu'elles absorbent dans la terre. Par conséquent, avec le temps, la terre s'appauvrit. Le rôle du jardinier est non seulement de lui restituer les éléments nutritifs utilisés par des apports d'engrais organiques (naturels) et minéraux (naturels ou non), mais aussi d'équilibrer sa composition physique et chimique pour qu'elle donne le meilleur rendement possible. Enrichir sa terre, c'est donc augmenter sa valeur.

POURQUOI ENRICHIR LA TERRE

On enrichit une terre pour satisfaire à trois exigences:

1. L'améliorer: Améliorer sa texture, augmenter sa capacité en eau et en éléments nutritifs, encourager le développement des racines: ce sont elles qui travaillent dans l'ombre pour vous donner de belles fleurs, de beaux fruits, de belles plantes. Dans une terre équilibrée, les plantes manifestent une croissance vigoureuse, donnent des **rendements optimums** et augmentent sensiblement leur résistance à la sécheresse, aux maladies et aux insectes.
2. L'adapter à certaines cultures.
3. Augmenter le nombre de tiges, de fleurs, de fruits par plante, augmenter leur taille aussi. Voir le chapitre *La fertilisation, un surplus pour les plantes*.

REMARQUE: La terre à enrichir est celle du potager, des plates-bandes, de la pelouse ainsi que celle qui est située autour des arbres, des conifères et des arbustes.

POUR RÉUSSIR

Faites toujours faire une analyse de votre terre avant de l'améliorer. Voir le chapitre *Connaître sa terre*.

VERS LA TERRE IDÉALE

Quand une terre est trop légère, trop sablonneuse

Quand la terre est trop sablonneuse, il faut améliorer sa consistance et sa capacité en eau. Bêchez à l'automne, mais enfouissez, au printemps suivant, un ou plusieurs des éléments suivants, à l'aide d'un croc, d'une binette ou d'une griffe à trois dents.

- De la **matière organique** décomposée: fumier de vache ou de porc, compost commercial ou domestique, terreaux de toutes sortes. Dose: 1/2 brouette par mètre carré. Fréquence: tous les ans.

POUR VOUS FACILITER LA TÂCHE

Une bonne façon d'apporter de la matière organique, c'est de recouvrir la terre d'un paillis de gazon séché que l'on étend par couches successives de 3 cm. Enfouissez le paillis au printemps.

- De la **tourbe de sphaigne**: voir la section *Les améliorants organiques* du présent chapitre.
- Des **engrais verts**: voir la section *Les améliorants organiques*.

- De la **vermiculite** à raison d'un gros sac par mètre carré. Fréquence: tous les deux ans. La vermiculite absorbe sept fois son volume d'eau.
- Si possible un peu d'**argile**: on la prélève dans la terre de remblai, sous la terre cultivée; faites-la sécher et émiettez-la au râteau avant de l'étendre. Fréquence: tous les ans pendant les trois premières années.

Quand une terre est trop lourde, trop argileuse

Quand la terre est trop argileuse, il faut améliorer sa porosité et l'aérer. Bêchez à l'automne et enfouissez en même temps les éléments suivants:

- De la **chaux** pour défaire l'argile. Dose: trois poignées par mètre carré, c'est-à-dire un demi-pot de 10 cm. Fréquence: tous les trois ans, après avoir procédé à une analyse de terre.
- De la **matière organique** décomposée: fumier de mouton ou de cheval, compost commercial ou domestique, terreaux de toutes sortes. Dose: 1/2 brouette par mètre carré. Fréquence: tous les ans.

REMARQUE: Quand on ajoute de la chaux à l'automne, on reporte au printemps suivant l'apport de matière organique.

- De la **tourbe de sphaigne**: voir la section *Les améliorants organiques* du présent chapitre.
- Du **sable grossier** ou de la **litière à chat** propre, non parfumée. Dose par mètre carré: quatre pelletées du premier ou un gros sac de la deuxième. Fréquence: tous les ans pendant trois ans.

REMARQUE: Le sable fin risquerait de former avec l'argile une espèce de mortier très difficile à travailler.

Si l'eau s'accumule, faites drainer votre terre argileuse pour que l'eau en excès s'écoule rapidement. L'améliorer avant de la faire drainer serait du gaspillage.

Quand une terre est trop minérale

On reconnaît qu'une terre, sablonneuse, argileuse ou sablo-argileuse, est trop minérale quand elle forme une croûte en surface après la pluie et les arrosages, quand elle est facilement entraînée par les fortes pluies et les orages, quand elle tombe en poussière lorsqu'elle est sèche.

L'**humus** (voir le chapitre *Connaître sa terre*) agit comme une éponge, c'est pourquoi il n'entraîne pas la formation d'une croûte. Il donne de la cohésion à toutes les terres et il limite leur érosion. On améliore une terre minérale en y incorporant tous les ans de la matière organique: paillis de gazon séché, fumier, compost, engrais vert, tourbe de sphaigne, terreaux. Voir la section *Les améliorants organiques* du présent chapitre. Dose: 1/2 à 1 brouette au mètre carré la première année; 1/2 brouette les années suivantes. Époque: en automne ou au printemps selon la nature de la terre.

REMARQUE: La matière organique et l'humus se décomposent plus vite dans une terre sablonneuse que dans une terre argileuse. La première est en effet plus aérée: plus elles ont d'air, plus les bactéries responsables de la décomposition sont actives.

Quand une terre est trop acide

Comme il est indiqué dans le chapitre *Connaître sa terre*, les terres dans lesquelles on jardine sont légèrement acides et continuent à s'acidifier avec le temps. Le **pH**, ou degré d'acidité, recherché pour réussir la plupart des cultures de fleurs, de fruits et de légumes se situe autour de **6,5.** La première chose à faire quand on veut rectifier le pH, c'est une analyse de terre.

C'est le **calcium** qui permet de remonter le pH. On en trouve surtout dans la **chaux horticole** et la **chaux dolomitique,** ainsi que, à plus faible dose, dans la **poudre d'os** et les **cendres de bois.** L'effet du calcium est lent, c'est pourquoi on l'applique généralement à l'automne au moment du bêchage. Suivez les conseils de chaulage de votre analyse. Les quantités de chaux recommandées varient selon la composition de la terre. Quand on apporte de la chaux à l'automne, on reporte au printemps suivant l'apport de matière organique.

Quand une terre est très acide, il faut relever son pH **progressivement**: un apport trop massif de calcium bouleverserait l'activité des bactéries utiles. Si l'analyse vous indique d'apporter une grande quantité de chaux, divisez-la en deux, la moitié une année, et l'autre l'année suivante.

Une bonne façon de limiter l'acidification de la terre, c'est de **saupoudrer,** chaque année au printemps, quelques poignées de cendres de bois ou de poudre d'os sur les plates-bandes, le potager et la pelouse. Ces deux ingrédients sont par ailleurs excellents pour le développement des racines.

REMARQUE: La chaux dolomitique contient environ 12 % de magnésium en plus du calcium; les cendres de bois, 15 % de potasse; la poudre d'os, 25 % d'acide phosphorique. Pour connaître l'utilité de ces éléments, voir le chapitre *Connaître sa terre.*

CERTAINES PLANTES L'AIMENT TRÈS ACIDE

Les **hydrangées,** les **rhododendrons,** les **azalées,** les **bruyères** et les **bleuets** sont des plantes typiques de terres acides. Elles poussent bien dans un pH de 6 à 6,5, mais elles préfèrent les pH de 5 à 6.

Il y a plusieurs façons d'augmenter l'acidité d'une terre, c'est-à-dire de diminuer son pH.

Avec des matières organiques

On peut ajouter des quantités importantes de **matières organiques** (fumier, terreau de feuilles ou d'aiguilles de pin) chaque année pendant trois ans ou jusqu'à ce que l'analyse indique le pH désiré. Incorporez-les bien à la terre existante. Dose: une ou deux pelletées par plante ou une brouette par mètre carré de terrain.

On peut aussi incorporer à la terre des doses massives de **mousse de sphaigne** finement hachée ou de **tourbe de sphaigne.** Dose: une ou deux pelletées par plante ou une brouette par mètre carré. Fréquence: faites une application à l'automne; l'automne suivant, faites faire une analyse et répétez l'application si nécessaire. Voir le chapitre *La tourbe de sphaigne pour améliorer la terre.*

REMARQUE: L'avantage d'utiliser la matière organique, c'est qu'en même temps qu'on augmente l'acidité du sol, on en **améliore** la structure et on apporte des éléments nutritifs aux plantes. C'est la meilleure façon d'éviter les carences en éléments mineurs.

Avec des matières minérales

La **fleur de soufre** (ou soufre en poudre) est à la fois un fongicide naturel et un acidifiant. Elle est donc très recommandée pour abaisser le pH. Dose: environ 125 g par mètre carré pour faire descendre le pH de 6,5 à 5,5 ou de 6 à 5.

Le **sulfate de fer,** qui est un sel de soufre, agit très rapidement, mais il faut en utiliser deux fois plus que de la fleur de soufre. On peut aussi utiliser du sulfate d'aluminium, mais en faisant cela on risque d'accumuler dans le sol des niveaux toxiques d'aluminium.

LES AMÉLIORANTS ORGANIQUES

Quand on enfouit des engrais organiques dans une terre, on estime qu'il en restera encore un peu au bout de trois ans. Mais pour maintenir à un bon niveau la texture de la terre, sa richesse en éléments nutritifs et le nombre de micro-organismes et de vers de terre qu'elle contient, il faut ajouter des amléliorants organiques tous les ans.

Le compost

C'est le meilleur engrais organique. Voir le chapitre *Le compost, plat préféré des végétaux.*

Le fumier

Utilisez toujours du fumier bien décomposé ou, comme il est indiqué sur les sacs vendus dans le commerce, du fumier composté. Tous les fumiers sont bons pour toutes sortes de terres, mais vous aurez de bien meilleurs résultats avec du fumier de **vache** ou de **porc** dans les terres sablonneuses, et avec du fumier de **mouton** ou de **cheval** dans les terres argileuses. Le fumier de **volaille** doit être employé en petites quantités.

Si vous trouvez du compost à base de fumier de **vers de terre,** essayez-le, vous découvrirez qu'il est riche. Mais utilisez-le localement, au pied des annuelles, vivaces, légumes, fraises, etc.

La tourbe de sphaigne

(Voir aussi le chapitre *La tourbe de sphaigne pour améliorer la terre.*)

Elle provient de la décomposition, dans une tourbière, d'une mousse appelée sphaigne.

REMARQUE: La tourbe de sphaigne est souvent appelée, à tort, «mousse de tourbe» pour traduire *peat moss*. Même si sa texture lui donne l'apparence de la mousse synthétique, on doit dire tourbe, tourbe de sphaigne, tourbe blonde ou, au pire, tourbe de mousse.

Grâce à sa **texture** fine et moelleuse, la tourbe aère, allège et réchauffe les terres argileuses; elle donne de la consistance aux terres sablonneuses et leur permet de retenir plus d'eau; elle permet aux racines de se développer avec vigueur.

La tourbe apporte un peu de matière organique résiduelle, mais pas autant que le fumier ou le compost. Elle est très **acide,** donc si on l'utilise pour des plantes qui demandent une terre normale, il faudra ajouter de la chaux pour ramener le pH au bon niveau.

Les engrais verts

Utiliser des engrais verts, c'est enfouir dans la terre des plantes en **pleine croissance** (encore vertes) alors que tous les autres engrais organiques sont partiellement décomposés. La décomposition a lieu dans la terre et l'humus fabriqué est d'aussi bonne qualité que les autres. Les herbes enfouies ont été préalablement semées dans une plate-bande ou dans un coin du potager.

La production d'engrais verts ne coûte presque rien puisqu'il suffit d'acheter des graines. Elle demande de la part du jardinier peu de temps — bêchage superficiel, semis et enfouissement — et **peu d'efforts** — pratiquement aucun entretien, pas de manipulation, pas de sacs à vider.

L'inconvénient, c'est que l'espace de terre que l'on veut enrichir ne peut être utilisé le temps que durera la culture des herbes choisies, c'est-à-dire en général le printemps et l'été, sauf dans le cas du seigle d'hiver. Mais l'**attente** en vaut la peine puisque les cultures subséquentes donneront de meilleurs rendements.

La production d'engrais verts est surtout employée au potager. Comme il est indiqué dans le chapitre *Principes généraux de la culture des légumes*, le potager est divisé en plusieurs sections dans lesquelles différents légumes sont cultivés tous les ans. On peut réserver une section pour les engrais verts.

L'enfouissement

L'époque idéale pour l'enfouissement des engrais verts se situe au moment de la floraison, quand les plantes contiennent le plus d'éléments nutritifs.

REMARQUE: N'attendez pas que les graines se forment, sinon elles vont se répandre partout et les plantes vont repousser l'année suivante comme des mauvaises herbes.

Vous pouvez enfouir les engrais verts avant la floraison, mais sachez alors que plus les tissus sont jeunes, plus ils contiennent d'azote et plus la matière organique qu'ils laissent dans le sol se décomposera rapidement. **Il est recommandé mais pas obligatoire** d'enfouir les engrais verts un mois ou deux avant toute plantation. Ils auront ainsi le temps de se décomposer partiellement et les racines des nouvelles plantes en profiteront mieux.

Le choix des herbes

Avant de semer les engrais verts, si la terre n'est pas trop tassée, faites un bêchage superficiel à la binette ou à la griffe.

Le seigle d'hiver

Mettez-en partout, mais surtout dans les plates-bandes puisqu'il n'occupe l'espace qu'en fin de saison. Semez-le à la **fin de l'été.** Si le terrain est occupé par des annuelles ou des légumes, semez entre les plants: vous les arracherez quand le seigle sera bien établi.

Le seigle pousse très bien par temps frais. Laissez-le passer l'hiver sous la neige. Enfouissez-le **au printemps** à l'occasion du bêchage: pour cette raison, son usage est recommandé dans les terres sablonneuses.

Le seigle d'été

Procédez de la même façon que pour le seigle d'hiver, mais semez-le **au printemps.** Enfouissez-le en bêchant à la fin de l'été: pour cette raison, son usage est recommandé dans les terres argileuses.

Le sarrasin

En plus d'être un engrais vert, c'est une culture **nettoyante** puisqu'il étouffe littéralement les mauvaises herbes, même le chiendent.

Semez-le au printemps dès que la terre ne colle plus aux outils. Enfouissez-le en bêchant environ deux mois plus tard, quand il atteint 75 cm. Bêchez à nouveau à la fin de l'automne.

Les trèfles

En plus d'être des engrais verts, ils enrichissent la terre en azote. Quand on les enfouit, leurs racines libèrent l'azote de l'air qui s'y est fixé grâce à la présence de bactéries spécifiques (voir le chapitre *Connaître sa terre*). Semez les trèfles **au printemps.** Enfouissez-les en bêchant à la fin de l'été. Ils apportent une moyenne de 200 g à 300 g d'azote par 10 m^2. Pas besoin, donc, d'épandre d'autres engrais azotés l'année où vous enfouissez du trèfle.

La tourbe de sphaigne pour améliorer la terre

Autrefois appelée «mousse de tourbe» pour traduire l'anglais peat moss, *la tourbe la plus couramment utilisée est la tourbe de sphaigne ou tourbe blonde. Elle provient de la décomposition en milieu humide d'une mousse appelée sphaigne. Il existe aussi des tourbes brunes et des tourbes noires, provenant de la décomposition d'autres végétaux: carex, produits forestiers, etc.*

LES QUALITÉS DE LA TOURBE

La tourbe est légère et moelleuse. Elle donne de la consistance aux sols sablonneux et de la légèreté aux sols argileux. Elle les enrichit en matière organique, sans toutefois apporter de grandes quantités d'éléments nutritifs.

La tourbe absorbe plus de 10 fois son poids d'eau; elle est donc très utile au jardin pour **économiser l'eau.** Par contre, elle est difficile à imbiber.

POUR VOUS FACILITER LA TÂCHE

La façon la plus rapide et la plus économique d'imbiber une balle de tourbe, c'est de faire couler l'eau directement dans le sac de plastique. Il faut moins de 20 minutes, en enfouissant le tuyau à différentes profondeurs, pour humecter complètement une balle de 0,2 m^3 (6 pi^3).

Avec un pH inférieur à 4,5, la tourbe est **acide.** Pour cette raison (la plupart des plantes poussent bien dans un pH compris entre 5,5 et 6,5), on l'utilise rarement seule. Mais on s'en sert pour acidifier les terres dans lesquelles sont installées des plantes aimant l'acidité, en particulier le **bleuet,** l'**hydrangée,** le **rhododendron,** l'**azalée,** les **fougères** et les **bruyères.**

Dans le jardin de fleurs

Avant de planter les **annuelles,** enfouissez un peu de fumier composté et de tourbe dans la terre à raison d'une pelletée de chacun pour une douzaine de plants.

Les **rosiers** sont très exigeants en eau. Ils aiment les terres consistantes mais aérées. Enfouissez une mince couche de tourbe dans les plates-bandes de rosiers, quelle que soit la nature du sol existant.

Dans les **boîtes à fleurs** et les **bacs,** la terre sèche vite. Un mélange à parts égales de tourbe et de vermiculite doit compter pour environ 50 % du volume total de terre.

Dans le potager

Au moment du bêchage, enfouissez de la tourbe en même temps que du fumier composté ou du compost, à raison d'une balle de 0,2 m^3 (6 pi^3) pour 10 m^2 de terrain.

Au moment de la plantation

Lorsqu'on plante des arbres, des arbustes, des haies ou des conifères, **il est recommandé mais pas obligatoire** de mélanger une partie de tourbe à deux parties de terre noire ou de compost et à cinq parties de terre existante. Si la terre existante est de mauvaise qualité, remplacez-la par de la terre à jardin achetée dans le commerce.

La tourbe de sphaigne peut servir de paillis, d'améliorant organique ou d'acidifiant pour la culture des rhododendrons et des bleuets.

Pour la pelouse

Une des manières de terreauter la pelouse au printemps ou en automne consiste à étendre sur celle-ci le mélange suivant: trois parties de terre à jardin, une partie de vermiculite, une partie de tourbe et 250 g de semences à gazon par 20 m². Le même mélange peut être utilisé pour les réparations.

La conservation des bulbes et des légumes

Les bulbes annuels (dahlias, glaïeuls, bégonias, etc.) et les légumes se conservent bien pendant l'hiver dans un sac de papier rempli de tourbe. Celle-ci joue alors le rôle de régulateur d'humidité. .

La multiplication des plantes

La tourbe entre dans la fabrication des terreaux commerciaux ou domestiques utilisés pour le semis et le bouturage. Ses principales qualités pour cet usage sont: l'absence de champignons et de bactéries pouvant faire pourrir les jeunes plants ainsi que sa capacité de retenir l'eau et de la céder facilement. On l'utilise aussi dans le marcottage aérien des plantes d'intérieur telles que schefflera et dieffenbachia.

Le compost, plat préféré des végétaux

Le compost bien préparé est la source la plus équilibrée de matière organique. Par rapport au fumier et aux engrais verts, que le jardinier consomme à l'état brut, il représente un véritable plat cuisiné. Les recettes sont variées, mais les plantes raffolent de toutes. Bien sûr, tous les jardiniers ne se sentent pas forcément des talents de cuisiniers. Eh! bien, la fabrication du compost ne requiert pas de grand talent. Juste un noble souci du recyclage, un coin à l'abri, quelques déchets végétaux et quelques minutes par semaine. Mais s'il vous manquait un seul de ces quatre ingrédients, ne vous privez pas de compost pour autant, achetez-en en sac!

NATURE DU COMPOST

Le compost est une matière généralement noire, inodore, résultant de la **décomposition rapide et naturelle** de la matière organique. C'est un mélange de terre et d'humus. Le rôle du jardinier dans la fabrication du compost consiste principalement à accélérer cette décomposition par des techniques naturelles appropriées.

Comme nous l'avons expliqué dans le chapitre *Connaître sa terre*, la décomposition de la matière organique aboutit à la libération d'éléments minéraux que les plantes absorbent ensuite par les racines pour grandir, fleurir et fructifier.

Comme le compost domestique est fabriqué à base de **déchets végétaux** faciles à trouver, il ne coûte rien.

UN AMÉLIORANT UNIVERSEL

Dans la terre, le compost joue quatre grands rôles:

1. Il donne de la **consistance** aux terres sablonneuses et leur permet de contenir plus d'humidité. En été, les plantes souffrent donc moins de la sécheresse et, par le fait même, donnent de meilleurs rendements.
2. Il rend les terres argileuses **plus légères**, plus aérées, donc plus faciles à travailler,

Un tas de compost doit être protégé du gros soleil mais pas trop à l'abri des branches pour qu'il soit arrosé par les pluies.

plus faciles à drainer. Résultat: les plantes poussent mieux.

3. Il donne aux plantes tous les **éléments minéraux** dont elles ont besoin. Au cours de leur cycle de vie, les végétaux absorbent toutes sortes d'éléments nutritifs. Quand ils meurent, ils les libèrent. Un compost est donc d'autant plus riche et équilibré que les déchets

Le compost assure une végétation luxuriante et une floraison abondante.

organiques dont il est composé sont d'origine variée.

4. Il contient un grand nombre de **bactéries** amies du jardinier (voir le chapitre *Connaître sa terre*) qui continueront dans la terre leur travail de libération des éléments nutritifs.

LES INGRÉDIENTS DU BON COMPOST

Les ingrédients non organiques

En plus des déchets végétaux, vous aurez besoin de quelques éléments de nature minérale pour produire du compost:

- de la **terre de jardin** ordinaire que vous pourrez prélever à la surface des plates-bandes (vous la remplacerez plus tard par du compost!);
- de la **chaux horticole,** des **cendres de bois** ou de la **poudre d'os** pour réduire l'acidité naturelle de la matière organique et de l'humus;
- si la terre de votre jardin est généralement sablonneuse, vous pourrez incorporer au compost de petits morceaux d'argile que vous aurez prélevés sous la bonne terre;

- si au contraire elle est argileuse, un peu de sable ou de litière à chat non parfumée donnera au compost une plus grande porosité;

- quand vous balayez votre entrée ou votre stationnement, jetez les balayures sur le tas de compost, pourvu qu'elles ne contiennent pas d'asphalte. Faites de même avec le contenu du sac de l'aspirateur.

Les ingrédients organiques

À ÉVITER

Les déchets animaux, comme les restes de viande ou les excréments de chats et de chiens, sont riches en protéines donc en azote. Par le fait même, ils peuvent activer la fermentation dans le tas de compost. Mais comme ils peuvent attirer des rongeurs indésirables dans votre jardin, on ne conseille pas de les ajouter au tas de compost.

1. Déchets végétaux faciles à trouver:

- le gazon tondu, séché ou frais (le vôtre et celui des voisins);
- les plantes mortes: feuilles de bulbes au printemps, vivaces, annuelles et légumes en automne;
- les feuilles mortes (voir colonne suivante);
- les aiguilles de pin;
- facultatif: les déchets de cuisine: légumes crus ou cuits, pain;
- les résidus de taille des haies d'arbustes ou de conifères: les parties jeunes et tendres seulement;
- les vieux paillis organiques;
- les mauvaises herbes qui n'ont pas monté en graines.

À ÉVITER

La chaleur produite par la fermentation doit en principe détruire les graines de mauvaises herbes s'il s'en est glissé par inadvertance dans le tas. Mais il est préférable de ne pas jeter sur celui-ci des mauvaises herbes portant des graines. D'ailleurs, il ne faudrait jamais les laisser arriver à maturité. Ne jetez pas non plus sur le tas des plantes atteintes de maladies ou couvertes d'insectes.

2. Autres matériaux:

- les algues;
- le fumier en petites quantités;
- la paille et le foin;
- les résidus de pressage du raisin (pour faire le vin);
- la sciure de bois;
- la tourbe de sphaigne: en petites quantités, elle aide à conserver l'humidité du tas;
- du papier journal en petites boulettes.

POUR RÉUSSIR

Les matériaux comme les plantes mortes, les feuilles mortes et les algues se décomposeront plus facilement et plus rapidement s'ils sont hachés. On peut le faire en utilisant un hache-feuilles spécialement conçu ou encore en utilisant une tondeuse à gazon munie ou non d'un sac. Étalez les végétaux sur le sol et passez la tondeuse dessus.

LES FEUILLES MORTES

Avec le gazon tondu, les feuilles mortes sont une source intarissable et renouvelable de matière organique, donc d'humus, donc de nourriture pour les plantes. Et pourtant on en brûle (c'est illégal en milieu urbain) et on en jette (c'est immoral) des tonnes et des tonnes chaque année au Québec. Quel gaspillage!

Le jardinier peut recycler les feuilles mortes de trois façons:

- Dans le tas de compost, mélangées avec d'autres résidus végétaux.
- Dans un tas différent, seules ou en couches de 10 cm séparées d'une mince couche de terre du jardin. Les sections du présent chapitre consacrées à l'emplacement, aux dimensions, à l'entretien et à l'utilisation du tas de compost sont valables pour le tas de feuilles mortes.
- Il peut aussi les enfouir directement dans les plates-bandes et le potager.

Les feuilles mortes mettent plus de temps à se décomposer que la plupart des autres déchets végétaux. **Il est recommandé mais pas obligatoire** de hacher les feuilles avant de les utiliser. On réduit ainsi de presque 75 % le volume qu'elles occupent, on évite la formation de galettes, et, en plus, leur décomposition s'en trouve accélérée. Si on ne les hache pas avant de les enfouir dans le potager, la croissance des légumes souterrains comme les pommes de terre, les carottes, les navets et les betteraves risque d'être perturbée.

DEUX OU TROIS TAS

À moins que vous n'ayez accès à des masses de matière organique supérieures à la normale, deux tas vous suffiront: celui que vous êtes en train de monter et celui qui est en train de se décomposer ou qui est prêt à l'emploi.

Si vous disposez de beaucoup d'espace, constituez trois tas: un en cours de montage, un autre en cours de fermentation et le dernier en cours d'utilisation.

QUAND COMPOSTER

Dans le meilleur des cas, en utilisant de la matière organique tendre, disponible d'un seul coup en grande quantité, et en brassant le tas souvent, on peut produire du compost en **trois ou quatre mois** au cours de la saison chaude. Mais en moyenne, il faut compter de dix à douze mois (cela comprend les mois inactifs de l'hiver) pour accumuler la matière organique et lui donner le temps de se décomposer.

1. Commencez votre premier tas de compost en **juillet** avec du gazon, plus tard ajoutez-y les plants de légumes qui ont fini de produire et tout ce que vous avez sous la main. Enchaînez avec des feuilles mortes, puis les annuelles, les bulbes annuels et les vivaces une fois qu'ils ont gelé.
2. Au printemps, après avoir brassé le tas, continuez avec l'**herbe sèche** (ou chaume) que vous retirez de la pelouse.
3. Accumulez ensuite les **déchets** (voir la liste à la page 54), en particulier le gazon tondu, jusqu'en juin. Si vous n'en avez pas assez, allez en chercher chez vos voisins.
4. S'il est bien entretenu, le compost devrait être prêt en octobre, à temps pour que vous puissiez l'enfouir au moment du bêchage.

UTILITÉ DES CADRES ET DES COMPOSTEURS

Un tas de compost n'a pas besoin d'être contenu dans un cadre ou un composteur pour que la fermentation se fasse bien. On les utilise avant tout par souci **esthétique,** pour cacher un tas qui a souvent l'air d'un vulgaire amoncellement de détritus.

Les côtés du cadre ou du silo doivent laisser passer l'air indispensable à la fermentation. Un des côtés doit être amovible pour qu'on puisse accéder facilement au compost.

Il existe de nombreuses options quand vient le temps de choisir un cadre ou un composteur. On peut utiliser:

- un composteur vendu dans le commerce (il en existe une douzaine de modèles);
- un vieux bidon percé de gros trous;
- un cadre de grillage préfabriqué, avec un côté ouvrant;
- un cadre en bois traité;
- un cadre en blocs de béton que l'on empile en même temps que monte le tas;
- un cadre formé de vieilles palettes;
- un cadre formé d'une clôture à neige maintenue par des piquets aux quatre coins.

Les cadres ne sont pas toujours esthétiques. Pour les **camoufler,** on peut planter sur le dessus des annuelles grimpantes ou des légumes rampants comme des concombres, des melons, des citrouilles, des courges. Mais ce qui est encore mieux, c'est de placer le tas de compost là où il ne sera visible qu'à deux moments de l'année: la fin de l'automne et le début du printemps. Voyons comment cela est possible.

À L'ABRI DES REGARDS

Pour camoufler efficacement les tas de compost, placez-les à l'un ou l'autre des deux endroits suivants:
- derrière la cabane à jardin;
- dans un des deux coins de la cour arrière les plus éloignés de la maison: créez une grande plate-bande en avant des tas et plantez-la de vivaces ou d'annuelles hautes, d'arbustes, ou d'une combinaison des trois.

Quel que soit l'endroit où vous monterez votre tas de compost, vous devrez prévoir suffisamment d'espace pour circuler sans gêne autour des tas et pouvoir y amener une brouette.

POUR VOUS DISTINGUER

Si vous avez une pergola et que vous ne savez pas quoi faire pousser pour produire de l'ombre, installez votre compost en arrière et semez-y des citrouilles. Leur grand feuillage vous abritera de l'ardeur solaire et les fruits seront parfaitement exposés au soleil tout en restant propres.

Un tas de compost doit rester constamment **humide.** Pour éviter qu'il ne se dessèche, placez-le dans un endroit qui est à l'ombre pendant une partie de la journée, mais pas à l'abri des pluies. Le cadre et les plantes rampantes (voir plus haut) peuvent être d'un grand secours pour créer de l'ombre. L'idéal, c'est que les arbustes et les plantes hautes qui camouflent le tas soient situés de manière que leur ombre se projette sur lui pendant une grande partie de la journée.

À ÉVITER

N'installez pas de compost au milieu d'un terrain gazonné, il serait vite envahi par des herbes avides de cette nourriture riche mise à leur disposition.

PRÉPARER L'EMPLACEMENT

Le tas de compost doit reposer directement sur une terre bien drainée. Nettoyez d'abord la terre de toute mauvaise herbe. Creusez ensuite une cuvette de 30 cm de profondeur et de la grandeur désirée.

DIMENSIONS D'UN TAS

Plus un tas de compost est volumineux, plus la fermentation (le compostage) est rapide. Les dimensions idéales sont: 2 m de longueur, 1,50 m de largeur, 1,25 m de hauteur. Les dimensions minimums sont: 1 m de longueur, 1 m de largeur, 1 m de hauteur. Pour construire vos deux tas, pour les remuer et pour pouvoir circuler autour, vous avez besoin d'au moins 3 m sur 1,50 m.

BIEN MONTER LE TAS

Les couches successives de matière organique qu'on étend sur le tas de compost ont de 20 à 30 cm d'épaisseur. Elles sont séparées par des couches de terre d'environ 5 cm. La terre, par son poids, permet de tasser le contenu du tas. En plus, elle contient des bactéries qui activent la fermentation. **Il est recommandé mais pas obligatoire** de faire alterner une couche de déchets végétaux à texture grossière (tiges, paille, fumier, feuilles mortes, sciure) avec une couche de matériaux à texture fine (gazon tondu, épluchures, mauvaises herbes jeunes, tourbe de sphaigne). Une telle alternance accélère la décomposition. Saupoudrez chaque couche de terre d'une poignée de **chaux,** de **poudre d'os** ou de **cendre de bois.** Quand le tas est terminé, recouvrez-le de terre, de paille, de foin, de gazon séché ou d'une toile perméable de manière à le maintenir humide.

Si vous voulez mettre de l'engrais

Vous pouvez stimuler la fermentation en jetant une poignée d'engrais à gazon sans herbicide sur chaque couche de matière organique.

Si vous ne voulez pas mettre d'engrais

Vous obtiendrez le même effet en versant sur chaque couche de matière organique un peu d'urine (sans antibiotiques).

CE QUI SE PASSE DANS LE TAS DE COMPOST

En présence d'air et d'eau, les bactéries (voir le chapitre *Connaître sa terre*) transforment progressivement la matière organique en humus. Au tout début de la fermentation, elles produisent un **coup de chaleur**: la température à l'intérieur du tas augmente jusqu'à 70 °C. Les matières qui se trouvent au fond du tas se décomposent plus vite. Il faudra donc remuer le tas de temps à autre pour que la décomposition soit uniforme.

Dès qu'il fait froid, l'activité des bactéries ralentit. En **hiver,** elle cesse totalement. Pour la prolonger en automne, couvrez le tas d'une épaisse couche de feuilles mortes.

L'ENTRETIEN DU TAS DE COMPOST

Retournez le tas de compost une fois par mois à la fourche. Placez au centre les déchets qui étaient à l'extérieur auparavant. Il est plus facile à remuer s'il n'est pas enfermé dans un cadre.

Le tas de compost doit être toujours **humide** mais jamais trempé. Lorsque la pluie se fait attendre pendant une longue période, arrosez-le.

L'UTILISATION DU COMPOST

Dans les plates-bandes, vous pouvez utiliser le compost tel quel, mais si vous vous en servez pour terreauter la pelouse (voir le chapitre *Rôle, création et entretien de la pelouse*), il faudra le **tamiser.** Pour ce faire, tendez un morceau de grillage fin («broche à poules») dans un cadre de bois d'environ 1 m de hauteur et 75 cm de largeur. Soutenez le tamis ainsi construit avec deux morceaux de bois de manière qu'il forme un angle de 60 ° avec le sol. Déposez le compost en haut du tamis. Les éléments fins vont passer à travers; les plus gros vont glisser jusqu'en bas: mettez-les dans le nouveau tas de compost.

Voici quelques suggestions d'utilisation pour votre compost:

• en mai, terreautez la pelouse;
• en juin, mettez-en une couche de 1 ou 2 cm au pied des laitues, des fraisiers, des framboisiers et des annuelles: les pensées et les pois de senteur y sont très sensibles;
• en août, mettez-en une couche semblable au pied des vivaces et des rosiers;
• en septembre, jetez-en dans le fond du trou de plantation des bulbes vivaces;
• ajoutez-en dans la terre au moment de la plantation des arbres, arbustes, conifères, haies, vivaces;
• enfouissez-en au moment du bêchage du potager et des plates-bandes.

La fertilisation, un surplus pour les plantes

Quand on connaît sa terre, quand on sait l'enrichir, la travailler et l'entretenir, l'apport d'engrais devient très secondaire, voire inutile. Les jardiniers qui font confiance à la nature arrivent très bien à s'en passer. Il existe des engrais organiques, qui sont tous naturels. Il existe aussi des engrais minéraux: certains sont d'origine naturelle, d'autres d'origine industrielle. Mais tous, absolument tous, sont chimiques. C'est pourquoi, dans ce chapitre, le mot «chimique» ne sera pas utilisé. La chimie est une science naturelle; c'est l'utilisation, souvent abusive, que l'homme en fait qui la rend si controversée.

POURQUOI FERTILISER?

La fertilisation a plusieurs buts:

1. Augmenter les **rendements**: nombre et taille des fleurs et des fruits, nombre et longueur des tiges et des racines. Les variétés modernes de fleurs, de fruits et de légumes ont été sélectionnées pour leurs rendements élevés. La fertilisation n'est donc pas nécessaire pour augmenter ceux-ci mais pour compenser la diminution des quantités d'éléments nutritifs dans le sol que cause l'importante absorption de ces variétés. Cela peut être réalisé en très grande partie par d'autres méthodes d'enrichissement. Voir le chapitre *Enrichir sa terre.*

2. Stimuler la croissance, la floraison ou la fructification au moment où les plantes en sont à l'un ou l'autre de ces stades de leur développement. Cela demande une bonne connaissance de la **physiologie végétale**: il faut savoir par exemple que la floraison printanière des arbres et arbustes se prépare, dans les bourgeons, à l'automne précédent. Une fertilisation au mauvais moment risque de produire exactement l'inverse de l'effet recherché.

L'engrais fait s'élargir les feuilles, grossir les fleurs et gonfler les fruits, mais est-ce vraiment nécessaire?

3. Augmenter la **résistance** des plantes à des situations de stress: au gel, à la sécheresse, à une taille sévère, à une transplantation et, à certains égards, aux maladies et aux insectes.

4. Remédier à certaines **carences** relevées lors d'une analyse de terre.
5. Compenser le vide que crée dans la terre la culture de la même sorte de plantes au même endroit d'année en année. Ce type de culture, appelé **monoculture,** est nuisible et ne devrait pas être pratiqué. La meilleure façon de ne pas avoir à fertiliser pour compenser de tels manques, c'est de ne jamais cultiver, même dans les plates-bandes de fleurs, deux fois la même espèce au même endroit. Voir la section *La rotation des cultures* dans le chapitre *Principes généraux de culture des légumes.*

REMARQUE: L'importance de la fertilisation est directement proportionnelle à l'ampleur de vos exigences et inversement proportionnelle à l'utilisation judicieuse des techniques élémentaires de jardinage.

POUR VOUS FACILITER LA TÂCHE

Les engrais ne sont bien utilisés — sans gaspillage — que dans une terre équilibrée. Avant de fertiliser, lisez le chapitre *Enrichir sa terre.*

COMPRENDRE LE RÔLE DES ENGRAIS

Nous l'avons dit, les engrais sont tous chimiques. On les identifie par une formule de trois chiffres. Le premier chiffre correspond au pourcentage d'**azote** que l'engrais contient, le deuxième, au pourcentage de **phosphore,** le troisième, au pourcentage de **potasse.** Ces trois éléments sont souvent exprimés par leur symbole chimique: **N** pour l'azote, **P** pour le phosphore et **K** pour la potasse. La formule des engrais est donc **NPK.** Un engrais de formule 14-8-12 contient donc 14 % de N, 8 % de P et 12 % de K.

REMARQUE: Pour connaître le rôle respectif des éléments nutritifs contenus dans les engrais, voir le chapitre *Connaître sa terre.*

POUR ÉCONOMISER

Si vous avez le choix entre un engrais de formule 12-12-12 et un autre de formule 6-6-6, choisissez le premier. Plus les chiffres d'un engrais sont élevés, plus il est concentré. Dans l'exemple ci-dessus, il faut **deux fois moins** de 12-12-12 que de 6-6-6 pour produire le même effet. Le premier est plus coûteux, mais un sac coûte moins cher que deux sacs de 6-6-6. Le prix des engrais est aussi affecté par la **rapidité d'action** des éléments qui le composent. Un engrais de printemps à formule élevée et à action rapide est plus coûteux qu'un engrais semblable conçu pour être appliqué en automne, dont l'action est plus lente mais qui est tout aussi efficace.

Après avoir comparé prix, formules et qualité, n'oubliez pas de comparer aussi **les emballages.** La concurrence entre les fabricants se fait beaucoup sur les prix et, pour afficher des prix plus bas, certains emploient des emballages de 9 kg au lieu de 10 kg, de 14 kg au lieu de 15 kg, etc.

LES ENGRAIS NATURELS

Caractéristiques

- Les engrais naturels ne risquent pas de provoquer des brûlures.
- Ils agissent progressivement.
- Ils ne polluent pas.
- Leur action n'est pas spectaculaire.
- Ils ne sont pas toujours équilibrés pour atteindre avec précision un des buts de la fertilisation.

Les engrais naturels d'origine organique

Le sang séché
Plusieurs formules: 12-0-0 ou 12-1,5-0,5. Très cher. Action lente. Dose moyenne: 50 g/m^2.

Appliquer seulement pour forcer la croissance foliaire de certaines plantes.

La poudre d'os ou l'os moulu
Plusieurs formules selon les marques: 2-22-0, 0-26-0, 2-11-0. Action lente. Une poignée suffit pour alimenter trois jeunes plants d'annuelles, de légumes ou de vivaces. Réduit l'acidité des terres.

L'émulsion de poisson
Plusieurs formules selon l'emploi souhaité: plantes d'intérieur (6-4-1), fleurs (5-10-5), légumes (5-5-10), transplantation (5-15-5) ou tout usage (6-6-6). Action assez rapide. Diluer dans l'eau selon les indications du fabricant. À appliquer dans la terre ou en vaporisation sur les feuilles.

L'engrais de poisson
Formules variées selon leur origine. Action assez rapide, mais il est cher.

Les algues marines
Formule courante: 1-1-1. Diluer dans l'eau selon les indications du fabricant. À appliquer dans la terre mais surtout en vaporisation sur les feuilles.

REMARQUE: Voir aussi les améliorants organiques dans le chapitre *Enrichir sa terre*.

Les engrais naturels d'origine minérale

Le phosphate colloïdal ou le phosphate minéral
Dose: 500 g/m^2. Plus efficaces s'ils sont ajoutés à la terre en même temps que du compost ou du fumier.

La potasse naturelle
Mêmes remarques que ci-dessus.

LES ENGRAIS INDUSTRIELS

Caractéristiques

- Les engrais industriels entraînent des risques de brûlures en cas d'excès ou de mauvaise utilisation.
- Ils polluent, moins par leur utilisation au jardin que par le procédé de fabrication.
- Ils agissent rapidement, il faut donc renouveler les applications plus souvent.
- Leur action est spectaculaire.
- Ils sont généralement d'emploi facile.
- Ils sont conçus pour produire un effet particulier.
- Ils sont relativement peu chers.

POUR VOUS FACILITER LA TÂCHE

Si vous n'êtes pas intéressé à connaître le rôle et l'utilisation des engrais, si vous ne voulez faire qu'un usage limité des engrais industriels mais désirez tout de même en mettre, achetez un engrais granulaire tout usage, du genre 7-7-7, et épandez-en sur toutes vos cultures et toutes vos plantations une fois, et une seule, au début de juin.

Les engrais simples

On appelle engrais simple, un engrais qui ne contient qu'un seul des trois éléments nutritifs majeurs (azote, phosphore, potasse). Il peut contenir d'autres éléments, en particulier du soufre. Les engrais simples ne sont pas faciles à utiliser; il est indispensable de faire faire une analyse de terre avant de déterminer s'ils sont nécessaires et à quelle dose.

L'urée (46-0-0)
Stimule la croissance des tiges et des feuilles. Ne l'utilisez pas sur les plantes qui doivent fleurir. On l'enterre au printemps ou on le vaporise sur les feuilles. Sa richesse en

azote stimule aussi l'activité des bactéries de la terre et, par le fait même, accélère la décomposition de la matière organique. Mais plus la matière organique se décompose rapidement, plus elle libère d'éléments nutritifs, et plus il faut en ajouter à la terre.

Le nitrate d'ammoniaque (33-0-0)

Engrais à action rapide pour les plantes à feuillage: arbres, arbustes, légumes, gazon. Une partie est absorbée immédiatement par les racines, l'autre (l'ammoniaque) doit être transformée en nitrates dans la terre avant d'être utilisable. Il entre dans la fabrication des engrais de printemps pour la pelouse. Appliquez-le à la fin du printemps par épandage superficiel.

Le sulfate d'ammoniaque (20 % d'azote et 23 % de soufre)

D'action moins rapide que le nitrate d'ammoniaque, il acidifie la terre. L'enfouir tôt au printemps à la binette, à la griffe ou au croc, sur des cultures de choux, radis, navets. Il active la décomposition de la matière organique dans le compost.

Le superphosphate (19 % de phosphore et 12 % de soufre)

Aide à l'établissement et au développement des racines. L'enterrer en automne au moment du bêchage ou l'appliquer en surface tôt au printemps. Particulièrement apprécié par les arbres et arbustes fruitiers, il acidifie la terre.

Le muriate de potasse (0-0-60)

L'enterrer au printemps à la binette, à la griffe ou au croc dans les cultures de fruits et de légumes.

Les engrais composés

On appelle engrais composé, un engrais qui contient chacun des trois éléments majeurs dans une proportion étudiée, conçue pour produire un **effet précis** sur une culture précise à un moment précis. Les engrais composés se présentent sous forme granulaire et soluble surtout, parfois sous forme liquide. Les granulaires sont épandus à la main ou à l'aide d'un épandeur. Les solubles et les liquides doivent être dissous dans l'eau, soit dans un arrosoir, soit dans un vaporisateur, soit dans un réservoir que l'on branche à l'extrémité d'un tuyau d'arrosage.

POUR VOUS FACILITER LA TÂCHE

Comment choisir entre un engrais soluble et un engrais granulaire? Le premier doit être dissous dans l'eau et son action est immédiate. Le deuxième s'applique facilement — à la main la plupart du temps —, mais doit être dissous par les pluies et les arrosages avant d'être mis à la disposition des racines.

Pour les pelouses

Granulaires ou liquides, avec ou sans herbicide (printemps et automne), avec ou sans insecticide (été), ils existent en plusieurs formules selon l'époque d'application: tôt au printemps, tard au printemps, été, automne. Choisir des engrais à **formule élevée** dont les granules sont enrobés dans un produit (le soufre par exemple) qui ralentit leur dissolution dans l'eau de pluie ou l'eau d'arrosage et réduit par conséquent les pertes par drainage. On dit de ces engrais qu'ils ont une action prolongée.

Pour les conifères

Granulaires surtout, à appliquer une fois au printemps. Donnez-en une poignée à chaque petit conifère, de deux à cinq aux gros. Si vous avez peu de conifères, utilisez un engrais à pelouse sans herbicide ni insecticide. Il existe un engrais soluble, à formule très élevée en azote, que l'on vaporise sur le feuillage après l'avoir dissous. Lisez les restrictions d'emploi sur l'étiquette.

Ces feuilles de citrouilles géantes ont reçu un engrais qui a permis aux fruits d'atteindre 400 kilos!

Pour les arbres et
arbustes à feuillage décoratif

Granulaires ou solubles. Appliquez les granulaires une ou deux fois au printemps. Si vous avez peu d'arbres et d'arbustes, utilisez de l'engrais à pelouse sans herbicide ni insecticide. Employez l'engrais soluble dans la terre ou vaporisez-le sur les feuilles selon les indications du fabricant.

Pour les plantes à fleurs

La règle à retenir dans le choix d'un engrais pour plantes à fleurs, y compris les rosiers et les bulbes, est la suivante: le premier et le dernier chiffre de la formule doivent être à peu près égaux et le chiffre du milieu doit être environ le double des deux autres. Il en existe des granulaires et des solubles.

Pour les légumes

Pour les légumes, la règle est la suivante: le premier chiffre doit être le plus bas de la formule et le dernier doit être le plus élevé (le double ou le triple du premier). Le chiffre du milieu varie selon les fabricants: il est parfois égal au premier, parfois le double, d'autres fois, il est égal au troisième. Il en existe des granulaires et des solubles.

POUR ÉCONOMISER

Achetez des engrais qui conviennent aussi bien aux fleurs qu'aux légumes.

À ÉVITER

En période de grosses chaleurs ou de sécheresse prolongée (plus d'une semaine), **suspendez** toute application d'engrais industriel, même sur la pelouse. Si un engrais est mal consommé, il est gaspillé. De plus, quand le sol n'est pas assez humide, l'engrais peut brûler les racines. Il peut aussi avoir une accumulation toxique de minéraux dans les tissus végétaux.

DIFFÉRENTES FAÇONS D'APPORTER LES ENGRAIS

Il y a trois façons d'appliquer les engrais: le choix de l'une ou de l'autre est fonction de la nature de ceux-ci et de la vitesse à laquelle ils agissent.

La fertilisation de fond

Comme son nom l'indique, la fertilisation de fond s'applique dans le fond de la terre. Les engrais sont enfouis au moment du bêchage et se trouvent donc répartis dans toute la masse de terre. L'objectif est de **stocker** dans la terre une réserve d'acide phosphorique et de potasse qui, contrairement à l'azote, ne sont pas directement solubles dans l'eau. La fertilisation de fond doit toujours être précédée d'une analyse de terre.

Tous les engrais naturels non solubles dans l'eau peuvent être utilisés à cet effet. Les meilleurs engrais industriels pour ce genre de fertilisation sont les **engrais simples** comme le superphosphate et le muriate de potasse. Mais à cause de la longueur de nos hivers, il est recommandé de les appliquer le plus tôt possible au printemps plutôt qu'à l'automne. Certains engrais composés pourraient être incorporés à l'automne, mais toujours à cause de la longueur des hivers, il est préférable de les épandre tout de suite après les semis et les plantations du printemps.

La fertilisation de surface

Le but de la fertilisation de surface est de faire réagir les plantes à court ou à moyen terme. C'est une fertilisation d'entretien.

Les engrais industriels, granulaires, solubles et liquides, sont conçus pour ce genre de fertilisation.

Les engrais et améliorants naturels, quant à eux, travaillent à long terme: **ils augmentent la qualité de la terre pour longtemps.**

La vaporisation foliaire

La vaporisation foliaire (sur les feuilles) utilise la capacité des feuilles à absorber de petites quantités d'éléments nutritifs. C'est une fertilisation de **complément** puisque l'absorption des éléments nutritifs est avant tout assurée par les racines. Les engrais utilisables en vaporisation foliaire sont:

• les algues marines;
• l'émulsion de poisson;
• les engrais industriels solubles.

Bien travailler sa terre

Travailler la terre, c'est comme l'entraîner pour lui faire réussir les meilleures performances possible. Et pour qu'elle les réalise, vous, le jardinier-entraîneur, devez faire en sorte qu'elle soit musclée, c'est-à-dire riche, meuble, profonde, aérée, légère et propre. Voici comment.

LE BÊCHAGE

À quoi sert le bêchage?

Le bêchage consiste à retourner la terre de façon à l'ameublir et à l'aérer **en profondeur**. On l'enrichit et on l'allège partiellement en y incorporant de la matière organique (fumier, compost, tourbe, etc.). Les jardiniers qui le jugent nécessaire profitent de cette opération pour incorporer des engrais de fond, par exemple du superphosphate ou de la poudre d'os.

Aérer une terre, c'est favoriser l'activité des innombrables **micro-organismes** qui s'y trouvent, en particulier ceux qui transforment la matière organique en éléments fertilisants naturels, assimilables par les racines. Aérer une terre, c'est aussi augmenter sa capacité en **eau**. Un bon bêchage accélère la croissance des plantes et contribue à réduire les effets de la sécheresse. Ameublir une terre, c'est en plus favoriser le développement des racines, donc augmenter leur **vigueur** et, par conséquent, le nombre et la grosseur des fleurs, des fruits et des tiges.

POUR RÉDUIRE L'ENTRETIEN

1. **Défrichez avant de bêcher.** En retournant une terre bien entretenue, on élimine les quelques mauvaises herbes qui s'y trouvent puisqu'on les enterre les racines en l'air. Cependant, les tiges souterraines du **chiendent** sont très coriaces et il est indispensable de s'en débarrasser au fur et à mesure qu'on les déterre. Elles ressemblent à de gros fils blancs, parfois jaunâtres ou brunâtres. Arrachez-les à la main ou utilisez de l'herbicide total. Chaque morceau de racine laissé dans le sol pourra faire naître un plant au printemps.

   Si le terrain a été mal entretenu, **désherbez**. Arrachez les grandes herbes à la main en prenant soin de ne pas répandre leurs graines partout. Passez un coup de râteau pour enlever le maximum de tiges, de feuilles, de racines. Laissez les résidus **sécher** deux ou trois jours, puis ramassez-les au râteau avant de bêcher.

2. **Si le terrain à bêcher est couvert de pelouse,** découpez celle-ci en plaques avec la bêche, puis glissez l'outil par en dessous pour décoller les racines. Jetez le gazon ainsi arraché à l'envers sur le compost ou réutilisez-le ailleurs. Arrachez complètement les tiges souterraines de chiendent. Ne retournez jamais une pelouse pour en faire une plate-bande ou un potager, vous vous assureriez plusieurs années de désherbage laborieux.

Quand bêcher?

La meilleure période pour bêcher les terres argileuses est l'automne, quand les récoltes sont terminées ou que les plantes ont gelé. Les raisons sont variées:

- **Réduire l'effort:** on peut bêcher à grosses mottes, car le gel, en forçant l'eau de la terre à augmenter de volume, fait éclater les mottes et les réduit en fines particules.
- **Gagner du temps:** quand le gel a bien fait son travail, après l'hiver, il suffit d'un coup de croc ou de râteau pour rendre la terre prête à recevoir semis et plantations.
- **Redonner à la terre son vrai volume:** une terre fraîchement bêchée occupe plus d'espace qu'une terre qu'on a laissé reposer quelques mois. Les risques de compactage sont moins élevés dans une terre qui a retrouvé son véritable volume avant d'être plantée ou piétinée.

Quand on bêche au printemps, il faut émietter les grosses mottes immédiatement, soit avec la bêche, soit avec un croc ou un râteau.

Les bons outils

Il y a trois outils pour bêcher:
1. **La bêche** proprement dite, composée d'un manche et d'une lame (ou fer) rectangulaire, tranchante à son extrémité. On s'en sert dans tous les sols, mais plus particulièrement dans les sols sablonneux.
2. **La fourche à bêcher,** à quatre dents plates qui pénètrent mieux que la bêche dans les sols lourds, argileux. On peut s'en servir dans tous les sols consistants.

   REMARQUE: Les deux outils ci-dessus sont décrits dans le chapitre *Le jardinier bien outillé.*

3. **La bêcheuse rotative** ou moto-houe, un outil motorisé qui ne retourne pas la terre, mais la brasse en y mélangeant la matière organique. Elle exécute le travail plus rapidement qu'on ne le ferait à la main — pas forcément avec moins d'effort puisqu'il faut sans cesse la contrôler avec les bras —, mais il y a des restrictions à son emploi:
   - Il ne faut jamais l'utiliser sur un terrain couvert de **chiendent** parce que les lames rotatives découperaient les tiges souterraines en petits morceaux qui donneraient naissance à une abondance de nouvelles plantes.
   - Avec une bêcheuse rotative, on ne peut enfouir que de la matière organique de texture **fine** (compost, fumier composté, vieux fumier). La paille et le foin sont à déconseiller.
   - Comme la machine réduit la terre en fines particules, il est préférable de l'utiliser **au printemps.** Si on l'emploie en automne dans une terre sablo-argileuse, le gel de l'hiver pourrait réduire la terre en miettes et le dégel printanier aurait tôt fait de transformer le tout en boue puis en véritable mortier.

L'exécution du bêchage manuel

- Épandez la matière organique et l'engrais s'il y a lieu sur toute la surface à bêcher. Voir le chapitre *Enrichir sa terre.*
- Si le potager ou la plate-bande mesure plus de 2 m de largeur, divisez-le au cordeau (voir le chapitre *Le jardinier bien outillé*) en bandes d'environ 2 m chacune.
- À une extrémité, creusez une tranchée d'environ 20 cm de largeur et 20 cm de profondeur. Transportez la terre à l'autre extrémité pour combler la tranchée quand vous aurez fini.
- La profondeur moyenne du bêchage est de 30 cm, soit la hauteur du fer de la bêche ou des dents de la fourche à bêcher. C'est dans cette section du sol que les racines des annuelles, vivaces, légumes, bulbes et arbustes sont les plus nombreuses et les plus actives. Dans les terrains où la terre de surface est la terre originale — ce qui est le cas généralement en campagne —, bêcher à cette profondeur ne pose pas de problème. Ailleurs, il faut que l'épaisseur de terre ajoutée dans les plates-bandes et le potager soit au moins de 30 cm. On risque toujours de remonter quelques mottes d'argile provenant d'en dessous de la bonne terre,

Remonter un peu d'argile du fond n'est pas une mauvaise chose, surtout si le sol est sablonneux.

mais ce n'est pas grave si l'on prend soin d'améliorer régulièrement la terre cultivée avec de la matière organique.

- Commencez à bêcher par la gauche.
- Placez la bêche sur la terre non bêchée, à 12, 15 ou 20 cm du bord de la tranchée selon la quantité de terre que vous vous sentez capable de soulever.
- Enfoncez l'outil verticalement en le poussant vers le bas avec le pied.
- Tirez le manche vers l'arrière de manière à dégager la motte de terre.
- En vous baissant, soulevez la bêche, puis retournez-la en déposant la terre sur le flanc opposé de la tranchée. Une partie de la matière organique se retrouve donc sens dessus dessous, un peu reste en surface, faites-en tomber dans le fond de la tranchée, bref, utilisez votre outil pour la répartir le mieux possible.
- Donnez un coup de bêche sur la motte de terre pour la réduire en mottes plus petites.
- Continuez à bêcher vers la droite. Une fois au bout, vous pouvez revenir vers la gauche en bêchant, mais le travail sera plus régulier et mieux exécuté si vous repartez à chaque fois de la gauche.
- Retournez la terre en conservant toujours la tranchée ouverte devant vous, jusqu'à

ce que vous arriviez à l'extrémité du potager ou de la plate-bande. La matière organique est facile à incorporer si la tranchée garde les mêmes dimensions tout au long du bêchage.

- Refermez la tranchée avec la terre prélevée au début.

POUR VOUS FACILITER LA TÂCHE

Le bêchage est un excellent exercice, mais ce n'est pas une raison pour déployer des efforts inutiles. Alors, affûtez le tranchant de la bêche avec une lime avant de commencer à bêcher.

À ÉVITER

Ne bêchez jamais si la terre colle à la bêche. L'argile mouillée, brassée, rend votre terre plus apte à la poterie qu'à la culture de fleurs ou de légumes. Si l'automne est très pluvieux, reportez le bêchage au printemps.

Le bêchage rapide

Après une **première récolte** de laitue, de radis, de pois ou d'épinard, il est recommandé de bêcher avant de cultiver autre chose. Ce bêchage n'a pas besoin d'être aussi profond que le bêchage annuel. Vous pouvez l'exécuter à la bêche en enfonçant le fer de moitié seulement dans la terre et en retournant la motte sur place. Vous pouvez aussi vous servir d'une binette, d'un croc ou d'une griffe à trois dents. Voir le chapitre *Le jardinier bien outillé*.

Avec la **bêche,** on travaille en reculant; avec la **binette** et la **griffe,** en avançant; avec le croc, on exécute un mouvement de va-et-vient. La meilleure façon de bêcher avec la binette et la griffe, c'est de les enfoncer le plus profondément possible dans la terre, devant vous, à une distance qui vous permette de travailler confortablement, penché mais pas plié en deux. Tirez ensuite l'outil

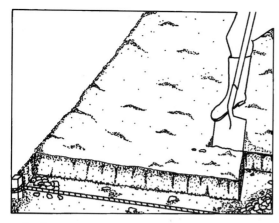

La bêche sert à bêcher.

Le croc sert à l'émottage.

Le râteau de jardin sert à l'affinage.

vers vous sur une distance de 20 à 30 cm, puis poussez-le sur la même distance.

Lorsque toute la surface est bêchée, passez un coup de **râteau,** précédé, s'il y a des grosses mottes, d'un coup de **croc.** Voir la section *L'émottage,* plus loin.

Le bêchage rapide peut aussi être pratiqué pour la culture de fleurs ou de légumes à racines superficielles. Il n'exclut pas, bien sûr, l'apport de **matière organique,** mais en petite quantité pour en faciliter l'enfouissement.

Pratiquez toujours un bêchage profond l'année qui suit un bêchage rapide.

Le double bêchage

Le double bêchage consiste à ameublir la terre sur une profondeur égale à deux fois la hauteur du fer de la bêche.
Cette technique est pratiquée dans trois cas:

- quand le terrain n'a jamais été cultivé;
- quand la terre a été tassée par le passage de véhicules motorisés;
- quand on veut planter arbres, conifères, arbustes et rosiers.

MISE EN GARDE

Le double bêchage est à bannir dans les terrains où la terre cultivée est une terre rapportée reposant sur de la terre glaise. Dans ce cas, la meilleure façon d'augmenter la profondeur de terre cultivable, c'est d'enlever une couche de glaise de 15 à 20 cm d'épaisseur et de la remplacer par de la bonne terre.

Pour exécuter un double bêchage, procédez de la façon suivante:

- Creusez une tranchée de la profondeur d'un fer de bêche (30 cm), mais deux fois plus large que pour un bêchage simple, soit 40 cm. Faites un tas avec la terre.
- Approfondissez la tranchée de 30 cm mais sur seulement 20 cm de largeur, en commençant à creuser près de vous. Sortez la terre et faites-en un tas différent de la terre de surface.
- Bêchez ensuite selon les mêmes principes que le bêchage simple, mais en retournant la terre de surface avant la terre sous-jacente, et sans jamais mélanger les deux.

REMARQUE: On ne mélange pas la terre de surface et la terre qui est en dessous parce que les micro-organismes du sol ont besoin d'air pour changer la matière organique en matière minérale assimilable par les plantes. S'ils sont enfouis trop profondément, ils manquent d'air et meurent.

TRAVAUX SUPERFICIELS

À ÉVITER

Il ne faut jamais travailler la terre si elle est collante, boueuse ou pas suffisamment égouttée. Sinon, on détruit sa texture granulaire, on chasse l'air qu'elle contient et pas une plante ne pourra s'y développer convenablement.

L'émottage

Émotter, c'est briser les mottes de terre produites par le bêchage printanier — lorsqu'on bêche en automne, on laisse les mottes se faire émietter par le gel au cours de l'hiver. Pour que les racines absorbent l'eau et les éléments fertilisants du sol, elles doivent être en **contact** étroit avec les particules terreuses. Elles ne peuvent créer ce contact si la terre est pleine de grosses mottes.
L'émottage commence au cours du bêchage. Chaque fois que l'on retourne une motte de terre, on donne un coup de bêche dessus pour la réduire en mottes plus petites.
Quand le bêchage est terminé, on passe un coup de **croc** pour briser en profondeur les mottes restantes. Dans un sol sablonneux, à la rigueur, ce travail pourrait être exécuté au râteau. Dans un sol plus lourd, le râteau ne travaille pas assez profondément.

L'affinage

Pour la plantation de légumes, d'annuelles, de vivaces et de bulbes dans une terre légère et bien égouttée, l'émottage au croc peut être la dernière étape de préparation. Mais le jardinier qui aime sa terre adore la dorloter et n'hésitera pas à passer un coup de râteau dessus.

Le râteau a pour rôle d'**émietter** finement la surface de la terre et de l'ameublir, en particulier quand elle doit recevoir des semis. Mais il sert aussi à **enlever** les petites mottes dures, les pierres et les déchets organiques de toutes sortes. En outre, une terre bien ratissée est toujours agréable à regarder.

Le sarclage

Il consiste à supprimer les mauvaises herbes avec un outil approprié. Voir le chapitre *Le jardinier bien outillé*. Plus le sarclage est fréquent et **régulier,** plus on détruit les mauvaises herbes dès qu'elles poussent; les chances de les voir produire leurs graines et proliférer sont donc réduites. Le sarclage permet en outre de brasser la couche superficielle de la terre de la même manière que le binage.

Le binage

Le binage est un travail d'entretien dont le but premier n'est pas de détruire les mauvaises herbes, mais d'**ameublir** et d'**aérer** la couche de terre superficielle. Sous l'action répétée des pluies et des arrosages, cette

Parce qu'il réduit l'évaporation, on dit qu'un binage vaut deux arrosages.

couche a tendance à former une croûte, plus ou moins compacte selon la nature du sol et sa teneur en humus (voir le chapitre *Connaître sa terre*). Pour connaître les meilleurs outils pour le binage, référez-vous au chapitre *Le jardinier bien outillé*.

Le binage et le sarclage ont plusieurs effets sur la fertilité d'une terre:

- Ils apportent de l'air aux racines, les rendant plus actives, donc plus performantes.
- Ils limitent l'évaporation de l'eau du sol: cette eau reste donc disponible pour les plantes. Par conséquent les arrosages peuvent être espacés et les rendements sont meilleurs.
- Ils facilitent la pénétration de l'eau dans la terre. Pluies et arrosages sont donc beaucoup plus efficaces.

POUR RÉDUIRE L'ENTRETIEN

De plus en plus, pour éliminer les travaux d'entretien du sol, on pratique ce qu'on appelle le paillage. Il s'agit de recouvrir le sol des plates-bandes et du potager de matériaux divers dans le but d'empêcher la germination des mauvaises herbes et de limiter l'évaporation de l'eau du sol. Pour plus d'informations sur le sujet, voir les chapitres *Notions d'entretien minimum* et *Des paillis à tout faire*.

Le roulage

En jardinage, le roulage est pratiqué presque exclusivement lorsqu'on établit une nouvelle pelouse. Il a pour but de tasser la terre avant d'y dérouler des plaques de gazon ou d'y semer des graines. Il sert aussi à enfoncer légèrement les graines dans la terre et à mettre en étroit contact avec elle les racines des plaques de gazon. Dans les deux cas, le rouleau est rempli d'eau. Passez-le dans un sens, puis une autre fois, perpendiculairement.

Comment éviter
la bousculade du printemps

Au printemps, les jardiniers sont comme la nature, ils débordent d'énergie. Tout est à faire. Mais ce n'est pas une raison pour tout faire en deux ou trois semaines comme c'est le cas la plupart du temps. Il y a des moyens de mieux répartir les joies du jardinage pour éviter la bousculade du printemps. Ce faisant, on évite de voir le plaisir se transformer en corvée. Voici quelques suggestions.

À FAIRE EN AUTOMNE

- Bêcher.
- Quand les feuilles sont tombées, tailler les arbres et les arbustes fruitiers et d'ornement à floraison estivale.
- Semer la laitue et les oignons, planter l'ail.
- Transplanter ou diviser les plantes vivaces.
- Acheter et planter les conifères jusqu'à la fin de septembre.
- Acheter et planter les arbres et les arbustes jusqu'à la fin d'octobre.
- Transplanter les arbres, les arbustes et les conifères jusqu'à la fin de septembre.
- Découper le pourtour des pelouses.
- Pratiquer une taille de rajeunissement sur les haies de feuillus.
- Éliminer toutes les mauvaises herbes.

À FAIRE DÈS LA FONTE DES NEIGES

- Si on ne l'a pas fait en automne, tailler les arbres et les arbustes fruitiers et d'ornement à floraison estivale.
- Tailler les rosiers greffés.
- Tailler la vigne.
- Nettoyer les plates-bandes.
- Étendre du compost sur les plates-bandes, mettre de l'engrais si désiré.
- Enlever les accessoires de protection hivernale.

À FAIRE DÈS QUE LA TERRE EST ÉGOUTTÉE

- Bêcher si on ne l'a pas fait en automne.
- Briser les mottes dans les plates-bandes et le potager.
- Semer les légumes qui ne risquent pas de geler (laitue, carotte, etc.).
- Semer les annuelles qui ne risquent pas de geler (alysse, cosmos, cléome, etc.).

Semez les vivaces dans des pots que vous placerez dehors après les avoir recouverts d'un tissu léger qui tamisera le soleil tout en laissant passer l'eau.

- Semer des vivaces, diviser ou transplanter celles qui ne l'ont pas été en automne.
- Déplacer les touffes de bulbes vivaces
  (tulipes, narcisses, etc.) quand ils sortent
  de terre.
- Créer de nouvelles plates-bandes.
- Créer ou réarranger une rocaille.
- Nettoyer la pelouse, la rouler, la terreauter et la fertiliser si désiré. En semer si
  nécessaire.

Les semis se pratiquent dès que la terre peut être affinée sans coller au râteau.

**QUAND TOUT DANGER DE GEL
NOCTURNE SERA PASSÉ,
IL RESTERA À:**

- Semer les légumes qui ne supportent pas
  le gel et planter ceux que vous achèterez
  en plants.
- Planter les fleurs annuelles.
- Compléter les plates-bandes de vivaces.
- Installer les paillis sur les plates-bandes
  et dans le potager.
- Planter et installer jardinières suspen-
  dues et boîtes à fleurs.
- REGARDER VOS PLANTES POUSSER
  ET VOS VOISINS... COURIR.

Notions d'entretien minimum

La terre est vivante. Les plantes aussi. Tous les êtres vivants évoluent et meurent. Il est donc impensable qu'un jardin puisse se passer d'entretien. Mais le jardinage moderne, qu'il soit loisir ou obligation, permet de plus en plus de simplifier et d'alléger la tâche du jardinier. Allons donc à la recherche de l'entretien minimum.

QU'EST-CE QUE L'ENTRETIEN?

Entretenir un aménagement, un jardin, c'est lui prodiguer les soins nécessaires pour qu'il conserve toujours sa beauté et sa santé. Opter pour l'entretien minimum, c'est d'abord bien **comprendre** et surtout planifier son travail horticole, de façon à le réduire à sa plus simple expression.

Si votre aménagement paysager est conçu par un professionnel, le **temps** que vous voulez passer à l'entretenir doit être pris en considération. Même chose si vous le faites vous-même: pour que le jardinage ne devienne pas une corvée, le temps nécessaire pour l'entretien doit correspondre à vos temps libres.

Entretenir son jardin n'est pas seulement une question de temps ou d'obligation. Ce n'est pas juste désherber, ratisser, tondre, fertiliser et traiter. C'est aussi **prendre l'air,** faire de l'exercice, se relaxer, garder contact avec la nature.

BIEN CHOISIR LE CONTENU DE L'AMÉNAGEMENT

Choisir le style

Les styles d'aménagement paysager français, italiens, japonais, très **ordonnés,** symboliques ou géométriques, demandent une attention de tous les instants. Mais le résultat est extrêmement gratifiant.

Le style anglais, qui correspond plus à un jardin **naturel,** est moins exigeant. Il comprend essentiellement des variétés sélectionnées par les horticulteurs.

Le style **écologique,** naturel lui aussi, contient surtout des plantes indigènes.

Choisir les matériaux

- Une entrée en **pavés** de béton est plus coûteuse qu'une entrée en asphalte, mais elle dure trois ou quatre fois plus longtemps. De plus, quand un ou plusieurs pavés sont tachés ou brisés, il suffit de les remplacer sans pour cela avoir à refaire complètement l'entrée.

- Il existe d'autres recouvrements de bonne qualité: le **béton armé,** à agrégats exposés ou non, et les **pierres** plates jointes, à condition que le remblai soit bien fait.

- Des **bordures** de béton, le long des entrées, stationnements ou allées, ne risquent pas de pourrir comme les bordures de bois, même traité. Si l'une casse, il suffit de la remplacer, tandis que lorsque le bois est pourri, il faut aussi refaire une partie de l'allée ou de l'entrée qu'il délimitait.

Choisir les plantes

- Détruisons un mythe: les plantes vivaces ne demandent pas moins d'**entretien** que les plantes annuelles. Au contraire, il faut les tuteurer, les diviser, contrôler leur développement. Par contre, elles sont **économiques**: vous n'aurez pas à les planter tous les ans et comme elles grossissent d'année en année, vous pourrez en tirer une foule de petits plants que vous n'aurez pas à acheter. En plus, elles sont de merveilleux témoins des saisons qui passent.

- Il faut choisir arbres, arbustes et conifères en fonction de l'espace disponible. Pour éviter d'avoir à les tailler tous les ans — au risque de les défigurer — tenez compte des **dimensions adultes** de ceux qui vous intéressent et plantez-les à bon intervalle (voir le chapitre *Savoir planter).* Ou bien choisissez des espèces qui poussent lentement.

- Pour éviter d'avoir à modifier en profondeur la **nature** de votre terre, renseignez-vous sur les aptitudes des plantes à pousser dans des terres humides, sèches, acides ou calcaires, selon ce qui domine chez vous.

- Les horticulteurs ont développé des variétés **résistantes** aux insectes et aux maladies de certaines espèces. Elles ne demandent aucun traitement. Renseignez-vous.

- Pour vous libérer de la nécessité de protéger les plantes fragiles en hiver, vous pouvez limiter votre choix aux espèces **rustiques** dans votre région (voir le chapitre *Jardinage régional).* Mais sachez que vous vous priverez ainsi de plantes magnifiques et originales.

- Pour créer une haie **sans souci,** choisissez une espèce dont les dimensions naturelles ne déborderont pas de l'espace disponible et qui n'aura pas besoin d'être taillée. La seule nécessité sera une taille régulière de nettoyage et de rajeunissement, comme pour tous les arbustes.

Choisir la pelouse

- Une pelouse saine doit reposer sur une épaisse couche de bonne terre. Ensuite, plus elle est engraissée (engrais azoté ou

Le haut de la plate-bande et la pelouse devraient être à peu près au même niveau.

matière organique), plus elle **pousse** et plus il faut la tondre. Choisissez un programme de fertilisation en fonction de ce que vous attendez de votre pelouse. Voir le chapitre *Rôle, création et entretien de la pelouse.*

- Plus une pelouse est **encombrée** d'arbres, d'arbustes, de cabanes, de jeux, etc., plus la tonte est laborieuse et longue. Pour vous simplifier la tâche, regroupez les plantes, arbres y compris, dans des plates-bandes auxquelles vous donnerez des contours courbes. Arrondissez les coins de façon à ne pas avoir à manœuvrer pendant la tonte.

- Bien sûr, plus on crée de nouvelles plates-bandes, plus l'entretien de la pelouse est vite terminé. Des **plates-bandes** bien conçues demandent très peu d'entretien. Placez-en le long des clôtures, des murs, des haies et vous pourrez dire adieu aux taille-bordures.

- Donnez aux plates-bandes un tracé arrondi, facile à suivre avec la tondeuse.

Dans les endroits difficiles d'accès, remplacez la pelouse par des plantes couvre-sol, ici du thym en fleur, qui jouera visuellement le même rôle qu'un tapis de gazon.

- Là où la pelouse risque de toujours avoir l'air malade, dans les endroits humides, très ombragés, pauvres ou en pente, **remplacez** le gazon par des genévriers rampants, des arbustes bas (spirées japonaises) ou des vivaces (bugle, pachysandre, pervenche, céraiste, phlox rampant, thym, etc.). Le seul soin qu'exigent ces plantes, c'est un désherbage au cours des premières années suivant leur plantation. Après, on peut presque les ignorer. Pas besoin de les tondre, en tout cas.

RESPECTER LES NORMES DE CONSTRUCTION ET DE PLANTATION

La construction

Pour éviter qu'elles ne bougent ou ne cassent à cause du gel, les constructions doivent reposer sur une assise bien drainée. L'épaisseur et la hauteur des murs et murets de béton, de pierres ou de bois varient selon l'usage qu'on en fait.

La plantation

Pour qu'une plante reprenne bien, il faut qu'elle soit plantée à la bonne profondeur, dans une terre bien drainée, ameublie et enrichie.

Pour réduire les problèmes d'entretien futur, arbres et arbustes doivent être taillés au moment de la plantation et pendant les premières années de leur vie.

Pour plus d'informations, voir le chapitre *Savoir planter et transplanter*.

TRUCS POUR RÉDUIRE L'ENTRETIEN

- Pour éviter que la pelouse n'envahisse plates-bandes et allées et pour éviter que la terre ne glisse entre les pavés de l'entrée, installez des bordures de plastique souple autour des plates-bandes. Voir le chapitre *Contrôle des mauvaises herbes*.
- Si vous voulez limiter le développement d'une plante vivace au tempérament impétueux, encerclez ses racines avec des bordures de plastique ou un vieux bidon coupé en deux dans le sens de la hauteur.
- Dans la rocaille, les plantes doivent rester petites. Pour les empêcher de pousser trop vite, n'utilisez pas une terre trop riche et ne les fertilisez pas.
- Recouvrez le sol des plates-bandes et du potager avec des matériaux de paillage:

NOTIONS D'ENTRETIEN MINIMUM

Le long des entrées pavées, passez la tondeuse à cheval sur la pelouse et sur le pavage. Sur les pourtours de la pelouse, éliminez les coins en créant une plate-bande aux contours arrondis.

Installez des bordures de plastique souple autour des plates-bandes.

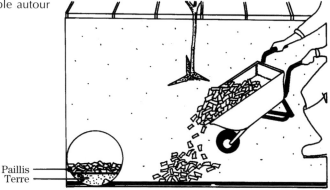

Paillis
Terre

Recouvrez le sol des plates-bandes avec des matériaux de paillage.

écorce, déchets de scierie, écailles de coco, etc., pour limiter les arrosages. Vous pouvez étendre sous le paillis une toile géo-textile, perméable à l'eau et aux engrais, mais suffisamment opaque pour empêcher les graines de mauvaises herbes de germer. Voir le chapitre *Des paillis à tout faire.*

- Dans une rocaille ou un muret de pierres sèches, remplissez les espaces entre les pierres avec de la mousse de sphaigne.
- Faites installer un système d'irrigation automatique ou installez un tuyau poreux dans vos plates-bandes. Voir le chapitre *L'arrosage bien pensé.*
- Si les feuilles mortes d'arbres, d'arbustes et de vivaces qui tombent sur les plates-bandes ne sont pas malades, ne les ra-massez pas, elles engraissent la terre.
- Le long des plates-bandes, passez la ton-deuse à cheval sur la pelouse et sur la terre. Les bordures sont ainsi plus faciles à garder propres.
- Le long des entrées pavées ou des patios, passez la tondeuse à cheval sur la pelouse et sur le pavage.
- Sur les pourtours de la pelouse, éliminez les coins, créez de petits massifs ou plates-bandes au tracé courbé vers l'intérieur. Le passage de la tondeuse sera plus rapide.

TEMPS D'ENTRETIEN

Il est difficile de déterminer avec précision le temps que vous devrez passer à préparer votre terrain au printemps et à l'entretenir. Si vous mettez en application les techniques d'entretien minimum contenues dans ce chapitre, cela ne devrait pas dépasser **une heure** par semaine de juin à septembre, même si vous avez plusieurs plates-bandes de vivaces et d'annuelles. Au printemps et à l'automne, ce sera sans doute un peu plus long à cause d'une part des plantations et d'autre part des préparatifs pour l'hiver et l'été.

REMARQUE: Cette estimation comprend la taille, le nettoyage, la fertilisation, les traite-ments, la coupe des fleurs fanées, le paillage, le désherbage s'il y a lieu. Elle ne comprend ni l'arrosage (il se fait tout seul), ni la tonte de la pelouse (vous pouvez la faire faire), ni le ramassage des feuilles mortes.

Savoir planter et transplanter

C'est ici que commencent les succès du jardinier.

QU'EST-CE QUE LA REPRISE?

On dit qu'une plante — arbre, arbuste, conifère, bulbe, annuelle, vivace — *reprend bien* lorsque ses racines d'abord, et ses tiges ensuite, se mettent à pousser rapidement après la plantation. Les facteurs qui influencent la reprise se divisent en trois groupes:

- L'environnement: ensoleillement, nature physique et chimique du sol, quantité d'eau disponible.
- L'état de santé et de vigueur dans lequel se trouve la plante au moment de la plantation.
- La bonne exécution des travaux.

Plus ces facteurs sont défavorables, plus la reprise est difficile et longue. Dans les cas extrêmes, la plante végète et meurt.

COMMENT TRANSPORTER LES PLANTES NOUVELLEMENT ACHETÉES

Toutes les plantes doivent être protégées du vent entre le moment où vous les achetez et le moment où vous les plantez. Sinon, les tiges et les feuilles se dessèchent plus vite que les racines ne sont capables de les alimenter en eau. Par la suite, la reprise est plus difficile et la croissance est retardée.

PRÉCAUTIONS À PRENDRE

- Placez le maximum de plantes dans le coffre de l'auto, mais ne laissez pas l'auto au soleil pour une durée prolongée.
- Si certaines plantes dépassent du coffre, disposez-les horizontalement pour offrir le minimum de résistance au vent. Recouvrez-les d'un sac de plastique hermétiquement fermé.
- Enveloppez le feuillage et les racines à nu avec une feuille de plastique.
- Refusez tout arbre, arbuste ou conifère qui vous est livré dans un camion non fermé si le trajet dépasse 5 km.

OÙ, QUAND ET COMMENT BIEN PLANTER

Période de plantation: presque toute l'année

La période de plantation des arbustes, vivaces, arbres et conifères vendus en pots de **plastique** (conteneurs) s'étend d'avril à octobre ou tant qu'on peut travailler facilement la terre.

À moins qu'ils n'aient été empotés l'année précédente, les arbres, arbustes et conifères vendus en **pots de fibres bruns** ou en **mottes** emballées dans de la toile de jute ont un système radiculaire peu développé. Il est donc préférable de les planter en mai-juin ou en septembre.

On recommande de ne pas planter les conifères en pots de fibres ou en mottes plus tard qu'en septembre afin qu'ils puissent former suffisamment de racines pour passer l'hiver sans problème. Idéalement, ces racines doivent descendre plus profondément que le niveau où le sol gèle. Pour plus d'informations, voir les chapitres portant sur les conifères dans la troisième partie.

Il faut accorder une attention toute particulière à l'arrosage quand on plante durant les grosses **chaleurs** de l'été.

La bonne journée, la bonne heure

La reprise se fait mieux lorsqu'on plante par temps **frais et couvert** parce que les plantes perdent alors moins d'eau (par transpiration et par évaporation) que par temps chaud. Pour la même raison, les meilleurs résultats sont obtenus quand on plante sous la pluie. Lorsqu'on n'a pas d'autre choix que de planter par temps chaud, il est préférable de le faire avant 10 h ou après 17 h.

Choix de l'emplacement: vérifier le drainage

Si l'on a dressé un **plan** global d'aménagement du terrain avant de choisir les plantes (ce qui facilite le travail en général), elles sont plantées à l'endroit où elles pousseront le mieux, où elles produiront le plus bel effet. Il existe peu de plantes poussant seulement au soleil ou seulement à l'ombre, mais elles sont d'autant plus belles et vigoureuses que leurs exigences en la matière sont respectées. Voir le chapitre *À l'ombre ou au soleil?* La plupart des terrains résidentiels urbains sont drainés, mais ce n'est pas toujours le cas des terrains où sont érigées les résidences secondaires. Un **drainage** déficient pourra causer une accumulation d'eau au niveau des racines et, par conséquent, l'asphyxie de celles-ci et la mort des jeunes plantes. On vérifie que l'eau se draine bien en creusant un trou et en le remplissant d'eau. Si l'eau stagne ou s'égoutte très lentement (en plus de trois heures), il faut drainer avant de planter ou prendre certaines précautions: voir la section *Largeur et profondeur du trou* du présent chapitre.

À ÉVITER

Ne plantez jamais un jeune arbre directement sous des arbres adultes. L'ombre l'empêcherait de se développer normalement.

Respecter les distances de plantation

À ÉVITER

Si vous plantez trop près de la maison:
- esthétiquement, vous étouffez la maison, vous la cachez;
- vous devrez tailler souvent et sévèrement dès la troisième année;
- l'abondance de végétation maintient un taux d'humidité élevé;
- vous érigez un parfait camouflage pour les voleurs.

- Un **grand conifère** (épinette, pin, sapin, mélèze, etc.) ne devrait jamais être placé à moins de 6 m de tout édifice. Pour des raisons d'espace et d'esthétique, on ne devrait pas planter plus de deux d'entre eux sur un terrain résidentiel urbain.
- Les **petits conifères** érigés ou globulaires (genévriers, thuyas) ne devraient jamais être plantés à moins de 1 m de la maison, d'un mur ou d'une clôture.
- Les **conifères évasés ou rampants** dépassent souvent 3 m de largeur. Dans un aménagement, il faut donc les planter à au moins 2 m de distance des autres végétaux ou des murs. Pour connaître la largeur approximative de chaque espèce, reportez-vous aux sections sur les conifères dans la quatrième partie.
- La cime des **grands arbres** (érable, frêne, chêne, saule, etc.) dépasse 10 m d'envergure à l'âge adulte. Avant de les planter, il faut absolument s'assurer que cet espace existe pour que l'arbre puisse se développer sans envahir ni la maison ni les réseaux électriques et téléphoniques. Aucun grand arbre ne devrait être planté à moins de 6 m de tout édifice. Saule, peuplier et érable argenté devraient en être éloignés d'au moins 10 m, car leurs racines peuvent nuire aux drains, aux fondations et aux trottoirs.
- Les **petits arbres** (pommetier, orme chinois, sorbier, cerisier à grappes, etc.)

peuvent être plantés à 4 m d'intervalle et à 3 ou 4 m de la maison.

- La distance laissée entre les **arbustes** dépend de la taille qu'ils atteignent à l'âge adulte (voir le chapitre *Arbustes, choix des plants* de la troisième partie). En règle générale, on calcule l'intervalle entre deux arbustes en multipliant la somme de leur largeur par 40 %. Aucun arbuste ne doit être planté à moins de 1 m de la maison, d'un mur ou d'une clôture.
- Sauf mention contraire, les distances de plantation indiquées pour les petits arbres et les arbustes d'ornement sont aussi valables pour les **arbres et arbustes fruitiers.** Voir les chapitres correspondants.
- Les **distances de plantation** à respecter entre les vivaces, les annuelles, les bulbes et les rosiers sont données dans les chapitres correspondants.

POUR VOUS FACILITER LA TÂCHE

Si vous craignez que les racines d'un arbre planté trop près de la maison envahissent les drains ou endommagent les fondations, voici une façon de les en décourager:

- Creusez une tranchée d'au moins 1,2 m de profondeur, 40 cm de largeur et 5 m de longueur, à environ 2 m de la maison.
- Déposez dans la tranchée, bout à bout, deux plaques d'amiante de 12 mm d'épaisseur, puis remblayez en tassant la terre de chaque côté.
- Il vaut mieux faire cela tout de suite que d'avoir à réparer drains et fondations plus tard.

Le plus important: ameublir et enrichir la terre

Une des plus importantes étapes de la plantation consiste à ameublir le sol dans lequel on va planter arbres, arbustes, conifères, haies, vivaces ou annuelles. Autrement, les racines refuseront de s'aventurer dans un sol dur, mal aéré, et elles resteront confinées au trou de plantation, limitant ainsi la croissance de la plante.

Ameublir consiste à bêcher la terre sur une profondeur variable:

- 30 cm (la hauteur de la bêche) pour vivaces, annuelles et bulbes;
- 50 cm (et 75 cm de diamètre) pour arbustes, rosiers, petits conifères et haies;
- 50 cm (et 1,25 m de diamètre) pour les arbres et les grands conifères.

Il est recommandé, mais pas obligatoire, de faire ce travail trois ou quatre semaines avant la plantation de manière que la terre se tasse un peu par l'action de son propre poids et de la pluie.

Le bêchage est précédé d'un épandage de **matière organique**: fumier, compost, terreau, terre noire ou tourbe de sphaigne. Les propriétés respectives de ces ingrédients sont indiquées dans le chapitre *Enrichir sa terre*. Utilisés seuls ou en mélange, ils sont intimement mêlés à la terre existante, même si elle n'est pas très bonne. Épandez-en de 5 à 10 cm d'épaisseur sur toute la surface à bêcher. Voir le chapitre *Bien travailler sa terre*.

À ÉVITER

Il n'est pas recommandé de verser de la bonne terre directement autour des racines, car celles-ci pourraient s'y arrêter pendant quelques années, entravant ainsi la croissance de la plante. Il faut mélanger la bonne terre à la terre existante pour que les racines explorent tout le sol disponible et s'y ancrent rapidement et solidement.

Si vous voulez mettre de l'engrais
À la place de la poudre d'os, épandez un engrais à décomposition lente comme le superphosphate.

Si vous ne voulez pas mettre d'engrais

Au moment du bêchage, mélangez à la terre enrichie de matière organique, quelques poignées de poudre d'os (ou os moulu).

Largeur et profondeur du trou: très simple

Dans une terre enrichie et ameublie sur une surface égale à dix fois la surface du dessus du pot, il n'est pas nécessaire de creuser un trou plus large et plus profond que la motte de racines de n'importe quelle plante.

S'il y a de la **glaise** à moins de 60 cm de profondeur, on en éliminera une couche suffisamment épaisse pour pouvoir verser 15 cm de pierres concassées avant de mettre de la terre. La terre glaise récupérée peut être mélangée, une fois séchée et émiettée, à la terre qui servira à remplir le trou.

Plus la terre est ameublie, plus la plantation est réussie.

Tuteurage et haubanage: essentiels

1. Les jeunes arbres, y compris arbres et conifères greffés, ont besoin d'un **tuteur** jusqu'à ce que leurs racines soient bien installées dans le sol et que leur tronc ait au moins doublé de diamètre. Il faut compter trois ans. Dans les endroits venteux, gardez le tuteur jusqu'à ce que l'arbre ne risque plus de pencher dans le sens du vent.

Il existe plusieurs **sortes** de tuteurs: on peut utiliser des piquets de métal vendus dans le commerce, deux tuteurs à tomates attachés ensemble, une branche d'arbre séchée d'au moins 5 cm de diamètre, un morceau de bois de 5 cm de côté dont on taille en pointe l'extrémité qui sera plantée dans le sol.

Le tuteur doit mesurer entre 1,2 m et 1,5 m et être planté du côté d'où vient le **vent** dominant, en général ouest-sud-ouest.

Le tuteur est planté dès que l'arbre est déposé dans le trou et **avant** qu'on remplisse celui-ci. Passez le tuteur à travers la motte avec précaution pour endommager le moins possible de racines. La distance entre le tuteur et l'arbre dépend du type de lien utilisé, mais elle varie de 4 à 8 cm.

Liez le tuteur à l'arbre avec des morceaux de caoutchouc spécialement conçus ou avec un matériau souple et élastique qui ne risque pas d'érafler ou d'étrangler le tronc. Exemples: vieux bas

Croisez le lien entre le tuteur et l'arbre.

de nylon ou morceau de vieux matelas de mousse enroulé autour du tronc et attaché au tuteur avec de la ficelle ordinaire. Pour éviter que le tronc ne frotte sur le tuteur, croisez le lien entre les deux. Vérifiez les liens chaque année et ajustez-les au diamètre du tronc.

2. Un **hauban** est un câble ou une corde que l'on tend entre le sol et le tronc d'un grand conifère ou d'un grand arbre pour le maintenir en place, parfois pour le redresser. Le hauban joue le même rôle que le tuteur. Dans la plupart des cas, il suffit d'installer un seul hauban dans la direction du vent dominant. Dans les endroits très venteux, deux ou trois haubans placés à égale distance autour du tronc sont nécessaires.

POUR VOUS DISTINGUER

Si vous voulez faire pousser sur votre terrain un arbre ou un conifère qui, une fois adulte, aura l'air d'avoir été battu par le vent, un arbre penché, aux branches tortueuses et torturées, installez un tuteur de moins de 75 cm de hauteur. Il doit être solidement ancré dans le sol pour empêcher l'arbre de bouger pendant qu'il s'enracine. Les meilleures espèces pour ce genre d'exercice sont: les pins, les bouleaux, les pommetiers.

Niveau de plantation

Les arbres, arbustes, conifères et rosiers vendus en pots ou en mottes sont plantés de façon que le niveau du sol **dans le pot** ou la motte soit situé approximativement au niveau du sol autour du trou. C'est pourquoi, dans un sol ameubli, la profondeur du trou est égale à la hauteur de la motte. La règle générale c'est d'enfouir légèrement (1 ou 2 cm) le collet, c'est-à-dire la jonction entre le tronc et les racines. Pour éviter les

erreurs, placez le manche d'un outil en travers du trou. Il vous indiquera le bon niveau.

Lorsqu'on plante un rosier greffé, la **greffe,** visible par le bourrelet qu'elle forme, doit être légèrement enfouie.

Quand vous tasserez la terre après avoir rempli le trou de plantation, la motte risque de **descendre** de quelques centimètres. Il est donc préférable, avant de tasser, que le collet soit au niveau du sol ou légèrement au-dessus.

POUR VOUS FACILITER LA TÂCHE

Dans un sol qui s'égoutte mal:
- plantez en buttes de 1 à 3 m de diamètre (selon qu'il s'agisse d'arbres ou d'arbustes) et de 30 cm de hauteur;
- à l'aplomb des branches, c'est-à-dire vis-à-vis de l'extrémité des branches, creusez une tranchée de 20 cm de largeur et de 40 cm de profondeur; remplissez-la d'un mélange aéré de 50 % de tourbe de sphaigne et de 50 % de perlite.

Dans un sol qui sèche rapidement:
- plantez en creux, dans des cuvettes de 1 à 3 m de diamètre et de 8 à 10 cm de profondeur;
- à la terre devant servir à remplir le trou (voir la section *Le plus important: ameublir et enrichir la terre* du présent chapitre), ajoutez, dans une proportion de 25 % du volume total, un mélange à parts égales de terre glaise séchée et émiettée (si disponible), de vermiculite et de tourbe de sphaigne.

PARTICULARITÉS DE LA PLANTATION

Les plantes à racines nues

Les commerces horticoles vendent maintenant presque uniquement des plantes en pots, sauf dans le cas des rosiers greffés et des plantes qui servent à faire des haies, dont la plupart sont vendues à racines nues. Pour une reprise sans problème de dessèchement, la plantation des plantes à racines nues devrait se faire **avant** l'apparition des feuilles. Voici comment il faut procéder. **Il est recommandé, mais pas obligatoire,** de planter les plantes à racines nues au printemps en terre argileuse, en automne en terre sablonneuse, après la chute des feuilles.

- Avant la plantation, **taillez** les arbustes à haies à environ 30 cm au-dessus des premières racines. Dans le cas des thuyas («cèdres»), taillez l'extrémité des pousses latérales de l'année précédente. La taille assure une meilleure reprise et permet aux jeunes plants de se ramifier, surtout dans le bas.
- Avec un sécateur, coupez l'extrémité des **grosses racines.** Éliminez les portions de racines endommagées ou sèches. Laissez le plus possible de racines fines: ce sont des racines absorbantes et elles jouent un grand rôle dans la reprise.
- **Trempez** les racines pendant une demi-heure dans un mélange composé de boue liquide, de poudre d'os et de fumier. Ce mélange est appelé «onguent de saint Fiacre», patron des jardiniers. On peut y ajouter de la poudre d'enracinement (hormones) ou un engrais dit «transplanteur», mais ce n'est pas nécessaire si les deux premiers ingrédients sont présents. Cette technique s'appelle «prâlinage». Elle permet de réhydrater les racines et de favoriser une croissance rapide.
- Faites un **monticule** au fond du trou et déposez les racines dessus, en les laissant prendre une position naturelle.
- **Tassez** la terre deux fois: d'abord quand le trou est à moitié plein, puis quand il est plein.

POUR RÉDUIRE L'ENTRETIEN

Quand vous plantez des rosiers en sol sablonneux, au moment de remplir le trou, ajoutez à la terre quelques morceaux d'argile émiettée autour des racines. Les rosiers sont gourmands en eau et l'argile en retient plus que le sable.

Les plantes en mottes de toile de jute

Seules quelques espèces de conifères et les gros spécimens d'arbres et de conifères sont encore vendus en mottes enveloppées de toile de jute. Voici comment procéder pour la plantation.

- Une fois le trou creusé, **déposez** au fond la motte toute emballée.
- **Coupez** les nœuds qui retiennent la toile en place.
- **Écartez** la toile sur les côtés, puis essayez de la faire sortir par-dessous la motte. Si elle est coincée (ou si la motte risque de se défaire), **laissez-la** dans le trou en la descendant le plus possible. Elle pourrira sans nuire au développement des racines.
- Remplissez le trou.
- Terminez la plantation tel qu'indiqué dans la section *La finition* du présent chapitre.

Les plantes en pots de fibres bruns

- Si la plantation est retardée, placez les plantes à l'**ombre** partielle et arrosez-les tous les deux ou trois jours selon la température.
- Au moment de la plantation, couchez la plante sur le côté et **découpez** le fond du pot avec une bêche, une hache ou un gros couteau.
- Placez la plante dans son trou.
- Découpez le pot de haut en bas **et sortez-le du trou.**
- Remplissez le trou.
- Terminez la plantation tel qu'indiqué dans la section *La finition* du présent chapitre.

LES PLANTES EN POTS DE FIBRES BRUNS

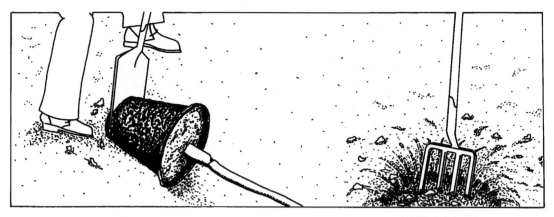

Couchez la plante sur le côté et découpez le fond du pot avec une bêche.

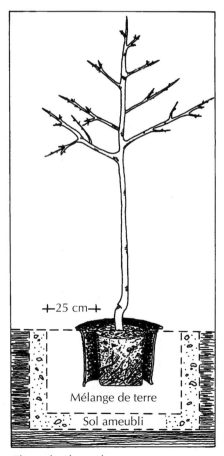

Placez la plante dans son trou et sortez le pot découpé.

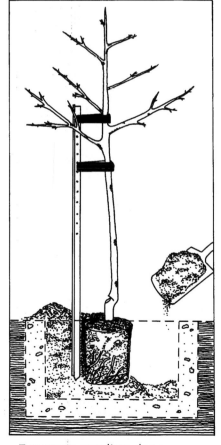

Tuteurez et remplissez le trou.

Il faut absolument enlever le pot au moment de la plantation sinon la plante risque de mourir de soif. Les pots de fibres doivent être découpés.

Le pot de fibres est biodégradable, mais il met plusieurs années à se décomposer. S'il est enterré **tel quel** avec les racines, celles-ci y sont confinées et ne peuvent aller chercher l'eau dont la plante a besoin. Conséquence: la plante souffre de sécheresse, végète et meurt parfois.

POUR ACHETER SANS SE TROMPER

- Avant de payer une plante, assurez-vous qu'elle est bien enracinée.
- Si la terre est sèche dans le pot, cela démontre que la plante a été mal arrosée. Elle a peut-être eu des problèmes de croissance qui vont se perpétuer chez vous. **Si toutes les plantes de la pépinière sont mal arrosées, changez de fournisseur.**

Les plantes en pots de plastique

- Si la plantation est retardée, placez les plantes à l'**ombre** et arrosez-les tous les deux ou trois jours selon la température.
- Au moment de la plantation, sortez la plante de son pot et mettez-la telle quelle dans son trou. Si les racines sortent par le bas du pot, **coupez** celui-ci de haut en bas pour conserver la motte entière.
- Remplissez le trou.
- Terminez la plantation tel qu'indiqué dans la section *La finition* du présent chapitre.

POUR ACHETER SANS SE TROMPER

- Les plantes en pots de plastique (ou conteneurs) sont cultivées en pots depuis qu'elles sont toutes petites. Elles ont donc développé un système radiculaire dense et vigoureux. Avant d'en acheter une, sortez-la du pot et observez ses **racines.** Elles devraient occuper au moins le tiers du volume de la motte. Si elles l'ont complètement envahie au point qu'il ne reste presque plus de terre, la plante reprendra sans doute avec vigueur, mais elle a tout de même pu souffrir de sécheresse.

- Si la terre est sèche, prenez les mêmes précautions que pour les plantes en pots de fibres bruns.

COMMENT TERMINER LA PLANTATION

La finition

- Remplissez le trou avec de la terre existante enrichie de **matière organique** (mettez-en de 5 à 10 cm d'épaisseur sur la surface avant de bêcher).
- Tassez la terre avec le pied **sans la taper.** Tournez tout autour de la plante en la tenant bien droite. Il ne doit pas y avoir de poches d'air dans le trou sinon les fines racines qui s'y trouveraient emprisonnées sécheraient et mourraient.
- Ajoutez de la terre s'il en manque.
- Ménagez une **cuvette** de 3 à 4 cm de profondeur tout autour de la plante pour en faciliter l'arrosage. Cette cuvette doit être de quelques centimètres plus large que le diamètre de la motte.
- Attachez la plante à son tuteur.
- Arrosez **abondamment même s'il pleut.** L'eau nourrit, mais fait aussi descendre la terre dans le trou. En règle générale, on évalue la quantité d'eau nécessaire à 1 litre d'eau par section de 10 cm de hauteur (ou de largeur, dans le cas des conifères étalés) de la plante. Exemple: 1 litre par plante annuelle ou vivace dans un pot de 10 cm; 10 litres pour un arbuste de 1 m; 15 litres pour un conifère de 1,50 m; 30 litres pour un arbre de 3 m.

REMARQUE: **Il est recommandé, mais pas obligatoire,** de maintenir le pourtour des plantes exempt de mauvaises herbes pendant au moins deux ans après la plantation. Cet espace doit avoir 1 m de diamètre pour les arbres et les conifères et 50 cm pour les arbustes. La meilleure façon d'y arriver sans trop de travail, c'est de couvrir le sol d'un paillis qui, en plus, contribuera à garder le sol humide par temps sec. Pour plus de renseignements sur les paillis, voir le chapitre *Des paillis à tout faire.*

Si vous voulez mettre de l'engrais

Dans une terre enrichie, l'engrais est superflu, mais il n'est pas interdit d'ajouter à l'eau d'arrosage un engrais soluble de type «transplanteur».

À ÉVITER

Il ne faut jamais faire une **butte** au pied des arbres, arbustes, conifères et haies. C'est inesthétique et, pour les arbres bien développés, c'est inutile puisque les racines absorbantes sont situées à l'aplomb de l'extrémité des branches. Pour les plantes fraîchement plantées, c'est carrément nuisible, car l'eau ruisselle sur la butte et descend à l'extérieur de la zone de racines.

La taille à la plantation

- Au moment de la plantation, raccourcissez des **deux tiers** les tiges des arbustes à racines nues. Gardez seulement les trois ou quatre plus vigoureuses et éliminez le reste. Raccourcissez d'**un tiers** les tiges des arbustes vendus en pots. N'en gardez que trois à six réparties de manière régulière tout autour de la plante parmi les plus vigoureuses. Éliminez toute tige frêle, noircie, malade ou cassée.
- Ne taillez pas les conifères, sauf les **thuyas** («cèdres») et les **genévriers** dont

on peut raccourcir les pousses de 2 à 3 cm en suivant la forme naturelle de la plante.

- Ne taillez pas non plus les bouleaux, hêtres, chênes, marronniers, sauf pour enlever une branche qui en gêne une autre.
- Taillez les **autres grands arbres** et les **petits arbres d'ornement** en dédoublant les fourches et en éliminant les tiges frêles, malades, cassées.
- Équilibrez la longueur des branches latérales en vous rappelant que celles du bas doivent être plus longues que celles du haut par respect pour la forme naturelle de l'arbre. Ne raccourcissez pas la **tige centrale.**
- Sur les arbres fruitiers, on ne garde que les branches charpentières (celles qui porteront la récolte) et les fortes tiges. Pour plus de détails, voir le chapitre *Culture des gros fruits.*

COMMENT CHANGER UNE PLANTE DE PLACE SANS LUI NUIRE

Les bonnes raisons

On transplante pour plusieurs raisons:
- parce qu'on juge qu'une plante n'est pas à la bonne place;
- parce qu'on veut éclaircir une plantation trop serrée;
- parce qu'on veut isoler une plante de valeur;
- parce qu'on veut offrir une plante à quelqu'un.

Époque de transplantation

- La meilleure époque pour changer de place un **arbre,** un **arbuste** ou un **conifère,** c'est quand il est **au repos.** On peut le faire en avril (ou dès qu'on peut travailler la terre) pour toutes les espèces. À l'automne, il faut transplanter les conifères en septembre, alors qu'on peut le faire en septembre ou en octobre pour les espèces feuillues.

- Les **vivaces** peuvent être transplantées du début du printemps à la fin de mai, ainsi qu'en septembre et octobre ou juste après leur floraison. Cette transplantation peut être combinée à une division de souche. Voir le chapitre *Les vivaces, multiplication par division.*
- On peut changer les **annuelles** de place n'importe quand à condition de prélever le plus de racines et de terre possible. Arroser abondamment. Un léger ralentissement de la croisance est à prévoir.

POUR VOUS FACILITER LA TÂCHE

Vous pouvez transplanter ou diviser les vivaces pendant **tout l'été** à condition d'empoter la plante déterrée dans un pot de plastique de 15 ou 20 cm de diamètre, puis de lui faire passer de quatre à six semaines à l'ombre. Arrosez-la fréquemment.

Cette méthode permet d'éviter que la plante ne souffre des grosses chaleurs et elle stimule la formation de nouvelles racines. Quand la plante est installée à son nouvel emplacement, elle reprend rapidement.

Comment déterrer vivaces et annuelles

Arrosez la veille de la transplantation. Afin d'enlever le maximum de racines, découpez, avec une pelle, une bêche ou un transplantoir, une motte aussi large que la plante. Dans le cas des vivaces transplantées au printemps, quand elles sortent juste de terre, évaluez le diamètre qu'aurait la plante si elle était pleinement développée.

Comment déterrer les petits arbres, arbustes, conifères

- **Arrosez** deux ou trois jours avant la transplantation.

- Mesurez la **circonférence** du tronc à sa base et multipliez cette mesure par deux. Le chiffre obtenu correspond au **diamètre** minimum de la future motte.
- Découpez le pourtour de la motte avec une bêche en enfonçant le fer de celle-ci sur toute sa longueur. Donnez un **angle** léger à la bêche de manière que la motte soit plus étroite en bas qu'en haut.
- Dégagez ensuite la motte en creusant une **tranchée** tout autour, sur une largeur qui vous permette de travailler à l'aise. Ceci est d'autant plus important que l'arbre à transplanter est gros.
- Afin de prendre le plus de racines possible, donnez à la motte une **hauteur** de 30 cm pour les arbustes et les petits conifères, et de 40 à 50 cm pour les arbres et les conifères plus développés.
- Dégagez le dessous de la motte en coupant les grosses **racines.** Utilisez un sécateur ou une hache si la bêche n'en vient pas à bout.
- Passez un morceau de **toile de jute** sous la plante en la basculant alternativement dans un sens puis dans le sens opposé. Dans le cas de grosses mottes, il faut utiliser deux toiles de jute l'une sur l'autre pour plus de solidité.
- **Attachez** solidement les quatre coins de la toile sur le dessus de la motte.
- Si la motte est lourde, vous pouvez utiliser un **levier** de fortune. Transportez-la jusqu'au nouvel emplacement dans une brouette ou sur une planche que vous ferez rouler sur des rondins de bois ou des tubes d'acier.

REMARQUE: Si vous voulez déplacer un arbre de plus de 2,50 m de hauteur, faites appel à un paysagiste.

POUR VOUS FACILITER LA TÂCHE

Découpez la motte à la bêche plusieurs mois **à l'avance** de façon que la plante ait le temps de refaire son réseau de racines à l'intérieur de la motte avant d'être changée de place. Elle souffrira ainsi beaucoup moins du choc de la transplantation. Procédez à cette découpe au printemps si vous voulez transplanter à l'automne et vice-versa.

La plantation proprement dite

Pour tous les conseils concernant la plantation, consultez la section *Où, quand et comment bien planter* du présent chapitre.

Quand les conifères sont trop serrés, déplacez-les avant d'avoir à les tailler trop sévèrement.

Savoir semer

Semer est devenu une activité moins importante pour le jardinier que par le passé. En effet, les horticulteurs produisent en pots ou en caissettes la plupart des plantes dont il a besoin. Mais semer procure un double plaisir: celui de produire soi-même ses plants d'annuelles, de vivaces ou de légumes, et celui de voir les plantes grandir, tout simplement.

LE CHOIX DES SEMENCES

Dans le commerce

Les graines vendues dans le commerce germent généralement à un taux de 90 à 100 %. La plupart des graines de légumes sont enrobées de fongicide pour éviter que les jeunes plantules ne pourrissent au contact de la terre.

En matière d'annuelles ou de légumes, si vous n'êtes pas amateur d'une variété en particulier, achetez ce que l'on appelle des *hybrides F1* (ou hybrides de première génération). Ce sont des graines issues du croisement de deux variétés aux qualités différentes. Ces hybrides sont généralement plus vigoureux et plus productifs que leurs parents. Si vous les cultivez, n'essayez pas de conserver **leurs graines**: les hybrides de deuxième génération sont des bâtards souvent très faibles.

Si les graines achetées l'année précédente ont été conservées au frais et au sec, elles germeront encore. Le taux de mortalité sera plus élevé qu'avec des graines fraîches, mais les jeter serait du gaspillage. Dans de bonnes conditions, on peut conserver des graines **plusieurs années.** Mais de moins en moins de graines germeront correctement.

Vos propres graines

Les fleurs d'annuelles et de légumes sont souvent fécondées par du pollen transporté par le vent, dont on ignore l'origine. Les graines issues de cette fécondation hasardeuse porteront des qualités indéterminées, voire des **défauts,** et peuvent donner des plants aux rendements décevants.

Un bon nombre de vivaces et de bisannuelles se fécondent elles-mêmes. Récolter les graines donnera des jeunes exactement semblables à la plante-mère.

POUR VOUS DISTINGUER

- Vous pouvez toujours récolter les graines décrites ci-dessus et vous amuser à découvrir la surprise qu'elles renferment.
- Les graines de vivaces fécondées par un pollen étranger peuvent donner de magnifiques surprises, comme dans le cas des annuelles et des légumes. Essayez, vous pourriez obtenir une nouvelle variété.

Récoltez les graines quand le fruit qui les porte commence à **sécher** sur la plante.

La plupart des graines ont besoin de passer une période **au frais et au sec** avant de pouvoir germer. Vous pouvez conserver les graines d'annuelles à l'intérieur de la maison dans du sable pendant l'hiver. Semez les vivaces et les bisannuelles à l'extérieur, **en automne,** dans une terre bien préparée: elles germeront au printemps.

LES SEMIS À L'INTÉRIEUR

Quand?

Les dates auxquelles il est conseillé de procéder aux semis des plantes annuelles et des légumes sont indiquées dans les chapitres appropriés de la troisième partie. Les semis de vivaces à l'intérieur ont lieu de bonne heure au printemps (mars). **Il vaut mieux semer un peu trop tard qu'un peu trop tôt**: les jours rallongent et l'intensité lumineuse est meilleure.

Où?

- L'emplacement idéal pour les semis est une **serre** domestique. Une **mini-serre** de fenêtre, exposée plein sud, est un autre emplacement de choix.
- Le rebord d'une **fenêtre** très ensoleillée, orientée plein sud, peut donner de bons résultats, mais comme, au début du printemps, les jours sont encore courts, les résultats ne sont pas garantis. La fenêtre devrait mesurer au moins 1 m de largeur sur 1 m de hauteur.
- On peut aussi choisir d'installer un système d'éclairage **artificiel.** Dans ce cas, les semis doivent être placés à environ 20 cm de quatre tubes au néon parallèles.
- La température ambiante doit se situer entre **18 et 22 °C.** Si la pièce est chauffée à l'air chaud, les semis doivent être éloignés d'au moins 1 m de toute source de chaleur.

Les récipients

Si vous recyclez des **caissettes à fleurs en polystyrène,** lavez-les et passez-les à l'eau de Javel pour détruire tout risque de pourriture des semis avant de les utiliser.
Les **caissettes** et les **pots en tourbe pressée** s'adaptent très bien aux petites quantités, mais leur manipulation est hasardeuse quand ils sont pleins de terre humide. Par contre, ils sont biodégradables et sont facilement recyclables, ne serait-ce que dans le compost.

Il y a trois modèles de **plateaux à semis** en plastique:
- le premier se présente sans division; il est pratique pour le semis à la volée, de laitues par exemple;

- le second est divisé en petites cellules individuelles: cette division est très bonne pour les semis car, au moment de la transplantation, les racines ne sont pas perturbées;
- le troisième est une mini-serre: c'est un plateau à division comme ci-dessus, muni d'un couvercle de plastique transparent qui permet de conserver un haut taux d'humidité favorable à la germination.

Le terreau

Vous pouvez réaliser votre propre mélange de terreau avec des ingrédients stériles (la tourbe) ou stérilisés.

POUR RÉUSSIR

Voici une recette simple pour **stériliser la terre** de jardin que vous utiliserez dans vos mélanges:
- Remplissez de terre un récipient de 10 cm de hauteur.

- Ajoutez de l'eau jusqu'à saturation sans faire de boue.
- Enfoncez une pomme de terre de 5 cm de diamètre au milieu de la terre.
- Mettez au four chaud: 175 °C.
- Ajoutez de l'eau si vous voyez que la terre se dessèche.
- La terre est stérilisée quand la pomme de terre est cuite.

Un bon terreau doit être léger, aéré et doit contenir un minimum d'éléments nutritifs, tout en restant humide assez longtemps.

Voici quatre recettes de terreau que vous pourrez modifier selon les résultats obtenus:

- $1/3$ de terreau de rempotage commercial, $1/3$ de terre du jardin, $1/3$ de sable;
- $1/3$ de compost, $1/3$ de terre de jardin, $1/3$ de sable;
- $1/3$ de tourbe de sphaigne, $1/3$ de vermiculite ou de sable, $1/3$ de compost;
- $1/4$ de terre de jardin, $1/4$ de terreau de rempotage commercial, $1/4$ de vermiculite, $1/4$ de tourbe de sphaigne, une poignée de compost par récipient.

À ÉVITER

Ne mettez jamais d'engrais dans un terreau à semis.

Méthode

- Remplissez le contenant en laissant un peu d'espace pour arroser. Mettez un peu de terreau de côté.
- Avec la main, affinez et égalisez la surface.
- Semez les graines en les espaçant de 2 ou 3 cm. La façon de semer varie selon le récipient:
  - une ou deux graines par cellule dans le cas des plateaux divisés;
  - quatre à six graines dans les pots de tourbe pressée de 10 cm;
  - à la volée (c'est-à-dire sans ordre précis) dans les caissettes de polystyrène ou de tourbe pressée et dans les plateaux sans division;
  - en lignes espacées de 5 à 6 cm dans les caissettes et les plateaux sans division.

POUR VOUS FACILITER LA TÂCHE

Il est plus facile de semer les petites graines quand on les mélange avec un peu de sable fin sec.

- Avec la main ou à l'aide d'une petite planche de bois, tassez légèrement les graines dans le terreau.
- Recouvrez les graines d'une mince couche de terre ou de vermiculite à peu près égale à leur diamètre.
- Vaporisez de l'eau tiède jusqu'à ce que la terre soit mouillée sur au moins 3 cm de profondeur.

PRÉCAUTION À PRENDRE

Si vous semez plus d'une sorte de plante par récipient, semez en cellules ou en lignes et identifiez l'espace occupé par chaque espèce en écrivant son nom sur un bâton de «popsicle» légèrement enfoncé dans le terreau.

Le repiquage

Le repiquage consiste à transplanter les jeunes plantules pour leur donner tout l'espace dont elles ont besoin pour se développer. On l'exécute quand les plants ont formé **deux vraies feuilles** ou deux paires de vraies feuilles dans le cas où les feuilles sont opposées.

MISE EN GARDE

Les organes verts qui sortent des graines dès qu'elles ont germé ne sont pas de vraies feuilles. On les appelle «cotylédons»; ils étaient contenus dans la graine à l'état miniature.

Voici comment repiquer:

- Utilisez les mêmes récipients que pour le semis, à l'exception des plateaux divisés en cellules. Les mêmes terreaux également, à condition qu'ils soient légèrement humides.
- Avec le doigt, préparez à l'avance les trous où seront plantées les jeunes plantules. Dans une caissette de polystyrène, ne faites pas plus de 12 trous; dans un plateau en plastique, pas plus de 24.

POUR VOUS FACILITER LA TÂCHE

S'ils ont été semés dans des plateaux à semis divisés en cellules, la plupart des légumes et des annuelles peuvent se passer de repiquage. Cependant, les plants seront peut-être un peu moins vigoureux que s'ils avaient été repiqués.

- Enfoncez une cuillère à thé à 2 cm de chaque jeune plant, soulevez la motte et déterrez le tout.
- Déposez la motte dans un des trous; enterrez le petit plant un peu plus profondément que dans le plateau à semis.
- Bouchez le trou avec un peu de terre.
- Tassez légèrement.
- Arrosez en vaporisant de l'eau sur la terre.

À ÉVITER

Ne placez pas les jeunes plants repiqués au soleil tout de suite. Laissez-les reprendre leur croissance pendant environ une semaine à l'abri des rayons solaires. Ensuite, remettez-les à la grande lumière.

POUR RÉUSSIR

Une dizaine de jours avant la transplantation à l'extérieur, commencez à sortir les jeunes plants dehors. Les trois premiers jours, placez-les à l'ombre: ils peuvent rester dehors pendant six heures.

Le quatrième jour, mettez-les six heures à l'ombre, une demi-heure au soleil. Ajoutez une demi-heure de soleil par jour.

LES SEMIS À L'EXTÉRIEUR

Quand?

On peut semer certaines annuelles et quelques légumes de trois à quatre semaines avant la fin officielle des risques de gel nocturne. Cependant, la plupart des annuelles et des légumes sont semés à la fin de mai et au début de juin dans la plupart des régions du Québec, quand la terre est égouttée et réchauffée. Quant aux vivaces, on peut les semer du début du printemps à la fin de l'été.

POUR VOUS DISTINGUER

Si vous découvrez chez des amis, en automne, une vivace qui vous plaît, récoltez-en quelques graines et semez-les tout de suite dans une plate-bande recevant une bonne couverture de neige. Les risques de pertes sont minimes et la germination aura lieu de très bonne heure au printemps.

Certains légumes comme les **laitues,** les **oignons** et les **poireaux** peuvent être semés en automne. Parfois, ils germeront avant même que la neige ait fini de fondre au printemps.

Où?

Pour semer à l'extérieur, choisissez de préférence un coin de plate-bande recevant au moins trois heures de soleil par jour. Assurez-vous que l'endroit choisi est à l'abri du vent. Le sol doit être bien drainé. Les racines se développent plus aisément dans un sol sablonneux.

La préparation de la terre

- Bêchez et ameublissez la terre tel qu'indiqué dans le chapitre *Bien travailler sa terre*.
- Enrichissez la terre tel qu'indiqué dans le chapitre *Enrichir sa terre*.
- Avec un râteau, affinez la surface et éliminez tous les cailloux et les déchets végétaux.

Méthodes

Quelle que soit la grosseur des graines, vous pouvez les semer en lignes (c'est-à-dire en sillons) dont la profondeur est égale au **double** du diamètre des graines. Refermez la tranchée une fois le semis terminé et tassez la terre avec le dos d'un râteau.

Semez les **graines fines** (carottes, pétunias, etc.), directement, à la volée, sur le sol ainsi préparé en les espaçant de 2 à 3 cm; enfoncez-les dans le sol simplement en tassant celui-ci avec le dos du râteau.

Pour semer les **grosses graines** (capucines, pois de senteur, etc.), vous avez le choix:

- faites des trous avec le doigt en enfonçant la première phalange, puis déposez la graine dans le trou, rebouchez et tassez le sol avec le dos du râteau;
- ou bien creusez avec le râteau l'espace à semer sur une profondeur de 2 cm; mettez la terre de côté; semez les graines en les espaçant de 5 à 6 cm et couvrez-les avec la terre mise de côté; tassez avec le dos du râteau.

POUR RÉUSSIR

Si le sol est sablonneux, faites en sorte que l'espace réservé aux semis soit, après avoir tassé avec le râteau, légèrement **plus bas** que le niveau du sol environnant. Cela permet de maintenir un meilleur taux d'humidité autour des graines.

Après avoir semé, arrosez doucement avec un embout genre douche et à basse pression.

L'entretien

Quand les jeunes plants ont atteint 3 à 4 cm de hauteur, **éclaircissez-les** en laissant entre chaque plant la distance voulue pour qu'ils se rendent jusqu'à l'âge adulte sans se nuire. Cette distance varie selon l'espèce. Dans le cas d'annuelles ou de vivaces, ne jetez pas les plants superflus: donnez-les à des voisins, transplantez-les dans une nouvelle plate-bande ou encore mettez-les dans des pots de 15 cm de diamètre que vous pourrez distribuer à des amis quand les plants seront bien enracinés.

Les plants superflus de vivaces peuvent être enfouis dans une tranchée où ils passeront l'hiver dans leur pot, sous la neige.

SAVOIR SEMER À L'EXTÉRIEUR

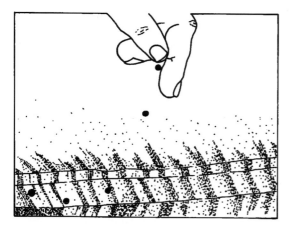

Semez les graines en lignes.

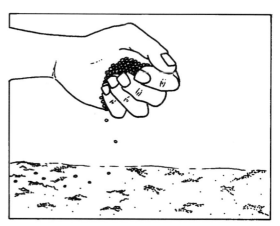

Semez les graines fines à la volée.

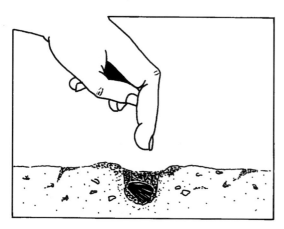

Semez les grosses graines en faisant des trous
avec le doigt.

Si vos semis de vivaces sont prêts à l'automne, transplantez les plants superflus dans des **pots** de 15 cm, que vous déposerez dans une tranchée de 20 cm de profondeur pour qu'ils passent l'hiver sans risquer de geler.

Il est fort probable que des mauvaises herbes poussent en même temps que vos plantes. Attendez qu'elles poussent assez pour bien les **différencier** avant de désherber. Et puis, rassurez-vous, plusieurs des mauvaises herbes en question sont annuelles et ne passeront pas l'hiver.

La transplantation

Il n'est pas nécessaire de transplanter les annuelles et les légumes semés directement au jardin. Quant aux vivaces, leur transplantation se fait directement de la plate-bande de semis à la plate-bande où elles grandiront. Comme les semis ont été faits à l'extérieur, on peut attendre que les plants atteignent 5 à 10 cm de hauteur avant de les transplanter. Voici comment procéder:

- Soulevez les plants avec un plantoir en essayant de ne pas casser les racines.
- Si vous déracinez plusieurs plants à la fois, déposez-les dans une caissette et, avant de les déménager, couvrez les racines avec un peu de terre humide.
- À l'endroit où vous voulez mettre le plant, faites un trou avec le plantoir.
- Déposez le jeune plant un peu plus profondément que dans la terre de semis.
- Bouchez le trou et tassez tout autour en ménageant une cuvette pour l'arrosage.

SEMER TÔT POUR PRENDRE DE L'AVANCE

La bonne terre

La seule condition pour que vous puissiez jouer dans le jardin peu de temps après la fonte des neiges est très simple: on peut faire n'importe quoi à condition que la terre soit **bien égouttée.** Cela signifie que la terre est débarrassée de l'excès d'eau provenant de la fonte des neiges.

Comment savoir si une terre est bien égouttée? Si la surface est boueuse, si les particules de terre ont l'air collées, il y a encore trop d'eau. Si, en tripotant une poignée de terre, vous constatez que quelques gouttes s'échappent, et si, quand vous la serrez dans votre main, elle forme une masse collante, c'est encore trop tôt. Si la terre colle à la bêche ou à la fourche à bêcher, attendez encore un peu avant de la remuer.

Une terre gorgée d'eau au début du printemps est généralement trop froide pour permettre une bonne germination et une activité vigoureuse des racines. Soyez patients!

Quoi semer

- Les espèces de **légumes** qu'on peut semer tôt sans crainte sont: les oignons, les poireaux, les carottes, les radis, les panais, les navets, les petits pois, les laitues et les épinards.
- Parmi les fleurs **annuelles** à semer tôt pour un début de floraison deux mois plus tard, retenez: les œillets d'Inde («marigold»), les zinnias, les centaurées, les cléomes, les cosmos, les godétias, les clarkias, les soucis.
- Mettez aussi sur la liste vos plantes **vivaces** préférées.
- Quant aux espèces de légumes que l'on ne sème **pas tôt,** ce sont: les haricots, les concombres, les melons, les courges et les citrouilles.

L'arrosage bien pensé

Pour réduire le gaspillage d'eau et libérer le jardinier du temps que prend l'arrosage manuel, les systèmes automatiques d'arrosage se multiplient. Mais les fervents du jardinage, ceux qui veulent contrôler la quantité d'eau que boivent leurs plantes chéries, se doivent de respecter quelques règles pour obtenir la meilleure croissance et la plus belle floraison.

GRANDS PRINCIPES À RESPECTER

Les exigences des plantes

- Arrosez la **pelouse** par aspersion manuelle ou automatique.
- Arrosez les **plates-bandes** de fleurs et la **rocaille** par aspersion manuelle ou automatique ou à l'aide d'un tuyau poreux.
- Arrosez les **arbres**, les **arbustes**, les **conifères** et les plants de **haie** individuellement, au pied.

L'arrosage individuel est plus efficace que l'aspersion pour les grosses plantes.

- Arrosez les **légumes** individuellement, au pied. L'aspersion risquerait de propager les maladies.
- Arrosez individuellement, au pied, les annuelles et les vivaces qui ont une tendance marquée à **se coucher** lorsque les fleurs sont pleines d'eau (pivoines et autres plantes à fleurs doubles).

L'heure de la journée

Les restrictions municipales concernant l'arrosage doivent être respectées, mais elles imposent un horaire qui n'est pas forcément le meilleur pour les plantes. L'heure d'arrosage idéale est **le matin,** entre 5 h et 8 h. L'absorption par les racines étant excellente à ce moment-là, les plantes sont prêtes à passer une journée de canicule. De plus, l'eau ne reste pas longtemps sur les feuilles. Par contre, s'il est trop important, l'arrosage nocturne, quant à lui, augmente les risques de prolifération des maladies.

L'arrosage en plein soleil est souvent pratiqué dans les grands espaces publics et les parcs municipaux. Il existe peu de preuves que cette pratique soit bonne ou mauvaise pour les plantes. Chose certaine, elle entraîne un **gaspillage** d'eau parce que l'évaporation est rapide.

La fréquence

N'arrosez pas simplement parce qu'il fait chaud et qu'il n'a pas plu depuis quelques jours. Il faut déterminer si le sol a besoin d'eau. Pour ce faire, **creusez** dans la terre pour voir où commence la zone humide (plus foncée que la zone sèche). Quand la zone sèche a 2 cm d'épaisseur ou plus, c'est peut-être le moment d'arroser, mais si les plantes ne sont pas ramollies après une journée chaude, vous pouvez attendre encore un peu. Les sols n'ont pas tous la même capacité à retenir l'eau; ils libèrent l'eau par évaporation à un rythme différent; par ailleurs certains sols sont recouverts d'un paillis. Ils ne sèchent donc pas tous de la même manière. Conclusion: on n'arrose jamais deux jardins de la même façon.

Au cours d'une période de températures élevées, l'**intervalle** entre deux arrosages varie de 3 à 5 jours pour un sol sans paillis et de 5 à 10 jours pour un sol avec paillis.

La profondeur et la durée

- La quantité d'eau donnée au sol est proportionnelle à la durée de l'arrosage, mais elle dépend aussi du débit au robinet, du degré d'humidité du sol avant l'arrosage, de son épaisseur, de sa nature et de la profondeur des **racines.** Le but ultime de l'arrosage est d'apporter de l'eau au niveau des racines, mais on en donne toujours un peu plus que nécessaire pour former une sorte de réserve. L'eau ainsi emmagasinée en profondeur remontera par capillarité au fur et à mesure que les couches supérieures du sol sécheront.
- Dans un sol sablonneux, la même quantité d'eau descendra de deux à quatre fois plus **profondément** que dans un sol argileux. Par ailleurs, les racines occupent plus d'espace dans un sol sablonneux que dans un sol argileux.
- Pour vous assurer que votre arrosage est adéquat, creusez un peu de temps à autre pour savoir en combien de temps l'eau arrive au niveau inférieur des racines assoiffées.

- La **profondeur** moyenne d'arrosage pour les annuelles et les plantes à bulbes est de 15 à 25 cm, selon la nature du sol et le développement des plantes. Versez l'eau directement du tuyau pendant 15 à 30 secondes, selon le débit de l'eau, au pied de chaque plant.
- Pour les vivaces, la profondeur est de 20 à 30 cm. **Durée:** 25 secondes à 1 minute. Dans le cas des petits arbustes et conifères, arrosez de 30 secondes à 1 minute et demie.

POUR LES GROSSES PLANTES

Il est absolument **inutile** d'arroser au bas du tronc les grands arbres, les grands arbustes et les grands conifères. Ce n'est pas là que se trouvent les racines nourricières. Pour avoir une idée approximative de l'endroit où sont les **racines,** imaginez une ligne droite qui descend perpendiculairement au sol à partir de l'extrémité des branches les plus longues. Autrement dit, c'est dans une couronne de 20 à 50 cm de largeur située à la même distance du tronc que les branches les plus longues que se trouvent la plupart des racines qui boivent l'eau nécessaire à l'arbre.

Une fois que vous avez identifié la zone de racines, arrosez au tuyau en surface pendant **5 à 10 minutes,** jusqu'à ce que vous ayez l'impression que l'eau est descendue assez profondément dans le sol.

Pour atteindre les racines nourricières les plus profondes (c'est nécessaire seulement en cas de sécheresse catastrophique), procurez-vous une sonde. Elle se branche au tuyau d'arrosage et il faut l'enfoncer dans le sol avant de libérer l'eau.

MÉTHODES ET ÉQUIPEMENTS

L'arrosage manuel

Les meilleurs tuyaux, ceux qui durent le plus longtemps, sont faits de **caoutchouc.**

Ils sont plus chers, mais ne risquent pas de s'écraser avec le temps.

Dans le choix des **arroseurs oscillants,** optez pour ceux qui vous permettent de régler avec précision la surface arrosée: une bonne manière d'éviter le gaspillage. Certains modèles offrent un pluviomètre intégré qui permet de connaître la quantité d'eau apportée au sol.

Les **gicleurs** sont efficaces, mais d'emploi peu malléable car ils sont mal adaptés aux petites surfaces. En plus, ils sont bruyants et rompent la quiétude du jardin.

Pour arroser les plantes une par une dans une plate-bande, vissez au bout du tuyau un **embout** genre douche qui ne risque pas d'abîmer les feuilles ni de faire des trous dans la terre.

À ÉVITER

Les **pistolets à pression** sont très utiles pour laver les autos ou les entrées asphaltées, mais ils sont les ennemis jurés du jardinier. Leur principal défaut réside dans les dégâts qu'ils causent à la surface de la terre: ils font des trous, provoquent la formation d'une croûte quand la terre sèche et, parfois, mettent les racines à nu, les exposant ainsi à l'ardeur solaire.

L'arrosage par tuyau poreux

Cette méthode est très récente et promise à un grand avenir car elle permet d'éviter les pertes et le gaspillage et fonctionne presque toute seule. L'installation requiert l'acquisition de **deux tuyaux:** un tuyau normal pour amener l'eau jusqu'aux diverses plates-bandes et un tuyau poreux, disponible en sections de longueurs variables.

Le tuyau poreux est enterré dans les plates-bandes au niveau des racines, au moment de la plantation ou après (même un an après). La **profondeur** varie entre 5 et 10 cm, selon les types de plantes et les marques de tuyaux:

Raccordez le tuyau poreux à l'arrivée d'eau.

suivez les indications sur l'emballage. On laisse une des extrémités du tuyau hors de terre pour le brancher. La trajectoire du tuyau doit contourner les plantes pour que l'eau soit mise à la disposition du maximum de racines.

Quand une plate-bande a besoin d'être arrosée, **branchez** le tuyau d'arrivée au tuyau poreux, puis tournez le robinet d'un tour ou deux (faites des essais). À basse pression et à faible débit, l'eau pénètre dans le tuyau poreux qui la laisse passer à travers ses parois. Elle s'infiltre doucement dans le sol. Vous pouvez arroser de jour ou, mieux, de nuit. La durée d'arrosage dépend du débit de l'eau et du degré de sécheresse du sol. Observez les résultats et ajustez votre montre en conséquence.

L'eau s'infiltre doucement dans le sol.

L'arrosage par système automatique

Il existe des systèmes automatiques d'arrosage. Certains sont faciles à installer. Si votre aménagement est pour le moins compliqué et découpé en petites sections, il vaudrait mieux faire faire le plan et l'installation par un spécialiste.

Les gicleurs de ces systèmes sont **silencieux** et **précis,** et ils dispensent l'eau sans abîmer les feuilles ni déranger la terre. Si votre budget le permet, vous pouvez vous procurer le summum de l'automatisme: une sorte de micro-ordinateur capable de décider pour vous du débit d'arrosage, de la durée, de l'heure de la journée, etc.

L'ARROSAGE POUR LES GROSSES PLANTES

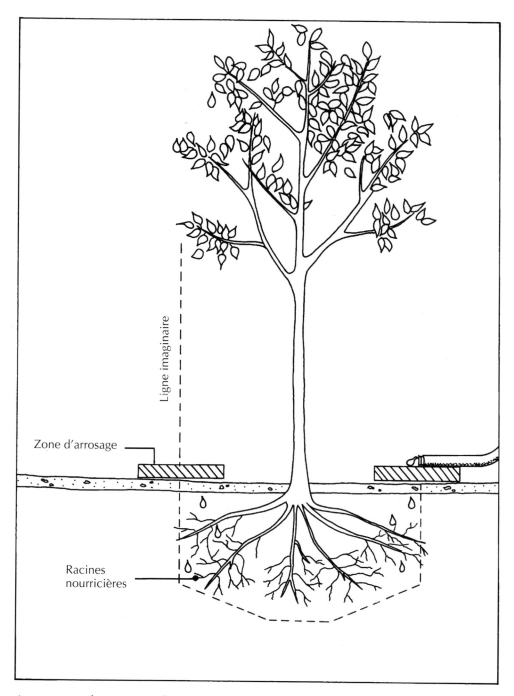

Arrosez en surface vis-à-vis des racines nourricières.

Contrôler facilement les mauvaises herbes

Contrôler les mauvaises herbes, c'est à peu près tout ce que peut faire le jardinier pour garder son jardin propre. Car ces envahisseurs reviennent tout le temps. Leurs graines, souvent légères, se promènent dans le vent, s'accrochent sous les chaussures, aux pneus des autos. La meilleure lutte, c'est la prévention systématique. Les moyens ne manquent pas.

MISE EN GARDE

Nous ne traiterons, dans ce chapitre, que des mauvaises herbes qui apparaissent au pied des plantes ornementales et dans le potager. Celles qui poussent dans le gazon sont traitées dans le chapitre sur la pelouse de la deuxième partie. Les méthodes décrites ci-dessous sous-entendent naturellement que le sol n'est pas recouvert de paillis.

UN DÉBUT DE PRÉVENTION

Trois types de matériaux ont été mis au point par les industriels dans le but de faciliter le travail des jardiniers (mais est-ce vraiment un travail?).

Les paillis

Les paillis constituent un excellent moyen de lutter contre l'infestation par les mauvaises herbes. Pour tous les détails, référez-vous au chapitre *Des paillis à tout faire*.

Les toiles

Les toiles géotextiles (feutre) et les toiles de plastique empêchent les graines de mauvaises herbes et les racines de chiendent contenues dans le sol de former une nouvelle plante. Les premières laissent passer l'air, l'eau de pluie et l'eau d'arrosage. On les utilise donc sur les plates-bandes, ainsi qu'autour des arbres, des arbustes et des conifères, avant d'étendre un paillis. Quant aux **toiles de plastique,** elles sont imperméables. On les étend donc sous les pavés et les dalles de béton, en arrière des blocs de remblai ou des pierres servant à la construction d'un muret.

MISE EN GARDE

Les toiles n'empêcheront pas les graines de germer dans l'espace qui sépare les pavés et les dalles. Un léger entretien s'impose donc à moins que, dans le cas des pavés, on applique un scellant.

POUR VOUS DISTINGUER

Pour limiter l'entretien entre les dalles et empêcher les mauvaises herbes de s'installer, plantez entre chacune des plantes vivaces couvre-sol, comme le thym et la sagine. Ces plantes rendent le dallage plus sympathique en arrondissant les angles.

Les bordures

Les bordures sont des bandes de plastique noir que l'on insère entre les plates-bandes et la pelouse pour empêcher celle-ci d'envahir la terre réservée aux arbres, aux arbustes et aux fleurs. Autour des arbres, des arbustes et des conifères, installez les bordures au moment de la plantation pour éviter

Une bordure, associée à un paillis, permet une diminution considérable du temps alloué au désherbage.

de couper les racines ultérieurement. Voici comment on pose une bordure.

- Creusez une tranchée d'une profondeur égale à la hauteur de la bordure.
- Déposez la bordure et maintenez-la droite avec des petites pierres.
- Remplissez la tranchée avec de la terre et tassez fermement.
- Nivelez la terre: elle devrait être au même niveau que le sommet de la bordure.
- Du côté de la pelouse, semez quelques graines pour faire le joint.

MÉTHODE ET OUTILS DE DÉSHERBAGE MANUEL

Quand on désherbe, on travaille en même temps la terre, ce qui en facilite l'aération et, par conséquent, stimule le fonctionnement des racines.

À ÉVITER

Peu importe où poussent les mauvaises herbes, il ne faut pas attendre qu'elles montent en graines avant de les détruire. Sinon le risque de prolifération est énorme.

Au râteau

Le désherbage à l'aide d'un râteau constitue une méthode préventive très efficace. Munissez-vous de **deux râteaux**: un de largeur normale, et un étroit à six dents, appelé parfois râteau à fleurs. Dès le mois de mai, passez un coup de râteau en surface une fois par semaine quand la terre est très légèrement humide.

En plus d'offrir un excellent exercice, cette méthode permet de détruire les mauvaises herbes **dans la terre** dès que les graines commencent à germer. Autre avantage: une terre bien entretenue est très agréable à l'œil et confère aux plates-bandes et au potager une sensualité qui séduit.

À la binette et au sarcloir

Il n'est pas toujours possible de détruire les mauvaises herbes avant leur sortie de terre. Les retours de vacances sont parfois pleins de surprises… Il faut alors les **déraciner.**

Les deux méthodes suivantes sont utilisées de préférence quand la terre est sèche en surface. Choisissez celle qui vous plaît le plus.

- Poussez le sarcloir (à lame horizontale) pour le glisser sous les racines. Un coup de poignet sur le côté permet de mettre les racines à nu, donc de causer un stress irréparable aux mauvaises herbes. Travaillez en reculant.

- Grattez la terre en tirant vers vous avec la binette (lame recourbée). Assurez-vous qu'aucune mauvaise herbe ne reste enfouie. Travaillez en avançant.

Au bêchage

La lutte contre le **chiendent** commence quand on prépare la terre pour planter. À chaque coup de bêche, surveillez la présence de grosses racines poilues, de la grosseur et de la couleur d'une ficelle. Enlevez-les toutes à la main en essayant de ne pas les couper. Chaque petit bout de ces rhizomes peut donner une plante complète si les conditions sont favorables, même un an plus tard.

À ÉVITER

Ne jetez sur le compost ni les rhizomes de chiendent ni les mauvaises herbes montées en graines. Le compost a beau chauffer et détruire un grand nombre de graines, il pourrait toujours rester quelques rescapées qui, plus tard, donneraient des maux de dos au jardinier.

Les produits de désherbage

L'utilisation de désherbants n'est pas nécessaire si l'entretien préventif est effectué avec soin. On trouve maintenant sur le marché des produits relativement peu nuisibles à l'environnement, mais ce n'est pas une raison pour éviter le désherbage consciencieux.

POUR RÉDUIRE L'ENTRETIEN

Les entrées en pavés de béton sont parfois peuplées d'une myriade de petites plantes peu esthétiques. Celles-ci ne pourront pas se développer si la concentration en sel dans les interstices est élevée. Trois fois au cours de la même semaine, au printemps et à l'automne, arrosez la surface pavée avec de l'**eau salée** à raison de trois poignées de gros sel par arrosoir rempli d'eau tiède.

Quand la pelouse devient plate-bande

Pour créer une nouvelle plate-bande, on est parfois tenté de passer le motoculteur ou la bêche directement dans la pelouse. Ce serait une **erreur** qui vous assurerait dix ans de désherbage laborieux. Pour tout savoir sur la préparation et le bêchage d'une nouvelle plate-bande, référez-vous au chapitre *Création de plates-bandes et de massifs*.

Des paillis à tout faire

Le mot «paillis» vient de «paille», le matériau que l'on a utilisé le premier pour protéger les cultures. On entourait les fraisiers de paille pour empêcher les fruits de se salir et de pourrir et pour faciliter la cueillette. Aujourd'hui, le mot paillis regroupe tous les matériaux végétaux ou minéraux dont on couvre le sol pour des raisons qui dépassent la simple protection des racines.

LES RÔLES DES PAILLIS

Les paillis **maintiennent la température du sol** à un niveau plus acceptable pour les plantes que lorsque le soleil plombe directement sur la terre noire. Les racines travaillent donc plus et mieux. Il n'y a pas d'arrêt de la croissance causé par la chaleur. De plus, les paillis **limitent l'évaporation** de l'eau du sol dans l'atmosphère. Le nombre d'arrosages est donc réduit: on économise l'eau.

Seuls ou avec l'aide d'une toile géotextile, ils **limitent** considérablement la croissance des **mauvaises herbes** déjà présentes dans le sol et, comme ils sont inertes, ils empêchent les graines de ces mauvaises herbes de germer.

En cas de sécheresse prolongée, une terre normale a du mal à s'imbiber quand on l'arrose ou quand il pleut. Les paillis **facilitent la pénétration** de l'eau dans le sol. On connaît mal le rôle primordial des paillis dans la **lutte contre l'érosion**: érosion des sols sablonneux par le vent et la pluie, érosion de tous les sols en pente.

Pour les plantes fragiles, les paillis servent de **protection hivernale** des racines. Cette protection est aussi très utile à toutes les plantes si la couche de neige protectrice n'est pas suffisante pour empêcher les vents froids de glacer le sol.

Enfin, les paillis **décorent** tout en donnant une impression de propreté.

LES QUALITÉS D'UN PAILLIS

Pour être efficace, un paillis doit pouvoir rester **sec.** Pour bloquer les mauvaises herbes, il doit être **compact.**

MISE EN GARDE

La plupart des paillis d'origine végétale se décomposent plus ou moins lentement dans le sol avec l'âge. Cette décomposition améliore le taux de matière organique dans le sol, mais elle augmente l'acidité du sol (paillis de conifères surtout). Tous les trois ou quatre ans, faites faire une analyse de sol et corrigez si nécessaire.

LES PAILLIS VÉGÉTAUX NON COMMERCIAUX

Ces paillis se décomposent assez rapidement dans le sol et l'améliorent beaucoup. Cependant, leur effet décoratif est contestable. Tout est une question de goût et de budget.

- La **paille** et le **foin**: On ne les trouve que dans les zones rurales. Pour les petits espaces, il vaut mieux les hacher.
- Les **feuilles mortes**: Il est préférable de les broyer à la tondeuse avant de les utiliser comme paillis pour éviter la formation de galettes impénétrables.
- Le **gazon séché**: Très efficace. Il est néanmoins essentiel qu'il soit bien sec, sans quoi il risque de chauffer.

Paillis de gazon séché.

- Les **résidus de taille** des haies de thuyas: Quand vous taillez une haie de conifères, vous produisez un paillis d'aspect naturel, qui dure longtemps.
- Les **branches broyées** issues du ramassage municipal du bois de taille: De plus en plus faciles à se procurer auprès des municipalités et des commerces, et très prisées des organismes environnementaux.

Paillis de branches broyées.

mesure que les matériaux sont disponibles.
- Chaque automne, en nettoyant le jardin, **enfouissez** les paillis les moins décoratifs; ils amélioreront la terre. Mettez un nouveau paillis au printemps suivant.
- Autant que possible, ne laissez pas tomber de **terre** sur les paillis et gardez-les propres: cela préserve l'esthétique mais empêche aussi les graines de mauvaises herbes de venir y germer.

LES PAILLIS VÉGÉTAUX COMMERCIAUX

Ces paillis ont une bonne valeur décorative. Cependant, ils sont assez chers et pas toujours assez compacts pour agir correctement.

- L'**écorce de pin**: Les morceaux sont très gros et ne jouent pas le rôle que l'on attend d'un paillis. Avec le temps, ils grisonnent et il faut les jeter et les remplacer car on ne peut pas les enfouir: ils sont trop encombrants.
- Les **écailles de cacao**: L'effet décoratif est très beau, mais les morceaux sont minuscules et peuvent être entraînés par le vent et l'eau de ruissellement.
- La **tourbe de sphaigne**: Très esthétique, elle est cependant difficile à humecter

Paillis de tourbe de sphaigne.

quand elle est sèche et elle forme des galettes. En plus, elle acidifie le sol de façon marquée.

- Les **copeaux de bois colorés**: Leur efficacité est raisonnable, mais la couleur choisie peut nuire à l'aspect naturel d'un jardin. Utilisez-les avec parcimonie et, de grâce, ne mélangez pas les couleurs. Couleurs: nature, rouille, vert, beige, brun, gris, noir, jaune moutarde.
- Le **thuya («cèdre») haché**: C'est de loin le meilleur de sa catégorie, à tous les points de vue. Il grisonne un peu avec l'âge.

Paillis de thuya haché.

Rajoutez un peu de paillis neuf (1 ou 2 cm) chaque printemps pour:
- donner une allure de fraîcheur à l'ensemble;
- compenser le compactage naturel (la couche inférieure du paillis se décompose au contact du sol humide et l'épaisseur diminue).

Il est recommandé mais pas obligatoire de placer une toile géotextile (feutre) sur le sol avant d'étendre le paillis. Mais il faut alors se résoudre à ne pas planter d'annuelles (parce qu'il faut les arracher tous les ans) ni de vivaces (qui ne pourraient pas grossir).

LES PAILLIS MINÉRAUX

Certains paillis minéraux peuvent donner une allure très naturelle à l'aménagement. Cependant, ils sont lourds et compactent le sol prématurément. De plus, ils sont difficiles à garder exempts de débris de gazon ou de feuilles mortes. **Attention,** certains sont franchement inesthétiques.

POUR VOUS FACILITER LA TÂCHE

Évitez de placer des pierres décoratives, quelles qu'elles soient, sous les arbres et les arbustes, à moins que le ramassage automnal intensif des feuilles ne vous rebute pas.

- Les **pierres de rivière**: De plus en plus utilisées pour la création de rivières sèches ou pour décorer les berges d'un bassin, ce sont les plus naturelles de toutes.
- Le **granit**: Gris ou rouge, il a sa place dans l'aménagement s'il se marie bien avec l'environnement.
- L'**argile broyée**: Elle est surtout utilisée comme revêtement des sentiers. Facile à étendre au râteau, elle permet des finitions distinguées.
- Les **pierres volcaniques**: Légères et de couleur neutre, elles donnent cependant un fini grossier et pas très naturel.
- Les **pierres colorées**: Les couleurs sont variées: jaune, rosé, pêche, cannelle. Leur utilisation est une affaire de goût, mais le comble du mauvais goût se trouve dans les pierres blanches: elles donnent un fini criard et artificiel qui s'harmonise rarement avec la maison et le reste de l'aménagement.

POUR RÉUSSIR

Pour que les paillis minéraux jouent leur rôle dans la lutte contre les mauvaises herbes, il faut couvrir le sol d'une toile géotextile avant de les étendre.

Comment éloigner maladies, insectes et animaux parasites

La façon la plus simple pour le jardinier de protéger ses cultures, c'est d'adopter le mot «prévention» comme mode de vie. Cela ne veut pas dire pour autant que tous les ennemis de ses plantes seront à jamais disparus du jardin. Mais il assurera ainsi sur leur développement un contrôle suffisant pour éloigner de sa pensée toute utilisation de pesticides.

LES MALADIES

Pour repousser tout risque de maladie, éliminez les **feuilles mortes** et le **bois mort** dès que vous en voyez traîner quelque part. Portez une attention particulière au centre des arbustes et des haies.

D'autre part, assurez-vous que le **drainage** de votre terrain soit suffisant pour que l'eau ne s'accumule nulle part. On peut par exemple améliorer sensiblement l'égouttement des sols en remontant le niveau des plates-bandes ou du potager à 5 cm au-dessus du niveau de la pelouse environnante.

Le **vent** joue un rôle majeur dans l'assainissement de l'air: il empêche l'humidité de stagner. En faisant circuler l'air, on enlève aux maladies une des conditions idéales à leur développement: l'humidité. Ne bloquez pas l'action du vent; vous pouvez même le canaliser en plantant haies, clôtures et groupes de plantes aux endroits nécessaires pour former des couloirs.

Si une quelconque maladie apparaît sur les feuilles ou les fruits de vos plantes, **détruisez-les** au fur et à mesure en les brûlant ou en les jetant dans le sac à ordures.

À ÉVITER

Ne jetez jamais les végétaux malades sur le tas de compost. Les spores de champignons causant la maladie ne seraient pas nécessairement détruits par la fermentation. La maladie pourrait donc se propager partout où vous mettriez du compost.

LES INSECTES

Entretien et observation

Éliminer les feuilles mortes et le bois mort dès qu'il y en a peut vous aider à éviter les risques d'infestation par les insectes. Portez une attention particulière au **centre** des arbustes et des haies.

Certains insectes, comme le doryphore, pondent leurs œufs sur le dessous des **feuilles.** Surveillez régulièrement les feuilles dès le début de la saison. Si vous voyez des

Les œufs de doryphore que l'on trouve sous les feuilles de pommes de terre sont faciles à détruire.

110

amoncellements d'œufs, détruisez-les en les écrasant ou en jetant les feuilles atteintes. D'autres insectes forment des **cocons** sur les branches des arbres et des arbustes ornementaux. Coupez la branche attaquée, jetez-la ou brûlez-la. Sur les rosiers et quelques arbustes, les pucerons s'accumulent en rangs serrés à l'extrémité des jeunes pousses. Coupez la partie endommagée et détruisez-la.

Tôt au printemps, avant l'apparition des feuilles, vaporisez des huiles de dormance sur les arbres fruitiers.

Confiance en la nature

1. **Multipliez le nombre d'espèces** végétales cultivées sur votre propriété. Cela trouble le système de repérage des insectes, qui ne savent plus alors sur quoi se jeter et passent leur chemin. C'est la méthode du compagnonnage dont on se sert surtout au potager.
2. **Encouragez la présence** des animaux destructeurs d'insectes (**prédateurs**) sur votre terrain:
   - les oiseaux: nourrissez-les en hiver et s'il le faut en été aussi;
   - les animaux à sang froid: grenouilles, crapauds et couleuvres (elles se font un festin des pucerons sur les rosiers);
   - les insectes amis des plantes: coccinelles contre les pucerons, une certaine guêpe contre les larves de doryphores et certaines punaises;
   - certaines chenilles.

PRÉCAUTION À PRENDRE

Par principe, ne tuez aucun insecte quand ils sont dehors: ils sont chez eux et s'ils sont en surnombre, la nature saura bien y remédier. À condition que vous la laissiez faire.

3. Cultivez des fleurs qui attirent les insectes bénéfiques:
   - **Vivaces**: alysse, anémone pulsatile, arabette, aster, bourrache, centaurée, rudbeckie.

- **Arbustes**: amélanchier, bruyère, rhododendron, saule, sorbaria.
- **Bulbes vivaces**: ail, crocus, érythrone, scille.
- **Annuelles**: aubriétie, sauge, pois de senteur.

POUR VOUS FACILITER LA TÂCHE

Toutes sortes de pièges sont disponibles pour attraper les insectes nuisibles au potager et au verger:
- plaques collantes, phéromones, etc.

LES AUTRES ANIMAUX

Limaces

Les limaces profitent de la nuit pour dévorer leurs plantes préférées. Il existe plusieurs façons de vous en débarrasser.

Limaces noyées dans la bière.

- Dans des couvercles de pots de moutarde ou des soucoupes pour plantes d'intérieur, versez un fond de **bière.** Mettez le contenant dans le jardin, en plaçant son rebord au niveau du sol. La bière attire les limaces, qui se glissent dans le récipient et se noient. Changez la bière tous les jours.
- Conservez les **coquilles** d'œuf ou allez en chercher une cargaison au restaurant du coin. Mettez-les dans un sac de plastique, puis marchez sur le sac pour écraser les coquilles. Étendez-en une fine couche sur le sol autour des plantes (laitues, haricots, etc.). En glissant dessus, les limaces vont se couper et mourir.

- Au petit matin, armez-vous d'une **salière** pleine et arpentez potager et plates-bandes à la recherche des indésirables. Quand vous en voyez une, versez un peu de sel dessus. Les limaces sont surtout faites d'eau et le sel est un astringent. Elles vont fondre littéralement en quelques secondes.

Mouffettes, écureuils et marmottes

Les mouffettes, les écureuils et les marmottes peuvent faire des ravages dans votre potager et vos plates-bandes. Évitez tout ce qui peut les attirer.

- Les **bulbes**: plantez-les le plus près possible de la maison: les animaux hésiteront à s'approcher de vous.
- L'odeur de la **poudre d'os**: si vous en mettez quand même, ayez la main légère.
- Les **restes** de nourriture: ne laissez pas les sacs à ordures dehors, la nuit.

Pour décourager ces envahisseurs, faites-les éternuer en saupoudrant du poivre de Cayenne sur leur passage. En reniflant pour sentir, ils se rempliront les narines et trouveront la chose très désagréable. En désespoir de cause, construisez des cages, mettez-y un appât et, quand l'animal sera attrapé, allez le relâcher dans un bois éloigné.

◆ DEUXIÈME PARTIE ◆

Création d'un environnement de fleurs et de verdure

CRÉATION D'UN ENVIRONNEMENT
DE FLEURS ET DE VERDURE

Principes généraux

- Avant d'aménager
- Autour de la maison
- Habiller la piscine
- Dompter les pentes
- Un jardin à l'ombre
- Un jardin de fleurs coupées
- Un potager tout neuf
- Fruits et légumes au milieu des fleurs
- Un jardin pour les oiseaux
- Dessiner avec des fleurs
- Un jardin de plantes indigènes
- Jardiner sans jardin
- Charmer dès l'entrée
- Clôturer en beauté

Points stratégiques

- Création de plates-bandes et de massifs
- Rôle, création et entretien de la pelouse
- Création et entretien d'une rocaille
- Une haie pour la bonne raison
- Choix et pose des dallages et des pavages
- Construire et aménager un jardin d'eau
- Le coin des enfants

Avant d'aménager

L'aménagement paysager est devenu une des principales activités des amateurs, qu'ils soient jardiniers occasionnels ou jardiniers chevronnés. Dans cette deuxième partie, vous trouverez les grands principes d'aménagement des différents éléments d'un jardin. Un jardin n'est pas seulement un endroit où l'on cultive des légumes; c'est un paysage aux dimensions humaines. C'est là où la nature retrouve tous ses droits, c'est le lieu de détente par excellence. On plante toutes sortes de végétaux, y compris des légumes et des arbres fruitiers qui, au lieu d'être relégués dans un coin comme avant, sont maintenant intégrés dans le plan d'aménagement.

POURQUOI AMÉNAGER SON ENVIRONNEMENT?

La différence entre aménager son terrain et planter n'importe quoi, n'importe où, n'importe comment n'est pas une simple question d'argent. On aménage pour une ou plusieurs des raisons suivantes:

- donner au terrain et à la maison une apparence esthétique;
- mettre la maison en valeur, la prolonger d'une pièce supplémentaire: le jardin;
- augmenter la valeur de la maison;
- en accélérer la vente;
- construire allées et entrées pour faciliter le passage des gens et des voitures;

- délimiter les zones d'activités;
- s'entourer de verdure;
- faire du jardin le reflet de sa personnalité;
- tout simplement parce qu'on aime la nature.

PLANIFIER ABSOLUMENT

Il n'est pas nécessaire d'aménager tout votre terrain la même année. Pour des raisons financières ou simplement parce que vous voulez prendre le temps de «sentir» votre environnement, vous pouvez étaler la réalisation de votre aménagement sur trois ou quatre ans.

Cependant, faites ou faites faire un plan dès le départ. En cours de route, vous y apporterez des modifications en fonction de vos lectures, de vos changements d'humeur ou de l'évolution de vos goûts. Mais il importe de bien penser à toutes les conséquences de vos choix au départ pour éviter les mauvaises surprises. Abattre un arbre qu'on a planté et soigné amoureusement parce qu'il pousse là où on creuse une piscine, ce n'est pas très agréable!

C'est pour soi que l'on crée un aménagement ou un jardin, pas pour les voisins. Il est donc préférable de commencer par la cour arrière. C'est là que l'on vit et c'est là que l'on peut se reposer quand le terrain avant est en chantier. De plus, si l'on a besoin de machinerie lourde pour aménager la cour arrière, il vaut mieux pouvoir l'atteindre sans dégâts à l'avant.

Si votre plan d'aménagement s'étale sur de nombreuses années, pensez à débloquer les fonds d'abord pour les gros travaux: pavage, clôture, piscine, etc. La mise en place des structures de soutènement et des structures décoratives (patio, rocaille, sentiers) passe avant la plantation.

INVESTIR À COUP SÛR

Bien sûr, chacun consacre les montants qu'il désire à son jardin, mais on estime en général que la valeur au détail d'un aménagement paysager, main-d'œuvre comprise, devrait varier entre 5 et 20 % de la valeur marchande de la maison. Quand on investit moins de 5 %, on n'a guère plus que de la pelouse et de l'asphalte. Quand on consacre plus de 20 % de la valeur de la maison à l'aménagement, l'aventure financière perd de l'intérêt, mais l'aventure horticole devient passionnante.

Quand on revend une maison bien aménagée, on peut espérer récupérer de 75 à 150 % de son investissement pour l'aménagement paysager. La proportion dépend de plusieurs facteurs: le quartier, la qualité esthétique de l'aménagement, l'importance relative des constructions et leur durabilité, l'âge et l'état des plantations (arbres et conifères prennent de la valeur en vieillissant). Si la tendance se confirme, les banques tiendront compte un jour de la valeur intrinsèque d'un aménagement paysager dans l'obtention d'une hypothèque.

Pour qu'il ait de la valeur, un aménagement doit être conçu selon quelques règles élémentaires qui, lorsqu'elles sont assimilées, facilitent et accélèrent grandement les travaux d'exécution. Certaines de ces règles sont énoncées dans le présent chapitre. D'autres, plus spécifiques, seront expliquées dans les chapitres appropriés de cette deuxième partie.

JOUER AU GRAPHISTE

À ÉVITER

Quand vous aménagez un jardin, ne choisissez pas les plantes avant de savoir quel effet vous voulez produire.

Aménager, c'est d'abord et avant tout jouer au graphiste. Il faut tracer des formes et des lignes, esquisser des volumes, choisir des couleurs et des textures (de feuillage). Mettre le tout en perspective pour juger de la profondeur ou du relief. S'assurer que les éléments sont disposés de façon harmonieuse, équilibrée, originale.

Dessinez votre maison sur une feuille; déterminez les lignes fortes de l'architecture (toit, fenêtres, portes). Encadrez-la de formes auxquelles vous donnerez du volume en fonction de la perspective, puis ajoutez les couleurs et les textures des plantes comme vous choisiriez un papier peint.

Détail important: plus le design est simple, plus il est fort. N'enfouissez pas votre maison dans une masse de verdure informe. Limitez le nombre de couleurs et de textures: mieux vaut les répéter à plusieurs endroits du jardin que les multiplier à l'infini. C'est une question d'esthétique, une question d'élégance.

Dans un aménagement, la symétrie est une belle forme d'esthétique. L'asymétrie en est une autre, qui laisse plus de place à l'imagination, à l'originalité.

CRÉER VOTRE ENVIRONNEMENT

Dans l'aménagement de votre terrain, il faut prendre en considération sept éléments essentiels. Les voici.

1. **L'harmonie** tient compte des caractéristiques architecturales de la maison ou de l'édifice: style, hauteur, couleur, forme(s), volume, matériaux utilisés. En général, on essaie de reprendre dans l'aménagement les lignes droites ou courbes que l'on trouve dans la construction.

2. **L'équilibre** tient compte de l'importance des plantations par rapport aux constructions. L'effet produit diffère beaucoup entre une allée de graviers traversant une haie fleurie et une entrée en pavés de béton agrémentée d'îlots de verdure.

3. **L'originalité** tient compte de l'hiver autant que de l'été. D'abord sur un plan esthétique: un jardin sous la neige doit être beau et visible de l'intérieur de la maison. Ensuite sur un plan pratique: il ne faut pas provoquer l'accumulation de neige dans les allées et les entrées, mais plutôt dans les plates-bandes de plantes fragiles (rosiers) et, pour ceux qui veulent réduire

la préparation hivernale, choisir de préférence des plantes qui ne risquent pas de casser sous le poids de la neige.

4. Dans les cas de rangées de maisons contiguës, **la perspective** tient compte de l'aménagement des maisons voisines s'il a été fait. S'il n'a pas été réalisé, c'est l'occasion idéale de vous regrouper avec vos voisins pour faire concevoir un plan d'ensemble. Un plan d'aménagement coûte moins cher s'il est partagé entre plusieurs propriétaires, chacun d'eux s'occupant ensuite de l'exécuter ou de le faire exécuter.

5. **Le souci de conservation** du jardinier tient compte de la nature environnante. Au moment de la construction d'un développement domiciliaire, les propriétaires peuvent se mettre d'accord pour conserver le maximum d'arbres et d'arbustes. Pour cela, il faut l'expertise d'un ingénieur forestier et la collaboration de l'entrepreneur en construction. Le souci de conservation peut aussi pousser les citoyens à empêcher promoteurs et entrepreneurs de vendre la bonne terre de surface avant de vendre les terrains.

6. **La planification** tient compte de vos goûts et de vos besoins: zones de repos et de repas, degré d'intimité, lieu où vous passez le plus de temps (avant ou arrière), terrain de jeu pour les enfants, piscine, nombre d'automobiles, mode de déneigement.

7. **Le choix des plantes** tient compte de l'exposition au soleil et de la direction des vents. Idéalement, en tant que jardinier, vous devriez tenir compte de l'exposition au moment d'acheter une maison. On ne plante pas les mêmes espèces selon que la façade est au nord, au sud ou à l'est.

ÉQUILIBRE ENTRE VÉGÉTAL ET MINÉRAL

Traditionnellement, un jardin est avant tout un espace plus ou moins poétique où arbres, arbustes et fleurs occupent presque toute la

place. La notion d'aménagement paysager
— très nord-américaine — sous-entend que
les plantes n'occupent pas toujours la première position. Les plantes constituent une
composante de l'aménagement mais les
constructions de bois, de béton et de pierres
les relèguent souvent à un rôle **réduit**:
mettre la touche finale.

Le secret d'un bel aménagement, c'est l'équilibre entre les éléments minéraux et les éléments végétaux. Dans le choix des uns et
des autres, vérifiez d'abord les restrictions
municipales.

Tous les matériaux, tous les végétaux sont
beaux si on respecte leurs limites. Malheureusement, ils sont souvent utilisés à
mauvais escient. Par exemple, l'emploi des
galets de rivière à toutes les sauces, pour en-
rayer la croissance des mauvaises herbes ou
pour camoufler les endroits à problème
(flaques d'eau, etc.), en particulier, n'est pas
très heureux. Il vaut mieux en restreindre
l'emploi pour produire les effets suivants:

- imiter une rivière sèche;
- border les jardins d'eau;
- encadrer des plantes semi-désertiques,
  rustiques au Québec, comme les yuccas
  et les *Opuntia humifusa* (des cactus!);
- empêcher les éclaboussures autour des
  fenêtres du sous-sol;
- éclaircir les coins sombres (les galets
  sont très lumineux).

LA VALEUR DES PLANTES

Certaines plantes ont une **valeur d'investissement.** Elles sont chères, en général,
mais garantissent une bonne dose d'originalité. Elles possèdent une ou plusieurs des
caractéristiques suivantes:
- elles poussent lentement (quelle que soit
  leur taille);
- elles restent petites;
- elles ont une forme particulière (greffée
  sur tige ou pleureuse, par exemple);
- elles sont rares ou d'importation récente.
Ces plantes occupent une place spéciale
dans l'aménagement. Vous les trouverez
dans les meilleurs commerces horticoles.
1. On appelle **plante vedette** une plante qui, à
   cause de sa forme ou de sa rareté, est placée à un endroit stratégique de l'aménagement. Les plantes à valeur d'investissement
   peuvent être utilisées comme plante vedette,
   mais une plante vedette n'est pas forcément
   une plante à valeur d'investissement.
2. Une **plante dominante** est une plante
   aux lignes droites très marquées et dont
   les formes sont généralement géométriques. Elle attire le regard, c'est pourquoi elle domine souvent l'aménagement.
   C'est le cas de la plupart des grands et petits conifères, dont la forme est conique,
   parfois trapézoïdale. C'est le cas aussi de
   certaines plantes vivaces hautes: *macleya, delphinium, althaea*, etc. Mais
   pour dominer l'aménagement, on utilise
   de préférence les conifères parce qu'ils
   sont permanents, alors que les vivaces

disparaissent en hiver. Leur caractère dominant est accentué quand on les place en hauteur ou quand on les isole. Il est atténué quand on les place en contrebas ou quand on les groupe.

3. Les **plantes complémentaires** servent à mettre en valeur les plantes vedettes. Elles sont généralement basses et de forme rampante ou arrondie. On les choisit parmi les conifères rampants, les plantes vivaces (dans des couleurs peu contrastantes) et les graminées.

Il y a deux façons de mettre les plantes en valeur: on les isole sur une pelouse ou dans une plate-bande, ou bien, pour les arbustes en particulier, on les groupe pour donner un effet de masse.

À ÉVITER

Planter un grand arbre ou un grand conifère sur un petit terrain ne le met pas en valeur car, une fois adulte, il vit dans un espace trop restreint pour bien se développer. De plus, il écrase littéralement la végétation environnante et lui enlève de la valeur.

PRENEZ VOTRE TEMPS

À ÉVITER

Avec un beau plan tout neuf en main, vous vous jetterez peut-être à corps perdu dans les travaux. Voilà une tentation qu'il faut éviter à tout prix. La hâte est en effet mauvaise conseillère et peut vous mener droit vers des travaux coûteux et des erreurs irréparables.

Lorsque vous aurez un plan, peu importe que vous l'ayez fait vous-même ou qu'il soit le travail d'un professionnel, prenez-le et **promenez-vous** tranquillement avec conjoint et enfants autour de la maison. Imaginez les constructions et les plantes, en été,

Une plante vedette est entourée de plantes qui la mettent en valeur.

mais aussi en automne et en hiver. Tout doit être beau tout le temps.

Que vous disposiez ou non d'un dessin en trois dimensions, traversez de l'autre côté de la rue et essayez d'**imaginer** une vue d'ensemble du futur décor. Cet exercice revient en quelque sorte à sentir avec vos cinq sens votre environnement futur. Ne vous pressez pas!

Notez toutes les questions qui vous viennent à l'esprit et, si le tracé d'un sentier, la courbe d'une plate-bande, la couleur d'une plante ou le motif d'un pavé ne vous fait pas vibrer, demandez à un **spécialiste** de vous conseiller. Les corrections coûtent moins cher sur papier que sur le terrain.

JARDIN OU AMÉNAGEMENT?

Contrairement à l'entendement populaire, un jardin, ce n'est pas seulement un potager. Le jardin québécois s'inspire surtout des jardins des vieux pays, tandis que le terme **aménagement paysager,** plus moderne, désigne une science qui embrasse de nombreuses techniques, très orientée sur le design, et dont l'utilisation peut être précieuse pour la création de n'importe quel décor. On peut créer un jardin dans un aménagement, mais pas l'inverse.

La tendance actuelle consiste à créer des jardins autour des maisons. Les propriétaires ne veulent plus simplement quelque chose de beau. Ils veulent aussi quelque chose de vivant et de joyeux, quelque chose qui **bouge** et qui leur parle…

Un jardin est toujours organisé, mais contient moins de structures qu'un aménagement. Un jardin est en général **plus fleuri** qu'un aménagement, tandis que dans un aménagement, la végétation est souvent plus variée.

Dans un aménagement, arches, pavillons et pergolas doivent être en harmonie avec le style et le revêtement de la maison. Dans un jardin, ils le sont plutôt avec le style du jardin, sans pour autant jurer avec le **style** de la maison. Un jardin a un style (français, classique, anglais, japonais, etc.). Le style d'un aménagement est le style du concepteur.

À ÉVITER

Méfiez-vous de trop d'harmonie: elle peut être ennuyante si elle se transforme en homogénéité systématique.

POUR LA VIE?

Un aménagement paysager ou un jardin qu'on n'a pas besoin d'entretenir, ça n'existe pas. Mais on peut limiter le temps passé à désherber ou à arroser en recouvrant les plates-bandes d'un paillis. On peut aussi enlever un peu de **mauvaises herbes** tous les jours, en se promenant, le soir, pour se relaxer, au lieu d'en faire une corvée du samedi matin. Mais il faut compter, au minimum, de 30 à 60 minutes par semaine pour désherber un terrain de dimensions moyennes de la banlieue.

Les plantes poussent. Rares sont celles qu'il ne faut pas **tailler** (mais ça existe). À ce sujet, il faut respecter deux principes importants:

• Ne plantez pas les végétaux **trop près** les uns des autres. Un aménagement ou un jardin n'est pas à son plus beau la première année. Si les plantes sont trop serrées, il faut les tailler souvent pour les empêcher de prendre leurs dimensions normales. Cette taille les déforme et il faut les remplacer rapidement.

• Une taille régulière, tous les ans ou tous les deux ans, est facile et **rapide** à exécuter. Préventive, elle permet de conserver les plantes en forme pour longtemps.

On peut **déplacer** n'importe quel végétal (arbre, arbuste, conifère, vivace) à condition de le faire au bon moment, généralement dès que la terre est dégelée, au printemps. Voir le chapitre *Savoir planter et transplanter*.

La longévité d'un aménagement ou d'un jardin dépend de l'**entretien** qu'on lui prodigue, mais on peut le modifier à sa guise au fil des années.

Autour de la maison

Autour de la maison, il y a la façade, la cour et les côtés. On les aménage souvent indépendamment les uns des autres. C'est une erreur. Ils sont intimement liés. Quand on en harmonise la décoration, on dit que l'on intègre les éléments du paysage. Mais harmoniser ne veut pas dire reproduire l'aménagement de la façade en arrière et sur les côtés, et vice versa. Vous pouvez très bien créer un jardin d'eau en avant, un jardin japonais sur un côté, un jardin à l'ombre sur l'autre et avoir une piscine et un potager en arrière, sans que cela choque le moins du monde. C'est en choisissant un thème commun et en plantant des espèces communes que l'on arrive à créer l'harmonie souhaitée.

UN THÈME COMMUN

On peut choisir un thème à trois niveaux d'interprétation différents:
- pratique (jeu, circulation, oiseaux, repos, lecture, etc.);
- esthétique (couleurs, formes, styles, etc.);
- philosophique (méditation, ouverture sur le monde, etc.).

On peut regrouper trois thèmes, un à chaque niveau, mais toujours dans le même souci d'harmonie. Par exemple: oiseaux, style japonais, méditation; ou bien: repos, rose et bleu, méditation.

Une fois les thèmes choisis, faites une **liste** des constructions, des décorations et des plantes qui leur conviennent le mieux selon vous. Répartissez-les ensuite autour de la maison en fonction des contraintes affectées à chaque zone (circulation, jeu, camouflage, servitudes, etc.).

LA FAÇADE

La façade, c'est l'accueil

Les constructions
Qui dit accueil, dit sentier, assez large pour que deux personnes puissent se croiser sans marcher dans les fleurs. On peut le dessiner:

- en poussière de pierres;
- en rondins de bois;
- en pavés de béton;
- en dalles de béton.

POUR RÉDUIRE L'ENTRETIEN

Évitez de semer du gazon sur une butte. Optez plutôt pour une rocaille ou un muret fleuri.

Les plantes
Pour bien accueillir les visiteurs, mettez de la couleur, plantez des espèces qui changent tout au long de la saison, arbustes et vivaces en particulier, et installez devant la maison des plantes qui surprennent:

- annuelles: amarante tricolore, cosmos hybrides, gazania, etc;
- arbustes: azalées naines, genêts, potentille rampante, espèces greffées sur tige, rosiers;
- bulbes annuels: lis, dahlia «cactus»;
- bulbes vivaces: tulipes «perroquet», ail géant, perce-neige à fleurs doubles, etc.;
- conifères: espèces pleureuses à petit et moyen développement.

Laissez toujours la porte suffisamment dégagée pour qu'on puisse la voir du stationnement et même de la rue.

POUR VOUS DISTINGUER

Si vous voulez étonner à coup sûr — et émerveiller en juin par-dessus le marché —, plantez quelques plants du seul cactus (couvre-sol) qui passe l'hiver sous la neige au Québec: *Opuntia humifusa*. Il porte de grosses fleurs jaunes à cœur rouge en juin. Une plante adulte peut porter de 50 à 100 fleurs.

À ÉVITER

Si vous avez un petit terrain, ne plantez pas de gros arbres ou de gros conifères devant la maison. Ils cachent sans vraiment décorer. Mettez-les plutôt sur les côtés, comme cadre et protection pour la maison, ou près du stationnement pour faire de l'ombre aux autos. Il existe plusieurs espèces d'arbres et de conifères à petit développement, colonnaires, qui habillent la façade sans faire écran.

La façade, c'est la circulation

POUR VOUS DISTINGUER

Si vous aimez la fantaisie, faites comme en Hollande, fleurissez votre stationnement. Construisez-le en dalles de béton. Tracez deux chemins de dalles parallèles: un pour les roues de droite, un autre pour les roues de gauche. Deux à trois dalles de largeur par chemin suffisent. Au milieu, dans la tranchée, 5 cm à 10 cm plus bas que le niveau des dalles, versez de la bonne terre de jardin. Au préalable, vous aurez installé une bordure de béton de chaque côté de la tranchée, comme une marche, 3 à 4 cm plus bas que les dalles. Plantez ensuite des espèces basses d'annuelles, de vivaces et même de bulbes. Quand vous stationnez l'auto, les plantes doivent passer en dessous. Là où vous stationnez l'auto, ne plantez rien et, au lieu de terre, remplissez la tranchée avec de la pierre concassée. Pour faciliter le déneigement, à l'automne, recouvrez toute la tranchée de planches de contreplaqué épais que vous appuierez sur les bordures.

Réservez de **l'espace** pour le nombre d'autos que vous comptez avoir, parents et enfants. S'il y a un garage, réservez assez d'espace à l'extérieur pour au moins deux visiteurs. Si vous avez une entrée en demi-lune, prévoyez de **fleurir** la portion de terrain comprise entre l'entrée et la rue. Si vous vous contentez d'y semer du gazon, vous risquez de gâcher l'aménagement de toute la façade. En ce qui concerne le **revêtement** de l'entrée, si l'asphalte est moins chère à l'achat,

Le revêtement de l'entrée doit être harmonisé à la maison et au reste de l'aménagement.

elle est aussi moins esthétique. Les dalles et pavés de béton sont beaucoup plus décoratifs. De plus, quand une portion est cassée ou tachée, on n'a pas besoin de tout refaire.

À ÉVITER

N'installez jamais de bordure en bois — même traité — le long de l'asphalte, des pavés ou des dalles. Le bois se décompose généralement bien avant que le dallage ne soit détérioré. Et il est très compliqué, voire impossible, de ne changer que le bois.

POUR VOUS FACILITER LA TÂCHE

Pour faciliter l'entretien et l'écoulement de l'eau, posez des bordures de béton de chaque côté de l'allée, quel qu'en soit le revêtement.

POUR VOUS DISTINGUER

Si le revêtement est composé de dalles ou de pavés, procurez-vous des bordures de la même couleur. Elles sont généralement plus courtes que les bordures universelles, mais créent un bien meilleur effet.

LA COUR

La cour, c'est le jeu

L'aire de jeu de la cour se divise en plusieurs espaces:
- le pelouse pour courir et jouer au ballon;
- la piscine;
- le carré de sable;
- les balançoires.

Il est très difficile d'intégrer tous ces éléments sur un terrain moyen de banlieue. Comme vous devez prévoir de l'espace pour les entourer de plantes, établissez vos priorités.

Pour décorer la piscine, voir le chapitre *Habiller la piscine*. Pour mettre les enfants dans les fleurs, voir le chapitre *Le coin des enfants*.

Cette cour a été entièrement consacrée à la passion des propriétaires: recréer un véritable paysage où conifères, arbustes et vivaces vivent en harmonie.

La cour, c'est repos et repas

Les constructions

Aménager une aire de jeu pour les enfants ne signifie pas que les adultes ne pourront pas se reposer sur le même terrain. Ménagez un endroit où vous serez **isolé** de leurs activités tout en les surveillant.

123

Les patios servent généralement à la fois au repas et au repos. Quand la maison est perchée sur une butte, une seule construction de bois descend jusqu'au sol en **terrasses** successives auxquelles on attribue une fonction précise.

Le coin repos est très souvent une **pergola** sur laquelle grimpent des plantes grimpantes vivaces. Ce peut être aussi un pavillon de jardin, communément appelé gloriette.

Le sol des endroits de repos et de repas est le plus souvent recouvert de **pierres** plates, de **dalles** ou de **pavés** de béton. Si l'ensemble de votre aménagement est très fleuri, optez pour les pierres: leur aspect naturel se marie mieux à une végétation généreuse.

Intégrez aux aires de repas et de repos des boîtes à fleurs et des bacs isolés avec du polystyrène pour arbustes, conifères et vivaces. N'oubliez pas non plus de concevoir des **coffres** de rangement qui vous éviteront d'avoir à courir dans la maison chaque fois que vous voudrez quelque chose.

Les plantes

Le coin repos peut être tout simplement l'ombre d'un arbre.

Près du patio, vous pouvez aménager un petit jardin d'eau où descend une courte cascade.

Pour une intimité toute végétale, plantez un bouleau pleureur ou un orme pleureur. Taillez-les dès leur plus jeune âge pour ne garder que les tiges retombantes qui poussent sur le dessus de l'arbre. Taillez toutes celles qui pendent par en dessous. Au bout de quelques années, vous vous retrouverez avec une tonnelle naturelle sous laquelle vous pourrez installer deux chaises droites, une chaise longue ou une petite table.

Que vous posiez des dalles ou des pierres plates pour y installer vos meubles de jardin, laissez un peu d'espace entre chacune pour y planter des **plantes rampantes**: thym, sagine, lysimaque, bugle, céraiste, etc. C'est une bonne façon d'harmoniser les éléments minéraux et végétaux.

Si l'aire de jeu se limite à une grande pelouse, on peut fleurir la cour en créant une plate-bande à largeur variable (contours en courbes) sur au moins deux côtés, de préférence ceux qui sont délimités par une haie ou une clôture. Voir le chapitre *Création de plates-bandes et de massifs*.

LES CÔTÉS OUBLIÉS

Les côtés de la maison sont souvent négligés: on s'imagine trop souvent que leur étroitesse est un frein à l'imagination et à la décoration.

Côtés couloirs

S'il n'y a qu'un couloir étroit sur un des côtés de la maison, plantez-y des espèces qui poussent **à l'ombre**: rhododendron, sureau, symphorine, hosta, astilbe, cœur-saignant, bégonia, etc. Pas besoin d'en planter une grande quantité, juste assez pour qu'on les voie des fenêtres donnant de ce côté.

Si le côté de la maison est ensoleillé, garnissez la plate-bande de fleurs annuelles et de légumes, ici des tomates.

POUR VOUS DISTINGUER

Une excellente manière d'exploiter un côté étroit consiste à le transformer en coin de méditation, à l'abri des regards, du grand soleil, du bruit, mais plein de fleurs.

Si le côté est très sombre, recouvrez une partie du sol avec des **galets** de rivière de couleur claire.

Si les murmures de l'eau vous inspirent, créez un petit **jardin d'eau** où, avec un peu de chance, les oiseaux viendront s'ébattre joyeusement.

Si le secteur est **encombré** d'une thermo-pompe ou d'un réservoir à mazout, camouflez-les avec un arbuste. Dans le cas d'une thermo-pompe, assurez-vous de ne pas planter l'arbuste trop près: les tiges risquent de se faire dévorer par le ventilateur.

Côtés jardins

Si la largeur du terrain le permet — et elle le permet souvent du côté de l'entrée de service —, aménagez un **petit jardin** qui pourra vous servir par exemple pour aller prendre votre café le matin tout en humant le parfum des fleurs et en admirant le vol plané des oiseaux attirés par la végétation.

Autre possibilité: le côté de la maison peut devenir une **zone d'accueil** pour vos visiteurs. Installez-y des chaises, fleurissez abondamment, plantez des espèces qui étonnent par leur couleur, leur parfum, leur forme, la grosseur de leurs fleurs, etc.

Sur un terrain où les jeux prennent une importance démesurée, le côté peut aussi **remplacer** la cour dans les fonctions repos et repas. Suivez les consignes énumérées au paragraphe précédent.

Quelle que soit la fonction que vous lui attribuez, isolez le côté des trépidations environnantes en plantant à bonne distance de la rue une haie compacte et aussi haute que vous le permettent les règlements municipaux.

Lorsque le côté de l'entrée de service est partiellement recouvert d'un **porche,** il est difficile de concevoir un aménagement élaboré. Contournez le problème en plantant des plantes grimpantes vivaces à chaque coin de la construction. Faites varier les espèces à feuillage décoratif (vigne vierge, lierre de Boston, kiwi) et les espèces à fleurs (chèvrefeuille, clématite, houblon, hydrangée).

125

Habiller la piscine

Les piscines creusées sont avant tout considérées comme des plans d'eau autour desquels on circule. Les piscines hors terre ont l'air d'objets déposés en plein milieu de la pelouse. Dans les deux cas, il faut adoucir la construction avec des plantes. Voici quelques moyens d'y parvenir.

PISCINES HORS TERRE

Qualités de l'aménagement

L'aménagement de votre piscine doit être agréable, fonctionnel et intégré au décor, c'est-à-dire à la maison, à la verdure et aux constructions environnantes.

Points de repère

Pour passer de la maison à la piscine, on peut se contenter de la pelouse et d'une échelle, c'est économique. Mais il est plus pratique de disposer d'une construction en bois de pin. Bien sûr, une telle **construction** nécessite un investissement.

Placez la piscine de façon à la voir de la maison, cela facilite la surveillance. Pour choisir l'**emplacement** de la piscine, il faut tenir compte de la hauteur de la porte-fenêtre. La règle est la suivante: plus la porte-fenêtre est basse, plus la piscine est éloignée de la maison: il faut pouvoir monter très progressivement jusqu'au sommet de la piscine.

> ### À ÉVITER
>
> Ne placez pas la piscine à tel ou tel endroit sur la pelouse, juste parce que vous pensez que c'est plus pratique. Vous risquez de vous retrouver avec un problème d'aménagement insurmontable. Rappelez-vous: ce sont les erreurs de planification qui coûtent le plus cher quand on aménage.

Un coin naturel autour de la piscine permet d'oublier un peu son apparence artificielle.

Idéalement, la porte-fenêtre devrait se situer à environ 1 m du sol, c'est-à-dire à peu près 30 cm plus bas que le rebord de la piscine. Trois marches suffisent alors pour y accéder sans se fatiguer. La **distance** entre la porte-fenêtre et la piscine varie alors entre 3 m et 5 m. Consultez les **règlements** municipaux pour savoir si vous devez entourer votre piscine d'une clôture.

Quand on place sa piscine sur un **côté** de la cour (pas au milieu), on réduit le travail d'habillage parce que la clôture ou la haie qui entoure la cour camoufle presque la moitié de la circonférence de la piscine. Il suffit alors d'habiller le reste avec une construction de bois et des plantes. Voyons comment cela se fait.

Habillage «construction»

Même si l'accès à la piscine se fait en pente douce, mieux vaut meubler la pente avec plusieurs **paliers.** Cela adoucit l'espace, allonge la perspective et donne un sentiment de sécurité aux utilisateurs de la piscine.

Pour une promenade sans efforts, ne mettez pas plus de **deux** marches entre chaque palier et ce, même si vous voulez relier la piscine et la porte-fenêtre à la pelouse.

Tout au long de la **promenade** de bois, prévoyez des boîtes et des bacs à fleurs, un banc ici ou là, un coffre pour ranger l'attirail de plongée et, pourquoi pas, les serviettes.

POUR VOUS DISTINGUER

Jouez avec le sens du bois. Placez les planches obliquement avec un angle différent à chaque palier. Pour les bacs, les boîtes à fleurs, les coffres et les bancs, disposez les planches verticalement.

Habillage «plantation»

La partie de la piscine que l'on garnit de plantes est celle qui **se voit** de l'entrée de la cour ou du coin repos s'il se trouve en arrière de la piscine.

À ÉVITER

- Ne plantez pas d'arbres feuillus — décoratifs ou fruitiers — ni de pins à proximité de votre piscine: les feuilles des uns et les aiguilles des autres bouchent les conduits.
- Repoussez l'idée de planter une haie: elle ajoute à l'impression de masse de la piscine. Optez plutôt pour un groupe d'arbustes à fleurs ou à feuillage décoratif.
- Ne plantez pas de thuyas («cèdres») près de la piscine: ils sont sensibles au chlore. Les autres espèces en

souffrent peu. De toute façon, le côté le plus aspergé est celui où vous érigerez la construction de bois.

Plus les arbustes choisis sont hauts, plus il faut les planter loin de la piscine. Distance moyenne à respecter: 1 m.

Plantez arbustes et autres plantes dans des plates-bandes entretenues qui ne seront pas un obstacle à la tonte de la pelouse.

Pour détourner l'attention de la masse de la piscine, plantez des annuelles au pied des arbustes ou des vivaces.

MES PRÉFÉRÉS

- Arbustes: fusain ailé, potentille, spirée blanche, spirée japonaise, weigela.
- Vivaces: tournesol à feuilles de saule, bocconia, sénécio, lavatère, salicaire, spirée.
- Graminées: miscanthus.

MISE EN GARDE

Plantez autant de fleurs annuelles que vous le désirez mais limitez le nombre de couleurs. Pas plus de deux couleurs et, de préférence, en harmonie avec la couleur des arbustes ou des vivaces. Surtout pas de bleu si le contour de la piscine est bleu. Choisissez des plantes de la même couleur pour orner les bacs et les boîtes à fleurs intégrés dans la construction de bois.

PISCINES CREUSÉES

Une piscine creusée, c'est avant tout un plan d'eau assorti d'une allée sur son pourtour pour faciliter la circulation. Esthétiquement, l'idéal est de donner à la piscine une forme unique qui s'intègre harmonieusement à l'aménagement.

Qualités de l'aménagement

L'aménagement de la piscine creusée doit créer une **perspective** intéressante dont l'origine est la porte de la maison et le point de fuite, l'arrière de la piscine. Tout en suivant la perspective, l'œil doit faire quelques haltes sur des points d'intérêts particuliers.

Points de repère

Comme les terrains de banlieue sont généralement exigus, la piscine creusée et son aménagement y occupent presque tout l'espace. Le choix de son **emplacement** n'est donc pas toujours dicté par l'esthétique. Si c'est possible, placez-la sur une diagonale allant de la porte arrière de la maison à un coin du terrain, histoire d'accentuer la perspective dans le sens de la longueur.

Placez la piscine de façon à la voir de la maison, afin de faciliter la surveillance des baigneurs.

POUR ÉCONOMISER

Dans la mesure du possible, un des côtés de la piscine devrait être assez rapproché d'une clôture existante. La construction de la clôture entourant la piscine exigée par la plupart des municipalités sera d'autant plus réduite et coûtera moins cher. Choisissez une clôture très légère à travers laquelle on peut voir tout ce qui se passe.

Habillage «plantation»

Dessinez des plates-bandes en arrière du plongeoir et sur les côtés de la piscine. Il n'est pas nécessaire d'encercler complètement la piscine avec des plantes.

À ÉVITER

- Ne plantez pas d'arbres feuillus — décoratifs ou fruitiers — ni de pins à proximité de votre piscine: les feuilles des uns et les aiguilles des autres bouchent les conduits.
- Ne plantez pas de thuyas («cèdres») près de la piscine: ils sont sensibles au chlore. Les autres espèces en souffrent peu.

POUR RÉDUIRE L'ENTRETIEN

Le niveau de la terre des plates-bandes doit être plus bas que le niveau de l'allée qui entoure la piscine. Autrement, vous risquez de retrouver de la terre dans l'eau. Par mesure de sécurité, recouvrez la terre des plates-bandes d'un paillis compact (voir le chapitre *Des paillis à tout faire)*. Entourez les plates-bandes d'une bordure de plastique noir.

Dans les plates-bandes, combinez harmonieusement: petits conifères, arbustes, vivaces, annuelles et bulbes.

POUR RÉDUIRE L'ENTRETIEN

Identifiez le côté d'où souffle le vent le plus souvent, et plantez les arbustes du côté opposé de la piscine. Ainsi, lorsque le vent soufflera, les feuilles ne tomberont pas dans l'eau.

Comme la piscine est un milieu en mouvement, n'en garnissez pas le pourtour avec une **collection** de conifères. Limitez-en le nombre et mettez plutôt l'accent sur les

arbustes vigoureux, par exemple: le saule arctique, le cornouiller, le sureau, le seringat, l'érable de l'Amur, l'amandier décoratif, le sorbaria.

À ÉVITER

S'ils sont plantés trop près de l'allée, les arbustes risquent de gêner la circulation. Vous devrez donc les tailler souvent et pas toujours de façon esthétique. Plantez-les à au moins 1 m de la bordure. Éloignez aussi de l'allée toutes les plantes envahissantes comme les genévriers rampants et les vivaces couvre-sol, et limitez-en le développement.

Habillage «construction»

À certains endroits autour de la piscine, faites l'allée (en pierres, en béton ou en pavés) plus large et pratiquez-y un trou rond, carré, triangulaire ou rectangulaire d'au moins 60 cm de largeur dans la structure. Dans l'îlot ainsi formé, plantez une espèce de vivaces que l'on retrouve dans les plates-bandes du pourtour. Ses racines étant restreintes, son développement sera limité.

MES PRÉFÉRÉES POUR L'ÎLOT

Pavot, hémérocalle, yucca, lupin, salicaire, rudbeckie pourpre, achillée filipendule, hosta.

MISE EN GARDE

Le béton devient souvent très chaud en été. Dans les îlots, les racines risquent d'avoir chaud et la terre, de sécher. Il faut prendre des précautions:
- isolez l'intérieur de l'îlot, le long du béton, avec du *styrofoam*;
- remplissez l'îlot avec une terre enrichie de trois ingrédients qui gardent l'eau longtemps: compost, tourbe de sphaigne et vermiculite, à raison de 50 % du volume total de terre;
- recouvrez la terre d'un paillis.

Dompter les pentes

Il serait étonnant qu'il n'y ait pas une pente autour de chez vous, soit que vous habitiez une région escarpée, soit que votre maison ait été inopinément perchée sur une butte, Dieu sait pourquoi! Et là, dans la pente, la pelouse essaie de ne pas mourir. Toutes les fins de semaine, vous vous essoufflez à la tondre et la tondeuse s'efforce de vous entraîner vers le bas. Lutte acharnée entre l'homme et la machine. Et la pelouse n'est même pas belle! Pourtant, les façons de rendre la tonte plus sympathique tout en décorant harmonieusement ne manquent pas. En voici quelques-unes.

ADOUCIR LA PENTE

La façon la plus simple d'apprivoiser une pente, c'est de la rendre moins abrupte, mais pour cela il vous faut de la place.
Ajoutez une bonne quantité de **terre** au pied de la butte et faites une pente douce qui s'étire jusqu'au trottoir si vous opérez en façade, le plus loin possible, si vous êtes dans la cour.

POUR VOUS FACILITER LA TÂCHE

Vous n'êtes pas obligé d'enlever la pelouse avant de mettre la nouvelle terre, mais il est préférable d'en briser la surface avec un motoculteur que vous pouvez louer. En se décomposant, l'herbe risquerait de former une couche plus ou moins imperméable qui nuirait aux futures opérations de semis et plantation.

Si vous voulez installer une nouvelle pelouse, tassez la terre avec un rouleau rempli d'eau, puis suivez les indications données au chapitre *Rôle, création et entretien de la pelouse*.

POUR VOUS DISTINGUER

Au lieu d'une pelouse, créez une plate-bande de lupins, de pervenches, de hostas, de genévriers rampants, ou un jardin d'eau avec cascade dans la pente adoucie. Voir respectivement les chapitres *Création de plates-bandes et de massifs* et *Construire et aménager un jardin d'eau*.

AMÉNAGER UNE ROCAILLE

Enlevez la pelouse existante.
Suivez les indications données au chapitre *Création et entretien d'une rocaille*.

CONSTRUIRE DES MURETS

En plus de décorer, les murets retiennent la terre et servent de **fond** minéral pour les plantes retombantes (plantées sur le dessus) et les plantes vedettes (plantées en avant). En tant que construction, ils augmentent automatiquement la valeur de la propriété, s'ils sont bien placés et bien construits.

L'emplacement

Par principe, il y a de la place pour un muret partout où la dénivellation dépasse 30 cm de hauteur.
Exemples d'emplacements:
- en façade, pour donner à l'entrée d'une maison perchée sur une butte, une surface plane;
- à la place d'une rocaille dans les endroits trop étroits;
- dans le prolongement d'une rocaille, comme transition avec des escaliers;
- le long d'une entrée d'auto, pour retenir une plate-bande surélevée;
- sur un côté d'une entrée de garage en pente;

- entre deux terrains de niveaux différents;
- sur un terrain escarpé, pour séparer la maison d'une entrée de garage latérale; dans ce cas, le muret dépasse 1 m de hauteur et devient un mur;
- sur le côté d'un arbre existant pour protéger sa base contre l'enfouissement quand on ajoute de la terre dans la pente.

À ÉVITER

Ne vous servez pas des murets comme remède à tous vos maux. L'erreur ne serait pas seulement financière, elle serait aussi esthétique. Malheureusement, quand le problème est causé par un défaut de planification dans la construction de la maison, il n'y a pas d'autres moyens de le contourner.

Un escalier bien habillé de végétaux variés prend des allures de petit jardin accueillant.

Les dimensions

Par principe, un muret ne devrait pas dépasser 1 m de hauteur.

Le style et les matériaux

- Dans le choix du style et des matériaux, il existe une règle importante: il faut créer une harmonie avec la maison et l'aménagement environnant.

- La rigueur de notre climat nous empêche de construire les murets très champêtres que l'on rencontre fréquemment en Europe, construits avec des pierres jointes à l'argile et dans lesquels on peut planter toutes sortes de plantes fleuries.
- Les murets de blocs de béton, appelés blocs de remblai, ne sont pas toujours esthétiques. C'est souvent une question de couleur, mais aussi un choix de modèles inapproprié: style incompatible avec la maison, intervalle trop large entre les blocs dans les courbes.
- Les murets de pierres jointes au mortier sont très coûteux mais très chic. Les règles de construction sont draconiennes dans le but de prévenir les bris par action successive du gel et du dégel. À petites échelles, ce sont eux qui se prêtent le mieux à la protection de la base des arbres.
- Par leur côté très naturel, les murets de pierres sèches conviennent très bien aux jardins et aux aménagements «végétaux», ou autour des plages de jardins d'eau en galets de rivière, ou en marge des rivières dites «sèches», ou carrément au-dessus d'un bassin avec de l'eau qui suinte entre les pierres.
- Les murets de bois ont une allure très neutre et conviennent à une foule d'aménagements.

Les murets de bois

Les murets de pierre

L'allure d'un muret de pierre dépend de la sorte de pierre choisie:
- pierres de rocaille plates ou pierres «pourries»;
- pierres dites «flagstone», beiges; il y en a pour les murets, d'autres pour les patios, spécifiez ce que vous voulez à l'achat;
- pierres dites «queenstone», gris verdâtre.

Quelle que soit la pierre choisie, un muret est toujours plus beau si les rangées sont horizontales et si les pierres d'une même rangée sont de la même épaisseur (8, 9 ou 10 cm).

Ce muret arrondi adoucit le coin de la maison.

En général, stabilisez les pierres avec de la poussière de pierres. Si vous voulez insérer des plantes dans les interstices, stabilisez-les avec de la mousse de sphaigne.

Les murets de blocs

L'allure du muret dépend du modèle de blocs:
- blocs de remblai ordinaires: en forme de V renversé pour s'imbriquer sans effort et assurer une bonne cohésion de l'ensemble. Il en existe des gris et des rouge vin, de différentes tailles, incluant des demi-blocs.

- blocs à face éclatée: au lieu d'être lisse comme les précédents, la surface exposée à la vue est rugueuse, un peu à la manière des pierres: l'aspect est donc plus naturel. Grâce à un système de rainures, les blocs s'imbriquent facilement et solidement. Il existe des modèles d'épaisseur et de couleur variables. Plusieurs d'entre eux offrent un système permettant de ne laisser aucun espace inesthétique entre les blocs dans les courbes.

- blocs «keystone» (R): ces blocs modulaires ont une surface exposée arrondie, à face éclatée. Ils sont étudiés pour créer des murets de toute forme sans intervalle entre les blocs dans les courbes. Munis d'un trou sur un côté et d'une excroissance sur l'autre, ils s'encastrent littéralement les uns sur les autres. Leur poids suffirait cependant à les maintenir en place. Il en existe de 10 cm et de 20 cm d'épaisseur, selon l'effet recherché.

Pour éviter que les blocs ne s'enfoncent dans le sol sous leur poids, posez sur la pierre concassée de la fondation (au moins 15 cm d'épaisseur, compactée à la plaque vibrante) une dalle de fondation.

Pour assurer un bon drainage, remplissez l'arrière du muret de pierres concassées (20 cm d'épaisseur).

POUR VOUS FACILITER LA TÂCHE

Chaque fabricant offre plusieurs modèles. Pour chaque modèle, il existe un dépliant énumérant les caractéristiques et expliquant la technique de construction appropriée. Demandez-le à votre détaillant.

Les murets fleuris

Quelle que soit la façon que vous choisirez pour fleurir votre muret, suivez la règle suivante: au bout de trois ans, les plantes devront camoufler 30 à 40 % de la surface exposée. Ensuite, pour garder cette proportion, esthétiquement idéale, à ce même niveau, vous devrez tailler, éclaircir, diviser vivaces, arbustes et conifères.

Un muret fleuri par l'intérieur

POUR VOUS DISTINGUER

Les résultats ne sont pas garantis, mais vous pouvez toujours essayer de planter des vivaces peu exigeantes entre les

Des rosiers adoucissent la masse de ce mur de soutènement.

pierres ou les blocs de vos murets, dans des espaces d'environ 10 cm de diamètre, que vous aurez réservés à cet effet au moment de la construction. La meilleure façon de faire est de tapisser les espaces en question avec une feuille de plastique percée de petits trous à leur partie inférieure. Remplissez les espaces avec du terreau de rempotage enrichi de compost et de terre de jardin argileuse. Plantez sedum, lysimaque, alysse, thym ou *sempervivum* en ménageant une cuvette pour arroser. L'arrosage est délicat les premiers temps. N'oubliez pas que la survie des plantes n'est pas assurée si le muret est très exposé aux vents d'hiver.

Voici un exemple fort simple de muret fleuri à la fois par l'intérieur et par le haut.

Un muret fleuri par le haut

À ÉVITER

Ne livrez pas le haut de votre muret à la pelouse, pour trois raisons:
- la dominance du minéral déséquilibre l'harmonie de l'aménagement;
- la pelouse risque d'être difficile à tondre le long du muret;
- un muret est tellement plus beau quand il est habillé de verdure et de fleurs.

PRÉCAUTION À PRENDRE

S'il est dans vos intentions de planter vivaces, arbustes ou conifères à ras du matériau choisi pour le muret, glissez entre celui-ci et la terre une ou deux plaques d'isolant de 5 cm d'épaisseur. Les racines résisteront mieux à l'hiver.

Si le muret est bas et la plate-bande étroite, choisissez quelques vivaces de hauteur et de couleur variées, dont la floraison est étalée dans le temps.
Si la plate-bande est de bonne largeur, plantez au bord du muret des plantes retombantes et, en arrière, des plantes érigées formant des touffes massives (rudbeckie, lysimaque, lupin, salicaire, hémérocalle).

POUR VOUS DISTINGUER

Vous pouvez faire retomber des plantes habituellement grimpantes: chèvrefeuille et clématite.

Conifères retombants: genévriers rampants 'Bar Harbour', 'wiltonii', 'procumbens nana', 'Blue Chip', 'Prince of Wales'.
Vivaces retombantes: sedum, lysimaque, thym, lamier 'galeobdolon', alysse, campanule des Carpathes, œillet.
Arbustes retombants ou presque: cotoneaster, stéphanandra, potentille rampante, genêt.

Annuelles retombantes: fuschia, géranium lierre, géranium «roi des balcons», pétunia «cascade», lobélie, capucine et toutes les grimpantes annuelles.

Un muret fleuri par le bas

Pour que vous puissiez deviner la texture et la couleur de la construction, plantez au bas du muret, dans une plate-bande de bonne dimension (minimum: $1/2$ de la surface exposée du muret), des plantes légères ou à développement réduit. Par exemple:

Arbustes: érable du Japon, millepertuis, cotonéaster, weigela nain, lilas nain de Corée, spirées naines et japonaises, corète.

Vivaces: ancolie, lin, astilbe, marguerite, cœur-saignant, hémérocalle, trolle, scabieuse, physostégie, lobélia cardinale, iris versicolore, heuchère, coréopsis, campanule à fleurs de pêcher, alchemille, des graminées ornementales, des fougères pour l'ombre.

Vous pouvez également installer des **plantes vedettes,** c'est-à-dire des plantes ayant un caractère particulier: arbustes pleureurs, arbustes ou conifères greffés sur tige de 1,50 m de hauteur; ou des plantes rares par l'espèce ou par la variété. Ne les placez pas en plein milieu du muret, mais légèrement décalées sur l'un des côtés.

Une bonne façon d'habiller partiellement un muret de blocs de béton est d'y faire grimper des **arbustes** grimpants: les fusains (*Euonymus fortunei*) '*Gold Tip*', '*Emerald Gold*' ou '*Emerald Gaity*'.

Un muret peut aussi servir de limite symbolique entre deux terrains.

Un jardin à l'ombre

Pour créer un jardin à l'ombre, il suffirait presque de ne planter que des espèces qui peuvent vivre sans être en contact direct avec les rayons du soleil. C'est presque aussi simple que cela, mais la clé du succès réside d'abord et avant tout dans le soin que vous prendrez à étudier la situation.

Sous un arbre, l'ombre est d'autant plus dense que les branches sont basses.

LE GENRE D'OMBRE

Pour une définition précise de ce qu'est une plante d'ombre, de mi-ombre ou de plein soleil, consultez le chapitre *À l'ombre ou au soleil?* L'ombre à un endroit est plus ou moins **intense** selon que l'espace ombragé est fermé ou non. Quand on parle de jardin à l'ombre, on parle surtout de jardin sous les arbres, sans exclure pour autant le côté de la maison situé au nord, au nord-est ou au nord-ouest.

RAPPEL: Une plante d'ombre est une plante qui *tolère* jusqu'à deux heures de soleil par jour.

À L'OMBRE DE LA MAISON

L'ombre de la maison bouge au fur et à mesure que le soleil suit sa route dans le ciel. Il est donc probable que les plantes placées près de la maison, du côté **nord,** reçoivent quelques heures de soleil par jour. Calculez cette durée et choisissez les plantes appropriées.

Pour décorer ce côté de la maison souvent **négligé,** créez-y une plate-bande où vous pourrez planter des conifères, des arbustes, des vivaces ou des annuelles qui vivent à l'ombre. Consultez les tableaux de la quatrième partie pour connaître les meilleures espèces.

À ÉVITER

Si votre plate-bande ne reçoit pas au moins quatre heures de soleil par jour au printemps, n'y plantez pas de tulipes ni de narcisses ni d'autres grosses plantes à bulbe.

SOUS LES ARBRES

Nature de l'ombre

L'ombre est plus intense sous un érable ou sous un tilleul que sous un bouleau ou un févier, parce que leur feuillage est plus dense.

Entre le soleil et l'ombre, les plates-bandes d'astilbes sont éclatantes.

Plus les branches d'un arbre sont **basses,** plus l'ombre est intense. Pour augmenter la luminosité sous les arbres ou sous les conifères et pour pouvoir y installer un plus grand choix de plantes, taillez les branches du bas sur au moins 1,50 m de hauteur. Cela vous laissera un peu d'espace pour travailler.

Sous les arbres, la **pelouse,** même celle qui est faite pour l'ombre, a du mal à pousser. Ce n'est pas vraiment à cause de l'ombre, mais parce que la pluie est arrêtée par les feuilles et détournée avant d'atteindre le sol. Le sol étant très sec, la pelouse pousse difficilement.

PRÉCAUTIONS

Si vous installez une plate-bande sous un arbre, vous devrez surveiller de près l'arrosage.

MISE EN GARDE

Sous les conifères, à cause des aiguilles qui se décomposent, le sol est très acide. Vous pouvez y planter des espèces qui tolèrent bien l'acidité (rhododendron, azalée, hydrangée, raisin d'ours, phyllitis, fougères), ou bien y appliquer de la chaux jusqu'à ce que l'analyse de sol (voir le chapitre *Connaître sa terre)* indique un niveau normal d'acidité.

Pachysandra.

Sous les arbres âgés, les racines maîtresses sont souvent à ras de terre. Si vous voulez créer une plate-bande à cet endroit, vous devrez la **surélever** d'au moins 20 cm et choisir des espèces qui ne s'enracinent pas profondément.

À ÉVITER

Quand vous créez une plate-bande ou un massif sous un arbre, ne vous contentez pas d'un petit rond autour du tronc. L'esthétique est douteuse, surtout quand le petit rond est uniquement planté d'annuelles voyantes. Créez une plate-bande de bonnes dimensions, aux lignes courbes qui faciliteront la tonte de la pelouse alentour.

Quoi planter

Les espèces à planter sous un arbre ne manquent pas; consultez les tableaux de la quatrième partie.

Si vous aimez l'harmonie et voulez flatter l'œil, plantez de grandes surfaces d'une seule plante:

- un couvre-sol vert: le pachysandra; l'effet est saisissant et chic;
- une plante rampante: la pervenche; fleurs bleues sur feuillage lustré;
- une plante à fleurs: le muguet; quel parfum au printemps!
- une bisannuelle délicate: le myosotis; un beau tapis bleu.

Si vous préférez les contrastes et les couleurs, plantez des massifs d'annuelles aux couleurs **claires**: jaune, orange, blanc, rose. Limitez le nombre de couleurs à deux ou trois et disposez les couleurs en lignes concentriques à partir du centre.

Si l'allure **champêtre** vous plaît, combinez dans la plate-bande des arbustes (rhododendron, hydrangée, spirée de Van Houtte, cornouiller, etc.), des vivaces (astilbe, hosta, cicimicaire, campanule, bergenia, ancolie, primevère, etc.) et des fougères.

Sous les arbres feuillus et même dans les sous-bois, plantez des bulbes printaniers (tulipe, narcisse, crocus, scille, érythrone, etc.).

Si vous avez une clôture de perches à l'ombre des arbres, faites grimper dessus une plante grimpante vivace, indigène au Québec: le *Menispermum*. Il porte de petites fleurs blanches au printemps.

POUR VOUS DISTINGUER

Le prix risque d'être élevé, mais pour un petit espace, plantez l'un des deux bulbes annuels suivants (voir les chapitres sur les bulbes annuels dans la troisième partie):

- le caladium: à feuillage coloré, vert, blanc, rose.
- le bégonia: à fleurs éclatantes, rouges, jaunes, orange, roses.

Pervenche rampante, myosotis bleu et fougères forment un joyeux tapis sous cet arbre.

Un jardin de fleurs coupées

Si le jardinier passe le plus clair de ses loisirs dehors, il lui arrive quand même de passer quelques heures par jour dans la maison. Alors pourquoi ne pas fleurir l'intérieur en même temps que l'extérieur? La recette du bonheur est simple.

La classe d'une simple fleur de cosmos.

Dans votre jardin de fleurs destinées aux bouquets, vous pouvez cultiver arbustes, vivaces et plates-bandes dans plusieurs plates-bandes séparées, ou bien les combiner dans une même plate-bande. Dans ce cas, placez deux ou trois arbustes au fond et aux extrémités de la plate-bande; placez les vivaces en bordure, sur les côtés; gardez le centre pour semer des annuelles hautes et l'avant pour semer des annuelles basses.

POUR VOUS DISTINGUER

Arbustes, vivaces et annuelles sont les vedettes du jardin de fleurs coupées. Mais ne négligez pas non plus les bulbes vivaces (tulipes, narcisses, jacinthes, etc.), ni les bulbes annuels (glaïeuls, crocosmias, dahlias, freesias, nérines).

LES ARBUSTES

Les meilleures espèces

Amandier décoratif, forsythia, genêt, lilas (tous), seringat, spirée blanche, viorne Boule de neige.

Pour les faire durer longtemps

- Cueillez les tiges quand les bourgeons commencent à s'ouvrir, dès que la couleur apparaît. Quand vous cueillez les branches, coupez-les à leur base. Cueillez celles du milieu ou de la base en premier pour ne pas déformer l'arbuste.
- Coupez la base des tiges en biseau avec un bon sécateur.
- Enlevez les feuilles qui risqueraient de tremper dans l'eau.
- Trempez les tiges dans environ 15 cm d'eau tiède.
- Recoupez la base des tiges tous les deux à trois jours et changez l'eau en même temps.
- Le soir, placez le vase au frais, au réfrigérateur si possible.

Lysimaque jaune et delphinium bleu s'accordent autant au jardin que dans un vase.

Centaurée, cléome, cosmos, pois de senteur et zinnia dans une plate-bande semée deux mois plus tôt.

LES VIVACES

Les meilleures espèces

Achillée, aconit, alchemille, ancolie, anthémis, astilbe, benoîte, campanule à feuilles de pêcher, centaurée, chrysanthème, coréopsis, delphinium, gaillarde, hélianthème, héliopsis, hémérocalle, heuchère, iris (tous), liatride, lis, lobélie, lupin, lychnide (tous), lysimaque, marguerite, muguet, œillets, pavot, pivoine, phlox, physostégie, pyrèthre, rudbeckie (toutes), salicaire, scabieuse, trolle, verge d'or, véronique (toutes).

Pour les faire durer longtemps

- Cueillez les tiges quand la couleur des fleurs apparaît sur le bourgeon. Coupez-les le plus long possible. Ne coupez pas plus du tiers des tiges d'un même plant. Cette taille permet à plusieurs vivaces de refleurir, généralement à la fin de l'été ou au début de l'automne.
- Enlevez les feuilles qui risqueraient de tremper dans l'eau.
- Trempez les tiges dans environ 15 cm d'eau tiède.
- Recoupez la base des tiges tous les trois jours et changez l'eau en même temps.
- Le soir, placez le vase au frais, au réfrigérateur si possible.

LES ANNUELLES

On trouve en caissettes, prêtes à planter, certaines annuelles qui peuvent faire partie du jardin de fleurs coupées, comme les giroflées odorantes. Mais il en existe un grand assortiment que l'on peut **semer** tôt au printemps. Voici donc une manière de produire des bouquets colorés pendant une bonne partie de l'été, pour quelques sous.

LES MEILLEURES ESPÈCES

Les fleurs à choisir sont celles qui mettent moins de soixante jours à fleurir après avoir été semées.

Annuelles hautes: cosmos, zinnia, cléome, centaurée, pavot annuel, pois de senteur.

Annuelles basses: capucine, zinnia nain, godétia, souci (calendula).

MISES EN GARDE

- La capucine ne possède pas de tiges assez longues pour être disposée en gros bouquets, mais elle est magnifique, seule ou en groupe, dans un verre ou une soucoupe. Elle est comestible et décore bien les salades.
- Le pois de senteur est classé parmi les plantes hautes parce qu'il est grimpant. Les fleurs s'épanouissent au bout d'une tige de 10 à 20 cm de longueur. On en fait de merveilleux bouquets dans des flûtes à champagne.

Fleur de pois de senteur au bout de sa tige volubile.

POUR VOUS DISTINGUER

Les tournesols sont de merveilleuses fleurs coupées. Pour obtenir des fleurs d'un diamètre raisonnable, inférieur au diamètre normal, pendant tout l'été, procédez de la façon suivante:

- semez deux ou trois graines par semaine dès la fin de mai;
- dès que les plants atteignent 1,50 m, coupez-les à 1 m du sol.

Chaque plant produira deux tiges portant chacune un magnifique petit soleil.

Dates de semis et de floraison

On peut semer les annuelles dès que la terre peut être travaillée, mais il est préférable d'attendre la **mi-mai** pour que la terre ait eu le temps de se réchauffer. Dans le cas où le semis est effectué entre le 20 et le 30 mai, voici la date approximative de début de floraison. Il y a bien sûr des variations selon les régions:

- centaurée: 10 juillet;
- cosmos, godétia, souci, capucine: 15 juillet;
- cléome, pois de senteur, zinnia: 25 juillet.

Les conditions

Le jardin de fleurs coupées peut être placé aussi bien à l'avant qu'à l'arrière de la maison, mais l'endroit choisi doit recevoir au moins **cinq heures** de soleil par jour.

Avant de semer, bêchez et enrichissez la terre tel qu'indiqué dans les chapitres *Bien travailler sa terre* et *Enrichir sa terre*. Ratissez **soigneusement** pour enlever les pierres, les mottes dures et les déchets végétaux. Affinez la surface sur 3 à 5 cm de profondeur pour que les graines adhèrent bien à la terre.

Le semis

Vous pouvez semer de deux façons:
1. **Séparez** les graines et semez chaque espèce à un endroit bien précis, ou,
2. **Mélangez** les graines de plantes hautes ensemble et les graines de plantes basses de leur côté. Puis semez chaque groupe séparément.

Voici comment procéder: semez le plus uniformément possible. Ensuite, avec le dos d'un râteau, **tassez** légèrement la terre pour enfoncer un peu les graines.
Saupoudrez ensuite sur la terre un peu de terreau de rempotage pour plantes d'intérieur, sans dépasser **1 cm** d'épaisseur. Enfin, arrosez avec un jet très fin et très doux.

L'entretien

Arrosez régulièrement vos semis. Si les conditions sont bonnes, les jeunes plants vont apparaître après deux à trois semaines. Au bout de quatre à six semaines, **arrachez** les plants faibles et ne gardez que les plus vigoureux. S'il en reste trop pour que les plantes puissent se développer sans trop se gêner, éclaircissez encore et transplantez les plants superflus dans une autre plate-bande… ou chez le voisin.

La cueillette

Au moment de cueillir les fleurs, coupez les tiges le plus long possible. Ne coupez pas plus du tiers des tiges d'un même plant à la fois.

Pour les faire durer longtemps

- Cueillez les tiges quand la couleur des fleurs apparaît sur le bourgeon.
- Enlevez les feuilles qui risqueraient de tremper dans l'eau.
- Trempez les tiges dans environ 15 cm d'eau tiède.
- Recoupez la base des tiges tous les trois jours et changez l'eau en même temps.
- Le soir, placez le vase au frais, au réfrigérateur si possible.

Bouquet de pois de senteur dans une flûte à champagne.

Un potager tout neuf

Bien peu de jardiniers résistent au plaisir de cultiver quelques légumes. Les terrains de banlieue devenant de plus en plus exigus, il n'est pas rare que les plus audacieux intègrent les légumes dans l'aménagement: le feuillage des asperges, des carottes et des betteraves est très décoratif. De plus, fleurs et légumes réunis arrivent à repousser insectes et maladies. Mais nombre de jardiniers préfèrent encore placer leurs légumes dans un espace à part: le potager. Voici comment prendre un bon départ.

Ce potager décoratif attire les regards tout en étant agréable à entretenir.

L'ENDROIT

Il faut d'abord choisir un endroit **ensoleillé.**
La plupart des légumes ont besoin de six à huit heures de soleil par jour. Laitues et choux peuvent tolérer un peu plus d'ombre.

Assurez-vous que l'endroit en question est bien **drainé** et prévoyez assez d'espace pour pouvoir circuler tout autour avec les outils, la brouette et les sacs de terre.
N'ayez pas peur de placer votre potager à un endroit que vous pourrez **voir** de la maison. Sa vue repose l'œil et l'esprit.

LES FORMES

Traditionnellement, un potager est carré ou rectangulaire, mais vous pouvez aussi cultiver des légumes dans des plates-bandes disséminées tout autour de votre cour.

POUR VOUS DISTINGUER

Créez un potager décoratif de forme ronde:
- Réservez un espace de 5 m de largeur au minimum et bêchez-le en enrichissant la terre. Voir les chapitres *Bien travailler sa terre* et *Enrichir sa terre.*
- Au centre, plantez un piquet et attachez-y une corde d'environ 2,50 m de longueur. Attachez un piquet à l'autre extrémité, tendez la corde et tracez un cercle. Raccourcissez la corde de 50 cm et tracez un autre cercle. Vous venez de créer l'allée d'accès au potager.
- Raccourcissez ensuite la corde de 1,50 m et tracez un petit cercle de 1 m de diamètre (50 cm de rayon). Le centre du potager servira donc à la circulation et vous pourrez aussi vous y asseoir pour admirer vos cultures.
- Tracez ensuite quatre allées allant du centre du cercle à l'allée extérieure. Ces allées iront en s'élargissant du centre à l'extérieur du cercle. Donnez-leur 30 cm de largeur au centre et 50 cm à l'extérieur du cercle.
- Transférez la bonne terre des allées sur les plates-bandes pour les surélever d'environ 20 cm par rapport aux allées.
- Enfin, plantez et semez les légumes et les fines herbes — sans oublier les fleurs — en faisant varier les couleurs et les textures de façon à créer un tableau avec votre potager.

LES DIMENSIONS

Pour commencer, soyez **modeste,** contentez-vous d'un petit potager de 1,20 m x 1,20 m. Vous pourrez y cultiver six de vos légumes préférés et il n'exigera pas plus d'une heure d'entretien par semaine.

Un potager de cette taille ne nécessite qu'une allée de 50 à 60 cm tout autour pour travailler sans gêne. Dans un potager plus grand, tracez une ou plusieurs **allées** de 50 à 60 cm sur la longueur de façon à diviser la surface cultivée en sections de 1,20 m de largeur au maximum. Si votre potager est destiné à nourrir une famille tout l'été, comptez au moins **1 m²** par personne.

Un petit coin de potager bien utilisé permet des récoltes abondantes tout l'été. Au premier plan, un yucca en fleurs.

LA TERRE

Il est rare qu'il y ait de la bonne terre autour d'une maison fraîchement construite. D'habitude, les constructeurs **l'enlèvent.** Faites donc livrer chez vous de la terre mélangée. Voir le chapitre *Acheter de la terre.* Enrichissez la terre (voir le chapitre *Enrichir sa terre)* et **bêchez** sans avoir peur de remonter un peu de la terre argileuse ou sablonneuse qui était déjà là. Voir le chapitre *Bien travailler sa terre.*

LA PLANTATION ET L'ENTRETIEN

Voir les chapitres sur les légumes dans la troisième partie.

SUGGESTIONS DE SUPERFICIE

- Pour nourrir cinq personnes, on évalue la superficie du potager à environ 60 m^2, dont dix seront réservés aux allées.
- Dans un potager de 100 m^2, on peut cultiver: douze plants de tomates, six plants de piments doux, douze choux, une livre de graines de maïs en trois semis successifs, une livre de graines de haricots, une livre de petits pois en trois semis successifs, une caissette de plants d'oignons, un sachet de graines de betteraves, de carottes, de laitues, d'épinards et deux sachets de radis semés entre les rangs de choux.

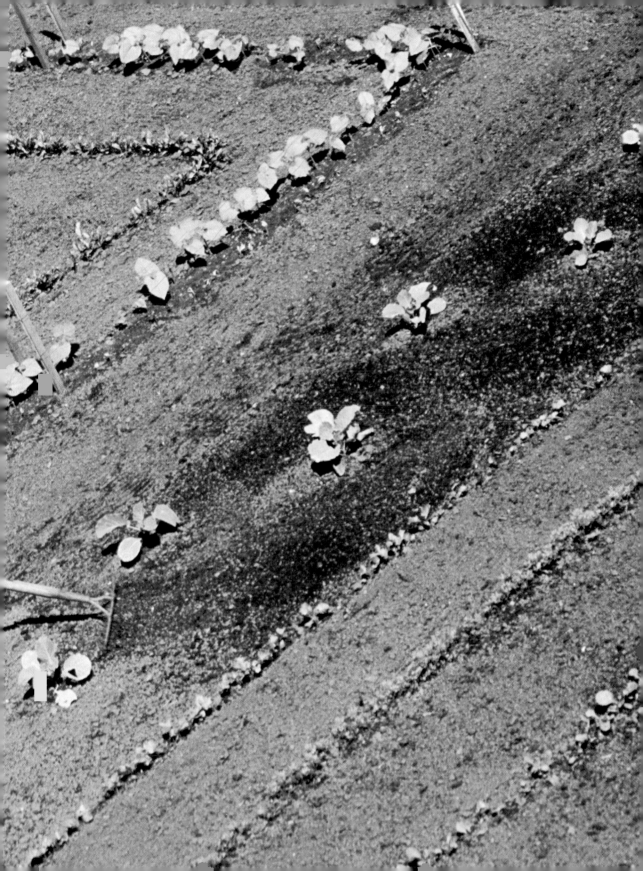

Fruits et légumes au milieu des fleurs

Que ce soit par manque d'espace, par souci d'originalité ou simplement pour apporter une touche artistique à la méthode du compagnonnage, de plus en plus de jardiniers incorporent des légumes et des fruits dans leur jardin d'agrément. Quelques audacieux vont jusqu'à orner la façade de leur maison avec des choux, mais il n'est pas nécessaire d'aller jusque-là pour obtenir des effets intéressants. Voici quelques suggestions.

DES LÉGUMES PARMI LES FLEURS

Les raisons d'installer les légumes parmi les fleurs sont multiples.

Un feuillage décoratif

Certains légumes ont un feuillage très décoratif qui fait merveille dans une plate-bande de fleurs.

Les **betteraves,** au feuillage luisant, vert veiné de rouge, constituent une excellente bordure pour les plates-bandes d'annuelles.
Les **carottes,** au feuillage fin, vert tendre, ajoutent de la variété lorsqu'on les mélange avec des fleurs annuelles et des vivaces de petites dimensions.
Les **asperges,** au feuillage fin, vert émeraude, ont l'aspect de véritables arbustes et peuvent grandement améliorer l'aspect des plates-bandes d'arbustes et de vivaces hautes.

148

Bordure de betteraves.

En bordure de n'importe quelle plate-bande ou massif, semez des graines de **laitues** en feuilles à 4 ou 5 cm les unes des autres. Consommez les laitues très jeunes et, au début, ne coupez qu'un plant sur deux. Au fur et à mesure que la bordure est consommée, semez d'autres graines. Répétez l'opération jusqu'en août.

Croissance orientée

Certains légumes sont très utiles.
Le **concombre** est un excellent couvre-sol annuel parmi les vivaces. Il protège leurs racines de la grosse chaleur.
Le **maïs** peut servir de tuteur aux plantes grimpantes annuelles: pois de senteur, dolique, ipomée, etc.
Le **haricot grimpant** agrippé à un treillis peut servir d'écran d'intimité estival autour de la terrasse.

POUR VOUS DISTINGUER

Installez un composteur derrière la pergola et semez-y des graines de citrouille. Orientez les tiges volubiles vers le sommet de la pergola. Voilà une bonne façon de donner de l'ombre à vos moments de détente, tout en assurant à vos citrouilles ainsi perchées une propreté impeccable et un ensoleillement idéal.

Une curiosité

Si l'on considère la **rhubarbe** comme un légume, il ne faut pas sous-estimer sa valeur décorative. Ses feuilles vertes forment un arrière-plan vigoureux aux fleurs de toutes les couleurs. Quand les conditions s'y prêtent, elle émet une imposante inflorescence blanche qui monte parfois à plus de 1,50 m.

DES FRUITS PARMI LES FLEURS

Les gros fruits

Depuis l'arrivée des arbres fruitiers **nains** au Québec, pommiers en tête, il est très facile de faire pousser des fruits même dans les petits jardins. Vous pouvez cultiver ces arbres de la manière traditionnelle ou bien comme haie fruitière, sur un fil de fer, à la manière européenne.
Les arbres fruitiers sont très **décoratifs** grâce à leur feuillage et à leur abondante floraison printanière.

Les petits fruits

Il est relativement facile de cultiver framboisiers, cassissiers et groseilliers en une **haie** qui ne dépassera pas 1,50 m de hauteur.
Par ailleurs, isolés sur une pelouse ou en mélange avec d'autres arbustes, les cassissiers

Fleurs, fruits et légumes cohabitent en harmonie et en se protégeant.

et les groseilliers peuvent servir de **fond de verdure** à des vivaces de hauteur variable, qui ne fleurissent pas au moment de la récolte des groseilles et des cassis, c'est-à-dire en août.

POUR ÉCONOMISER

Dans les plates-bandes de vivaces, les fraisiers constituent des couvre-sol fort décoratifs. De plus, en projetant leur ombre sur le sol, les feuilles réduisent l'effet desséchant du soleil et aident à économiser l'eau d'arrosage.

Pour donner à vos boîtes à fleurs et à vos jardinières suspendues un aspect inhabituel, plantez parmi les fleurs (voir le chapitre *Jardinage sans jardin)* un ou deux plants de **fraisier** «Quatre-saisons» qui produit tout l'été. Attention, cependant, il faudra les planter dans une plate-bande en automne pour qu'ils passent l'hiver en toute sécurité.

DES FLEURS PARMI LES LÉGUMES ET LES FRUITS

Imaginez un **grand cercle** occupant la moitié de la surface de votre cour arrière. Imaginez que vous avez bêché cet espace et soigneusement enrichi la terre. Or vous aimez les fruits et les légumes frais cueillis. Qu'allez-vous faire?

Plantez deux ou trois **arbres fruitiers,** mais pas plus pour ne pas faire trop d'ombre. Ensuite, en respectant leur besoin d'ensoleillement, plantez dans n'importe quel ordre quelques choux, tomates, oignons et fines herbes. Réservez un peu d'espace pour semer des concombres, des laitues, des carottes; pour planter quelques plants de pommes de terre. Dans l'espace inoccupé, que vous aurez pris soin de ratisser profondément, semez des **fleurs** annuelles à floraison rapide: capucine, souci, cosmos, pavot annuel, zinnia, etc. (Voir le chapitre *Un jardin de fleurs coupées.)* Regroupez-les en massifs pour donner à l'ensemble une allure spectaculaire.

POUR VOUS DISTINGUER

Si vous voulez rendre votre jardin mixte encore plus frappant, réservez une bordure de 40 cm tout autour du cercle et semez-y des zinnias ou des pavots annuels.

POUR VOUS FACILITER LA TÂCHE

Si votre cercle est large, vous aurez besoin de circuler entre les arbres, les fleurs et les légumes. Pour un accès en tout temps, même s'il pleut, déposez sur le sol, aux endroits stratégiques, des vieilles planches ou des morceaux de contre-plaqué sur lesquels vous marcherez sans rien abîmer et sans vous salir.

Un jardin pour les oiseaux

Les ornithologues amateurs sont devenus légion. Pour attirer les oiseaux dans votre jardin, il faut leur offrir quatre éléments: une nourriture abondante, des abris naturels contre leurs ennemis, de l'espace pour voler librement et la place requise pour nicher et élever les oisillons. Pour aménager un terrain pour les oiseaux il faut donc respecter plusieurs règles. Si vous souhaitez attirer une espèce plutôt qu'une autre, ne plantez pas n'importe quoi. Par contre, plus la plantation sera variée, plus vos visiteurs ailés seront variés aussi.

Des fruits, de l'espace et des conifères et les oiseaux sont heureux.

LA NOURRITURE

La plupart des oiseaux qui visitent nos jardins se nourrissent de graines (granivores) ou de fruits (frugivores). Quelques-uns mangent des insectes (insectivores) et peuvent être utiles au jardin en été.

Les graines et les fruits

Les graines consommées par les oiseaux viennent des plantes comme les **graminées décoratives,** le **gazon** trop long et les **tournesols,** ou bien ce sont des graines de mauvaises herbes tombées au sol.

151

Les oiseaux se nourrissent des fruits d'arbustes qui sortent de la neige.

Quant aux fruits consommés par les oiseaux, ce sont ceux des plantes comme les **rosiers rustiques,** les **sorbiers,** les **viornes,** les **pommetiers,** les **aubépines,** les **ifs** et les **genévriers.** Les **pommes** que l'on a oublié de cueillir font aussi le délice des frugivores.

Voici quelques indications sur les arbres et arbustes qui attirent le plus certains oiseaux:

- **gros-bec errant**: vinaigrier, sorbier, frêne;
- **jaseur des cèdres**: épinette, sorbier, bleuet, prunier, cerisier à grappes, pommetier, houx, cornouiller;

Les fruits des pommetiers font le régal de plusieurs espèces d'oiseaux.

- **mésange à tête noire**: mélèze, bleuet;
- **chardonneret**: pruche, prunier, aulne, sans compter, parmi les annuelles, les tournesols et, parmi les vivaces, les chardons;
- **roselin pourpré**: pommetier, aubépine, genévrier, sans compter les graminées ornementales;
- **merle d'Amérique** (grand consommateur de vers de terre utiles au jardinage): pommetier, sorbier, genévrier, bleuet.

Les insectes

Les oiseaux insectivores utiles au jardinier ne sont pas nombreux:

- les **hirondelles** dévorent les moustiques en plein vol;
- les **pics** se gavent des larves d'insecte vivant sous l'écorce des arbres;
- en campagne ou dans les régions forestières, les **parulines** et les **viréos** consomment des insectes nuisibles;
- les **bruants chanteurs** (pinsons) sont granivores et frugivores la plupart du temps, mais en période de couvée, ils dévorent les insectes, en particulier la tordeuse du bourgeon de l'épinette;
- les **colibris,** même s'ils se nourrissent avant tout du nectar des fleurs, peuvent être considérés comme insectivores à temps partiel. Quand des pucerons se promènent sur la fleur qu'ils convoitent, ils n'en font qu'une bouchée.

POUR RÉUSSIR

Les meilleurs insectivores sont les chauves-souris, sorte d'oiseaux mammifères, pour lesquelles il existe des nichoirs que l'on accroche aux corniches. Malheureusement, ces animaux ne sont pas très populaires, pas plus que d'autres merveilleux insectivores: les grenouilles, les crapauds et les couleuvres.

Les oiseaux insectivores se précipitent tôt au printemps sur les insectes butinant sur les chatons de saule.

Pour attirer les hirondelles, disposez les **nichoirs** appropriés autour de la maison.

Pour attirer les **colibris,** plantez les espèces suivantes:

- **arbres**: pommetier, aubépine, févier, pommier et cerisier les attirent lorsqu'ils sont en fleurs;
- **arbustes**: chèvrefeuilles, y compris l'espèce grimpante, azalée, caragana;
- **vivaces et bisannuelles**: ancolie, monarde, cœur-saignant, bugle rampant, digitale, géranium, rose-trémière, phlox;
- **annuelles et bulbes annuels**: dahlia, fuchsia, géranium, glaïeul, lantana, capucine, impatiens, pétunia, nicotine, sauge, muflier, zinnia.

Nourrir en hiver

Nourrir les oiseaux en hiver est une bonne chose, mais assurez-vous que si vous commencez en octobre ou en novembre, vous **n'arrêterez pas** avant avril ou mai. L'irrégularité des approvisionnements nuit plus aux oiseaux que la disette. Si vous partez en vacances dans le Sud, trouvez quelqu'un pour vous remplacer pendant votre absence.

Le type de nourriture offert dans les mangeoires joue un rôle important dans le genre d'oiseaux que vous allez attirer:

- **chardon**: chardonneret, roselin, sizerin;
- **millet blanc**: bruant, cardinal, junco, moineau, roselin, tourterelle;
- **maïs concassé**: cardinal, geai bleu, tourterelle;
- **noix hachées**: chardonneret, geai bleu, mésange, sittelle;
- **tournesol**: cardinal, geai bleu, gros-bec, mésange, roselin, sittelle.

La fleur de monarde attire les colibris.

Nourrir en été

Pendant les mois d'été, la nourriture abonde au jardin. Nourrir les oiseaux n'est pas nécessaire. Pourtant, de nombreux jardiniers s'adonnent à cette activité. Pourquoi?

- pour observer et écouter les oiseaux, tout simplement;
- pour admirer les nouveau-nés à leur arrivée;
- pour que les oiseaux viennent dévorer les graines de mauvaises herbes et les insectes.

Quelques précautions

Été comme hiver, les **écureuils** sont des concurrents affamés des oiseaux et les **chats** voudraient bien faire de ces derniers un festin. Installez donc les mangeoires à au moins 5 m de tout mur, banc, fenêtre, cabanon, etc., et à au moins 2 m de hauteur.

Perchez les mangeoires au sommet d'un mince poteau de bois ou de métal. Les écureuils n'y grimperont pas.

En été, **nettoyez** régulièrement les mangeoires des excréments, qui sont porteurs de bactéries.

En été, installez un bain d'oiseau quelque part dans le jardin. Non seulement les oiseaux viendront s'y rafraîchir, mais le bain sera comme une sculpture dans votre jardin et lui donnera un petit air joyeux. S'il y a un jardin d'eau dans votre cour, le bain d'oiseau n'est pas nécessaire, mais il reste quand même un élément décoratif intéressant. Un jardin d'eau peut être très petit et bordé d'une petite plage de sable que les oiseaux picorent pour mieux digérer.

LES ABRIS NATURELS

Que ce soit pour fuir les prédateurs (les chats en particulier) ou pour s'abriter des intempéries, les oiseaux ont besoin de pouvoir trouver refuge dans votre jardin.
- Les **conifères** sont d'excellents refuges à cause de la densité de leur feuillage, mais ils ne sont vraiment efficaces que lorsqu'ils dépassent 2 m de hauteur.

- Les **pins** et les **épinettes** sont aussi très utiles: les oiseaux peuvent y installer leur nid.
- Les genévriers érigés, les thuyas et les ifs sont de bons protecteurs et, en plus, ils nourrissent les **frugivores** de leurs petits fruits.
- Quant aux pommiers et pommetiers, ils conviennent parfaitement au besoin d'intimité du **merle d'Amérique** au moment de la ponte.

L'ESPACE

Les oiseaux ont besoin d'espace pour voler d'un arbre à un autre, d'un nichoir à une mangeoire, etc. Ne remplissez donc pas votre petite cour avec des arbres de grandes dimensions qui prennent toute la place. Diversifiez les espèces d'arbres, d'arbustes et de conifères pour qu'il y en ait de tailles différentes.

Aménager un terrain pour les oiseaux revient en quelque sorte à créer un habitat propice à leur développement et à leur reproduction. Si telle ou telle espèce d'oiseau vous intéresse plus particulièrement, prenez des renseignements sur ses habitudes de vie.

Dessiner avec des fleurs

La mosaïculture est un art qui remonte au XIXe siècle. Elle consiste à exécuter des dessins, des fresques même, avec des plantes à fleurs ou à feuillage décoratif. Autrefois réservée aux jardiniers initiés, elle est maintenant tellement répandue dans les municipalités que tout un chacun peut s'y exercer tout à loisir. Soyez averti toutefois que l'entretien d'une mosaïque florale demande une attention soutenue.

LE CHOIX DES MOTIFS

La seule limite aux formes et aux thèmes d'une mosaïque est votre propre **imagination.** Laissez-la s'exprimer en toute liberté. Cercle, carré, rectangle, losange et ovale sont les figures de base. On peut les imbriquer, les juxtaposer, les multiplier, les assembler en rosaces ou en damiers, les arranger autour d'un point central. Ce point central peut être une plante haute: arbuste, canna, dahlia ou encore une statue, un bain d'oiseau, un cadran solaire, etc.

Les débutants se lancent très souvent dans la confection de **lettres,** formant généralement leur nom. Avec un peu d'expérience, on peut représenter des emblèmes, des armoiries, des animaux.

LA STRUCTURE DE BASE

L'emplacement

La mosaïque de fleurs doit recevoir au moins cinq heures de **soleil** par jour. Placez-la à un endroit où elle sera bien vue et où on pourra la lire si elle forme un mot.

Les formes

Une mosaïque ronde ou ovale doit être plantée dans une plate-bande aménagée comme une **butte** de terre dont le sommet se trouve au moins à 60 ou 80 cm au-dessus du niveau

normal de la pelouse ou des plates-bandes environnantes.

Une mosaïque rectangulaire ou carrée doit être plantée sur une plate-bande **en pente** dont le point le plus haut — à l'arrière — se trouve à 60 ou 80 cm au-dessus du niveau normal de la pelouse ou des plates-bandes environnantes.

Les dimensions

Les dimensions **minimales** pour une mosaïque sont:

- si vous utilisez seulement des plantes spécifiques à la mosaïculture: 1,20 m de largeur ou de diamètre;
- si vous utilisez des annuelles et des vivaces agrémentées d'arbustes: 1,80 m de largeur ou de diamètre.

LES PLANTES

Les plantes à mosaïque

De croissance uniforme, les plantes spécifiques à la mosaïculture supportent très bien les tailles fréquentes.
- L'**irésine**: une variété rouge et une autre panachée.
- La **santoline**: grise et odoriférante.
- L'**alternanthera**: vert, jaune ou rouge selon la variété.
- Le **mésembryanthème**: genre de chou miniature.

Les plantes annuelles

Les espèces à feuillage décoratif
Certaines plantes annuelles sont utilisées pour leur feuillage.
- La **kochie**: genre de petit arbuste à feuilles étroites, très denses, vert tendre. Elle rougit à l'automne. Elle sert à créer des lettres et des haies miniatures.
- Le **cinéraire** 'Dusty Miller': à feuilles grises, veloutées, plus ou moins découpées.
- Le **coléus**: disponible dans un grand choix de couleurs.

Les espèces à fleurs
Les espèces suivantes gardent des dimensions réduites toute la saison.
- L'**agérate**: bleu ou blanc.
- L'**alysse**: blanc ou mauve.
- Le **bégonia**: feuilles roses, vertes ou cuivrées; fleurs blanches, roses ou rouges.
- La **lobélie**: blanche ou bleue.
- L'**œillet d'Inde**: jaune, orange ou brun.
- La **pensée**: jaune, bleue, brune ou violette.

Les vivaces

Les plantes vivaces ne sont utilisées que si l'on souhaite faire de sa mosaïque un événement répétitif. Si vous les choisissez, vous devrez restreindre leur développement en déracinant des sections entières. Les espèces les plus adaptées sont généralement rampantes:
- La **campanule des Carpathes**: à feuillage vert, à fleurs bleues ou blanches tout l'été; hauteur moyenne: 25 cm.
- Le **céraiste**: à feuillage gris et floraison blanche; hauteur moyenne: 15 cm.
- Le **gazon d'Espagne**: à feuillage vert comme de l'herbe avec des fleurs roses au printemps; hauteur moyenne: 25 cm.
- Le **stachys laineux**: à feuillage gris et fleurs roses en épi; hauteur moyenne: 30 cm.
- Le **thym**: à feuillage vert et à floraison mauve en été; hauteur moyenne: 20 cm.

Les arbustes

N'utilisez des arbustes que si votre mosaïque est permanente. Les espèces les plus propices à ce genre de jardinage sont les suivantes.
- Le **buis**: à feuillage vert qui se taille très bien. Cette plante est aussi très utilisée dans la confection de jardins classiques de style français.
- Le **fusain**: à feuillage vert, vert et jaune ou vert et blanc selon la variété choisie. Comme il peut grimper, il faut contenir son ardeur par une taille minutieuse.

LA PRÉPARATION ET LA PLANTATION

Le dessin

Choisissez d'abord l'emplacement de la plate-bande. Bêchez la terre (voir le chapitre *Bien travailler sa terre)* et enrichissez-la de compost et de tourbe de sphaigne (voir le chapitre *Enrichir sa terre)* pour qu'elle ne

manque pas d'eau en été. Avec la terre, donnez à la plate-bande la **forme** désirée (dôme ou pente).

Esquissez le dessin du **motif** sur une feuille de papier quadrillé. Appliquez-y les couleurs choisies. À l'aide d'un petit morceau de bois, tracez le même quadrillé sur la plate-bande, sur la terre fraîchement remuée. Tracez ensuite le motif.

Tout au long du tracé, enfoncez des **piquets** de bois distancés de 20 cm. Reliez ensuite les piquets entre eux avec une ficelle blanche.

La plantation

Les **intervalles** à respecter entre les différentes plantes utilisées sont les suivants:

- entre les **arbustes**: environ 30 cm;
- entre les **vivaces**: environ 20 cm; elles mettront deux saisons avant de remplir l'espace qui leur est réservé;
- entre les **annuelles** et les **plantes à mosaïque,** si vous êtes pressé de voir l'effet ou doté d'un bon budget: 10 cm; si vous avez le temps ou un budget restreint: 15 cm.

L'ENTRETIEN

Le temps nécessaire

Pour **entretenir** une mosaïque de 2 m de diamètre, vous devrez travailler environ deux heures par semaine en début de saison à cause du désherbage, une heure en moyenne l'été.

Pour des mosaïques **plus petites,** comptez environ une heure par semaine en début de saison pour chaque mètre de diamètre, une demi-heure par la suite.

L'eau et le fertilisant

Arrosez régulièrement votre mosaïque. Pour limiter les arrosages, tout de suite après la plantation, recouvrez le sol d'un paillis (voir le chapitre *Des paillis à tout faire*) ou d'une couche de tourbe de sphaigne préalablement humidifiée (voir le chapitre *La tourbe de sphaigne pour améliorer la terre*).

Si vous voulez mettre de l'engrais
Vaporisez un engrais soluble du genre 15-30-15 ou 20-20-20, à demi-dose toutes les trois semaines.

Si vous ne voulez pas mettre d'engrais
Assurez-vous que la terre est bien enrichie avec du compost.

La taille

Le but ultime de la mosaïculture est d'obtenir un massif uniforme et multicolore avec des plantes différentes les unes des autres en hauteur et en largeur. Chaque couleur, chaque motif doit être séparé du voisin par un espace de 1 ou 2 cm. C'est par une taille **minutieuse** que l'on arrive au résultat souhaité.

Sur les annuelles à fleurs, enlevez les fleurs **fanées** au fur et à mesure de leur apparition. À l'aide d'une paire de ciseaux ou des ongles, coupez les **tiges** les plus vigoureuses qui sortent de l'espace voulu, en largeur et en hauteur.

À l'aide d'une **cisaille** (voir le chapitre *Le jardinier bien outillé*), coupez les plantes à mosaïque et les annuelles à feuillage comme vous tailleriez une haie. Si vous êtes artiste ou un tant soit peu perfectionniste, **arrondissez**

légèrement le sommet des plantes sur toute la largeur du motif ou de la lettre qu'elles représentent. C'est plus joli.

Avec une **bêche** bien affûtée, tranchez les vivaces qui s'enracinent en dehors de la zone prévue pour leur développement. Si elles dépassent la hauteur voulue, coupez-les à l'aide d'une cisaille.

Pendant l'été, avec une cisaille, donnez aux **arbustes** la forme de haie qu'ils doivent prendre pour remplir leur rôle graphique. Tous les deux ou trois ans, au printemps, avec un sécateur, taillez les vieilles tiges à 10 cm du sol pour favoriser le départ de nouvelles pousses vigoureuses.

Un jardin de plantes indigènes

Avec la récente prise de conscience de l'environnement, les jardins de plantes indigènes ont pris de l'ampleur. Ce ne sont pas toujours de grands jardins; il s'agit parfois d'une seule plate-bande. Pour installer des plantes indigènes — et la nature québécoise en est riche — il faut observer de près l'environnement des plantes concernées et essayer de le reproduire le plus fidèlement possible, ce qui n'est pas aussi simple qu'il peut sembler.

Les iris des marais (jaunes), même s'ils ne sont pas encadrés de saules, se retrouvent en abondance dans la nature québécoise.

AVANT DE COMMENCER

Avant de vous lancer dans la création d'un jardin indigène, posez-vous quelques questions:

- Le milieu qui m'environne est-il **propice** à la culture des plantes indigènes?
- Puis-je **modifier** mon milieu pour l'adapter aux plantes qui m'intéressent?
- Quelles sont les **espèces** qui m'intéressent le plus? Il est bien évident que vous ne pouvez pas créer un jardin botanique dans votre cour. En outre, plus vous voulez cultiver d'espèces, plus vous devrez reproduire de milieux favorables.
- Où puis-je m'**approvisionner** sans dévaster la campagne québécoise? (Voir à la fin de ce chapitre.)

Afin de vous rendre compte de l'effet créé par certaines plantes indigènes dans un jardin, visitez régulièrement la forêt laurentienne du Biodôme de Montréal.

LES POINTS À OBSERVER

En vous promenant dans la nature, observez les éléments suivants. Ce sont ceux que vous devrez **respecter** dans la création de votre nouvel environnement:

- l'exposition et la durée d'ensoleillement;
- l'humidité du sol;
- la nature du sol;
- l'acidité du sol;
- la profondeur du sol;
- l'épaisseur de neige au sol;
- les plantes compagnes: arbres ou arbustes feuillus, conifères.

Salicaires et verges d'or agitent leurs tiges colorées à l'orée d'un sous-bois entièrement reconstitué.

UN SOUS-BOIS

Vous pouvez recréer un sous-bois en respectant les points suivants.

Arbres et conifères

Plantez les espèces d'arbres et de conifères les plus **courantes** dans les bois de votre région. Voici quelques **arbres** que vous pouvez utiliser: bouleau, érable, aulne, tilleul, peuplier, frêne, etc.
Voici des **conifères** courants: pins blancs, rouges ou gris, épinettes blanches, rouges ou noires, pruches. Les mélèzes sont utiles parce que leur ombre est légère et laisse passer de la clarté pour les plantes qui poussent en dessous.
La végétation au **ras du sol** est très différente selon l'espèce qui pousse directement au-dessus. Sous les conifères, la terre est plus acide que sous les feuillus. Les plantes qui y vivent sont donc différentes.

Feuilles, fagots et bûches

Autour des arbres, **étendez** d'épaisses couches de feuilles mortes et de bois de taille que vous aurez réunis en faisant la tournée des voisins.
Pour fignoler, placez ici et là, au pied des arbres, de vieilles **bûches** de la même espèce.

Les plantes

Avant d'installer une plante à un **endroit** précis, il faut savoir quand elle fleurit et de combien d'heures de soleil elle a besoin.

- Les **trilles** et les **érythrones** (plante bulbeuse) fleurissent au printemps sous les arbres qui n'ont pas encore leurs feuilles.
- Dans les sous-bois clairs, le **myosotis** s'étend rapidement.
- Chaque **fougère** a des exigences particulières concernant l'acidité, l'humidité et la lumière, mais toutes s'adaptent bien à leur environnement.

UNE TOURBIÈRE

La préparation

Pour recréer une tourbière, creusez un trou d'environ 80 cm de profondeur et d'au moins 1,50 m de diamètre. Recouvrez-en le fond d'une toile de plastique épaisse. Remplissez ensuite le trou avec un mélange de terre où le compost et la tourbe de sphaigne figurent pour au moins 50 p. 100.

Les plantes

Pour une belle tourbière, choisissez:
- parmi les **arbustes**: le rhododendron et le kalmia;
- parmi les **plantes carnivores**: le droséra;
- parmi les **vivaces**: la gentiane, la sarracénie;
- parmi les **orchidées**: le cypripède royal, de la même espèce que le sabot de la Vierge.

UNE MARE

Pour recréer une mare sur votre terrain, creusez comme si vous vouliez installer un jardin d'eau (voir le chapitre *Construire et aménager un jardin d'eau)*. Plantez des **nénuphars** indigènes dans le bassin et disposez sur le pourtour les plantes suivantes: iris versicolore, iris des marais, lobélia cardinale, anémone du Canada, lis du Canada, quenouille, lysimaque rampante, sagittaire, salicaire, valisnérie et saule discolore (arbuste).

UN FOSSÉ

Si vous habitez la campagne et que vous avez un fossé en avant de chez vous, pourquoi ne pas le fleurir?
Assurez-vous d'abord que l'**écoulement** de l'eau se fait bien au centre du fossé.
De chaque côté du fossé, ménagez une plateforme de **10 cm** de hauteur pour chaque plante.

Laissée à elle-même, cette mare a pris une apparence très naturelle.

Plantez, en mélangeant un peu de **compost** à la terre du fossé, les plantes suivantes: iris versicolore, iris des marais, quenouille, aster, lobélie cardinale et salicaire.

UN COIN DE GASPÉSIE

La terre de la Gaspésie est riche en calcaire. Pour en enrichir la terre de votre jardin, vous pouvez:
- apporter une dose massive de **chaux** agricole (faites faire des analyses de sol pour vérifier les quantités), ou bien
- récupérer des morceaux de fondation d'une vieille maison: le **béton** contient de la chaux. Cassez les morceaux à la masse, disposez-les en monticules et remplissez les cavités avec de la terre du jardin. Pour camoufler le béton, déposez des pierres comme si elles sortaient naturellement du sol.

AUTRES PLANTES INTÉRESSANTES

Arbres

- Aulne
- Cerisier à grappes
- Pruniers: sauvage, de Pennsylvanie, de Virginie
- Vinaigrier

Arbustes

- Amélanchier
- Cornouillers: stolonifère, oblique ou blanc
- Sureau blanc
- Rosier sauvage
- Viornes: à feuilles d'aulne, trilobée
- Bleuet
- Thé des bois (rampant)
- Raisin d'ours (rampant)

Petits conifères

- If du Canada
- Genévriers: commun ou de Virginie

Vivaces

- Épervières (prairie): jaune ou orange
- Asters: bleu, blanc, rose
- Rudbeckie
- Hémérocalle
- Ancolie
- Lotier (rampant)
- Marguerite
- Sceau de Salomon
- Violette
- Arisœma

Orchidées

Il existe plus de 40 espèces d'orchidées au Québec. En voici quatre qui s'adaptent assez bien, mais qui ne tolèrent pas d'être cultivées en pot.

- Cypripède (sabot de la Vierge)
- Habénaire
- Épipactis
- Listère

L'APPROVISIONNEMENT

La plupart des arbres, des arbustes et des conifères indigènes sont vendus dans les **commerces horticoles.** Les espèces vivaces le sont de plus en plus: les producteurs de plantes vivaces et de plantes aquatiques font la multiplication de la plupart d'entre elles.

Si vous prélevez des plantes dans la **nature,** chez quelqu'un que vous connaissez, faites-le avec modération: dans votre jardin, elles prendront de l'expansion rapidement et vous pourrez les multiplier vous-même. Renseignez-vous au préalable pour savoir si l'espèce que vous recherchez est protégée. Dans ce cas, n'y touchez pas.

Dans les secteurs voués au développement résidentiel ou commercial, vous pouvez sauver les plantes avant qu'elles ne périssent sous la pelle des entrepreneurs.

Certains grainetiers offrent un nombre limité de fleurs sauvages. Leurs catalogues pourront vous aider à faire des choix. Voici deux adresses:

Jardin Marisol
111, boul. Bromont
Bromont, Québec
J0E 1L0

William Dam Seeds
P.O. Box 8400
Dundas, Ont.
L9H 6M1

Vous pouvez aussi vous procurer des graines aux États-Unis, dans les établissements spécialisés suivants:

Prairie nursery
P.O. Box 306
Westfield
WI-53964
USA

J.L. Hudson Seedsman
P.O. Box 1058
Redwood City
CA-94064
USA

The Vermont WildFlower Farm
P.O. Box 5, Route 7
Charlotte, Vt, USA, 05445-0005

Jardiner sans jardin

Que l'on vive en banlieue ou en ville, dans une maison ou un condo, un duplex ou un appartement, quand on veut des fleurs ou des légumes, on en fait pousser. Tout est une question d'organisation. Les conseils suivants s'adressent aussi bien aux banlieusards désirant multiplier leurs plantations qu'aux citadins haut perchés.

UN JARDIN PERMANENT AU BALCON

Pour peu que vous ayez un balcon de bonnes dimensions, il vous sera possible d'y aménager un jardin ornemental, comme si vous aviez un terrain, mais dans des **bacs** (pour les plantations permanentes) ou des **pots** (pour les annuelles).

Précautions

D'abord et avant tout, informez-vous auprès du propriétaire ou de l'architecte pour savoir si la structure du balcon est capable de supporter le **poids** de la terre et de l'eau que vous allez y mettre.

Ensuite, avec des écrans de bambou ou tout autre matériau esthétiquement acceptable, protégez votre balcon des **vents** d'hiver et d'été.

Si vous voulez un jardin permanent, il faudra **isoler** les bacs, sinon les racines, congelées par l'effet du vent, ne résisteront pas et les plantes périront. L'isolation permet aussi à la terre de rester fraîche en été, au grand soulagement des plantes.

L'isolation des bacs

Les conseils qui suivent sont applicables aux bacs de n'importe quelles dimensions, y compris ceux que l'on installe autour des piscines ou sur les terrasses des maisons de banlieue.

Au balcon, les annuelles sont reines.

- Une fois le contour de bois construit, revêtez l'intérieur d'une planche de *styrofoam* d'au moins 5 cm d'épaisseur.
- Versez ensuite 5 à 10 cm de gravier dans le fond du bac pour assurer un bon drainage.
- Pour éviter que la terre ne soit entraînée par l'eau et ne se mélange au gravier, couvrez celui-ci d'une toile textile (on en trouve dans tous les bons centres de jardinage). Agrafez la toile au *styrofoam* avec une agrafeuse à pression. Remplissez le bac avec de la bonne terre à jardin ou même de la terre de rempotage; peu importe laquelle vous choisissez, ajoutez-y du compost.

163

Pour assurer une croissance normale des arbustes, conifères et vivaces que vous allez planter, un bac devrait être assez creux pour contenir au moins 30 cm de terre.

Terre et eau

Dans un contenant, la quantité d'eau et de nourriture est limitée. Pour éviter d'avoir à arroser trop souvent et à fertiliser inconsidérément, il faut préparer une terre à la fois riche et capable de retenir l'eau longtemps. Voici une recette que vous pourrez modifier selon les résultats obtenus:

1. Trois parties de **terre de jardin** ordinaire (la base).
2. Trois parties de **compost** (la nourriture).
3. Trois parties de **tourbe de sphaigne** (retient l'eau).
4. Deux parties de **vermiculite** (absorbe sept fois son volume d'eau).
5. Deux parties de **perlite** (réduit le compactage du sol).
6. Pour l'équivalent d'un pot de 25 cm de diamètre: une poignée de **chaux** (réduit l'acidité) et une autre de **poudre d'os** (facilite l'enracinement).

Mélangez bien tous les ingrédients ci-dessus avant de remplir le bac.

La plantation

Plantez dans les bacs de la même façon que vous le feriez en pleine terre. Voir le chapitre *Savoir planter et transplanter*.

Arrosez copieusement après la plantation, puis recouvrez la terre d'un **paillis** pour protéger les racines du dessus des excès climatiques: grosses chaleurs, sécheresse, gel et verglas.

Le choix des plantes

Dans des bacs bien isolés, vous pouvez planter n'importe quoi: des bulbes aux conifères en passant par les annuelles, les arbustes et les vivaces. Mais attention, limitez-vous aux plantes qui sont **rustiques** dans votre région. Choisissez celles qui pourront pousser librement sans nuire à vos séjours au balcon. Renseignez-vous auprès de votre horticulteur pour vous assurer que les plantes choisies supportent bien la **taille.**

Procurez-vous des arbustes qui supportent bien les tailles fréquentes (azalée, cornouiller, sureau, spirée). Comme les racines sont déjà restreintes dans leur bac, il vous sera facile de miniaturiser ces plantes et, en tordant et en dégarnissant leurs branches, d'en faire des sortes de bonsaïs qui raviront vos visiteurs.

Si vous plantez un conifère ou un arbuste dans un bac, ne **remplissez pas** la surface du sol avec toutes sortes de plantes dont les racines empêcheraient la plante vedette d'occuper toute la place dont elle a besoin. La concurrence entre les racines peut être fatale. Dans un bac de plantes vivaces, **limitez-vous** à deux espèces par mètre carré. Sinon, vous allez passer votre temps à les diviser.

UN POTAGER AU BALCON

Le choix des contenants

Lorsqu'on veut installer un potager sur son balcon, le choix des contenants est lié à deux critères: l'esthétique et la quantité de terre nécessaire à une culture sans problème.

- Les **pots de culture** en plastique vert ou noir ne sont pas très beaux mais sont très pratiques et bon marché. Vous pouvez

Dans un bac en bois, la récolte de tomates a lieu plusieurs semaines avant celle d'un potager.

cultiver un plant de laitue ou de haricot par pot de 15 cm de diamètre, un plant de tomate ou de concombre par pot de 40 cm de diamètre.

- Les **demi-barriques** sont assez grandes pour contenir un ou deux plants de tomates, d'aubergines, de piments, de concombres. Si vous vous contentez d'un plant de ces légumes, plantez-le au milieu et entourez-le de fines herbes ou de fleurs.
- Les **paniers suspendus** avec armature de métal peuvent contenir un plant de concombres ou de tomates cerises, accompagné de quelques pétunias cascades ou de capucines.

- Les **boîtes à fleurs** commerciales sont tout juste assez larges et profondes pour convenir aux laitues. Il vous faudra quand même arroser tous les deux jours en cas de grosses chaleurs. Le meilleur modèle, pour n'importe quel légume, sera celui que vous aurez construit vous-même: 30 cm de largeur et de profondeur.
- Les **bacs en bois** n'ont pas besoin d'être isolés tel qu'indiqué plus haut si vous vous contentez d'y planter des légumes. Construisez-les sur mesure: minimum 50 cm de profondeur et 50 cm de largeur.

POUR VOUS FACILITER LA TÂCHE

Installez les bacs sur des roulettes. Vous pourrez ainsi les déplacer au gré de votre fantaisie et de vos besoins.

- Les **pots de terre cuite** combinent agréablement l'esthétique et les bonnes dimensions. Leur seul inconvénient: leur prix d'achat élevé. Procurez-vous des spécimens d'au moins 40 cm de diamètre, dans lesquels vous pourrez associer légumes, fines herbes et fleurs.

MISE EN GARDE

Les pots de terre cuite sont poreux et sous l'effet du gel, ils craquent. Il est donc impératif de les rentrer dans la maison au plus tard en novembre.

Terre et eau

Voir la recette de terreau dans la section *Un jardin au balcon* du présent chapitre.

Le choix des légumes

Les seuls légumes qui ne peuvent pas être cultivés en contenants sont les **citrouilles,** le **maïs** et les **courges.** Dans des bacs isolés (voir plus haut), vous pouvez cultiver des fraisiers et des bleuets nains avec des légumes.

Le choix des légumes dépend de l'exposition de votre balcon. Il faut au moins six heures d'**ensoleillement** par jour à la plupart des légumes; huit pour les tomates et les pommes de terre, quatre pour la laitue et quelques choux.

POUR RÉUSSIR

Placez tous les contenants lourds sur des roulettes. Cela vous permettra de gagner quelques semaines de croissance au printemps et en automne: vous n'aurez qu'à rentrer les légumes le soir quand la météo annonce des gels nocturnes. De plus, l'été, vous pourrez mettre à l'ombre pour quelques heures les légumes qui supportent mal les grosses chaleurs de l'après-midi (laitues et petits pois entre autres).

UN JARDIN EN BOÎTES

On retrouve des boîtes à fleurs accrochées au balcon des appartements, des condos et même des maisons de banlieue. Il existe des modèles standard, plus ou moins esthétiques, de dimensions plus ou moins bonnes. Vous aurez plus de chances de réussir si vous les **fabriquez** vous-même ou si vous passez la commande à un menuisier.

Les dimensions

La longueur des boîtes à fleurs varie selon l'endroit qu'elles vont occuper. Pour permettre une plantation variée et offrir assez d'espace aux racines pour s'abreuver et s'alimenter sans problème, sans souffrir de la chaleur, la largeur et la profondeur devraient être d'au moins **30 cm.**

Un petit bac dans un coin du jardin donne un cachet particulier, surtout s'il est partiellement camouflé, ici avec des astilbes qui conviennent aux endroits partiellement ombragés.

Utilisez du bois traité qui durera plus longtemps que du bois non traité. Mais pour vous assurer qu'il ne pourrira pas au contact de la terre, recouvrez l'intérieur de la boîte d'une feuille de plastique épais percée de quelques trous dans le fond pour le drainage.

La terre

Un terreau de rempotage pour plantes d'intérieur convient parfaitement pour la culture des fleurs en boîtes. Pour stimuler la **floraison,** mélangez trois parties de terreau à une partie de compost. Saupoudrez un peu de poudre d'os avant de verser le mélange dans la boîte.
Si vous avez préparé le mélange recommandé pour le jardin permanent au balcon (voir plus haut), utilisez le même dans les boîtes à fleurs.

Le choix des plantes

Toutes les annuelles de moins de **60 cm** de hauteur peuvent être plantées dans une boîte à fleurs. N'oubliez pas les espèces à fleurs comestibles: calendula, capucine, cosmos, etc. Placez les espèces érigées en arrière et les espèces retombantes ou rampantes à l'avant.

MES ANNUELLES PRÉFÉRÉES

Pour les boîtes à fleurs, voici mes préférées.
Les géraniums «Roi des balcons», compacts, à petites fleurs, sont vigoureux et résistants à la sécheresse.
Les fines herbes (basilic, thym, menthe, etc.) sont un complément parfumé aux annuelles, de même que les plantes aromatiques comme le géranium-citron, le géranium-fraise, la lavande, la citronnelle. Faites un mélange de toutes ces plantes dans vos boîtes à fleurs et vos cinq sens seront comblés tout l'été.

La plantation

Espacez les plantes, quelles qu'elles soient, d'au moins 8 à 10 cm.

À ÉVITER

Ne plantez pas trop serré. L'effet serait peut-être beau tout de suite, mais les plantes souffriraient de plus en plus au fur et à mesure que la saison avancerait. Elles deviendraient laides très rapidement et vous auriez dépensé pour rien.

L'entretien

Parce que le volume de terre est réduit dans une boîte à fleurs et parce que le soleil plombe sur la boîte et réchauffe indûment les racines, il est impératif de surveiller l'**arrosage** au moins tous les deux ou trois jours. Quand vous arrosez, faites-le abondamment en revenant deux fois à 10 minutes d'intervalle. Pour éviter l'évaporation, couvrez la terre d'un paillis.
Ne laissez pas les mauvaises herbes envahir les boîtes. Coupez les fleurs fanées pour une floraison abondante jusqu'aux gelées.

Si vous voulez mettre de l'engrais
Utilisez un engrais soluble à haute teneur en phosphore et à teneur en azote équivalente ou légèrement inférieure. Appliquez-le à la moitié de la dose prescrite une fois par mois ou en en mettant un soupçon dans l'eau à chaque arrosage.

Si vous ne voulez pas mettre d'engrais
Assurez-vous que votre terre contient une bonne proportion de compost. Ajoutez un peu d'émulsion de poisson à l'eau d'arrosage.

Charmer dès l'entrée

Chacun donne à l'entrée du jardin une importance différente selon ses valeurs fondamentales. Les Japonais lui vouent une réelle vénération. Pour marquer leur humilité face à la généreuse nature de leur jardin, ils placent à l'entrée une petite construction qui les oblige à baisser la tête pour passer. Tonnelles ou mini pergolas, simples portails ou tunnels de verdure, symboliques ou cadenassées, les entrées de jardin n'ont pas toutes la même fonction, mais elles sont considérées comme un hommage au jardinier.

LA FONCTION DE L'ENTRÉE DE JARDIN

Même si elle est construite de bois, l'entrée de jardin n'a pas besoin d'être **encastrée** dans une clôture. Elle peut très bien prendre sa place en plein milieu d'une haie ou d'une plate-bande.

L'entrée de jardin est un passage:
- entre le stationnement et les fleurs, c'est-à-dire entre le côté cour et le côté jardin;
- entre les trépidations de la rue et le calme de la demeure;
- entre le stress et la sérénité;
- entre l'anonymat et l'intimité;
- entre le béton et la verdure;
- entre le soleil et l'ombre.

L'entrée de jardin est accueillante. Elle indique le chemin, elle invite et, si elle est entourée de fleurs de toutes tailles, elle symbolise la relation de l'homme avec le ciel et la terre.

LE STYLE

La qualité primordiale d'une entrée de jardin est de bien **s'intégrer** à l'environnement, par une forme et des couleurs appropriées. Entre elle et la maison, il faut qu'il y ait cohérence de style et de couleur.

L'entrée de jardin n'est pas la même quand elle fait partie d'une clôture et quand elle est intégrée à une haie.

Dans la plupart des cas, l'entrée de jardin est peinte en blanc ou teinte en vert ou en brun.

Si elle constitue le rappel d'une **pergola** située dans le jardin, elle doit avoir avec elle des points communs dans le style, la finition et la couleur.

AVEC OU SANS PLANTES

Une entrée de jardin peut être si belle qu'elle se suffise à elle-même. Mais il est de bon ton d'y faire grimper des **plantes,** d'y accrocher des paniers suspendus, de l'entourer de bacs fleuris. Comme dans le reste de l'aménagement, tout est question d'équilibre entre le construit et le naturel.

- Si l'entrée de jardin est la **vedette** des lieux, donnez-lui des formes pures et sobres juqu'au raffinement géométrique. Dans ce cas, il s'agit presque d'une sculpture. Les plantes servent alors d'accent: accent de verdure ou accent de couleur quand les fleurs jaillissent des bourgeons.
- Si les vedettes sont les **plantes grimpantes** (parce que vous avez choisi une ou plusieurs espèces aux caractères particulièrement séduisants), la sobriété est encore plus nécessaire. En fait, l'entrée de jardin n'est qu'un support ou un cadre pour les plantes. L'ensemble revêt une allure plus naturelle que dans le cas précédent.

Parmi les plantes grimpantes les plus recherchées pour agrémenter une entrée de jardin, citons: les **rosiers,** les **clématites** et les **chèvrefeuilles** parmi les espèces vivaces; le **pois de senteur,** le **cardinal grimpant** et la **gloire du matin** parmi les annuelles que l'on sème au printemps dans une terre réchauffée.

LES PIEDS DANS LES FLEURS

Pour raffiner l'accueil, dessinez, du côté de la rue, une plate-bande aux pieds de la petite construction.

- Si votre jardin est de style libre, naturel, un peu fou, donnez à cette plate-bande une forme élancée — mais arrondie — comme deux bras qui se tendent vers les visiteurs pour leur souhaiter la **bienvenue.** Faites en sorte qu'il y ait toujours une plante en fleurs du printemps à l'automne: bulbes printaniers, arbustifs à floraison hâtive, vivaces de toutes les tailles et de toutes les couleurs.

À ÉVITER

Dans cette plate-bande naturelle, ne mettez pas de conifères: les arbustes sont plus changeants et offrent plus de mouvement. Soyez parcimonieux dans votre choix d'annuelles: accueillir avec chaleur ne veut pas forcément dire attirer l'attention avec éclat.

- Si votre jardin est plutôt de style classique, français, très **géométrique,** donnez à la plate-bande une forme carrée ou rectangulaire garnie de massifs de couleurs. Dans ce genre de plate-bande, les conifères taillés, les petits arbustes taillés et les annuelles basses ont une place de choix.

LE CHEMIN

Dans un jardin de style **classique,** couvrez le sentier, sous l'entrée de jardin, avec du gravier, des pavés ou des dalles.

Dans un jardin **naturel,** recouvrez-le de pelouse ou, pour donner sa place au minéral, de pierres plates. Ces pierres pourront être jointes avec du mortier ou séparées par des plantes couvre-sol comme le thym, la sagine, la lysimaque, le bugle, etc.

Clôturer en beauté

Quand on ne veut pas de haie, on sépare son terrain de celui des voisins par une clôture. Les fabricants ont fait du chemin depuis la mise sur le marché du modèle en mailles de chaîne d'abord conçu pour les cours d'école et les bords d'autoroute. Il existe aujourd'hui une foule de genres de clôture, en bois, en acier ou en chlorure de polyvinyle. Voici mes quatre préférés.

ÉTABLISSEZ VOS BESOINS

Déterminez d'abord vos besoins. Désirez-vous une clôture pour:
- vous séparer symboliquement de vos voisins?
- créer une barrière insurmontable entre vos voisins et vous?
- permettre aux enfants de faire rebondir leur ballon dessus?
- encadrer une piscine?
- donner un air champêtre à votre jardin?
- décorer en vous distinguant de vos voisins?
- créer un espace de jeu sécuritaire pour les enfants?

RESPECTEZ LES NORMES

Chaque municipalité édicte ses propres règlements concernant la hauteur, le type et l'emplacement des clôtures en fonction de l'utilité que l'on compte en faire. Informez-vous et respectez ces **règlements.** Sinon, à la suite d'une inspection, vous vous exposez non seulement à écoper d'une amende mais aussi à devoir démolir ce que vous avez construit.

MES PRÉFÉRÉES

La clôture de perche: Très symbolique et parfois branlante, elle produit un effet naturel, aéré, idéal pour ceux qui n'aiment pas se sentir enfermés ou coupés du reste du monde.

La clôture au design exclusif: Quelques charpentiers particulièrement talentueux peuvent vous dessiner une clôture qui ne se retrouvera que chez vous. L'aventure est coûteuse mais le résultat est enchanteur. C'est plus qu'une séparation, c'est une décoration à la limite de la sculpture.

Design exclusif de Bruno Tassé.

La clôture à claire-voie: Elle sépare sans isoler et est très efficace pour empêcher un chien de courir dans la rue. Elle ne dépasse généralement pas 1,50 m de hauteur. Les plantes laissent passer leurs tiges et leurs fleurs d'un côté à l'autre, à travers les barreaux de bois ou de métal.

La clôture en planches de pin: Elle a beau être ordinaire, elle remplit quatre fonctions importantes:

- intimité absolue: on ne voit pas à travers;
- compagnon de jeux: les ballons y rebondissent vigoureusement;

171

- arrière-plan neutre pour floraison éclatante.
- support pour plantes grimpantes.

LA GARANTIE

Quel que soit le modèle ou le matériau que vous choisissez, vérifiez la garantie. Elle varie de un à cinq ans selon la nature de la clôture et la façon dont le bois est traité, dans le cas d'une clôture de bois.

FLEURISSEZ LES ALENTOURS

POUR VOUS FACILITER LA TÂCHE

Il est beaucoup plus facile et plus vite fait de tondre la pelouse le long d'une plate-bande que le long d'une clôture.

L'idéal consiste bien sûr à créer aux pieds de la clôture, quel que soit son genre, une plate-bande **large** où se côtoient élégamment arbustes, vivaces et bulbes de toutes sortes.
Si vous optez pour la **simplicité,** plantez une seule espèce le long de la clôture sur une bande de terrain de 40 à 60 cm de largeur. Exemples: iris, pavots, rosiers.

Si vous voulez installer des plantes grimpantes annuelles ou vivaces, renseignez-vous pour savoir si elles peuvent s'agripper d'elles-mêmes à la clôture ou si elles ont besoin d'un **tuteur.** Dans ce dernier cas, si votre clôture est en bois, soyez discret: plantez deux ou trois clous au sommet des planches et autant à la base. Tendez une ficelle entre deux clous et enroulez-y les tiges au fur et à mesure de leur croissance. Rajoutez des clous et des ficelles si nécessaire.

POUR VOUS DISTINGUER

Ne camouflez pas les belles clôtures de perche avec une végétation trop dense. Plantez à l'avant des espèces légères:
- conifères: mélèzes, pruches;
- arbres: féviers;
- arbustes: amélanchiers, érables du Japon, tamaris.

Création de plates-bandes et de massifs

Que faire pour échapper à la tyrannie hebdomadaire de la tonte de la pelouse? La remplacer par des fleurs. Qui dit fleurs, dit annuelles, vivaces, plantes à bulbes mais aussi arbustes. Il est rare, dans nos petits jardins, qu'on puisse créer des plates-bandes d'arbres. Par contre, on peut en faire de très beaux massifs dans une pelouse. Un massif est un groupe de plantes identiques formant une masse dans le but d'accentuer l'effet créé par la couleur ou par la texture du feuillage et des fleurs. On peut créer un massif dans une plate-bande. L'entretien d'une plate-bande est beaucoup moins astreignant que celui d'une pelouse, surtout une fois que la végétation est établie.

LES BONNES RAISONS DE CRÉER DES PLATES-BANDES

Remplacer la pelouse par des plates-bandes n'a pas seulement pour but de réduire la surface à tondre: après tout, la meilleure façon de ne plus avoir à passer la tondeuse, c'est de recouvrir le terrain de béton. Quand on crée une plate-bande, on augmente aussi la surface couverte par des végétaux à fleurs ou à feuillage décoratif, avec tout le plaisir que cela comporte.

Ces végétaux peuvent même, si on déteste vraiment tondre le gazon, être des plantes

173

étalées ou rampantes remplaçant la pelouse et jouant le même rôle qu'elle, celui de couvre-sol. Les plantes **couvre-sol** les plus couramment employées se retrouvent parmi les conifères, les vivaces, les arbustes et les plantes grimpantes.

L'EMPLACEMENT D'UNE PLATE-BANDE

D'un point de vue pratique, les endroits les plus naturels pour créer des plates-bandes sont les endroits **difficiles** à tondre: le long des murs, des entrées, des clôtures, des haies; dans les coins, autour des arbres, dans les pentes; sur les tout petits terrains et là où la bande de pelouse a moins de 1 m de largeur.

D'un point de vue strictement esthétique, les plates-bandes sont comparables à des motifs colorés dont on parsème un tableau, et ce tableau, c'est la **pelouse.** Elles encadrent celle-ci ou soulignent certaines de ses courbes. À l'inverse, la pelouse peut les mettre en valeur quand elles sont plus larges qu'elle ou quand elles trônent en plein milieu du gazon.

Pour le plaisir des yeux, une partie des plates-bandes devrait être **visible** de l'intérieur de la maison. Portez un soin particulier aux vues des fenêtres de la cuisine et du bureau, sans négliger les autres, ni les portes.

En ce qui concerne l'exposition au soleil, il n'y a **aucune** limite: le règne végétal est suffisamment riche pour qu'on puisse créer de magnifiques plates-bandes plein nord ou plein sud, à l'ombre ou au soleil et dans toutes les conditions intermédiaires.

La nature et la qualité de la terre importent peu dans la création de plates-bandes. Comme il est indiqué dans le chapitre *Enrichir sa terre*, il y a **toujours** moyen d'améliorer une terre. À la limite, et à certaines conditions, on pourrait reconstituer de magnifiques paysages dans des terrains mal drainés et boueux.

POUR VOUS FACILITER LA TÂCHE

Si votre pelouse est un terrain de jeu, vous pouvez quand même la fleurir. Créez une longue plate-bande sur deux des quatre côtés et gardez les deux autres pour lancer balles et ballons. Cela n'empêchera sans doute pas ces derniers d'atterrir dans les fleurs de temps à autre, mais vous serez sans doute surpris de voir à quel point les dégâts sont minimes quand les plates-bandes sont confortablement adossées à une clôture.

Si, au contraire, vous considérez votre pelouse comme un élément de décoration au même titre que les arbres, les allées, les entrées ou les fleurs, vous pouvez découper des plates-bandes de formes variées à des endroits esthétiquement captivants.

LES FORMES

Une plate-bande peut revêtir toutes les formes que votre imagination voudra bien lui donner. La plupart du temps, les contours sont arrondis, mais pour produire des effets particuliers ou lorsque la plate-bande est insérée dans une construction, entre l'allée et la maison par exemple, les contours sont faits d'angles et de lignes droites.

On classe les plates-bandes en deux catégories:

- Les formes **géométriques définies**: rond, carré, rectangle, ovale, losange. On les insère dans des constructions (pavage, patio, entrée, etc.) ou on en fait des massifs colorés au milieu d'une pelouse.
- Les formes **géométriques indéfinies**: elles servent surtout à habiller et à adoucir les éléments les plus rigides et les plus massifs de l'aménagement. On crée ces plates-bandes le long des murs, des clôtures, des escaliers, des entrées pavées, au pied des arbres, autour des pelouses et des bassins, etc.

LES DIMENSIONS

Les dimensions des plates-bandes et la surface totale couverte de plates-bandes sur un terrain dépendent de plusieurs facteurs:

- La **superficie** du terrain: plus il est vaste, plus il peut contenir de plates-bandes.
- L'**esthétique**: de 20 à 70 % de la surface totale. Moins que cela, c'est triste; en mettre plus, c'est limiter terriblement les zones de circulation (allées, pelouses) qui, en plus d'être nécessaires, jouent un rôle visuel de transition entre les différents éléments du décor.
- Le **temps** que vous voulez consacrer à l'entretien. Voir le chapitre *Notions d'entretien minimum.*

Pour que l'on puisse lui donner du relief et de la profondeur, pour que les plantes aient assez de place pour pousser et pour faciliter l'entretien:

- une plate-bande ne devrait pas avoir moins de **75 cm** de largeur en son point le plus étroit; et devrait s'étendre sur au moins **2 m** de longueur;
- si c'est un massif **au milieu** d'une pelouse, les dimensions minimum sont de 1 m de largeur et 2 m de longueur.

La largeur d'une plate-bande longue varie d'une extrémité à l'autre selon les formes ondulées qu'on lui donne. Les **ondulations** sont plus naturelles et plus douces que les lignes droites.

> À ÉVITER
>
> Si une pelouse mesure moins de 1 m de largeur, il vaut mieux la remplacer par une plate-bande. Par ailleurs, en découpant des plates-bandes dans une pelouse, arrangez-vous pour qu'il y ait au moins 1 m entre chacune d'elles. L'entretien sera facilité et le coup d'œil amélioré.

LE TRACÉ DU CONTOUR

Les formes géométriques définies

Pour tracer une forme géométrique, procédez ainsi:

- Munissez-vous d'un cordeau (voir le chapitre *Accessoires pour mieux jardiner*).
- Plantez un des deux piquets au centre de la future plate-bande.
- Avec l'autre piquet, mesurez la largeur et la longueur.
- Plantez des petits piquets de bois comme points de repère.
- Si la forme voulue est en lignes droites (carré, rectangle, losange), tendez une corde autour des piquets pour délimiter le contour.
- Si la forme est un cercle ou un ovale, délimitez son contour à l'aide d'un tuyau d'arrosage souple.

Les formes non définies

Pour dessiner une forme non géométrique, procédez comme ceci:

- Tracez le contour de la plate-bande avec un **tuyau** d'arrosage, en le changeant de place jusqu'à ce que les dimensions et les ondulations vous paraissent suffisamment esthétiques.
- Évitez les ondulations **trop prononcées** ou les zigzags trop accentués, pour deux raisons. Premièrement ce n'est pas très naturel et deuxièmement si la plate-bande longe une pelouse, le temps de tonte sera d'autant plus long que vous devrez vous arrêter pour manœuvrer la tondeuse.

LE DÉCOUPAGE DE LA PELOUSE

Une fois le contour de la plate-bande tracé, munissez-vous d'une bêche dont vous aurez aiguisé le tranchant et suivez les étapes suivantes:

- Tenez la bêche verticalement et tranchez la pelouse en suivant le contour. Prenez votre temps pour ne sectionner ni le cordeau ni le tuyau.
- Au moment de sortir la bêche de la terre, baissez-la légèrement vers vous de manière à soulever le côté de la pelouse qui va être enlevé. Cela vous permet de mieux distinguer le contour et vous aidera plus tard à décoller la pelouse.
- Enlevez le cordeau, le tuyau et les piquets.
- Découpez la pelouse en plaques de 40 cm de largeur et 40 à 60 cm de longueur.
- Glissez sous chaque plaque le fer de la bêche en tranchant les racines à environ 4 cm d'épaisseur.
- Soulevez la plaque.

POUR VOUS FACILITER LA TÂCHE

Avant de découper la pelouse, tondez-la le plus ras possible.

POUR ÉCONOMISER

À moins qu'elles ne soient infestées de chiendent, les plaques de gazon constituent de l'engrais en puissance. Empilez-les à l'ombre, les racines vers le haut. Remuez le tas tous les mois comme vous le feriez pour un tas de compost. Au bout de trois mois environ, vous aurez un excellent terreau pour vos fleurs. Prenez soin d'éliminer les tiges aériennes de chiendent dès que vous en voyez: elles sont blanchâtres, grosses comme une ficelle.

POUR VOUS DISTINGUER

Pour accentuer la perspective sur un petit terrain et lui donner l'air d'être plus grand, découpez la pelouse en la rétrécissant au fur et à mesure que vous vous éloignez du point de vue principal. En façade, la ligne de fuite est une diagonale qui part du coin formé par l'entrée et la rue et qui se dirige vers l'autre côté de la maison en passant devant elle. À l'arrière, la ligne de fuite part de la porte-fenêtre et peut aboutir à trois points différents: dans le coin gauche ou dans le coin droit, en général, mais aussi au fond du terrain, face à la porte.

PRÉPARER LA TERRE

À ÉVITER

Ne retournez jamais la terre d'une pelouse sans avoir enlevé l'herbe au préalable selon la méthode ci-dessus. Sinon, vous vous assurez dix ans de désherbage laborieux.

Une fois la pelouse enlevée, épandez un **améliorant organique** sur la plate-bande (voir le chapitre *Enrichir sa terre)*: fumier décomposé (ou composté), compost, terreau, mélangés ou non à de la tourbe de sphaigne comptant pour environ 30 % du volume total.
Ensuite, bêchez manuellement ou à l'aide d'une bêcheuse rotative (ou motobêcheuse). Si le **chiendent** est abondant, bêchez à la main, vous pourrez retirer les tiges souterraines à mesure que vous les verrez.

Ajoutez de la terre si nécessaire: on estime qu'une plate-bande devrait être de 4 à 8 cm **plus haute** que la pelouse ou l'allée avoisinante.

Passez ensuite un coup de croc ou de râteau pour mélanger l'ancienne terre améliorée et la nouvelle. Brisez les **mottes.** Ce qui reste de racines de la pelouse peut être laissé sur place: c'est de la matière organique qui, en se décomposant, enrichira la terre.

LES BORDURES

La meilleure façon d'empêcher la pelouse d'envahir les plates-bandes et la terre des plates-bandes de se déverser dans les allées, c'est de les **séparer** les unes des autres par des bordures.

- Entre la pelouse et les plates-bandes, utilisez des bordures flexibles, de préférence des bordures de **plastique noir** dont la partie supérieure est renflée pour en faciliter la pose et pour améliorer le coup d'œil. Voir le chapitre *Contrôler facilement les mauvaises herbes.*
- Entre les plates-bandes et les entrées d'asphalte, de **béton** ou de pavés, utilisez des bordures de béton. Elles sont plus durables que le bois même si celui-ci a été traité sous pression, et quand l'une d'elles est brisée, il est facile de la remplacer sans avoir à endommager ni le pavage ni les bordures voisines.

L'IMPORTANCE DE L'ARRIÈRE-PLAN

Les fleurs, les arbustes et les plantes à caractère spécial ne sont vraiment **mis en valeur** qu'en présence d'un arrière-plan. Un arrière-plan est ce que notre œil voit en arrière des plantes quand nous sommes debout à l'endroit où l'on admire ces plantes le plus souvent. Il est fréquent, bien sûr, qu'un même arrière-plan soit vu de plusieurs endroits.

À cause de l'effet de perspective, un arrière-plan peut être **vertical** (clôture, haie, mur, muret, massif d'arbustes, graminées, plantes isolées) ou **horizontal** (la pelouse ou la surface d'une plate-bande).

La texture et la couleur de l'arrière-plan jouent un grand rôle dans l'effet que les plantes vont produire en avant. Plus sa texture est fine (bois, aluminium, pierre, ciment, pelouse) et sa couleur neutre (brun, vert, beige, gris) plus les caractères du feuillage et des fleurs vont **contraster.** Plus sa texture est grossière (haies et autres végétaux) et sa couleur foncée (vert foncé), plus les plantes qui y sont adossées auront l'air de se fondre en **harmonie** avec lui.

Pour accentuer le contraste sur un arrière-plan végétal **vert foncé,** on utilise des plantes aux couleurs vives (rouge, orange, rose) ou dont le feuillage ou les tiges possèdent des lignes très fortes: iris, hémérocalle, pied-d'alouette, roses-trémières, certaines fougères et graminées, etc.

En faisant des **essais** avec des vivaces, des annuelles, des bulbes ou des arbustes vous arriverez à trouver les meilleures combinaisons devant chaque type d'arrière-plan.

Dans une plate-bande mixte où l'on retrouve toutes sortes de plantes de différentes tailles, les plus grandes servent d'arrière-plan aux plus petites. Au fil des années, vous changerez certaines plantes de place pour créer le meilleur **effet** possible dans le rapport des tailles, des textures, des couleurs, sans oublier bien sûr les époques de floraison.

ASSOCIEZ LES ESPÈCES

Limitez toujours le **nombre** d'espèces et de couleurs dans une plate-bande. Les règles de l'esthétique disent qu'il vaut mieux utiliser les mêmes plantes à plusieurs endroits dans l'aménagement plutôt que d'en planter de toutes les sortes dans un fouillis où l'œil ne s'arrêtera pas.

Moins il y a de couleurs dans une plate-bande, plus on attire l'attention sur elle. On crée alors des massifs de couleurs variées qui se juxtaposent selon des lignes géométriques ou indéfinies. Plus un massif est grand, plus il peut contenir de couleurs, mais on se limitera en général à **trois** ou **quatre** couleurs pour produire soit un effet de contraste, soit un effet d'harmonie (avec des couleurs complémentaires).

Dans une plate-bande, les possibilités de création sont infinies. Vous pouvez n'y planter qu'une seule catégorie de plantes: arbustes, vivaces, annuelles, bulbes, rosiers. Mais vous pouvez aussi les mélanger en essayant de trouver un **équilibre** dans les tailles, les couleurs, les textures et les époques de floraison.

POUR VOUS DISTINGUER

Donnez des thèmes à vos plates-bandes, ou bien plantez-les de façon originale, avec des cactus, des plantes géantes, des fleurs faciles à semer, ou encore dessinez des motifs ou des lettres: voir le chapitre *Dessiner avec des fleurs*.

L'ENTRETIEN DES PLATES-BANDES

Voici tout ce qu'il faut faire pour garder à vos plates-bandes toute leur beauté.

- Désherbage: voir les chapitres *Bien travailler sa terre* et *Des paillis à tout faire*.
- Arrosage: voir les chapitres *Des paillis à tout faire* et *L'arrosage bien pensé*.
- Taille: voir les chapitres correspondant aux types de plantes à tailler dans la troisième partie.
- Fertilisation: voir les chapitres *Enrichir sa terre* et *La fertilisation, un surplus pour les plantes* ainsi que les chapitres correspondant aux types de plantes à fertiliser dans la troisième partie.

Rôle, création et entretien de la pelouse

Si la pelouse n'existait pas, il faudrait l'inventer. Bien sûr, à cause des pénuries d'eau estivales, elle a vu sa surface réduire de plus en plus au profit des plates-bandes. Car, il faut bien le dire, quand sévissent les règlements municipaux, il est plus facile de garder les fleurs belles que la pelouse. Mais la pelouse est, et reste, dans nos jardins, plus qu'un tapis de verdure, plus qu'un élément du décor: c'est une véritable institution.

LE RÔLE DE LA PELOUSE DANS L'AMÉNAGEMENT

Quand on voit une pelouse, on a envie de sauter, de jouer. Une pelouse, c'est la liberté. Et quand on s'y roule, quand on y enfonce les orteils, elle devient sensuelle.

Même mal entretenue, même infestée de pissenlits, une pelouse **repousse** inlassablement tonte après tonte, printemps après printemps. Elle amortit les sons, filtre l'air, dégage de l'oxygène. Une pelouse, c'est la nature, une pelouse, c'est la vie.

Le béton, l'asphalte et les pavés ne remplaceront jamais la pelouse. Une pelouse, c'est la verdure dont nous avons **besoin** pour alimenter notre bonne humeur: un vert unique et tendre, un vert qui fait briller les autres couleurs du décor.

Une pelouse, c'est comme un **tapis**: on a envie de s'y coucher, de se relaxer. Mais, comme un tapis aussi, elle sert de lien aux éléments du décor. Elle sépare sans séparer. Elle donne de la perspective à l'aménagement, elle lui donne de l'espace, elle le fait respirer. Elle le justifie.

179

Une pelouse est avant tout un couvre-sol et pour cette raison, on peut la **remplacer,** théoriquement en tout cas, par d'autres plantes ayant la même fonction. Mais sa texture fine, qui lui donne son allure de tapis, est unique; par conséquent, l'effet qu'elle produit est unique, lui aussi.

Entre n'avoir pour tout paysage qu'une pelouse et la remplacer complètement, il y a place pour le compromis: réduisez la surface du terrain consacré à la pelouse et remplacez la partie enlevée par d'autres plantes couvre-sol, par exemple pachysandre, bugle ou conifères rampants.

LES DIFFÉRENTES SORTES DE PELOUSES

Les pelouses ordinaires

Une belle pelouse traditionnelle n'est pas juste un tapis d'herbes. C'est une culture soignée de **graminées** sélectionnées pour jouer un rôle bien défini. Le mot «graminées» désigne une famille botanique qui comprend notamment le blé, l'orge, l'avoine et le maïs.

Les **espèces** utilisées dans la confection des gazons ont pour nom: Ray-grass, fétuques, pâturins, agrostides, etc. Il en existe de nombreuses variétés que l'on retrouve en proportions variables dans les mélanges commerciaux.

Les pelouses naturelles

Les pelouses naturelles sont généralement d'anciennes **prairies.** On y laisse tout pousser sauf le pissenlit et le plantain. Comme elles sont très denses, le chiendent a du mal à s'y installer. Cependant, des mousses prennent souvent d'assaut les plus vieilles d'entre elles.

Il faut **tondre** les pelouses naturelles aussi souvent que les pelouses ordinaires. Généralement établies dans des terres profondes, elles résistent bien à la sécheresse estivale.

Les pelouses naturelles ne reçoivent ni engrais ni herbicides commerciaux: on les désherbe à la main. Leur **apparence** n'est pas aussi impeccable que celle des pelouses traditionnelles, mais l'effet produit est tout aussi intéressant.

Parmi la végétation qui pousse d'elle-même, on trouve des petites **fleurs** naturelles comme des véroniques, des lamiers, des violettes, des sanguinaires.

On règle la **lame** de la tondeuse à 7 ou 8 cm pour passer par-dessus les fleurs.

POUR VOUS DISTINGUER

Pour créer une pelouse naturelle sans souci, commandez à votre détaillant horticole un mélange de semences composé de fleurs sauvages et de fétuque ovine.

Les pelouses fleuries du printemps

Si vous avez une grande pelouse dont une partie n'a pas besoin d'être esthétiquement soignée avant le début de juillet, garnissez-la, en automne, de plantes à **bulbes,** comme des narcisses, des crocus, des tulipes botaniques, des chionodoxes ou des perce-neige. Pour savoir comment planter ces bulbes dans la pelouse, reportez-vous aux chapitres sur les bulbes vivaces dans la troisième partie.

Ces phlox vivaces nains peuvent fleurir une pelouse au printemps tout comme les bulbes vivaces, mais leur développement risque d'être envahissant.

Semez un mélange à gazon contenant surtout de la fétuque rouge ou de la fétuque ovine, qui poussent plus lentement que les autres espèces. Rappelez-vous que, pour assurer la repousse des bulbes d'une année à l'autre, il ne faut **pas tondre** la pelouse avant que le feuillage des fleurs ait commencé à jaunir. Tondre l'herbe haute en deux ou trois fois espacées de trois ou quatre jours chacune.

Les fertilisations azotées sont déconseillées, au moins jusqu'à la première tonte.

POUR VOUS FACILITER LA TÂCHE

Avant de planter des bulbes partout dans votre pelouse, faites un essai dans un coin un peu à l'abri des regards: le long d'une haie, d'une clôture ou sous un arbre. Si vous aimez l'effet, agrandissez l'espace l'automne suivant.

Les pelouses fleuries de l'été

Si vous n'êtes pas un fanatique du tapis vert et si vous voulez épater les curieux, essayez ceci.

Le trèfle blanc est souvent considéré comme une mauvaise herbe, mais en colonies dans une pelouse naturelle, il a son charme. En plus, il fabrique de l'azote avec ses racines.

Achetez des graines de **pâquerettes,** une plante basse, bisannuelle, c'est-à-dire qui ne fleurit que l'année suivant le semis et qui meurt ensuite, après avoir dispersé ses graines. Semez-les un peu partout dans la pelouse, à des endroits où vous aurez gratté la terre au préalable. Répétez l'année suivante.

Au printemps et pendant une partie de l'été, vous aurez un tapis de petites fleurs blanches, ou légèrement rosées, ressemblant à des marguerites. Quand les pâquerettes couvrent la pelouse, celle-ci **ralentit** sa croissance et ne demande que peu ou pas de tonte. Le mélange à gazon qui convient à la pelouse fleurie contient surtout de la fétuque rouge ou de la fétuque ovine.

Naturellement, évitez d'épandre des engrais azotés. Réglez la lame de la tondeuse à 7-8 cm.

Les pelouses odorantes

Pour qu'une pelouse dégage un parfum, qui s'accentue quand on marche dessus, on y plante une espèce de **thym** appelée *Thymus serpyllum*, à fleurs blanches, roses ou mauves, selon la variété.

Pour établir une telle pelouse, voici deux manières:

1. La plus **simple** consiste à planter le thym dans la pelouse existante, à raison d'un plant tous les 1 m, après avoir dénudé un coin de terre de 20 cm de diamètre.

2. La plus sûre, mais aussi la plus **lente,** consiste à enlever la pelouse existante et à la remplacer par du thym, à raison d'un plant tous les 40 cm. Au printemps suivant, prélevez sur ces plants des fragments avec leurs racines que vous planterez dans les espaces vides. Désherbez consciencieusement la pelouse refaite à la binette ou au sarcloir pendant les deux premières saisons puis, au troisième printemps, semez un mélange à gazon à base de fétuques.

Évitez de fertiliser la pelouse pour que l'herbe n'étouffe pas le thym.

Réglez la lame de la tondeuse à 6-7 cm.

POUR ÉCONOMISER

Planifiez votre pelouse odorante un an à l'avance. Achetez une vingtaine de plants de thym en pots de 10 cm. Plantez-les dans un coin du jardin dont la terre aura été abondamment enrichie de compost ou de fumier composté. Pendant tout l'été, cultivez-les soigneusement dans le but de décupler la surface qu'ils couvrent. Au printemps suivant, découpez chaque plant en une multitude de fragments enracinés mesurant de 5 à 10 cm de diamètre et plantez-les dans la pelouse.

LA CRÉATION D'UNE NOUVELLE PELOUSE

Les périodes de l'année

Les pelouses qui s'établissent le plus rapidement sont celles qui sont posées (en plaques) ou semées entre le 1er août et le 30 septembre, la **meilleure** période se situant entre le 15 août et le 15 septembre. Il y a quatre raisons à cela:

- les températures sont plus **fraîches** qu'au début de juillet (les graines germent mieux);
- les **pluies** sont plus fréquentes (les plantes entrant dans la confection des pelouses proviennent de régions humides);
- le gazon aura assez de temps avant l'hiver pour s'**enraciner**;
- les **pissenlits,** moins abondants à cette époque, ne répandront pas leurs graines sur la terre dénudée.

En plus, à ce moment-là, les **restrictions** concernant l'utilisation de l'eau des municipalités sont généralement levées ou adoucies; si ce n'est pas le cas, procurez-vous un permis d'arrosage.

Si vous ne voulez pas établir la pelouse à la fin de l'été, optez pour le **début** du printemps, dès que la terre ne colle plus aux outils. Mais cette période est moins appropriée que l'été parce que le gazon n'aura peut-être pas le temps de bien s'enraciner avant les grosses chaleurs et les sécheresses de l'été. Or, s'il souffre, sa croissance ralentit et les risques que les mauvaises herbes en profitent pour l'envahir s'accroissent.

À cause de la chaleur, de la sécheresse et des pénuries d'eau chroniques, la **pire** époque pour créer une pelouse, c'est l'été.

La préparation du terrain

Si ce n'est pas fait, faites d'abord drainer le terrain.

Ne mettez pas de pelouse là où l'espace disponible a moins de 1 m de largeur; créez plutôt une plate-bande. Voir le chapitre *Création de plates bandes et de massifs.*

Dans les régions rurales, la terre cultivée est généralement la terre d'origine et elle est profonde. Au départ, cela augmente les chances de réussite de n'importe quelle culture, en particulier celle de la pelouse. Dans les zones urbaines, où la bonne terre a été enlevée avant la construction et où la terre de remblai est une glaise plus ou moins caillouteuse, il faut essayer de reconstituer des conditions naturelles et réduire l'incidence du sous-sol glaiseux sur les cultures. Il faut donc **apporter** de la nouvelle terre. Comme une pelouse est faite pour durer dix ans et plus, l'épaisseur de terre doit varier entre 15 et 20 cm, selon vos moyens financiers. Le Bureau des normes du Québec recommande un minimum de 12,5 cm.

POUR VOUS FACILITER LA TÂCHE

Apportez la terre en deux fois: lorsque vous en avez étendu de 8 à 10 cm d'épaisseur, passez un rouleau plein d'eau dessus, puis étendez le reste, nivelez et roulez de nouveau.

POUR ACHETER SANS VOUS TROMPER

Portez une attention toute spéciale à la terre que vous achetez. Ce qu'on appelle terre à jardin est en général meilleur que les soi-disant terres à pelouse, souvent très riches en sable. Le sable n'est pas mauvais en soi puisqu'il facilite la croissance des racines, mais on oublie souvent qu'il s'assèche aussi très vite. En été, cela peut tourner à la catastrophe. Pour plus de renseignements sur l'achat de terre, reportez-vous aux chapitres *Acheter de la terre* et *Connaître sa terre*.

MISE EN GARDE

La terre noire est trop acide ou trop sablonneuse pour être utilisée seule. La terre à jardin préparée que vous achetez peut en contenir jusqu'à 30 %.

Que votre terre soit rapportée ou non, faites-la analyser, puis **enrichissez-la** d'une mince couche d'un améliorant organique (voir le chapitre *Enrichir sa terre)* et effectuez une légère fertilisation de fond (voir le chapitre *La fertilisation, un surplus pour les plantes).* Mélangez le tout avec une motobêcheuse, un croc ou un râteau.

Nivelez ensuite la terre à l'aide d'un **râteau.** Éliminez les pierres, les mauvaises herbes (les tiges souterraines de chiendent surtout), les déchets organiques volumineux, et les mottes de glaise s'il y en a. Affinez la surface le plus possible.

Puis, affermissez la terre en y passant un **rouleau** plein d'eau dans le sens de la longueur puis dans l'autre sens. Passez ensuite un dernier coup de râteau.

Semer en douze étapes

Avantages

Semer la pelouse est bon marché, facile et rapide à exécuter. De plus, on peut choisir le mélange à gazon le mieux adapté à l'exposition de la future pelouse (ombre ou soleil) et à son rôle (terrain de jeu, pelouse fleurie, passage, etc.).

Inconvénients

Semer demande des soins attentifs et prolongés: les semis sont sensibles au vent, au soleil, aux oiseaux, à l'érosion par l'eau. Il faudra près d'**un an** avant que le gazon produise l'effet recherché et qu'on puisse marcher dessus.

POUR RÉUSSIR

La façon de semer la pelouse décrite dans ce chapitre est celle qui donne les meilleurs résultats et qui laisse le moins de place au hasard. Mais vous pouvez sauter certaines étapes; si la chance est de votre côté, votre pelouse sera quand même belle.

L'exécution

Si la superficie à ensemencer est petite, vous pourrez semer à la main; sinon, louez un semoir.

Choisissez la semence en fonction de l'ensoleillement (ombre ou soleil) du terrain ou de l'**utilisation** à laquelle vous destinez la pelouse (détente ou jeu). Notez que plus un mélange contient de fétuques, plus il pousse lentement. S'il contient beaucoup de pâturin, il aura besoin de beaucoup d'azote sous forme d'engrais ou de matière organique.

La **quantité** de semences nécessaire n'est pas toujours indiquée sur les sacs. Calculez-la en multipliant la surface de votre terrain (en m^2) par 30 grammes ($^1/_3$ de tasse). Exemple: 100 m^2 x 30 g = 3 kg de semences. C'est une dose maximum: vous pouvez la réduire de 10 % à 20 % sans compromettre la qualité de la future pelouse. Achetez ensuite le plus petit sac possible, à moins, bien sûr, que vous ayez des projets futurs d'ensemencement.

Prélevez dans le sac la quantité de semences nécessaire. Dans le cas d'une pelouse de plus de 3 m de largeur, divisez les graines en **deux parties** égales: vous sèmerez la première dans le sens de la longueur et la deuxième dans le sens de la largeur. Si la pelouse est moins large, semez toutes les graines dans le sens de la longueur.

Semez à **double dose** une bande de 20 à 40 cm de largeur, selon les dimensions du terrain, tout autour de la pelouse. Les contours sont en effet toujours plus exposés au vent, à la sécheresse et au piétinement accidentel que le centre.

À ÉVITER

Ne rajoutez pas de semences sur votre terrain même si le semis vous paraît clairsemé. C'est normal que vous voyiez plus de terre que de graines. Sachez que chaque brin d'herbe va se ramifier, s'étoffer et devenir une touffe. Un semis trop dense provoque la mort d'une grande quantité de brins d'herbe: c'est donc du gaspillage.

Après le semis, passez un coup de **râteau** superficiel en tirant toujours l'outil vers vous pour ne pas trop perturber les graines. Roulez ensuite le terrain avec un **rouleau** à moitié plein d'eau, d'abord dans le sens de la longueur, puis dans l'autre sens.

Sous les meilleures conditions climatiques, la **germination** commence au bout d'une semaine et se poursuit pendant deux ou trois semaines.

Si de la pluie est prévue dans les 24 heures suivant le semis, n'arrosez pas. Dans le cas contraire, **mouillez** doucement la terre sur 10 cm de profondeur. Pendant au moins deux semaines, s'il ne pleut pas, arrosez tous les deux jours pendant 20 à 30 minutes. S'il fait chaud, arrosez plus souvent, s'il fait frais, espacez les arrosages.

POUR RÉUSSIR

Quand une graine commence à germer, il en sort une plantule très fragile. Si vous laissez celle-ci manquer d'eau avant qu'elle n'établisse des racines fortes, elle meurt. Ce n'est donc pas l'abondance d'eau qui est vitale pendant cette période, mais la régularité des approvisionnements (pluie ou arrosage). Voyez-y.

Une fois que la jeune pelouse a **3 ou 4 cm** de longueur, passez dessus un rouleau au quart rempli d'eau. Cette opération n'abîme pas les brins d'herbe; au contraire, elle les oblige à se ramifier et à grossir; elle stimule les racines.

Quand la pelouse atteint **8 cm** de longueur (pas beaucoup plus), tondez-la en réglant la lame à 5 cm de hauteur.

Passez le **rouleau** une dernière fois (au quart plein d'eau).

- Ne donnez pas d'engrais commercial à la pelouse la première année de son existence.
- Même s'il y a abondance de mauvaises herbes, n'appliquez aucun herbicide. Ce sont des espèces annuelles qui disparaissent au cours de l'hiver et qui, de toute façon, ne tolèrent pas les tontes répétées. L'ennemi à combattre, c'est le chiendent, mais vous avez dû vous en occuper lors de la préparation du terrain.

Une nouvelle méthode

De plus en plus de paysagistes offrent de semer les pelouses résidentielles selon le principe de l'**hydro-ensemencement.** Dans un réservoir, ils mélangent: les semences adaptées à l'usage de la pelouse, du papier recyclé, de l'eau, un engrais et un adhésif végétal. Le papier plein d'eau facilite la germination et évite l'assèchement trop rapide. L'adhésif empêche l'érosion par l'eau et le vent. Les résultats sont excellents et la quantité d'eau nécessaire pour l'établissement de la pelouse est inférieure à celle requise par la méthode traditionnelle. L'entretien de la jeune pelouse est le même.

La pose du gazon en plaques

Avantages

L'effet est immédiat et, au bout d'un mois, dans les meilleures conditions, on peut marcher sur la nouvelle pelouse.

Inconvénients

Pour une même surface, le coût des plaques est cinq fois supérieur à celui des graines. L'effort physique nécessité par la manipulation et la pose est beaucoup plus élevé que pour le semis. Les besoins en eau sont très élevés.

Les machines qui découpent le gazon dans les champs de culture sont équipées d'outils à mesures anglo-saxonnes. C'est pourquoi la majorité des plaques de gazon mesurent une verge carrée, soit 6 pieds de longueur sur 1 1/2 pied (18 pouces) de largeur. Une verge carrée correspond à 0,8 mètre carré.

Si votre terrain mesure 100 m², vous aurez donc besoin de 125 verges carrées de gazon, soit 125 plaques (elles sont livrées roulées). Sachant qu'une palette contient habituellement 70 rouleaux, commandez deux palettes, cela vous reviendra moins cher que d'acheter une palette et trois quarts.

Que faire avec le surplus? Vendez-le à vos voisins.

Si vous résidez dans un grand centre urbain et si vous avez besoin de deux palettes ou plus, commandez directement d'un producteur. Sinon, passez par votre détaillant local.

L'exécution

Voici comment installer les plaques de gazon sur votre terre toute prête.

Tendez un **cordeau** (voir le chapitre *Accessoires pour mieux jardiner)* sur une largeur et une longueur de la surface à couvrir.

Commencez la pose le long d'un mur ou d'une clôture dont vous êtes sûr qu'il est bien droit.

Placez la première plaque dans l'**angle droit** formé par le cordeau: la largeur de la plaque est alignée sur la longueur du terrain et vice versa.

Déroulez une deuxième plaque à la suite de la première en **juxtaposant** le plus fermement possible les deux extrémités. Continuez

POSE DU GAZON EN PLAQUES

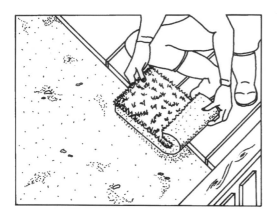

Placez la première plaque dans l'angle droit et alignée sur la longueur du terrain.

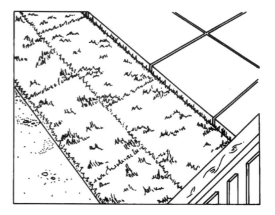

Commencez la deuxième rangée avec une demi-plaque.

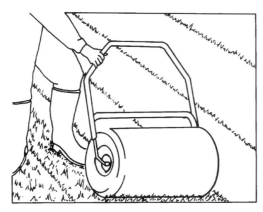

Quand la pelouse est installée, roulez-la dans les deux sens.

jusqu'à l'extrémité du terrain en suivant le cordeau.

POUR VOUS FACILITER LA TÂCHE

Déroulez toujours les plaques dans le sens de la largeur du terrain, car il est plus facile de maintenir une ligne droite sur une petite distance que sur une grande. Une seule exception: dans le cas d'un terrain en pente, il est préférable que les plaques soient déroulées dans le sens de la pente et non en travers.

Commencez ensuite la deuxième rangée avec une demi-plaque de manière que les extrémités des plaques de cette rangée se trouvent au milieu des plaques des rangées voisines. La règle est simple: pour plus de solidité, on pose les plaques comme on pose des **briques**. Assurez-vous que les plaques sont en étroit contact les unes avec les autres.

Si la pelouse est en **pente** raide, maintenez les plaques en place avec des petits piquets de bois: de deux à quatre selon l'inclinaison.

Quand la pelouse est installée, **roulez-la** dans les deux sens. Si la pente est raide, sautez cette étape.

Si une grosse pluie est prévue dans les 24 heures, n'arrosez pas. Dans le cas contraire, **mouillez** la terre sur 10 cm de profondeur. Pendant au moins deux semaines, s'il ne pleut pas, arrosez tous les trois jours pendant une trentaine de minutes. En période de sécheresse, arrosez plus souvent.

Une fois que la jeune pelouse a **commencé** à pousser, passez dessus un rouleau au quart rempli d'eau. Cette opération n'abîme pas les brins d'herbe; au contraire, elle les oblige à se ramifier et à grossir; elle stimule leurs racines. Ne roulez pas quand la terre est très humide pour éviter d'y laisser de trop profondes traces de pas.

Quand la pelouse atteint **8 cm** de longueur (pas beaucoup plus), tondez-la en réglant la lame à 5 cm de hauteur.

POUR ÉCONOMISER

Même s'il le supporterait bien, le gazon en plaques n'a pas besoin d'engrais la première année, car il cherche d'abord à s'établir solidement dans la terre. Il n'a pas besoin d'herbicide non plus.

L'ENTRETIEN PRINTANIER

MISE EN GARDE

Nous décrirons ici toutes les interventions qui doivent être pratiquées sur la pelouse quand on veut lui donner un traitement de beauté intégral, et nous déterminerons leur fréquence minimum. Vous pouvez en négliger quelques-unes si vous le désirez. Sachez cependant que cela risque de se refléter sur la santé et la longévité de votre tapis de verdure. L'intensité des soins doit être proportionnelle à vos exigences.

Pour qu'une pelouse commence bien la saison, elle a besoin d'être dorlotée au sortir de quatre à six mois d'un long hiver sous la neige. Des quatre soins décrits ci-après, dans l'ordre d'exécution, deux seulement s'appliquent aux pelouses de moins d'un an: le déchaumage, qui doit être très délicat, et le roulage léger, indispensable pour rendre la pelouse plus dense.

Le déchaumage

Technique

Appelé aussi scarification, le déchaumage printanier consiste à enlever l'**herbe sèche** (chaume) qui recouvre les pelouses au printemps.

Il n'est pas nécessaire d'éliminer **toute** l'herbe sèche. Trop d'acharnement de votre part risquerait de déraciner de nombreux brins d'herbe: n'oubliez pas que les graines de mauvaises herbes profitent du moindre coin de terre dénudé pour s'installer.

Outils

Quatre options se présentent à vous.

1. Vous pouvez **louer** une déchaumeuse dans un centre de location d'outils ou dans un centre de jardinage.
2. Vous pouvez confier le travail à une **entreprise** réputée.
3. Vous pouvez déchaumer à l'aide d'un **râteau déchaumeur,** ou scarificateur, dont les lames ont la forme de quart de lune et sont réglables. Pour le mode d'emploi, reportez-vous au chapitre *Le jardinier bien outillé.*
4. Vous pouvez aussi utiliser un **râteau à feuilles,** mais c'est beaucoup plus fatigant qu'avec un râteau déchaumeur.

Période et fréquence

Ne déchaumez pas avant que la terre ne soit sèche. Si la pelouse est longue, tondez-la au préalable.

Le déchaumage doit être fait **chaque année**: trop de chaume affaiblit le gazon, attire les maladies et gêne la pénétration dans la terre de l'eau, de l'air et des engrais.

S'il **s'accumule** du chaume durant l'été, cela veut dire que votre pelouse est trop acide ou mal drainée, ou encore pas assez arrosée, comme c'est souvent le cas.

Le roulage

Technique

Le gel provoque des mouvements de la terre; une terre argileuse est plus affectée qu'une terre sablonneuse. Résultat: au printemps, la pelouse est **bosselée** et beaucoup de brins d'herbe sont plus ou moins sortis de terre. Il faut donc rouler la pelouse, non seulement pour replacer les brins d'herbe, mais aussi parce qu'une surface plane est plus facile à tondre et… plus agréable aux pieds.

Roulez d'abord dans le sens de la largeur puis dans le sens de la longueur.

Outil

Pour rouler les **grandes** surfaces, utilisez un rouleau aux trois quarts rempli d'eau.

Pour les **petites** surfaces, utilisez le même rouleau ou une planche de 20 à 30 cm de largeur sur laquelle vous piétinerez.

Période et fréquence

Roulez une fois par année, au **printemps,** tout de suite après le déchaumage ou après la première tonte. La terre doit être bien égouttée, mais un peu molle.

Le roulage a l'**inconvénient** de tasser la terre, mais on y remédie en procédant régulièrement à une aération de la pelouse (voir ci-après).

L'aération

Technique

Les pluies, les arrosages et le piétinement continuel **tassent** la terre et en chassent l'air. Sans air, la terre reste longtemps humide, les racines ne respirent plus et pourrissent dans l'excès d'eau. De plus, l'eau et les éléments nutritifs sont mal distribués et mal absorbés.

Les terres argileuses se tassent plus rapidement que les terres sablonneuses.

Pour redonner aux racines l'air dont elles ont besoin, on perce des **trous** dans la pelouse.

Outils

Si vous ne faites pas faire le travail par une entreprise spécialisée en entretien des espaces verts, vous avez le choix entre cinq outils:

1. Louez un **aérateur**: certains modèles font des trous, d'autres enlèvent des carottes de terre.

2. Procurez-vous un **accessoire à dents** que l'on ajuste à un rouleau: il permet de combiner l'aération et le roulage. Le rouleau doit être aux trois quarts rempli d'eau.

3. Plantez une vingtaine de gros **clous en acier galvanisé** de 8 à 10 cm de long dans deux planches de 50 cm de longueur, 15 cm de largeur et 4 ou 5 cm d'épaisseur. Attachez les planches à vos chaussures et promenez-vous sur la pelouse aussi souvent que vous le voulez. C'est un excellent exercice.

4. Sur les petites surfaces, parcourez la pelouse en la piquant à intervalles rapprochés avec une **fourche à bêcher.**

5. Importez de France une paire de **patins à clous** spécialement étudiés pour aérer les pelouses et adaptables à n'importe quelle chaussure.

Une pelouse fraîchement terreautée reprendra sa belle allure après trois à quatre semaines.

Période et fréquence

L'aération doit être pratiquée tôt au printemps ou en septembre. D'une manière générale, on estime qu'une aération tous les **trois** ans convient à la plupart des pelouses. Dans les endroits très fréquentés, passages, terrains de jeux, et sur des terres argileuses, aérez tous les deux ans.

Il est recommandé mais pas obligatoire de faire suivre immédiatement l'aération par un terreautage: la terre, le compost ou le terreau pénètre alors dans les trous.

Le terreautage

Technique

Le terreautage, aussi appelé surfaçage, consiste à épandre 2 ou 3 cm d'épaisseur de bonne terre à jardin, de compost ou de terreau sur la pelouse. Il utilise la particularité des herbes de pouvoir fabriquer des racines au-dessus de leur niveau habituel. On l'exécute pour **enrichir** périodiquement la terre en matière organique, en humus. Puisqu'il est impossible d'ajouter de la matière organique par en dessous, on le fait par en dessus.

Il est recommandé mais pas obligatoire de mélanger à la terre, au compost ou au terreau un sac de 500 g de semences à gazon pour chaque section de 200 m^2 de pelouse à terreauter.

Avantages

Comme il est indiqué dans le chapitre *Enrichir sa terre*, une terre **ne peut** être seulement minérale: pour diminuer la nécessité d'apporter des engrais commerciaux, pour aider la pelouse à lutter contre les effets désastreux de la sécheresse et pour améliorer l'absorption des éléments nutritifs, quelle que soit leur origine, elle a besoin de l'humus que lui apporte le terreautage.

Ce traitement contribue aussi à aérer et à niveler la pelouse, et il **stimule** sa croissance autant qu'un engrais industriel. Il ravigote les gazons chétifs, fatigués et malades.

Recettes de terreau

Essayez l'un ou l'autre des terreaux ci-dessous. Changez d'une fois à l'autre:
- terre de jardin seule (en vrac ou en sac);
- compost seul (le vôtre ou une marque commerciale);
- 2/3 de terre de jardin, 1/3 de fumier;

- $1/3$ de terre, $1/3$ de fumier, $1/3$ de tourbe de sphaigne;
- $2/3$ de terre de jardin, $1/3$ de tourbe de sphaigne;
- $1/3$ de terre de jardin, $1/3$ de tourbe de sphaigne, $1/3$ de vermiculite;
- $2/3$ de terre de jardin, $1/3$ de terre noire.

La tourbe et la vermiculite augmentent la capacité du sol de retenir l'eau et contribuent ainsi à réduire les effets de la sécheresse sur la pelouse. Vous pouvez en ajouter jusqu'à concurrence d'un tiers.

Le fumier est plus facile à étendre lorsqu'il est sec. Faites-le sécher au soleil sur des planches de contre-plaqué pendant deux jours avant de le mélanger aux autres ingrédients. Le fumier sec, réduit en poudre, peut aussi être saupoudré en petites quantités directement sur la pelouse.

Outils

Pour étendre le terreau, utilisez le côté plat d'un **râteau** ordinaire, les dents tournées vers le haut. Donnez un mouvement de va-et-vient à l'outil pour faire descendre le plus de terre possible entre les brins d'herbe. Arrosez ensuite pendant une bonne heure pour en faire descendre un peu plus.

Il est recommandé mais pas obligatoire, plus tard, quand la terre est sèche, de passer le râteau à feuilles, toujours pour la même raison, mais aussi pour éliminer les cailloux, les mottes et autres déchets.

La pelouse reprendra son aspect normal au bout de **trois semaines** environ.

Période

Quand la terre est à nu, les **mauvaises** herbes risquent de venir y germer. Pour éviter que le terreautage ne tourne à la tragédie, pratiquez-le donc tôt au printemps, avant que les mauvaises herbes, les pissenlits en particulier, aient commencé à fleurir. Vous pouvez aussi terreauter en septembre quand les mauvaises herbes sont moins actives.

Si votre pelouse souffre beaucoup de la **sécheresse** en été et si vous êtes prêt à prendre un risque en ce qui concerne les mauvaises herbes, vous pouvez terreauter au début de juillet, votre pelouse tiendra mieux le coup.

Le terreautage est d'autant plus efficace qu'il est précédé d'une aération.

N'utilisez jamais une terre ou un compost qui risque de contenir des graines ou des tiges aériennes de chiendent, car une fois cette mauvaise herbe installée, on ne peut l'éliminer qu'en enlevant aussi la pelouse.

Fréquence

La fréquence du terreautage dépend de l'état de la terre sous la pelouse: faites une coupe dans un endroit discret et **observez-la.**

Si la pelouse repose sur du sable, sur de la terre très sablonneuse ou sur de la terre de remblai glaiseuse, terreautez tous les ans pendant au moins trois ans. (Mieux encore: refaites la pelouse, c'est un nid à problèmes.) Ensuite, procédez comme si la pelouse était posée sur de la bonne terre, c'est-à-dire une fois tous les **deux** ou **trois** ans. Terreautez légèrement à chaque fois que vous **aérez** la pelouse.

LA LUTTE CONTRE LES MAUVAISES HERBES

L'origine des mauvaises herbes

Il est **impossible** d'empêcher les mauvaises herbes de s'installer dans une pelouse. La plupart s'y développent à partir d'une graine. Beaucoup de graines sont transportées par le vent. Si elles tombent sur un espace de terre dénudé, aussi réduit qu'elles sont minuscules, elles germent.

Par ailleurs, il y a toujours des graines de mauvaises herbes dans la terre **en vrac.** La terre en sac est parfois stérilisée, mais cela n'empêchera pas les graines transportées par le vent de s'y poser et de germer.

Il ne faut jamais laisser **fleurir** quelque mauvaise herbe que ce soit, car la floraison est toujours suivie de la formation de graines qui se répandent partout. Si vous utilisez une tondeuse sans sac, vous dispersez ensuite les graines sur toute la pelouse.

Plus une pelouse est **entretenue,** plus elle est dense, vigoureuse et saine et moins les mauvaises herbes ont la possibilité de s'installer. Par conséquent, les meilleurs moyens de lutte contre les mauvaises herbes sont préventifs, c'est-à-dire une bonne terre, un bon arrosage, une bonne fertilisation, une bonne tonte, une bonne aération, etc.

Si toutes ces conditions sont réunies, l'élimination des récalcitrantes sera de beaucoup **simplifiée** et il ne sera pas nécessaire d'utiliser des herbicides commerciaux pour s'en débarrasser.

Les mauvaises herbes à larges feuilles

Les quatre principales

Le pissenlit

Une pelouse pleine de pissenlits en fleurs a un côté esthétique qui n'échappe à personne. Mais comme cette plante diurétique dépare la pelouse pendant la plus grande partie de l'année, alors qu'elle n'est pas en fleurs, et comme elle est très envahissante par-dessus le marché, elle est devenue le symbole des pelouses mal entretenues. On ne la tolère même pas dans les pelouses naturelles.

Le plantain

Presque aussi encombrant que le pissenlit, le plantain se présente comme une rosette de feuilles ovales, horizontales, qui se tapit à ras de terre.

Évitez de laisser les fleurs de pissenlit faire des graines sinon votre pelouse risque d'être fleurie jaune le printemps suivant.

Le plantain se cache parmi les herbes.

Le chardon

Plus rare que les deux autres, le chardon porte des feuilles aux rebords piquants disposées tout autour d'une tige centrale.

Trois trèfles jaunes

L'oxalide, le **lotier** et la lupuline sont trois trèfles nains qui poussent en talles.

Utilisez le **lotier** comme plante décorative ou comme couvre-sol dans les rocailles ou les plates-bandes de vivaces ou dans les pentes.

Les méthodes de lutte

Par temps humide, **arrachez** ces mauvaises herbes avec un arrache-pissenlit à court ou à long manche. Vous pouvez aussi les déraciner avec un couteau de cuisine pointu: enfoncez la lame obliquement dans la terre le long de la racine, puis tranchez celle-ci dans un mouvement tournant.

Si vous tenez à utiliser des produits commerciaux, vaporisez un herbicide en ne visant que les mauvaises herbes. En cas de grave infestation, vaporisez-le sur toute la pelouse, ou encore vaporisez ou épandez un engrais avec herbicide, liquide ou granulaire. Voir la section *La fertilisation* du présent chapitre.

REMARQUES:

- Vous pouvez faire appliquer les herbicides par une entreprise spécialisée ayant une bonne réputation et un permis.
- Les herbicides commerciaux ne sont vraiment efficaces que lorsque la température ambiante dépasse 15 °C: la chaleur accélère la pénétration du produit dans les feuilles.
- Il faut les appliquer au printemps lorsque les mauvaises herbes sont en pleine croissance, de préférence par une belle journée ensoleillée. Une fois par année suffit généralement sur une pelouse bien entretenue.

Ne vaporisez jamais d'herbicide sur une pelouse qui manque d'eau. Arrosez d'abord ou attendez une pluie.

Les espèces rampantes

Il existe trois espèces de mauvaises herbes dont la particularité est de ramper entre les bonnes herbes de la pelouse, qu'elles étouffent assez rapidement. Ce sont le **lierre terrestre,** la **stellaire** et la **renouée.**

Le meilleur moyen de prévenir leur apparition est de bien entretenir la pelouse pour qu'elle soit dense et vigoureuse.

Pour s'en débarrasser manuellement, il faut d'abord les déloger avec un **râteau déchaumeur.** Grattez pour en enlever le maximum. Ensuite, déracinez-en le plus possible à la main. Pratiquez un léger terreautage selon la méthode rapide indiquée dans la section *Les réparations de la pelouse* du présent chapitre.

Les **herbicides** à pelouse permettent de s'en débarrasser facilement.

Les mauvaises graminées

Le chiendent

Le feuillage du chiendent est **semblable** à celui des bonnes herbes de la pelouse, mais il est plus large et bleuté.

Le chiendent rampe et **envahit** la pelouse en émettant des tiges souterraines (rhizomes) qui ressortent plus loin en produisant un nouveau plant. Il est difficile à isoler car il se mêle aux autres herbes.

Lutte contre le chiendent

À l'aide d'une bêche tranchante, éliminez toute la zone où s'étend le chiendent: soulevez la pelouse en plaques, secouez la terre accrochée aux racines, **jetez** les plaques. Déracinez toutes les tiges souterraines en prenant soin de ne pas les casser en morceaux, car chaque morceau est capable de produire une nouvelle plante. Versez un peu de bonne terre à jardin dans le trou, puis posez une plaque de gazon neuf ou semez avec le mélange approprié.

Si la pelouse est totalement envahie, enlevez-la **tout entière** avec une machine spéciale que vous pouvez louer, ou faites-le faire. Bêchez ensuite à la bêche ou à la motobêcheuse. Pendant les deux semaines qui suivent, passez fréquemment le râteau ou le croc (voir le chapitre *Le jardinier bien outillé*). Chaque fois, vous allez faire remonter à la surface les tiges souterraines du chiendent: ramassez les plus grosses et laissez sécher les autres en plein soleil pendant deux ou trois jours. Enrichissez la terre (voir la section *La préparation du terrain* du présent chapitre), puis semez ou posez des plaques de gazon.

Si vous tenez à utiliser des produits commerciaux, vaporisez un herbicide total à base de dalapon ou de glyphosate (lisez l'étiquette) sur la partie infestée. Le chiendent mourra, mais les bonnes herbes aussi. Laissez le produit faire son effet pendant quelques jours: suivez les instructions du fabricant. Passez ensuite un coup de râteau pour enlever tout ce qui est sec. Bêchez et ratissez tel qu'indiqué dans le paragraphe précédent. Vous pourrez réensemencer ou poser des plaques de gazon au bout de deux ou trois semaines, après avoir enrichi la terre, bien entendu.

La digitaire

Les feuilles de la digitaire ressemblent aussi à celles des bonnes herbes, mais elles sont beaucoup plus larges. Elle pousse en plaques, ou talles, très faciles à reconnaître. Elle est annuelle, c'est-à-dire qu'elle meurt en hiver. Si elle repousse l'année suivante, c'est qu'elle a laissé des graines sur la terre.

Lutte contre la digitaire

Déracinez les talles de digitaire, agrandissez les trous, versez de la bonne terre, puis semez ou posez des plaques de gazon.

Si vous tenez à utiliser des produits commerciaux: Les produits dits destructeurs de digitaire sont efficaces mais inutiles puisque cette graminée est annuelle. Le traitement le plus efficace consiste à empêcher

les graines de produire une nouvelle plante, quand on suspecte leur présence dans la pelouse. Les produits utilisés sont à base de bensulide et portent l'appellation «pré-émergence»: ils agissent en créant dans la partie superficielle de la terre une barrière qui empêche les plantules de sortir de terre; elles en meurent.

LA FERTILISATION

Pour une fertilisation raisonnée

On peut obtenir une belle pelouse **sans engrais.** Cela ne demande pas beaucoup plus de soins, ni de temps, ni d'argent.

La meilleure façon de limiter les apports d'engrais commerciaux, ou de ne pas en utiliser du tout, c'est de poser la pelouse sur une épaisse couche de **bonne terre** et de la terreauter régulièrement. Une bonne terre favorise l'assimilation des engrais, donc limite le gaspillage.

Si une pelouse n'est verte que lorsque vous la gavez d'engrais, c'est généralement parce qu'elle est posée sur une terre pauvre: sable ou glaise. Refaites-la ou terreautez-la souvent avant d'apporter d'autres engrais. Ceux-ci sont des aliments riches, **pas des remèdes.**

Contrairement à la croyance populaire, la fertilisation la plus importante n'est pas celle du printemps, mais celle de l'**automne.** Juste avant l'hiver, en effet, la pelouse a besoin de s'endurcir pour mieux passer l'hiver et de faire des réserves d'éléments nutritifs pour mieux repartir au printemps.

Pour éviter que la pelouse ne perde sa couleur naturelle au profit d'un vert émeraude, utilisez des engrais à action **progressive.** Ils sont plus chers que les autres, mais d'effet plus durable. Les granules des engrais solides sont enrobés de produits comme le soufre qui ralentissent la dissolution des sels minéraux dans la terre. Il existe aussi des engrais liquides à dégagement lent.

Utilisez de préférence des engrais à **base organique,** qui contiennent du sang séché, de la poudre d'os ou des résidus séchés des eaux domestiques.

Des apports massifs et fréquents d'engrais commerciaux sont sûrement la garantie d'une pelouse vigoureuse à court terme. Mais **à long terme,** la terre qui reçoit beaucoup d'engrais commerciaux s'acidifie et s'appauvrit en matière organique et en humus (voir leur utilité dans le chapitre *Connaître sa terre).* Par conséquent, la pelouse pousse mal.

Adaptez les doses d'engrais à l'ensoleillement de la pelouse. Les endroits ombragés ont besoin de quantités plus petites.

À ÉVITER

N'appliquez pas d'engrais si l'eau est à ce point rationnée dans votre municipalité que vous n'avez pas le droit d'arroser. Même si ce n'était pas le cas, évitez absolument de fertiliser avec des engrais commerciaux avant ou pendant une période de sécheresse. Si la fertilisation est assurée par une entreprise spécialisée, refusez tout apport d'engrais s'il ne pleut pas ou si vous ne pouvez pas arroser. Quand il fait chaud et sec, les herbes de la pelouse ne poussent pratiquement pas. Sans eau, elles ne peuvent pas absorber les éléments fertilisants. Dans les pires cas, elles risquent de mourir.

Calendrier de fertilisation

Voici un calendrier de fertilisation combinée qui donne de bons résultats et qui propose une utilisation rationnelle des engrais commerciaux.

- **Tôt au printemps,** dès que l'on peut marcher sur la pelouse sans s'enfoncer, tous les deux ou trois ans: terreautez.
- Vers la **fin du printemps,** après la troisième ou quatrième tonte: fertilisez avec un engrais à teneur élevée en azote (le premier des trois chiffres de la formule), sauf si vous avez appliqué un tel engrais en automne.
- **En été**: aucun engrais. Surveillez les dégâts d'insectes (voir plus loin).
- **En septembre**: fertilisez avec un engrais granulaire. Certains ont une formule à faible teneur en azote, d'autres à haute teneur. Si vous utilisez les seconds, ne fertilisez pas au printemps avec un engrais trop fort en azote.

SI VOUS ORGANISEZ UNE FÊTE

Un mois avant la fête, quelle qu'en soit la date, épandez sur la pelouse un engrais d'automne à faible concentration en azote, à la moitié de la dose normale. Cela a pour but d'endurcir la pelouse en prévision d'un piétinement intensif.

Les sortes d'engrais

Les formules

Les engrais sont identifiés par trois chiffres, qui représentent le pourcentage de trois éléments dans leur composition. Ce sont, dans l'ordre, l'azote, qui a pour symbole **N**, l'acide phosphorique, **P,** et la potasse, **K.** Pour connaître la fonction nutritive de ces trois éléments, reportez-vous au chapitre *Connaître sa terre.*

Les engrais printaniers ont une formule dans laquelle le pourcentage d'**azote** est plus élevé que les autres. Certains engrais d'automne ont une formule inverse, d'autres une formule semblable, mais l'azote y est alors présent sous forme d'urée (lire la composition sur l'emballage).

La présentation

Les engrais à pelouse se présentent sous deux formes, liquide ou granulaire.

Le mode d'emploi

- Les **engrais liquides** sont vendus en bidons munis d'un embout spécial qu'on visse à l'extrémité d'un tuyau d'arrosage. Le mélange avec l'eau se fait automatiquement. N'arrosez pas la pelouse pendant au moins 24 heures après l'application d'un engrais liquide, car une partie des éléments nutritifs doit être absorbée par les feuilles.

- Les **engrais granulaires** sont vendus en sacs. Les sacs de différentes marques ne contiennent pas la même quantité. Comparez donc le prix au kilo de chaque marque. Sachez cependant qu'en général, plus le chiffre de la formule est élevé, plus l'engrais est cher, mais comme il est plus concentré aussi, son efficacité est souvent supérieure.

Sur les petites surfaces, épandez les engrais granulaires à la main; sur les grandes surfaces, louez un épandeur. De plus en plus de commerces horticoles **prêtent** des épandeurs à leurs clients qui achètent une certaine quantité d'engrais. S'il ne pleut pas, faites suivre l'épandage d'engrais granulaires d'un bon arrosage.

Les engrais combinés

Les engrais que l'on applique à la fin du printemps et à l'automne sont disponibles seuls ou combinés avec un **herbicide.** Ils ne sont vraiment actifs que par temps chaud.

Le taux d'efficacité des engrais combinés granulaires est d'environ 10 %, celui des engrais combinés liquides est de beaucoup supérieur. Les meilleurs moyens de se débarrasser du pissenlit et du plantain restent l'arrachage manuel et la vaporisation **locale** d'un herbicide industriel.

Les engrais d'été peuvent contenir un insecticide pour tuer les vers de la pelouse. **N'en utilisez pas si vous n'êtes pas sûr que ces parasites sont présents,** mais si vous le faites, arrosez tout de suite après. Comme la fertilisation estivale n'est pas recommandée, vous feriez mieux d'utiliser d'autres méthodes de lutte. Voir la section *La lutte contre les ennemis de la pelouse* du présent chapitre.

Il est plus facile de tondre autour des meubles s'ils sont placés sur une assise de pierres ou de dalles.

LA TONTE

À ÉVITER

Ne tondez jamais une pelouse mouillée: la tonte serait irrégulière, les brins d'herbe seraient hachés au lieu d'être nettement coupés, le ramassage serait ardu et les risques de maladies élevés. Si l'herbe dégoutte de rosée ou de pluie, attendez qu'elle sèche. Par temps pluvieux, retardez la tonte jusqu'à la prochaine journée ensoleillée. Il vaut mieux tondre une pelouse longue et sèche qu'une pelouse courte et humide.

Fréquence

La fréquence de tonte détermine si vous devez ou non ramasser le gazon tondu. Vous la fixez en fonction de la vigueur de la pelouse et, en deuxième lieu, du temps que vous voulez y passer.

Deux fois par semaine

Tondez deux fois par semaine seulement pendant les périodes de **croissance active**: au printemps et en automne quand les pluies sont fréquentes, après un terreautage ou un apport d'engrais.

Si votre tondeuse n'est pas munie d'un sac, il n'est pas nécessaire de **ramasser** le gazon tondu. Il séchera et disparaîtra littéralement entre les brins d'herbe. Sur les pelouses en santé, il constitue une excellente façon de retourner à la terre les éléments nutritifs que la pelouse y a puisés.

Une fois par semaine

Tondre une fois par semaine est la fréquence la plus courante. Selon la croissance de la pelouse vous devrez ou ne devrez pas ramasser le gazon tondu. En cas de doute, ramassez-le car, en couches trop épaisses, il risque d'étouffer l'herbe et de la faire jaunir. De plus, l'**accumulation** d'herbe séchée gêne la pénétration dans la terre de l'air, de l'eau et des éléments nutritifs.

Une fois tous les 10 à 12 jours

Si vous ne tondez la pelouse que tous les 10 à 12 jours au printemps, **évitez** autant que possible de la fertiliser avec des engrais riches en azote qui activent la croissance.

En été, à cause de la chaleur, de la sécheresse et des pénuries d'eau, la pelouse **profitera** de tontes espacées: longue, elle souffre moins des excès climatiques. Le ramassage du gazon tondu est, à toutes fins utiles, obligatoire.

La règle du tiers

Quelle que soit la fréquence de tonte adoptée et la hauteur de coupe choisie, il est une règle que tout jardinier devrait respecter aussi souvent que possible: **il ne faut jamais couper plus du tiers de la longueur de la pelouse à chaque tonte.**

Si vous voulez une pelouse de 5 cm de longueur, tondez-la lorsqu'elle atteint 7,5 cm. Ces chiffres sont théoriques et dans la plupart des cas, si vous tondez une fois par semaine, vous respectez cette règle sans le savoir.

Si, par contre, vous avez attendu trop longtemps et si votre pelouse est extrêmement **longue,** ne la tondez pas d'un seul coup, elle

en souffrirait et une pelouse affaiblie est une proie facile pour les mauvaises herbes. Tondez en plusieurs fois, en respectant la règle du tiers; espacez chaque tonte de trois ou quatre jours pour donner à la pelouse le temps de se redresser.

La hauteur de coupe

La hauteur de coupe dépend d'abord de la saison, mais aussi du type de pelouse que vous avez adopté.

Les saisons

- Au **printemps** et au cours de l'**automne**: Réglez les roues de la tondeuse de manière que l'herbe ait 5 ou 6 cm de longueur. Si vous n'êtes pas sûr du résultat, faites un essai et mesurez la longueur des brins coupés.
- En **été**: Quand il fait chaud et sec, il est préférable de laisser l'herbe plus longue (6-7 cm), car le peu d'énergie qui lui reste doit être dépensé à survivre, non à pousser. De plus, une herbe longue protège la surface de la terre du soleil et du vent et contribue ainsi à retarder son dessèchement.
- **Avant l'hiver**: Il faut tondre la pelouse jusqu'à ce que le froid et les jours courts aient arrêté sa croissance, c'est-à-dire, dans la plupart des cas, jusqu'en octobre. Abaissez la hauteur de coupe progressivement jusqu'à 4 ou 5 cm.

Les types de pelouses

(Voir la section *Les différentes sortes de pelouse* du présent chapitre.)

Dans le cas des pelouses naturelles et des pelouses fleuries de l'été, réglez la coupe à 7-8 cm.

Dans le cas des pelouses odorantes, réglez-la à 6-7 cm.

Pendant les vacances

Si vous avez planifié des vacances estivales, ne **fertilisez pas** après le 15 mai et reportez le terreautage à l'automne. Si vous partez pour deux semaines ou moins, tondez la pelouse juste avant de partir. Si l'herbe a beaucoup poussé à votre retour, tondez-la selon la règle du tiers (voir plus haut).

Il est toujours préférable de trouver quelqu'un pour tondre votre pelouse pendant votre absence, ne serait-ce que pour montrer aux éventuels **cambrioleurs** que la maison n'est pas abandonnée. Cependant, si vous prenez de courtes vacances au cœur de l'été, il est fort probable que la croissance des herbes soit assez lente à cause de la chaleur et qu'il ne faille pas tondre la pelouse avant votre retour.

Si vous partez pour plus de deux semaines, il est préférable de demander à un ami, à un voisin ou à un parent de **venir tondre** votre pelouse et l'arroser quand c'est permis. Si vous ne trouvez personne, lorsque vous reviendrez, tondez, là encore, selon la règle du tiers. Il faudra vous attendre cependant à ce que votre pelouse ait souffert et qu'il vous faille la dorloter pendant quelque temps.

À ÉVITER

Ne tondez pas la pelouse à ras de terre (moins de 4 cm) juste avant de partir sous prétexte que personne ne sera là pour la tondre. C'est le plus sûr moyen de lui causer un stress irréparable. Si l'été s'annonce chaud, il vaut mieux, au contraire, la laisser assez longue (6-7 cm). Il est préférable que vous trouviez une pelouse longue et en bonne santé à votre retour plutôt qu'une pelouse courte et agonisante.

L'exécution

À bonne lame, bonne coupe

Tondez la pelouse avec une tondeuse dont la lame est bien affûtée. Une lame en mauvais état ne coupe pas les brins d'herbe, elle les **déchire.** Par la suite, la pelouse n'a pas belle allure, elle sèche plus vite parce que les brins d'herbe déchirés perdent plus d'eau que ceux qui sont bien coupés, la plaie se cicatrise lentement et risque de devenir une porte d'entrée pour les maladies.

Il faut donc aiguiser ou faire aiguiser la lame au moins une fois par **année.** Changez-la tous les quatre ou cinq ans.

POUR ÉCONOMISER

En même temps que vous faites aiguiser la lame, faites-la équilibrer. Vous vous éviterez ainsi les désagréments d'une tondeuse qui vibre sans arrêt, mais surtout, vous prolongerez la vie de votre outil. Une lame mal équilibrée provoque en effet une usure anormale des pièces du système d'entraînement.

Gagner du temps

Pour certains, la tonte est un exercice, pour d'autres, elle est une bonne raison de prendre l'air. Mais pour beaucoup, c'est un **mal** nécessaire. Il existe des moyens de vous simplifier la tâche.

- Plus il y a d'**obstacles,** plus les manœuvres sont fréquentes et longues. Plantez le moins d'arbres possible dans la pelouse.
- Installez les plates-bandes en périphérie et créez de nouvelles plates-bandes autour des arbres et des arbustes existants, autour des poteaux et des bornes d'incendie, le long des murs et des clôtures (voir le chapitre *Création de plates-bandes et de massifs*). **Il est plus rapide de contourner un gros obstacle que dix petits.**
- Donnez aux plates-bandes des contours arrondis aux courbes larges de manière à les contourner avec la tondeuse sans avoir à ralentir.
- Intégrez le **carré de sable** des enfants dans les plates-bandes: c'est moins gênant

et, pour les enfants, c'est une bonne façon d'avoir un peu d'ombre et de se sentir près de la nature. Si vous leur avez offert une mini-piscine, changez-la de place à chaque fois que vous la videz, au moins une fois tous les trois jours, pour éviter le jaunissement de l'herbe.

- Autant que possible, avec une tondeuse à essence, quand vous avez éliminé le maximum d'obstacles, tondez la pelouse en **cercles** successifs, car là où l'on perd du temps, c'est en manœuvrant pour changer de direction. Si toutes les conditions sont remplies, on peut espérer tondre 250 m^2 en moins de 30 minutes. **Avantage supplémentaire**: si votre tondeuse n'a pas de sac, le gazon coupé se trouvera amoncelé au milieu du cercle et le ramassage ne sera qu'une simple formalité.

Avec une tondeuse électrique, vous n'aurez pas le choix, vous devrez tondre en lignes parallèles. Il est en effet essentiel, pour ne pas couper le fil, que vous tondiez **en vous éloignant de la prise de courant.**

La sécurité

Tondez toujours une pelouse en pente dans le travers et non de haut en bas ou de bas en haut. Si la pente est trop forte pour que vous puissiez la tondre sans forcer indûment, remodelez-la en l'**allongeant** pour en réduire l'inclinaison. Vous y gagnerez aussi sur le plan de l'esthétique. Vous pouvez aussi remplacer le talus par un muret ou une rocaille. Voir le chapitre *Dompter les pentes*.

Ne tondez jamais les pieds **nus,** c'est trop dangereux.

Les tondeuses motorisés avec sac de ramassage sont plus sécuritaires que les autres car tout **objet** (les cailloux surtout) passant malencontreusement dans la lame est projeté dans le sac. Par mesure préventive, faites rapidement le tour de la pelouse avant de le tondre et ramassez tout ce qui pourrait se transformer en projectile.

Le ramassage du gazon

Le ramassage du gazon tondu n'est pas nécessaire lorsque les tontes sont fréquentes. La règle à suivre est la suivante: si, lorsqu'il a séché, le gazon forme encore des **amas,** il faut le ramasser. Une couche, même mince, d'herbe sèche empêche la pelouse de recevoir la totalité des rayons solaires. De plus, pour se décomposer, les brins d'herbe consomment une partie de l'azote présent dans le sol, azote qui pourrait être utilisé par les racines.

L'idéal est bien sûr de posséder une tondeuse munie d'un sac. Pour une plus grande maniabilité, procurez-vous un modèle avec **sac à l'arrière.** Les sacs latéraux sont très encombrants quand il s'agit de contourner des obstacles.

Peu importe le modèle de tondeuse dont vous disposez, ramassez l'herbe coupée, puis étendez-la sur les plates-bandes en guise de paillis (voir le chapitre *Des paillis à tout faire*). En début de saison, pour recouvrir le plus rapidement possible vos plates-bandes, procurez-vous l'herbe de vos voisins.

Chaque couche d'herbe fraîche ne devrait pas excéder 5 cm d'épaisseur pour qu'elle puisse sécher sans fermenter.

Ce paillis peu coûteux permet de lutter contre les mauvaises herbes et de maintenir l'humidité dans le sol en période de sécheresse. À l'automne ou au printemps, on l'enfouit pour enrichir la terre.

Si l'utilisation de l'herbe comme paillis ne vous convient pas, déposez-la, sèche de préférence, sur le tas de compost plutôt que dans les ordures. Elle ne doit absolument pas contenir de graines de mauvaises herbes, chiendent et pissenlit surtout.

L'entretien des bordures

Le temps passé à entretenir la pelouse peut être considérablement réduit si l'on prend soin de réduire le plus possible le nombre de bordures. Voici quelques trucs:

- limitez le nombre d'obstacles dans la pelouse: placez-les sur le pourtour ou dans une plate-bande;
- éloignez la pelouse des murs et des clôtures en y mettant des plates-bandes;
- éliminez les angles droits, remplacez-les par des courbes;
- passez la tondeuse à cheval sur la pelouse et la plate-bande, le pavage ou le dallage voisin;
- installez les bordures de béton, de bois ou de plastique à ras du sol pour que vous puissiez passer par-dessus avec la tondeuse.

S'il reste encore des endroits que la tondeuse ne peut atteindre, taillez les bordures avec l'un des quatre outils suivants:

- un **taille-bordure manuel**: il faut alors se mettre à genoux pour travailler;
- un **taille-bordure manuel à rallonge verticale** pour travailler debout;
- une **cisaille,** qui sert aussi à tailler les haies et à raccourcir les vivaces en automne: bien aiguisée, elle est plus facile à manier que les deux outils précédents;
- un **taille-bordure électrique** ou à **essence**: s'il y a peu de bordures à entretenir, l'achat de cet outil devient une dépense inutile; mieux vaut lui préférer la cisaille. Dans le cas contraire, il fait du bon travail, rapidement.

Choix et entretien de la tondeuse

Vous pouvez tondre votre pelouse avec trois types de tondeuse: manuelle, électrique, à essence.

Au moment d'acheter une tondeuse, ne vous laissez pas tenter par des bas prix ou des rabais géants avant d'avoir examiné la garantie, le service après-vente (de préférence offert par le magasin), la réputation de la marque, et la durabilité.

Achetez une tondeuse dont la largeur est en rapport avec la surface de la pelouse: 40 à 45 cm pour les petits terrains (moins de 200 m²) et les terrains encombrés, 45 à 55 cm pour les terrains de banlieue moyens (de 200 à 500 m²). Rappelez-vous aussi que plus une tondeuse est étroite, plus elle est facile à manœuvrer, mais bien sûr, plus il vous faudra de temps pour tondre.

La tondeuse manuelle

Avantages

La tondeuse manuelle est spécialement étudiée pour les petites surfaces mais convient aussi aux pelouses de 200 m² à 400 m². Même s'il faut la pousser pour qu'elle fonctionne, elle n'est **pas** plus difficile à manier qu'une tondeuse à moteur et ce, grâce à un système de surmultiplication du rouleau à lames. Voici les avantages reliés à son utilisation.

- Pas de problème de démarrage. Entretien réduit et bon marché. Rangement facile.
- Ne pollue pas, fait peu de bruit.
- Les lames coupent comme des ciseaux; elles risquent moins d'abîmer l'herbe que les lames de tondeuses à moteur qui tranchent par contact. La pelouse est en général plus belle et plus saine.
- Les lames en acier trempé n'ont pas besoin d'être affûtées plus souvent que tous les deux ans.
- Les modèles comprenant des pièces en aluminium sont très légers.

Inconvénients

- La tonte est un peu plus longue à effectuer qu'avec les modèles à moteur.
- On ne peut utiliser une tondeuse manuelle dans l'herbe haute, il faut absolument que la pelouse soit coupée régulièrement, au moins une fois par semaine (est-ce vraiment un inconvénient?). Choisissez de préférence un modèle à hauteur de coupe réglable.
- L'ajustement des lames par rapport au couteau fixe n'est pas toujours facile à réaliser.
- L'aiguisage doit être fait par un spécialiste.
- Il est impossible de tondre en marche arrière: tondez de manière circulaire pour limiter les manœuvres.

La tondeuse à essence

Avantages

- Offre des modèles dont la lame ne tourne pas tant qu'on ne l'a pas embrayée.

- Offre des modèles tractés dont les roues arrière sont motrices: excellent pour les pelouses en pente.
- Offre des modèles dont le moteur est préréglé à un certain régime. Ce régime varie automatiquement lorsque l'épaisseur ou la longueur du gazon exige un surplus de puissance. Ces modèles sont économiques et très faciles à manier.
- Puissance supérieure aux modèles électriques.
- Peut tondre des gazons épais et longs, et s'aventurer dans une prairie si nécessaire.
- Les modèles étroits peuvent tondre dans les coins les plus difficiles d'accès: si c'est ce que vous désirez, choisissez un modèle léger, sans sac de ramassage.
- Liberté totale de manœuvre: pas de fil à traîner.
- Certains modèles peuvent être équipés d'un hache-feuilles.

Inconvénients

- Peut poser des problèmes de démarrage par temps froid et humide.
- Doit être alimentée avec du combustible.
- Pollue et fait du bruit.
- Plus lourde et encombrante que les autres tondeuses.
- La plus chère à entretenir.
- Avec les modèles à sac de ramassage arrière, l'herbe est projetée vers l'avant quand on tond à reculons.
- Avec les modèles à sac de ramassage latéral, il est difficile de tondre autour des obstacles.

La tondeuse électrique

Avantages

- Légère et facile à manier.
- Économique à l'usage et à entretenir.
- Ne pollue pas.
- Demande peu d'entretien.
- Peu encombrante.

- Bruyante.
- Difficile à manœuvrer à cause de son fil. La règle à suivre est la suivante: **il faut toujours tondre en s'éloignant de la prise de courant de façon que le fil soit toujours dans la partie tondue et non dans la partie à tondre.** S'il est dans la partie à tondre, il risque de passer sous la tondeuse et de se faire sectionner par la lame.
- Le fil est encombrant: il faut le dérouler et l'enrouler à chaque usage.
- Manque de puissance: à réserver aux pelouses bien plates, tondues souvent.

L'entretien élémentaire de la tondeuse

Faites faire une **révision** annuelle ou bi-annuelle du carburateur et du système d'allumage de votre tondeuse à essence. Changez l'huile du moteur et le filtre à air tous les ans. Faites aiguiser et équilibrer les **lames** des tondeuses motorisées tous les ans et des tondeuses manuelles à main tous les deux ans, sinon la pelouse risque de souffrir d'une mauvaise coupe.

En cours de saison, nettoyez le **dessous** de la tondeuse pour empêcher l'accumulation d'herbe séchée autour de la lame; celle-ci gêne l'évacuation du gazon tondu.

Quand vient le temps du **remisage hivernal**:

- si possible, **rentrez** votre tondeuse dans un endroit chauffé; les tondeuses électriques devraient toujours passer l'hiver dans la maison;
- videz le **réservoir** des modèles à essence et, pour empêcher l'humidité de se former dans le moteur, enlevez le filtre à air et le pot d'échappement puis bouchez les deux orifices avec un chiffon imbibé d'huile;
- nettoyez le dessous de la tondeuse jusqu'au métal et **vaporisez** celui-ci avec du silicone.

L'ARROSAGE

Limiter l'arrosage sans nuire à la pelouse

- Installez une nouvelle pelouse sur une épaisse **couche** de terre (20 à 25 cm). Si la terre de remblai est argileuse, mais perméable, tant mieux. Comme terre rapportée, utilisez de la terre à jardin consistante mais légère plutôt qu'une terre, même noire, composée essentiellement de sable.
- **Terreautez** tous les deux ou trois ans au printemps. Ajoutez de la tourbe de sphaigne et de la vermiculite dans le terreau. Dans les terres posées sur une terre pauvre, faites un terreautage d'urgence au début de juillet ou juste avant de partir en vacances.
- Tondez **long** en été (6-7 cm) et ne fertilisez pas.
- Utilisez des **mélanges** à gazon à haute teneur en fétuques.

L'heure d'arrosage

On peut théoriquement arroser n'importe quand: en principe, cela ne fait ni jaunir ni brûler la pelouse, mais en plein soleil, quand il fait chaud, de grandes quantités d'eau sont **gaspillées** parce qu'elles s'évaporent dans l'atmosphère. Par ailleurs, en pleine journée, les herbes de la pelouse consomment peu d'eau: elles fonctionnent au ralenti pour se protéger de la chaleur.

Une heure pratique pour arroser, c'est le **soir,** après 20 heures ou aux heures fixées par la municipalité. Elle convient aussi bien aux plantes et à votre horaire après le retour du travail, qu'à la municipalité dont le réseau est soulagé de la consommation domestique (repas, vaisselle, etc.).

Si votre municipalité l'autorise, une autre excellente période pour arroser se situe entre 5 heures et 8 heures du **matin.**

Fréquence et durée

On entend par arrosage l'action d'arroser à un endroit précis, à un moment précis.

Il vaut mieux pratiquer des arrosages longs et espacés que des arrosages courts et fréquents.

Si vous disposez d'un système d'arrosage souterrain, vous pouvez arroser tout le terrain d'un seul coup, sinon vous devrez pratiquer un arrosage par sections. Si l'on arrose un petit peu tous les jours, l'eau ne pénètre pas dans la terre, elle reste en **surface.** Les racines profondes n'ayant jamais d'eau — sauf en cas de pluie abondante — elles finissent par devenir clairsemées: c'est un premier affaiblissement de la pelouse.

Il ne reste alors que des racines superficielles qui se multiplient. Mais comme elles sont en surface, elles sont beaucoup plus sensibles aux **rigueurs** du climat: sécheresse en été, gel en hiver, surtout quand la couche de neige est mince. Résultats: une partie d'entre elles meurent, provoquant un affaiblissement grave de la pelouse. Les risques que celle-ci se fasse envahir par les mauvaises herbes sont alors très élevés.

En arrosant **beaucoup** à la fois et peu souvent, on oblige les racines à s'allonger, à descendre dans la terre, à se multiplier en profondeur et donc à se mettre à l'abri des vicissitudes climatiques.

L'influence de la nature du sol

Il faut moins d'eau pour arroser une terre sablonneuse qu'une terre argileuse, mais la première sèche plus vite et il faudrait, théoriquement, l'arroser plus souvent. Mais avec les restrictions imposées par la majorité des municipalités, ce n'est pas toujours possible. **D'où l'importance d'utiliser une terre consistante, qui retient l'eau, pour la création et le terreautage de la pelouse.** Si votre pelouse est posée directement sur la terre de remblai ou sur une mince couche de sable comme cela se voit souvent, vous aurez **toujours** des problèmes d'arrosage. Arrosez fréquemment en mouillant toute l'épaisseur de racines. Rien ne sert de trop arroser, car les racines ne pénètrent que très peu la terre de remblai. Une pelouse qui pousse dans une bonne terre peut supporter plusieurs jours sans arrosage ni pluie.

La quantité d'eau

Pour avoir une pelouse en bonne santé, il faut que la terre soit mouillée sur au moins 15 cm de profondeur, l'idéal étant **20 cm,** chaque fois que vous arrosez. La quantité d'eau à apporter est fonction de la nature du sol, du débit et de la pression au robinet. La surface couverte par l'élément arroseur à chaque arrosage dépend du modèle utilisé et de la pression au robinet.

Si vous n'avez le droit d'arroser que deux heures par soir (tous les jours ou tous les deux jours), laissez l'arroseur à la **même** place pendant ces deux heures. La journée suivante, mettez-le ailleurs et ainsi de suite jusqu'à ce que vous ayez arrosé toute la pelouse. Réservez une autre soirée pour arroser à la main fleurs, légumes et arbustes.

Suivez les conseils indiqués dans la section *Limiter l'arrosage sans nuire à la pelouse* du présent chapitre.

À ÉVITER

N'arrosez pas une demi-heure à quatre endroits différents. Respectez la règle des fréquences d'arrosage (voir plus haut).

Si vous disposez de **quatre** heures par soir pour arroser, déplacez l'arroseur une ou deux fois dans la soirée, selon le débit.

Si les heures d'arrosage ne sont pas réglementées dans votre municipalité, arrosez par **tranches** de deux heures ou bien déterminez avec précision le temps qu'il faut pour mouiller la terre sur 15 à 20 cm de profondeur.

Pour juger du temps d'arrosage nécessaire, après une heure et demie d'arrosage, enfoncez la bêche aux deux tiers dans la terre. Observez à quelle profondeur l'eau est descendue. Si l'arrosage est insuffisant, répétez la vérification toutes les demi-heures à des endroits différents.

Le choix d'un système

L'installation permanente

L'installation permanente d'arrosage est coûteuse à l'achat (au minimum un dollar le mètre carré), mais elle est très économique à **long terme.** Son plus grand avantage réside dans le fait que chaque jet est installé de façon à arroser une section du jardin avec précision, donc en évitant le gaspillage au maximum. Chaque section peut être arrosée indépendamment des autres.

Le système peut être installé dans un aménagement existant sans qu'il soit perturbé. Mais l'idéal, c'est évidemment de l'installer en même temps que l'on aménage le terrain. Faites appel à des **spécialistes.**

Préférez les modèles d'arroseurs avec pulviomètre intégré.

Les installations mobiles

Les tuyaux

Choisissez les tuyaux de caoutchouc. Ils résistent mieux à l'action du soleil, ils ne s'aplatissent pas et durent longtemps.

Les arroseurs oscillants

Les arroseurs oscillants sont faciles à installer et peuvent être réglés de manière à arroser de petites surfaces rectangulaires. Achetez une marque de qualité.

Les arroseurs de type «gicleur»

Les arroseurs de type «gicleur» sont très efficaces, mais ils fonctionnent mal lorsque la pression est basse. Si elle est forte, il est difficile de les stabiliser. En plus, ils sont bruyants. La surface couverte est circulaire.

POUR RÉUSSIR

Quand vous changez un arroseur de place, n'importe lequel, arrangez-vous pour que les surfaces couvertes se chevauchent d'au moins 1 m. Cela garantit un arrosage régulier.

Le long des rues

Le long des bordures et des trottoirs qui bordent les rues, la pelouse souffre plus de la sécheresse puisqu'elle reçoit la **chaleur** rayonnant du béton. Il faut accorder à ces endroits une attention particulière, c'est-à-dire:

• terreauter régulièrement,
• arroser de manière que l'eau tombe un peu sur la rue ou le trottoir,
• découper régulièrement la pelouse en pratiquant un sillon de 10 cm de profondeur entre elle et le béton.
• installer dans l'espace ainsi créé une bordure de morceaux de polystyrène de 2 à 3 cm d'épaisseur.

LA LUTTE CONTRE LES ENNEMIS DE LA PELOUSE

Les mousses

Les mousses se développent dans les vieilles pelouses, dans les pelouses ombragées, dans les terres acides, souvent piétinées, bref dans les pelouses fatiguées ou négligées. On s'en débarrasse de la façon suivante.

- En automne, prélevez des échantillons de terre et faites-les **analyser.**
- Corrigez l'**acidité** de la terre à l'aide de chaux horticole ou de chaux dolomitique en suivant les indications données par l'analyse. On applique aussi de la chaux dans les terres argileuses pour les alléger.
- Au printemps, passez le **râteau** déchaumeur pour déraciner les mousses.
- **Si vous tenez à utiliser des produits commerciaux,** appliquez du sulfate de fer ou un produit anti-mousse sur la surface infestée. Lorsque les mousses ont noirci, ramassez-les au râteau.
- Étendez une mince **couche** de terre et semez du gazon par-dessus. Pour de plus amples renseignements, reportez-vous à la section *Les réparations de la pelouse* du présent chapitre.

Les champignons sont des ennemis assez rares; pour les éliminer, enlevez-les le plus tôt possible et épandez une poignée de chaux sur un cercle de 20 cm de diamètre.

- Dans les endroits ombragés, coupez les branches **basses** des arbres et des conifères de façon à augmenter la luminosité et à accentuer la circulation de l'air en dessous.

Les maladies

Il existe une douzaine de maladies qui peuvent affecter la pelouse à un moment ou à un autre de sa vie: par exemple la moisissure grise des neiges, la tache jaune, la tache brune, la tache en dollar, la brûlure fusarienne, la tache graisseuse. La plupart apparaissent tôt au printemps, alors que la pelouse sort d'une longue période où elle a été coupée de l'air et **emprisonnée** dans l'humidité, deux facteurs qui favorisent la prolifération des champignons et bactéries responsables des maladies.

Les maladies sont les causes les plus **rares** des problèmes de pelouses. Certaines n'affectent que des espèces de gazon bien précises.

Si vous soupçonnez la présence d'une maladie, appelez un **spécialiste** ou allez lui porter un échantillon de la pelouse incluant des racines et de la terre.

Une des maladies les plus fréquentes — et la moins dommageable — est le **mildiou,** qui se manifeste dans les endroits peu ensoleillés, peu exposés au vent et où l'humidité est quasi permanente. Il se présente sous forme d'une poudre blanche qui couvre les feuilles. On le rencontre surtout en été et en automne. Il n'affecte pas assez la pelouse pour que des traitements aux fongicides soient nécessaires. Il vaut mieux éliminer les causes de développement de la maladie. Il est préférable de ramasser l'herbe atteinte de façon à ne pas répandre la maladie.

Les insectes

Il existe au moins six ennemis spécifiques de la pelouse, mais trois seulement sont vraiment à craindre.

Les vers blancs

Les vers blancs ont la tête brune et mesurent de **1 à 3 cm** de long. L'année suivante, ils deviennent des hannetons ou des scarabées adultes.

Ces vers sectionnent les racines si bien que la pelouse, jaunie et séchée, **s'arrache** comme une perruque. Les dégâts apparaissent en été.

La punaise des céréales

La punaise des céréales est un insecte dont les adultes sucent la sève des herbes. Elle se reproduit très **rapidement** et peut endommager sérieusement une pelouse en quelques semaines.

On la voit plus fréquemment pendant les années de sécheresse qu'au cours des années humides. Sa présence est plus marquée dans certaines régions que dans d'autres. Les dégâts ressemblent à ceux causés par la sécheresse: l'herbe jaunit et sèche. Il est donc fréquent que l'on ne note sa présence que trop tard.

La calandre

Ce n'est pas l'adulte de la calandre qui cause des dommages mais la larve. Elle ressemble au ver blanc mais en beaucoup **plus petit** (maximum: 1 cm).

Les **dégâts** apparaissent en été et ressemblent à ceux causés par le ver blanc.

Méthodes de lutte

Lorsque l'attaque des vers blancs et des calandres est très **localisée** et réduite, découpez la pelouse en débordant un peu dans la partie saine, creusez jusqu'à ce que vous trouviez les larves et sortez-les du trou en même temps qu'une couche de terre de 15 à 20 cm d'épaisseur. Jetez le tout à la poubelle. Remplissez ensuite le trou avec de la bonne terre, puis réensemencez ou posez une nouvelle plaque de gazon.

Si vous tenez à utiliser des produits commerciaux, traitez la partie infestée avec un produit à base de diazinon. Enlevez ensuite la partie de gazon morte et réensemencez.

Lorsque la punaise des céréales attaque, les dégâts prennent une telle **ampleur** qu'il est difficile de les contrôler autrement qu'avec un insecticide. Vous avez le choix entre des produits naturels et des produits commerciaux. On peut traiter au moment de l'apparition des dégâts, en été, ou de façon préventive, en mai, pour contrôler la première génération. Dans ce dernier cas, un deuxième traitement peut être nécessaire en été.

Si vous utilisez des engrais combinés à un insecticide, **arrosez** toute de suite après l'application pour que le produit descende dans le sol.

LES SOINS D'AUTOMNE

L'analyse de terre

Tous les trois ou quatre ans, faites analyser la terre de la pelouse dans le but de connaître son degré d'acidité: le **pH** devrait se maintenir entre 6 et 7. Une terre trop acide affaiblit la pelouse; on sait qu'une pelouse affaiblie est moins belle, résiste moins à la sécheresse et se laisse envahir facilement par les mauvaises herbes.

Pour remonter le pH du sol, épandez de la **chaux** horticole ou de la chaux dolomitique selon les doses déterminées par l'analyse de terre. Pour empêcher l'acidité de descendre trop rapidement, saupoudrez régulièrement la pelouse avec des **cendres de bois.**

Plus vous apportez d'engrais commerciaux, plus la terre **s'acidifie** rapidement.

Tous les détails concernant l'acidité de la terre, le pH et l'analyse de terre sont consignés au chapitre *Connaître sa terre.*

L'arrosage

On arrose en automne selon les mêmes règles qu'en été.

On néglige souvent d'arroser en automne parce que les températures sont fraîches. Si l'herbe souffre de sécheresse en automne, elle s'affaiblit juste avant l'hiver et aura du mal à bien repartir au printemps. Elle sera alors vulnérable aux mauvaises herbes.

Le désherbage

La lutte contre les mauvaises herbes à larges feuilles (pissenlit, plantain, chardon) n'est pas fastidieuse si elle est effectuée de façon **régulière** toute l'année. Qu'elle soit manuelle ou chimique, elle doit se prolonger en automne, au moins jusqu'en septembre.

La méthode la plus simple consiste à passer cinq minutes par semaine à **sillonner** la pelouse, couteau ou arrache-pissenlit en main. Le travail est plus facile quand la terre est humide.

La fertilisation

La fertilisation la plus importante est celle de l'automne parce qu'elle aide la pelouse à passer l'hiver et parce qu'elle la prépare à bien démarrer au printemps.

Si vous voulez mettre de l'engrais
Utilisez un engrais granulaire spécialement conçu.

Si vous ne voulez pas mettre d'engrais
Pratiquez le terreautage.

L'aération et le terreautage

Ces deux opérations peuvent se pratiquer à la fin d'août ou au début de septembre. Avant de les entreprendre, tondre la pelouse à 5 cm.

Pour plus de détails, voir les sections *L'aération* et *Le terreautage* du présent chapitre.

Le découpage des bordures

Si vous n'avez pas installé de bordure de plastique le long des plates-bandes, des trottoirs, des entrées et des allées, armez-vous d'une **bêche** bien affûtée (beaucoup plus pratique qu'un coupe-bordure) et recoupez les bordures de la pelouse. C'est la meilleure façon d'éviter aux constructions de se faire envahir par les indésirables.

À moins de vous fier totalement à votre regard, **guidez** vos coups de bêche à l'aide d'un tuyau d'arrosage dans les courbes et d'un cordeau (voir le chapitre *Accessoires pour mieux jardiner*) dans les lignes droites.

Que la pelouse soit plus haute ou plus basse que la bordure, tranchez l'herbe **en biseau** en enfonçant la bêche obliquement vers l'extérieur de la pelouse. Continuez le découpage jusqu'au bout de la bordure.

Le sillon ainsi formé doit avoir environ 5 cm de largeur et 8 à 10 de profondeur.

Déterrez les tranches de pelouse par **sections** de 30 à 40 cm de longueur. Secouez la terre et jetez l'herbe à l'envers sur le tas de compost.

Si vous remarquez des tiges souterraines de **chiendent,** arrachez-les soigneusement sans les casser. Si la découpe est trop profonde, rajoutez de la terre au fond de la tranchée.

La dernière tonte

Théoriquement, plus la pelouse est **rase,** mieux elle passe l'hiver sous la neige et plus il est facile de déchaumer au printemps.

La règle à suivre est la suivante: **Il faut tondre le plus ras possible sans abîmer la pelouse.** En pratique, baissez les roues de la tondeuse d'un cran. Si vous constatez que la lame mord dans la terre, remontez-la avant d'aller plus loin. La hauteur souhaitée est de 4 à 6 cm.

En général, la dernière tonte a lieu quand la pelouse ne pousse plus, soit vers la fin du mois d'**octobre** dans la plupart des régions.

Le ramassage des feuilles

Il ne faut pas **laisser** de feuilles sur la pelouse, car elles l'empêchent de recevoir le soleil dont elle a besoin, même en automne. De plus, il pourrait se développer des maladies sous les feuilles.

Ramassez les feuilles avec un râteau à feuilles ou avec la **tondeuse** si elle est munie d'un sac: réglez alors la hauteur de coupe à 7-8 cm.

N'attendez pas que toutes les feuilles soient tombées si vous ne voulez pas passer une fin de semaine entière à les ramasser.

POUR VOUS DISTINGUER

Ne jetez pas les feuilles mortes, ajoutez-les au compost. Pour empêcher la formation de galettes qui se décomposent difficilement, broyez-les avec la tondeuse auparavant. Pour ce faire, étendez-les sur la pelouse en couches de 20 cm d'épaisseur et passez la tondeuse dessus. Assurez-vous que personne ne se trouve sur la trajectoire de l'échappement au cas où vous passeriez sur un morceau de bois. Une fois les feuilles broyées, ramassez-les avec un râteau à feuilles à moins que votre tondeuse soit munie d'un sac et entassez-les sur le compost. S'il en reste des fragments entre les brins d'herbe, c'est tant mieux: la matière organique alimentera la pelouse au printemps prochain et elle souffrira moins de la sécheresse.

LES RÉPARATIONS DE LA PELOUSE

Les principales raisons de réparer

Il ne faut jamais laisser de coins de pelouse dénudés ou jaunis: les **mauvaises herbes** en profitent.

On répare la pelouse quand elle a été abîmée:

- dans une zone occupée par du chiendent ou de l'agrostide, une souche ou des insectes (détruire les insectes avant);
- par un accident: gouttes d'essence, passage d'un véhicule, coupe trop rase;
- dans une partie bosselée ou piétinée.

Réparez les grandes surfaces en semant ou en posant des plaques de gazon.

La meilleure époque

Les réparations de la pelouse peuvent être effectuées à peu près n'importe quand. Cependant, si la surface à réparer dépasse 2 m², il est préférable de le faire au printemps ou en fin d'été.

Les réparations par semis

Pour réparer des sections de gazon par semis, éliminez d'abord toute trace de gazon

Avec des plaques de gazon, les endroits réparés reprennent rapidement leur allure de tapis.

mort ou malade. **Agrandissez** ensuite la zone sans pelouse en enlevant de 4 à 5 cm dans la partie saine. Dans le cas où la réparation a lieu sur une vieille souche, assurez-vous qu'il ne reste aucune trace de celle-ci.

Si la terre est bonne, bêchez-la en y incorporant une couche de compost ou de fumier composté (2 à 3 cm). Par contre si elle est sablonneuse ou argileuse, ou si la couche de bonne terre est inférieure à 10 cm d'épaisseur, creusez sur 10 cm de profondeur. Jetez la terre enlevée sur le compost. Remplissez le **trou** formé avec le mélange suivant: 1 sac de terre à jardin, le même volume de tourbe humide et 2 ou 3 poignées de semences à gazon appropriées.

S'il ne s'agit que de remplir un **creux** dans la pelouse, versez la terre directement dedans. Si ce creux a été causé par le passage d'un véhicule, il faut bêcher car la terre est trop compacte pour que les racines s'y développent vigoureusement.

Nivelez ensuite au râteau puis **tassez** à la main, avec le dos du râteau ou avec un rouleau.

Arrosez régulièrement et gardez la terre **humide** jusqu'à ce que les graines aient germé.

Les réparations avec des plaques de gazon

Il est possible de réparer la pelouse avec des plaques de gazon plutôt qu'avec des graines. Le résultat est plus rapide. Dans ce cas, il faudra **abaisser** le niveau de la terre de l'épaisseur des plaques. Les plaques de gazon peuvent être achetées dans un centre horticole ou être prélevées à même le jardin, dans un coin de pelouse que l'on veut convertir en plate-bande, de la façon suivante:

- Découpez le gazon en rectangles de 50 cm x 30 cm avec une bêche.
- Faites glisser la bêche sous la pelouse, à 5 cm de profondeur.
- Décollez les plaques une par une et posez-les aussitôt sur la surface en réparation.
- Durant cette opération, une partie des racines est sectionnée, mais cela n'empêchera pas le gazon de reprendre dans sa nouvelle terre.
- **Il est recommandé mais pas obligatoire** d'arroser la pelouse la veille du prélèvement des plaques de manière à faciliter la reprise.

Arrosez régulièrement les plaques nouvellement posées pour activer la croissance. Attendez quatre à cinq semaines avant de piétiner la nouvelle pelouse

Création et entretien d'une rocaille

Comme son nom l'indique, une rocaille est un élément décoratif constitué de roc. Or, le roc brut n'existe que dans les régions montagneuses, le long des cours d'eau et au bord de la mer. La rocaille étant une reproduction de ces paysages à petite échelle, l'imitation de roc est produite à l'aide de pierres, des grosses et des petites, que l'on agence le plus naturellement possible. L'erreur la plus commune, c'est de croire qu'il suffit de jeter quelques pierres çà et là sur une plate-bande — des pierres trop petites la plupart du temps — pour l'appeler rocaille.

ANATOMIE D'UNE ROCAILLE

Dans une rocaille, les **pierres** constituent l'élément décoratif principal. Elles doivent être très **visibles** et ne jamais être complètement recouvertes par la végétation, même après plusieurs années. Le choix des plantes est donc primordial.

La **couleur** des pierres doit **s'harmoniser** avec les couleurs du ou des revêtements de la maison. Le volume de la rocaille doit être proportionnel au volume de celle-ci. Autour d'une maison moderne, les pierres doivent être lisses, peu travaillées par l'érosion; autour d'une vieille maison, elles seront au contraire creusées, usées par le temps.

Les **strates** (lignes parallèles inscrites dans le roc) doivent être toutes orientées dans le même sens. Dans la nature, elles sont horizontales ou légèrement obliques (l'angle dépasse rarement 45 °), jamais verticales.

Une rocaille peut prendre plusieurs aspects:

- un rocher battu par le **vent** sur lequel poussent quelques petites plantes: arbustes et conifères nains, vivaces;
- un rocher creusé par l'**érosion,** usé plus profondément à certains endroits qu'à d'autres;
- un **éboulis** avec un amoncellement de roches plus petites vers le bas;
- un **talus** bordant un sentier ou un ruisseau encaissé;
- le **littoral** d'un îlot battu par les vagues.

La rocaille peut surplomber un **bassin,** mais on peut simplement évoquer la présence de l'eau par une pelouse bien entretenue au pied de la butte.

Dans une rocaille, on peut miniaturiser la nature.

Parce qu'elle imite la nature, une rocaille a toujours une **forme irrégulière.** Elle ne doit pas être délimitée par une ligne droite ni en haut ni en bas.

Plus une rocaille est **haute,** plus elle peut être **étendue,** en longueur et en largeur. Inversement, moins vous avez d'espace disponible, plus elle doit être basse.

Dans la nature, ce sont surtout des plantes **vivaces** qui fleurissent entre les rochers. Dans une rocaille, on évitera le plus possible les couleurs vives et permanentes des fleurs annuelles. Certaines, comme l'alysse et le pourpier, peuvent convenir, mais il faut les utiliser avec parcimonie.

POUR VOUS FACILITER LA TÂCHE

Avant de vous lancer dans la construction d'une rocaille, allez faire un tour dans une région montagneuse, le long d'un ruisseau ou au bord de la mer.

Observez la nature pour trouver des idées.

Observez, prenez des notes, faites quelques esquisses. Il est plus facile d'imiter la nature que de recréer un paysage avec sa seule imagination.

L'EMPLACEMENT DE LA ROCAILLE

L'emplacement le plus **naturel** pour une rocaille, c'est dans une dénivellation, quand la maison est construite sur une butte, par exemple, ou bien entre deux terrains de différents niveaux, dans une entrée de garage souterrain, en prolongement d'un muret, autour d'une terrasse surélevée, en bordure d'un escalier.

Si vous ne disposez pas d'une dénivellation naturelle, ne plantez pas votre rocaille en plein milieu de la pelouse à moins de vouloir recréer un véritable paysage montagneux, avec des rochers de **plus de 2 m** de hauteur. Il est rare en effet de voir dans la nature un amoncellement de pierres égaré sur une vaste étendue plate.

L'aménagement paysager est beaucoup fait d'**illusions d'optique.** La rocaille n'échappe pas à la règle. Sur un terrain plat, pour donner l'impression qu'elle n'est qu'une partie d'un paysage plus grand, adossez-la à un mur (celui de la maison est tout indiqué), ou installez-la le long d'une clôture, d'une haie, d'un massif d'arbustes, de conifères ou de vivaces hautes.

Une rocaille est faite pour être **admirée.** Si vous la placez sur la façade, elle doit être visible de la rue, de l'entrée de garage ou de l'allée. Si vous la placez dans la cour, faites-la partir d'un des deux coins du terrain opposés à la maison.

Évitez de placer la rocaille **sous des arbres** à feuilles caduques qui risquent de l'ensevelir sous des montagnes de feuilles. Le nettoyage serait particulièrement ardu, surtout celui des arbustes à tiges denses ou épineuses.

CRÉATION D'UNE ROCAILLE

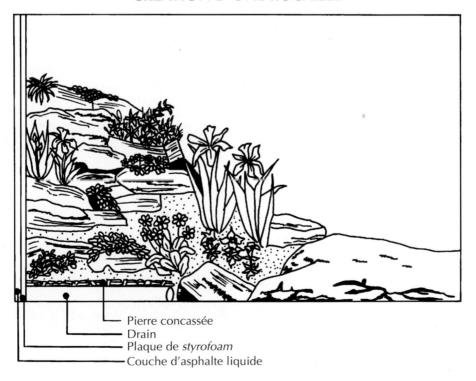

Pierre concassée
Drain
Plaque de *styrofoam*
Couche d'asphalte liquide

COMMENT VOUS PRÉPARER

Si vous devez créer une dénivellation, placez un tuyau de **drainage** en plastique dans le sens de la longueur de la rocaille. Dans le cas d'une rocaille de plus de 4 m de largeur, disposez deux drains parallèles espacés de 2 m. Le tuyau doit suivre une pente légère dont le point le plus bas se trouve à l'avant de la rocaille, ou sur un côté si l'écoulement des eaux y est plus facile. L'embouchure est camouflée par une pierre. Recouvrez le tuyau d'un morceau de toile géotextile (genre de feutre épais) pour éviter que la terre ne bouche les trous.

Pour confectionner la butte, il est **inutile** d'utiliser de la bonne terre. Une terre de remblai perméable, plus ou moins caillouteuse, fera l'affaire.

Si vous voulez adosser la rocaille aux fondations de la maison ou à tout autre mur, **protégez** le béton au préalable avec une mince plaque de polystyrène, puis badigeonnez celle-ci avec de l'asphalte liquide. Cela protégera le béton ou le bois contre les excès d'humidité causés par la présence constante de la terre.

Quel que soit le genre de rocaille, procurez-vous les **matériaux** suivants:

- de la pierre concassée pour le drainage et comme assise aux grosses pierres;
- du sable ou de la poussière de pierres pour drainer les poches de plantation;
- de la bonne terre de surface (terre arable) ou une terre préparée, genre terre à jardin, pas trop sablonneuse pour éviter que les plantes ne souffrent de la sécheresse au cours de l'été, et contenant au moins 25 % de matière organique;
- de la mousse de sphaigne que vous tasserez entre les pierres pour empêcher la terre d'être emportée par les eaux de pluie et d'arrosage;
- des galets (ou pierres de rivière) si vous envisagez de donner l'illusion d'un cours d'eau; vous les étendrez à la base de la rocaille.

COMMENT CHOISIR LES PIERRES

POUR VOUS FACILITER LA TÂCHE

La meilleure façon de trouver les pierres qui vous conviennent, c'est de faire appel à ceux qui en utilisent le plus, les paysagistes. Ils savent où se les procurer et ils sont généralement équipés pour les transporter et les installer. Comme certaines pierres sont trop lourdes pour être manipulées à la main, vous y gagnerez sans doute à engager l'entrepreneur pour les disposer au bon endroit. En outre, il y a de grandes chances qu'il puisse tracer un plan de la rocaille et vous donner quelques conseils judicieux. Il ne vous restera qu'à faire le travail de remplissage et de plantation.

REMARQUE: Les pierres vendues dans les centres de jardinage sont généralement trop petites pour créer une rocaille: elles conviennent tout juste pour compléter la construction et border les plates-bandes.

Déterminez l'effet que vous voulez produire et cherchez les pierres qui y correspondent: il en existe de couleurs et de textures

Choisissez la forme, l'usure et la couleur des pierres en fonction du style de votre rocaille.

Cette rocaille étroite est constituée de pierres relativement minces.

variées, des lisses et des rugueuses, couvertes ou non de mousse. **Toutes** les pierres d'une même rocaille doivent se ressembler. Une rocaille est constituée de grosses et de petites pierres. Leur poids **varie** de 25 à 250 kg. N'oubliez pas: la seule chose qu'on arrive à faire quand on utilise des petites pierres, c'est un vulgaire tas, pas une rocaille.

POUR ACHETER SANS SE TROMPER

Dessinez (ou faites-le faire) sur un papier, en perspective, l'effet que vous voulez que la rocaille produise. Il vous sera plus facile ensuite de décider de la grosseur et du nombre de pierres nécessaires. Un mauvais calcul pourrait en effet vous coûter cher si vous deviez faire revenir un camion chez vous pour livrer deux ou trois pierres. L'idéal, bien sûr, c'est de faire faire un plan détaillé de la construction par un professionnel.

LA POSE DES PIERRES

1. Si vous devez créer une butte, façonnez-la avec de la terre de remblai là où il n'y aura pas de pierres. À l'endroit où seront déposées les pierres, selon le volume de chacune, épandez une couche de **pierres** concassées de 15 à 30 cm d'épaisseur.

2. Disposez ensuite les plus **grosses** pierres, celles qui forment la structure et qui donnent son caractère unique à la rocaille. Superposez-les si vous voulez donner l'impression d'une mini-falaise ou d'un escarpement abrupt. Puis, disposez les pierres secondaires et les pierres de finition tout en remblayant si nécessaire.

3. Lorsque toutes les pierres sont installées, bouchez les interstices entre elles avec de la **mousse de sphaigne.** Quand viendra le moment de la plantation, vous pourrez planter dans cette mousse des plantes rampantes comme du thym et de la lysimaque.

4. Entre les pierres, ménagez des poches de plantation pour les arbustes, les conifères et les fleurs. Leur nombre variera selon le style de rocaille que vous avez adopté. Plus vous voulez produire un effet dépouillé de jeune roc battu par le vent, moins les poches sont nombreuses. Au contraire, si vous voulez créer l'illusion d'un rocher plus âgé où les plantes sont bien développées, augmentez le nombre et la dimension des poches.

5. La **profondeur** des poches de plantation varie selon le type de plantes qu'on veut y installer et les dimensions que prendront ces plantes une fois adultes. Pour un conifère ou un arbuste, comptez 50 cm; pour une plante vivace ou un bulbe, comptez 30 cm. Versez une couche de poussière de pierres ou de sable au fond des poches de plantation: 10 à 15 cm d'épaisseur pour les arbustes et les conifères, 5 à 10 cm pour les vivaces et les bulbes. Remplissez ensuite le trou avec une terre bien

VUE DU DESSUS

Tassez dans les coins de la mousse de sphaigne, ajoutez du sable au fond et de la terre préparée ensuite.

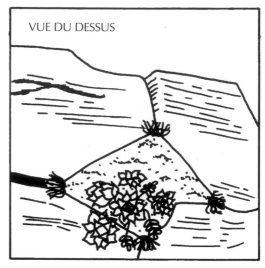

VUE DU DESSUS

Sélectionnez une plante et installez-la dans la poche de plantation.

drainée, mais pas trop riche pour éviter que les plantes ne poussent trop vite. Quand le trou est à moitié rempli, tassez légèrement, puis finissez le remplissage et tassez à nouveau.

6. Quand la terre est installée, brossez légèrement les pierres avec un **balai** pour les nettoyer. Enlevez toute trace de terre fraîche ou de glaise: quand viendra le temps d'arroser les plantes, vous enverrez en même temps un jet d'eau sur les pierres.

LE CHOIX DES PLANTES

Le rôle des plantes est de mettre les **pierres** en valeur: leur forme, leur couleur et leurs caractères particuliers comme les strates et le travail de l'érosion. On choisit donc des plantes à développement restreint ou qu'on peut tailler régulièrement sans nuire à leur esthétique.

À ÉVITER

Certaines plantes couvre-sol, tapissantes, produisent un bel effet dans les rocailles, mais ne vous limitez pas à celles-ci. Des vivaces et des arbustes nains au port érigé harmonisent l'ensemble.

Bien choisir les plantes, c'est aussi sélectionner celles qui sauront donner du mouvement et de la légèreté à la rocaille. Les plantes **annuelles,** par leurs couleurs vives qui ne changent pas de tout l'été, ont tendance à figer la rocaille.

À cause du faible volume de terre mis à leur disposition et de l'important système de drainage, les plantes de rocailles doivent présenter une certaine **résistance** à la sécheresse.

Une rocaille doit être belle et captivante pendant les quatre saisons.

• En **hiver,** les conifères nains et certaines plantes à caractère particulier prennent des formes étranges lorsqu'ils sont couverts de neige.

- Au **printemps,** les bulbes de tulipes naines, de narcisses, de scilles, de crocus et de muscaris explosent de leurs couleurs vives.
- En **été,** arbustes et plantes vivaces rivalisent de beauté avec leur floraison passagère.
- En **automne,** certains arbustes revêtent des couleurs merveilleuses qui se marient fort bien avec les vivaces tardives ou les infatigables rosiers miniatures.

En général, une rocaille devrait contenir 35 % de plantes à feuillage **persistant** (conifères surtout) et 65 % de plantes à feuillage **caduc** (arbustes, vivaces et bulbes).

Après avoir installé toutes les plantes, **arrosez-les** une par une avec le tuyau d'arrosage muni d'un embout genre douche.

Pour réduire les problèmes de mauvaises herbes et d'arrosage, vous pouvez recouvrir la terre d'un **paillis** décoratif en attendant que les plantes aient atteint leur taille adulte. Voir le chapitre *Des paillis à tout faire.*

L'ENTRETIEN DE LA ROCAILLE

Désherbez régulièrement

Le désherbage est plus important dans une **jeune** rocaille que dans une rocaille âgée, car une fois que la végétation couvre la terre, les mauvaises herbes ont beaucoup de mal à se frayer un passage.

Ne coupez pas les mauvaises herbes, **arrachez-les** avec leurs racines. Un sarclage hebdomadaire avec une griffe à deux ou trois dents aide à prévenir la germination des mauvaises herbes, en particulier l'envahissant chiendent.

Fleurs et feuillage des hostas sont en parfaite harmonie avec la couleur des pierres.

Si par malheur une poche de plantation était envahie par le **chiendent,** déterrez toutes les plantes qui s'y trouvent, débarrassez toute la terre et les racines de l'indésirable et de ses tiges souterraines, puis replantez les plantes après les avoir divisées si nécessaire.

Arrosez aussitôt que la terre est sèche

Pour l'arrosage, utilisez un arroseur oscillant ou tout autre appareil qui distribue l'eau en fines gouttelettes, à faible pression. Pour éviter que la terre ne soit **emportée** entre les pierres ou par-dessus, l'eau doit avoir le temps de s'infiltrer. Contrôlez-en le débit.

Taillez les plantes tapissantes

Réduisez la taille des lysimaques, thyms, bugles et autres plantes **rampantes** quand elles commencent à cacher les pierres. Mieux vaut faire une utilisation parcimonieuse de ces plantes et les utiliser seulement autour des grosses pierres.

Vous pouvez remplacer une taille annuelle de ces plantes par une division tous les **trois** ans, au printemps. Arrachez alors la plante tout entière, divisez-la en plusieurs morceaux et repiquez les plus vigoureux après avoir amélioré la terre avec du compost.

Au lieu de pendre dans les airs, les branches de ces épinettes pleureuses courent sur les pierres et leur donnent vie.

Nettoyez

Au cours de l'été, **enlevez** les fleurs fanées et taillez les pousses trop vigoureuses. Coupez les feuilles fanées des bulbes et éliminez les plantes malades, les feuilles mortes. Surveillez la présence d'**insectes** et éloignez-les si vous en découvrez.

Contre le froid

Si vous avez planté des plantes peu rustiques dans votre rocaille, protégez-les à l'automne sous un lit de **branches** de conifères qui forcera la neige à s'accumuler.

DES CONIFÈRES POUR LA ROCAILLE

Pour une petite rocaille

Sapin baumier nain
Épinette nid d'oiseau
Pin 'Schmidtii'
Épinette d'Alberta ronde

Pin blanc nain
Épinette Hérisson
Épinette d'Ohlendorf
Épinette naine de Serbie
Faux-cyprès nain vert ou doré
If japonais nain
Thuya 'Little Giant'
If noir
Thuya 'Rheingold'
Pruche naine 'Jeddeloh'

MISE EN GARDE

Évitez les espèces rampantes ou évasées de genévriers, à l'exception du genévrier 'Blue Star' et du genévrier prostré nain.

Pour une grande rocaille

Genévrier pleureur (bleu ou vert)
Genévrier de Chine 'Blaauw'
If japonais nain (conique)
If de Hill
If de Hicks
Pin des montagnes nain (globulaire)
Pin mugo nain
Pin sylvestre nain
Épinette naine d'Alberta (conique)
Épinette naine d'Ohlendorf (globulaire)
Épinette pleureuse
Pruche du Canada pleureuse

LES AUTRES PLANTES POUR LA ROCAILLE

Pour compléter votre rocaille, consultez la liste des plantes vivaces et choisissez celles qui occupent peu d'espace et qui se développent lentement. Consultez ensuite la liste des bulbes vivaces et choisissez les espèces de petites dimensions. Voir le chapitre *Dix petits bulbes prolifiques.*

Une haie pour la bonne raison

Y a-t-il quelque chose de plus inutile — et laid — qu'une petite haie basse — quelquefois malade — installée sur la façade d'une maison sans qu'on sache pourquoi? Si elle est laide, c'est généralement parce qu'on taille trop court des arbustes qui voudraient pousser tout leur soûl. Si elle est malade, c'est parce que l'espèce choisie est fragile. Il y a d'excellentes raisons de planter de magnifiques haies. Mais pour réussir à tout coup, il faut respecter une certaine logique.

UN ÉCRAN VÉGÉTAL

Une haie **n'est pas** une clôture que l'on n'a pas besoin de peindre. Une haie est un écran végétal, donc vivant, donc sujet à des règles d'entretien précises et régulières. Sa beauté dépend de l'espèce choisie et de la façon dont on la traite.

SEPT BONNES RAISONS

Planter une haie implique généralement des déboursés importants. Il faut donc savoir exactement ce que l'on veut. Voici sept bonnes raisons de planter une haie.
1. Une haie est une **démarcation** entre deux terrains.

2. Une haie préserve l'**intimité.**
3. Une haie est un **obstacle** qui empêche les intrus de s'aventurer là où ils n'ont rien à faire.
4. Une haie sert de **fond de verdure** à des plates-bandes d'arbustes à fleurs, de plantes vivaces ou annuelles, de plantes bulbeuses de printemps ou d'été.
5. Une haie est un **brise-vent** qui aide à économiser l'énergie en préservant la maison des grands vents froids.
6. Une haie est une **isolation** qui protège le jardin des grands froids, force l'accumulation de neige protectrice et crée un microclimat propice à la culture de plantes réputées peu rustiques dans la région où l'on se trouve.
7. Une haie peut être une simple **décoration** si elle est taillée en forme géométrique et, si on l'intègre à un jardin de style classique.

QUELLES DIMENSIONS?

Une fois que vous saurez ce que vous voulez, il vous sera facile de déterminer la hauteur et la largeur de votre haie. Ces dimensions vous permettront alors de choisir l'espèce qui convient le mieux et d'obtenir ainsi la meilleure apparence et la meilleure croissance.
- **Une démarcation**:
  - hauteur moyenne: 1,50 à 3 m;
  - largeur: sans importance.
- **De l'intimité**:
  - hauteur moyenne: 2 à 3 m;
  - largeur: 1 à 2 m.
- **Un obstacle**:
  - hauteur moyenne: 1,50 à 3 m;
  - largeur: 1 à 2 m.
- **Un fond de verdure**:
  - hauteur moyenne: 1,50 à 3 m;
  - largeur: sans importance.
- **Un brise-vent**:
  - hauteur: 3 m et plus;
  - largeur: 1 à 3 m.

Naturellement, les thuyas montent à plus de 3 m.

- **Une isolation**:
  - hauteur: 2 m et plus, selon la dimension du terrain;
  - largeur: 1 m et plus, selon l'espace disponible.
- **Une décoration**:
  - hauteur: 30 à 50 cm;
  - largeur: 20 à 30 cm.

CONIFÈRE OU ARBUSTE?

Il existe une différence marquée dans la texture du feuillage entre les arbustes et les conifères, mais ce n'est pas ce qui les différencie le plus. À part les mélèzes, les conifères **gardent** leur feuillage été comme hiver. Pendant cette saison, les arbustes n'ont que des branches à offrir aux regards. Ce n'est pas forcément désagréable, surtout quand, à la manière des cornouillers en particulier, les branches ont une couleur jaune vif ou rouge.

Cela étant posé, le choix entre arbustes et conifères est lui aussi relié à l'usage que l'on entend faire de la haie.

- **Une démarcation**: arbuste ou conifère.
- **De l'intimité**: conifère.
- **Un obstacle**: arbuste compact ou épineux.
- **Un fond de verdure**: arbuste à feuillage décoratif ou conifère.
- **Un brise-vent**: conifère.
- **Une isolation**: conifère ou association de grands arbustes et de conifères sur les grands terrains.
- **Une décoration**: arbuste à feuillage décoratif.

TAILLÉE OU PAS TAILLÉE?

Toutes les haies doivent être taillées à un moment ou à un autre, mais ce que l'on veut dire généralement quand on parle de taille, c'est la **coupe régulière** du feuillage pour que la haie prenne une forme géométrique. Toutes les espèces ne se prêtent pas à ce genre de taille. Dès le départ, si vous voulez une haie taillée, bannissez les arbustes à fleurs: une taille répétée pendant tout l'été risque de compromettre

Haie non taillée de saule arctique.

sérieusement leur floraison. Les plantes qui se prêtent le mieux à la taille sont les conifères du genre thuya, communément appelés cèdres.

Quelles haies taille-t-on et quelles haies ne taille-t-on pas?

- Une démarcation: sans importance.
- De l'intimité: sans importance.
- Un obstacle: non taillée.
- Un fond de verdure: taillée.
- Un brise-vent: non taillée.
- Une isolation: sans importance.
- Une décoration: taillée.

À L'OMBRE OU AU SOLEIL?

Les espèces qui conviennent à une exposition au soleil sont, à quelques exceptions près, incompatibles avec l'ombre. Si une haie doit passer de l'ombre au soleil, il est important de choisir une espèce qui pousse bien dans les **deux** cas.

LE CHOIX DE L'ESPÈCE

Choisissez la plante qui formera votre haie en fonction de l'utilisation de celle-ci. Voici une liste de suggestions. Après le nom de chaque espèce, vous trouverez: sa nature (C, pour conifère et A, pour arbuste) et l'exposition au soleil qui lui convient (O pour ombre, S pour soleil, OS pour une adaptation aux deux). Lorsqu'il est préférable de ne pas tailler la haie de façon géométrique, ce renseignement est symbolisé par les lettres NT, pour «non taillée».

À ÉVITER

Dans la mesure du possible, ne plantez pas de groseillier alpin (*Ribes alpinum*). Ce n'est pas qu'il fasse de vilaines haies, mais il est très sensible aux maladies et, en cours d'été, très souvent, ses feuilles se couvrent d'une poudre grise et sèchent.

Haie non taillée de Spirée Van Houtte.

- **Une démarcation**:
  Caragana arborescens (A - S)
  Cornus alba elegantissima (A - OS - NT)
  Cotoneaster acutifolius (A - S)
  Hydrangea paniculata (A - OS - NT)
  Ligustrum vulgare (A - S)
  Lonicera tatarica rosea (A - OS)
  Lonicera xylosteoïdes 'Clavey's Dwarf' (A - S)
  Philadelphus coronarius aureus (A - S - NT)
  Physocarpus opulifolius (A - S)
  Potentilla fruticosa (A - S - NT)
  Prunus cistena (A - S - NT)
  Prunus triloba (A - S - NT)
  Rosa rugosa (A - S - NT)
  Salix purpurea gracilis (A - S - NT)
  Sambucus canadensis (A - OS - NT)
  Sambucus canadensis aurea (A - S - NT)
  Spirea arguta (A - S - NT)
  Spirea Van Houttei (A - OS - NT)
  Symphoricarpus albus (A - OS)
  Taxus media hicksii (C - OS)
  Taxus media hillii (C - OS)
  Thuya occidentalis (C - S)
  Thuya occidentalis nigra (C - S)

POUR VOUS DISTINGUER

Osez planter des arbustes qu'on utilise rarement comme haie, mais qui produisent des effets saisissants:

Euonymus alata (A - S - NT), rouge en automne.
Rhododendron (A - OS - NT), en fleurs tôt au printemps.
Viburnum opulus sterilis (A - S - NT), en fleurs en été.
Weigela florida, normal ou nain (A - S - NT), en fleurs au printemps et une partie de l'été.

- **De l'intimité**:
  Thuya occidentalis (C - S)
  Thuya occidentalis nigra (C - S)
  Tsuga canadensis (C - OS)
- **Un obstacle**:
  Eleagnus angustifolia (A - S - NT)
  Rosa rugosa (A - S - NT)
- **Un fond de verdure**:
  Cotoneaster acutifolius (A - S)
  Ligustrum vulgare (A - S)
  Physocarpus opulifolius (A - S)
  Salix purpurea gracilis (A - S)

Haie de rosiers rustiques sous les aubépines.

220

Taxus media hicksii (C - OS)
Thuya occidentalis (C - S)
Thuya occidentalis nigra (C - S)
- **Un brise-vent**:
  Picea abies (C - S)
  Picea glauca (C - S)
  Pinus nigra (C - S)
  Pinus strobus (C - S)
  Thuya occidentalis (C - S)
  Thuya occidentalis nigra (C - S)
  Tsuga canadensis (C - OS)
- **Une isolation**:
  Picea abies (C - S)
  Picea glauca (C - S)
  Pinus nigra (C - S)
  Pinus strobus (C - S)
  Thuya occidentalis (C - S)
  Thuya occidentalis nigra (C - S)
  Tsuga canadensis (C - OS)
  Plus tous les grands arbustes et les petits arbres feuillus.
- **Une décoration**:
  Buxus microphylla 'Koreana' (A - S)
  Physocarpus opulifolius nanus (A - S)
  Spirea bumalda 'Goldmound' (A - S)
  Taxus cuspidata nana (C - OS)
  Thuya occidentalis 'Little Giant' (C - S)
  Thuya occidentalis 'Rheingold' (C - S)
  Viburnum opulus nanum (A - S)

LE CHOIX DES PLANTES

Bien choisir les plantes en pépinière peut faire la différence entre la beauté et la laideur, le succès et l'échec. Les observations varient selon qu'il s'agit de conifères ou d'arbustes.

Les conifères à racines nues

De manière générale, vous obtiendrez de bien meilleurs résultats avec des conifères cultivés en pots qu'avec des conifères arrachés dans le bois et vendus à racines nues. Cette remarque est particulièrement vraie pour les thuyas (qu'on appelle «cèdres»).

Cela n'empêche pas que ces sauvageons peuvent faire de magnifiques haies, mais il y a deux conditions:

1. N'en achetez pas si leurs racines ne sont pas, dans la pépinière, complètement enterrées dans du sable ou de la terre **humide.**

2. N'en achetez pas non plus s'ils sont arrivés à la pépinière depuis **moins** de deux semaines. Pourquoi? Tout simplement pour donner aux sujets les plus faibles le temps de dépérir avant d'arriver chez vous. Il y a de bonnes chances qu'il y ait des sujets faibles à cause de la façon dont ils sont transportés du lieu d'arrachage au centre de jardinage.

Dans la majorité des cas, le transport se fait dans des camions découverts. Le vent et le soleil dessèchent feuilles et racines et, comme les thuyas sont des plantes très exigeantes en eau, les dégâts causés sont irrémédiables. De plus, il est probable que les plantes aient passé la nuit précédant le transport et une partie de la journée exposées au vent ou au soleil, sans protection.

POUR RÉUSSIR
(Voir aussi le chapitre *Savoir planter et transplanter*)

Quand vous transportez des plantes, en pots ou à racines nues, dans le coffre ouvert de votre voiture sur une distance supérieure à 5 km, demandez que l'on protège leur feuillage avec une toile de plastique.

Si vous faites livrer des plantes, en pots ou à racines nues, d'un centre de jardinage situé à plus de 5 km de chez vous et qu'elles arrivent dans un camion découvert, refusez-les: elles ont souffert du dessèchement et leur feuillage risque d'être abîmé.

Les conifères en pots

En choisissant des conifères en pots, attardez-vous surtout à observer les points suivants.

- La **couleur** du feuillage: vert foncé, sauf les jeunes pousses, qui sont un peu plus pâles.
- L'absence de feuillage **exagérément** jauni ou bruni. Une légère décoloration n'est pas forcément mauvaise et devrait disparaître lorsque la plante aura été mise en terre.
- La **régularité** de la forme: un «trou» dans le feuillage entraînera un trou dans la haie qu'il sera difficile de combler avec les années.
- La **grosseur**: ce ne sont pas les plus gros plants qui donnent les meilleures haies, mais les plus vigoureux. La vigueur se mesure à la longueur des nouvelles pousses et au diamètre du tronc à sa base.
- Le degré d'**humidité** de la terre: une terre sèche en fin d'après-midi prouve simplement qu'il fait chaud, mais une terre sèche dans la matinée peut être un signe de négligence de la part du pépiniériste.

Les arbustes à racines nues

Comme pour les conifères, n'achetez pas d'arbustes à racines nues si leurs racines ne sont pas complètement enterrées dans du sable ou de la terre **humide.**

Si l'arbuste a de jeunes feuilles, assurez-vous qu'elles ont une belle **couleur** saine et qu'elles ne sont pas déformées. Si de jeunes tiges ont commencé à pousser, la reprise risque d'être plus délicate, mais ce n'est pas un inconvénient majeur. Par contre si elles ont l'air fragiles, n'achetez pas l'arbuste.

La grosseur des plants importe peu. Vérifiez seulement qu'ils sont munis du maximum de racines — des **racines** en bonne santé.

N'emportez pas les arbustes chez vous sans que les racines soient **emballées** dans une toile ou un sac de plastique.

Les arbustes en pots

Généralement plus âgés que les arbustes à racines nues, les arbustes en pots sont aussi plus vigoureux et donnent une haie plus rapidement. Un peu comme pour les conifères, vérifiez les points suivants.

- La **couleur** du feuillage: les jeunes pousses sont un peu plus pâles.
- L'absence de feuillage **exagérément** jauni ou bruni. Les taches jaunes, grises, brunes ou noires sont souvent le symptôme d'une maladie dont vous n'avez absolument pas besoin.
- La **ramification**: elle varie avec les espèces, mais en général plus un plant est ramifié avec des tiges d'un bon diamètre, plus il est vigoureux.
- Le degré d'**humidité** de la terre: une terre sèche en fin d'après-midi prouve simplement qu'il fait chaud, mais une terre sèche dans la matinée peut être un signe de négligence de la part du pépiniériste.

LA PLANTATION

Pour les principes généraux de plantation, référez-vous au chapitre *Savoir planter et transplanter*. Voici quelques détails sur les intervalles à respecter selon le genre de plants que vous achetez.

Les conifères à racines nues

Espace entre les plants: **minimum** 1 m. La haie prendra quelques années avant de former un écran, mais les plantes auront de l'espace pour s'épanouir vigoureusement.

Ne pas espacer les plants de 10 à 20 cm seulement. Il est vrai qu'ils sont chétifs et peu fournis quand on les achète, mais à l'âge adulte, dans la nature, ils atteignent, dans le cas des thuyas, 10 m de hauteur et 3 m de largeur. Les planter serrés est tout simplement du gaspillage, sans compter qu'au bout de quelques années, on peut se retrouver avec plus de branches et de troncs que de feuillage.

Les conifères en pots

Espace entre les plants: **1,50 à 2 m.**

Les conifères en pots prennent plus de temps à se rejoindre, mais ils forment une haie plus équilibrée.

Les arbustes

L'espace entre les plants varie selon la **hauteur** de la haie adulte:
- Pour une haie de moins de 1 m de hauteur: 30 à 40 cm.
- Pour une haie de 1,25 à 2 m de hauteur: de 75 cm à 1 m.
- Pour une haie de 2 à 2,50 m: de 80 cm à 1,20 m.

Que vous plantiez des arbustes ou des conifères à racines nues ou en pots, arrosez copieusement, surtout les conifères. Ne laissez pas la terre sécher au moins pendant les deux premiers mois suivant la plantation.

Que vous plantiez des arbustes ou des conifères, **si vous tenez à mettre de l'engrais,** tout de suite après la plantation, vaporisez sur le feuillage un engrais soluble dont le premier chiffre (azote) est élevé ou dont la formule est du genre 20-20-20 (voir aussi le chapitre *La fertilisation, un surplus pour les plantes)*. Au niveau des racines, mettez un engrais, soluble ou granulaire, à forte concentration en phosphore. Les produits naturels comme l'os moulu ou le sang séché remplissent un rôle semblable.

Une fois la plantation terminée, pour que les plantes risquent moins de souffrir d'un possible manque d'eau et pour diminuer la croissance des mauvaises herbes, étendez un paillis (de cèdre haché ou de gazon séché) au pied de la haie sur une largeur d'au moins 80 cm.

LA TAILLE DE PLANTATION

Au moment de la plantation, taillez votre haie.

Méthode pour les arbustes

N'ayez pas peur de raccourcir les plants que vous venez d'acheter, même ceux qui sont déjà très ramifiés et vigoureux. Armez-vous d'un **sécateur** bien affûté et coupez la branche principale à 20-30 cm au-dessus du sol. Si plusieurs petites branches partent du

Ne taillez pas la tête des thuyas avant qu'ils aient atteint la hauteur souhaité.

bas du tronc, coupez-les à 1 cm de leur base. Cette opération favorise la ramification jusqu'au ras du sol et prépare la haie à être bien fournie de bas en haut.

Par la suite, menez la haie progressivement à la hauteur désirée: chaque **printemps,** réduisez les jeunes pousses d'environ un tiers de leur croissance de l'année précédente.

Méthode pour les conifères

Les conifères se régénèrent difficilement. La seule taille possible au moment de la plantation consiste à raccourcir les pousses les plus récentes de la **moitié** de leur longueur.

LA TAILLE GÉOMÉTRIQUE

Certaines haies doivent être taillées pour prendre une forme précise.

Méthode

Pour les **conifères,** les thuyas en particulier, la première coupe de la saison a lieu au tout début de la croissance: en **mai** dans la plupart des régions. À ce moment, coupez seulement l'extrémité (1 ou 2 cm) des pousses vertes de l'année précédente.

À ÉVITER

Que l'on veuille former un brise-vent ou une haie conventionnelle, il ne faut jamais couper la tête des conifères avant qu'ils aient atteint la hauteur voulue. Une fois la tête coupée, la croissance en hauteur est quasi nulle.

Pour les **arbustes,** la première coupe a lieu vers la fin de juin. Éliminez la moitié de la longueur des jeunes pousses.

Cette haie de thuyas, raccourcie à l'âge adulte, ne reprendra jamais une belle forme.

Pour tous les végétaux, ne pratiquez pas plus de **trois** coupes par saison. Chaque fois, enlevez environ la moitié de la longueur des nouvelles pousses.

À ÉVITER

Par souci d'esthétique, mais aussi pour vous assurer une vigoureuse repousse estivale, ne taillez jamais les jeunes pousses à ras des branches plus dures des années précédentes.

Formes

À ÉVITER

On a trop souvent tendance à tailler les haies de la même largeur à la base et au sommet, ou plus large en haut qu'en bas. C'est une erreur, car la base risque alors de se dégarnir sur une hauteur allant jusqu'à 30 à 40 cm.

- La forme la plus facile à donner à une haie consiste à tailler les deux côtés **parallèles** de la base jusqu'aux deux tiers de la hauteur, puis à donner au sommet une forme arrondie.
- La forme la plus recommandée pour les haies hautes consiste à tailler les deux côtés inclinés vers le centre à la manière d'un **trapèze.** Le sommet peut alors être taillé à l'horizontale ou en pointe. Cette forme devrait être adoptée pour les conifères car, à l'inverse des arbustes, ils ne peuvent pas être rajeunis par une taille sévère.
- Une excellente forme pour les haies basses consiste à tailler en forme d'**arc de cercle** ininterrompu d'un côté à l'autre.

Outils

Les **cisailles** obligent l'utilisateur à faire de l'exercice, mais ce sont les meilleurs outils pour la taille géométrique. Précis, ils tranchent de façon très nette.

Les taille-haies **électriques** permettent de diminuer le temps dévolu à la taille, mais si on les passe trop rapidement sur le feuillage, on risque de déchiqueter feuilles et tiges.

Par ailleurs, que l'on utilise une cisaille ou un taille-haie électrique, si l'outil est mal **aiguisé,** il déchire et déchiquète les plantes. Quand les plaies ne sont pas nettes, la santé et la beauté des haies risquent d'être fortement compromises.

POUR RÉDUIRE L'ENTRETIEN

Une façon de s'assurer que le travail sera bien fait tout en l'exécutant sans perte de temps consiste à tailler les côtés avec le taille-haie et le dessus avec les cisailles.

POUR VOUS FACILITER LA TÂCHE

Sur les arbustes, comme il est plus facile de couper les tiges tendres que les tiges dures, assurez-vous de provoquer la croissance des premières en pratiquant régulièrement une taille d'entretien.

LA TAILLE D'ENTRETIEN

Si elle est pratiquée régulièrement sur une haie adulte, la taille d'entretien, qui ne s'applique **qu'aux arbustes** et non aux conifères, est une simple formalité. Sinon, elle devient une taille de rajeunissement (voir plus loin). Elle a pour but d'empêcher le désordre dans les branches, de limiter l'expansion des arbustes, de ravigoter les vieux plants, de stimuler la floraison des espèces florifères et de favoriser l'obtention de la forme naturelle de la plante.

Méthode

Sur les espèces à **floraison estivale** et les espèces à **feuillage décoratif,** la taille d'entretien doit être réalisée au printemps avant la sortie des premières feuilles.

Sur les espèces à **floraison printanière,** on l'exécute après la floraison. Voici comment procéder.

- Coupez les vieilles branches (quatre ans et plus), plus foncées et plus rugueuses que les jeunes, le plus près possible de leur base. Elles sont souvent porteuses de maladies et d'insectes.
- Au milieu de la plante, coupez au ras du sol toutes les branches minces et frêles.
- Débarrassez-vous du bois mort et des feuilles mortes; coupez tous les chicots qui dépassent.
- Raccourcissez les branches restantes de façon que votre haie prenne des dimensions d'environ un quart inférieures aux dimensions qu'elle aura quand la croissance aura repris en été.

Outil

N'ayez pas peur d'investir dans un bon **sécateur,** du genre dont la lame glisse le long de la contre-lame. Huilez-le tous les printemps et aiguisez la lame après chaque heure d'usage.

LA TAILLE DE RAJEUNISSEMENT

On ne pratique une taille de rajeunissement que sur les **arbustes.**

À ÉVITER

Sur les conifères, ne pas tailler les branches qui ont plus de deux ans. Leur faculté de régénérescence est quasi nulle: les jeunes tiges naissent rarement sur les vieilles branches.

Raccourcir ne suffit pas, il faut aussi réduire le nombre de branches qui partent de la base.

Méthode

Sur les espèces à floraison estivale et les espèces à feuillage décoratif, on réalise la taille de rajeunissement au **printemps** avant la sortie des premières feuilles. Sur les espèces à floraison printanière, elle a lieu **après** la floraison.

Pratiquez le même nettoyage de base qu'au cours de la taille d'entretien.

Coupez les branches restantes à **20-30 cm** du sol comme au moment de la plantation, puis reprenez la taille progressive jusqu'à la hauteur voulue.

Outil

N'ayez pas peur d'investir dans un bon **sécateur,** du genre dont la lame glisse le long de la contre-lame. Décapez-le et huilez-le tous les printemps; aiguisez-en la lame après chaque heure d'usage.

L'ENTRETIEN GÉNÉRAL

Arrosez régulièrement votre haie en cas de sécheresse prolongée. Les conifères sont les

Cette haie pleine de trous et dégarnie dans le bas a fortement besoin d'une taille de rajeunissement.

plus exigeants. **Arrosez** directement du bout du tuyau; laissez couler l'eau de 30 secondes à 1 minute pour chaque jeune plant, de 2 à 3 minutes pour les plants plus âgés. Dispensez l'eau sur toute la largeur de la haie, surtout vers l'extérieur, là où se trouvent les racines nourricières.

La meilleure prévention contre les maladies et les insectes est le **nettoyage**: enlevez feuilles et branches mortes une ou deux fois par année; taillez régulièrement la haie pour favoriser la croissance des jeunes tiges, plus saines et plus résistantes. En cas d'attaques vigoureuses d'insectes ou de maladies, traitez votre haie avec les produits les plus efficaces et les moins dangereux.

Si vous voulez mettre de l'engrais

Vaporisez le feuillage une ou deux fois par mois, au printemps et en été, avec un engrais soluble. Utilisez un engrais riche en phosphore et en potasse la première année; un engrais à concentration élevée en azote les années subséquentes. Ne fertilisez jamais la haie en automne.

Si vous ne voulez pas mettre d'engrais

Apportez une mince couche de compost (1 cm) chaque printemps au pied de votre haie, sur toute la largeur de la haie.

À ÉVITER

Couvrir de terre (butter) le pied des haies de feuillus leur nuirait au lieu de les aider. Le plus grand danger est la formation de racines qui, situées au-dessus du niveau normal du sol, seront très exposées aux vents froids de l'hiver et desséchants de l'été. Les risques de mortalité sont alors très élevés.

227

Choix et pose des dallages et des pavages

L'asphalte a encore des adeptes. Question de coût bien souvent. Mais les entrées en pavés ou en dalles de béton sont de plus en plus populaires. L'esthétique y est pour beaucoup, mais ce n'est pas la seule raison. On peut les utiliser aussi bien pour les entrées que pour les allées piétonnières ou les terrasses. L'entretien est facile quand on le fait régulièrement. Surtout, quand une partie de la surface est endommagée, on peut la remplacer sans nuire à l'aspect de l'ensemble et sans avoir à reprendre les travaux de A à Z.

L'OPTION DALLES

Les dalles servent surtout à couvrir grossièrement de grandes surfaces ou à tracer des allées piétonnières.

Leur avantage principal est qu'elles sont **faciles à installer.** En plus, elles peuvent être peintes. Cependant, comme la présentation et l'usage qu'on peut faire des dalles sont limités, leur emploi crée parfois une certaine monotonie dans le paysage.

On trouve des dalles de plusieurs **formes**; carré, rectangle, cercle, trapèze, et de plusieurs couleurs: gris, jaune, rouge et vert. Elles ont 30 ou 45 cm de largeur.

Généralement, le dessus des dalles est finement quadrillé de lignes incrustées.

Certains modèles de dalles laissent apparaître le **gravier** qui entre dans la composition du béton. On les appelle: dalles à agrégats exposés. Elles ont un aspect beaucoup plus naturel que les autres.

La surface d'autres modèles à été conçue pour imiter les pavés. Chaque dalle ressemble à un groupe de neuf pavés.

L'OPTION PAVÉS

Lorsqu'on choisit les pavés, on bénéficie d'un grand **choix** de motifs, de couleurs et de formes. De plus, il est facile d'adapter les pavés à n'importe quelle architecture.

Cependant, les pavés coûtent **cher** et leur pose prend du temps et se révèle parfois fastidieuse. On trouve surtout des pavés de **forme** carrée et rectangulaire, qu'on combine avec des octogones, des losanges, des demi-lunes, etc. Il existe des pavés d'épaisseurs variables, que l'on choisit selon le poids que devra supporter la surface pavée: 4,5 cm pour les allées et les terrasses; 6 cm pour les entrées d'autos; 8 cm pour les charges plus lourdes.

On peut se procurer des pavés de nuances pastels de **toutes** les couleurs et même des modèles bicolores. Comme les dimensions varient beaucoup, en juxtaposant des pavés de formes et de dimensions semblables ou différentes, on peut créer des motifs innombrables.

Dalles à agrégats exposés.

Il existe des pavés à côtés plats ou ondulés, qui se juxtaposent ou qui s'imbriquent.

LES BORDURES

Pour des questions d'entretien et de finition, il est **essentiel** de poser des bordures de béton le long des surfaces pavées ou dallées. Les modèles les plus courants sont les bordures universelles. Les couleurs disponibles sont **limitées** et s'harmonisent difficilement avec certaines couleurs de pavés ou de dalles.

Il existe des modèles plus courts que les bordures universelles, à sommet arrondi, à épaisseur variable de haut en bas. Ces bordures, appelées «**Milan**», sont disponibles dans la même texture et les mêmes couleurs que les pavés. Comme elles sont courtes, les disposer de façon que leurs sommets soient au même niveau est plus délicat que pour les bordures universelles.

LA POSE DE DALLES SUR LES TROTTOIRS ET LES TERRASSES

Pour poser des dalles sur des trottoirs ou des terrasses, procédez de la façon suivante:
- Creusez à 15 cm de profondeur.
- Versez 10 cm d'épaisseur de poussière de pierre ou de sable fin.
- Compactez avec une plaque vibrante (on peut en louer).
- Posez les bordures.
- Posez les dalles.
- Remplissez les interstices avec du sable fin.
- **Il est recommandé mais pas obligatoire** de passer la plaque vibrante sur les dalles.

LA POSE DE PAVÉS SUR LES ALLÉES ET LES TERRASSES

Pour habiller une allée ou une terrasse de pavés, procédez ainsi:

Les pavés permettent de créer des motifs très variés et très décoratifs.

Pour fleurir les dalles autant que les pierres plates, plantez dans les intervalles des plantes rampantes comme le thym et la sagine.

POSE DES DALLAGES ET PAVAGES

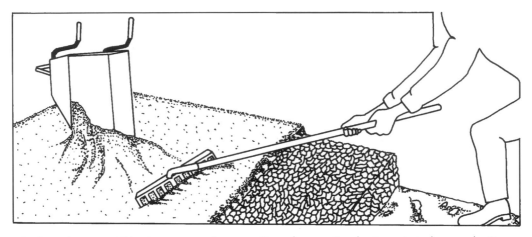

Après avoir compacté la pierre concassée, versez 5 cm de poussière de pierre et nivelez avec le râteau.

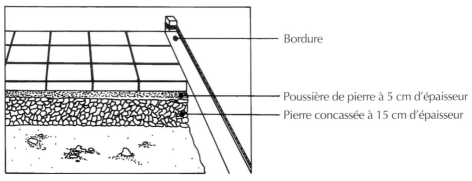

Bordure

Poussière de pierre à 5 cm d'épaisseur

Pierre concassée à 15 cm d'épaisseur

Posez les bordures en vous servant d'un cordeau et posez les pavés en commençant le long des bordures.

Remplissez les intervalles entre les pavés avec du sable très fin et sec.

- Creusez à 25 cm de profondeur.
- Versez 15 cm de pierre concassée de 0-20 mm en trois tranches de 5 cm.
- Compactez la pierre concassée avec une plaque vibrante (on peut en louer) à chaque tranche de 5 cm.
- Versez 5 cm de poussière de pierre. Ne compactez pas. Nivelez avec le dos du râteau. Vérifiez le niveau avec une règle.
- Posez les bordures en vous servant d'un cordeau. Voir le chapitre *Accessoires pour mieux jardiner*.
- Posez les pavés en commençant le long des bordures.
- Là où c'est nécessaire, remplissez les trous avec des sections de pavés que vous aurez coupés avec une scie spéciale (on peut en louer).
- Remplissez les intervalles entre les pavés avec du sable très fin, sec.
- Passez la plaque vibrante sur les pavés.

LA POSE DE PAVÉS SUR LES ENTRÉES ET LES STATIONNEMENTS

Pour poser des pavés dans une entrée ou un stationnement, voici ce que vous devez faire.
- Creusez à 30 ou 40 cm de profondeur, selon la charge à supporter.
- Versez 20 à 30 cm d'épaisseur (selon la charge à supporter) de pierre concassée de 0-20 mm, en deux fois.
- Compactez la pierre concassée avec une plaque vibrante (on peut en louer) à chaque tranche de 10 cm.
- Versez 5 cm de poussière de pierre. Ne compactez pas. Nivelez avec le dos du râteau. Vérifiez le niveau avec une règle.
- Posez les bordures en vous servant d'un cordeau. Voir le chapitre *Accessoires pour mieux jardiner*.
- Posez les pavés en commençant le long des bordures.
- Là où c'est nécessaire, remplissez les trous avec des sections de pavés que

Si votre stationnement convient à deux voitures, séparez les deux espaces par une rangée de blocs de béton enterrés et garnis d'annuelles rampantes, ici de l'alysse.

vous aurez coupés avec une scie spéciale (on peut en louer).
- Remplissez les intervalles entre les pavés avec du sable très fin, sec.
- Passez la plaque vibrante sur les pavés.

POUR ACHETER SANS VOUS TROMPER

Si vous faites faire le travail par un spécialiste, il vous en coûtera environ le double de ce que ça vous coûterait si vous le faisiez vous-même. Mais si le spécialiste garantit son travail (et il doit le faire), vous avez l'assurance d'obtenir un travail bien fait qui durera. Votre meilleure volonté ne vous permettra peut-être pas d'obtenir les mêmes résultats. Tenez-en compte dans votre décision.

L'ENTRETIEN GÉNÉRAL

Il faut protéger les pavés avec un **scellant** industriel.

Il est rare que les mauvaises herbes poussent de la terre jusqu'à l'air libre en se glissant entre les dalles et les pavés. Il n'est donc pas nécessaire de poser une toile de plastique entre la poussière de pierre et les pavés ou les dalles. De plus, une telle toile empêche l'eau de s'infiltrer dans le sol. Elle reste en surface, créant ainsi un milieu propice aux mauvaises herbes qui viennent germer dans les interstices entre les pavés ou les dalles.

Pour empêcher les graines de mauvaises herbes de germer et de se développer dans le sable qui se trouve dans les interstices, vous pouvez maintenir le niveau de **sel** très élevé dans le sable. Voici comment procéder:

- Tôt au printemps versez trois grosses poignées de sel dans un arrosoir.
- Remplissez l'arrosoir avec de l'eau chaude, mais pas bouillante. Remuez pour dissoudre le sel.
- Videz l'arrosoir sur 10 m^2 de pavage ou de dallage. Remplissez l'arrosoir jusqu'à ce que vous ayez couvert toute la surface.
- La première année, répétez le traitement une fois en plein été pendant les grosses chaleurs et une autre fois à l'automne, en septembre. Au cours des années subséquentes, deux traitements suffiront: au printemps et en été.

Belle intégration des pavages de l'entrée et du patio encadrés par la pelouse et le bugle rampant autour des épinettes.

Construire et aménager un jardin d'eau

Plus que jamais, les jardins d'eau sont à la mode et si, il n'y a pas si long-temps, ils prenaient naissance dans la cour, ils osent de plus en plus s'aventurer sur la façade. Comme il existe des modèles et des dimensions pour tous les budgets, pourquoi ne pas vous lancer dans l'aventure?

POURQUOI DE L'EAU CHEZ SOI?

L'eau est belle, toujours belle, elle ne laisse personne indifférent. Sa vue émerveille et détend, son clapotis incessant berce et rassure. L'œil guette le vol gracieux d'une libellule, les battements de queue des poissons. Le nez attrape au vol, dans la brise mutine, les parfums subtils des fleurs environnantes. L'oreille apprécie la caresse de l'eau sur la berge, le chant des oiseaux, la complainte des grenouilles. Sensuelle, la main rejoint les pieds dans la tiédeur cristalline.

UN PEU DE PLANIFICATION

Un bassin est un **investissement** à long terme. Faites donc un plan ou un croquis avant de vous lancer dans la réalisation de votre rêve. Ou encore, faites-le faire par un spécialiste. Vérifiez les **règlements** municipaux en matière de sécurité: profondeur, protection, etc.

Prévoyez une façon d'empêcher les tout jeunes enfants d'accéder au jardin d'eau.

Si votre jardin est plutôt naturel, optez pour un bassin de forme irrégulière. S'il est plutôt classique, mieux vaut choisir un bassin de forme géométrique.

Les **dimensions** du jardin d'eau dépendent de la taille de votre terrain et de l'usage que vous en ferez. Dans un jardin de banlieue, la longueur (ou le diamètre) varie entre 1 et 5 m.

Un bassin **préfabriqué** en fibre de verre est facile à installer, mais le choix des formes est limité. Un bassin creusé est plus compliqué à réaliser, mais vous pourrez lui donner la forme, la profondeur et la largeur que vous voulez.

Si vous souhaitez voir s'épanouir les fleurs que vous aurez choisies pour décorer votre jardin d'eau, placez le bassin à un endroit qui reçoit au moins six heures de soleil par jour.

L'INSTALLATION D'UN BASSIN PRÉFABRIQUÉ

Il existe des bassins préfabriqués de toutes les formes, irrégulières ou géométriques, de 1 m à plus de 3 m de diamètre. Certains ont des parois lisses, d'autres façonnées comme des rochers. La plupart sont de couleur neutre, noir ou brun foncé, pour ressembler à un véritable étang. En créant un escarpement, puis en plaçant deux ou trois bassins l'un en bas de l'autre, on peut reproduire des paysages de cascades.

Voici comment installer un bassin préfabriqué.

1. Creusez à l'emplacement du bassin, puis modelez le sol de la forme voulue. Mettez la terre de côté.
2. Éliminez les pierres et les objets tranchants.
3. Recouvrez le sol d'une épaisseur de sable de 10 à 15 cm.
4. Posez le bassin vide dans le trou. Vérifiez qu'il soit bien de niveau pour que le camouflage des rebords soit aisé.
5. Remblayez le tour du bassin et tassez la terre contre les parois sans forcer.
6. Remplissez le bassin lentement pendant que vous remblayez.
7. Agencez de grosses pierres de rocailles sur les bords du bassin sans les appuyer sur la structure.
8. N'oubliez pas d'amener l'électricité (110 volts et prise à trois trous) au bassin pour alimenter la pompe de circulation immergée.
9. Avec la terre mise de côté, créez des monticules autour du bassin pour donner à l'ensemble une allure naturelle.

LA CONSTRUCTION D'UN BASSIN CREUSÉ

Creuser un bassin qu'on modèle selon sa volonté, c'est plus compliqué mais aussi plus original. Voici la marche à suivre… et quelques petits trucs!

Intermédiaire entre le bassin préfabriqué et le bassin creusé, ce bassin classique de style français est tout simplement composé de blocs de béton dont on a tapissé l'intérieur d'une toile imperméable.

CONSTRUCTION D'UN BASSIN CREUSÉ

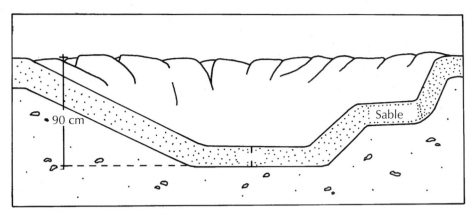

90 cm

Sable

Creusez le lac et façonnez la couche de sable.

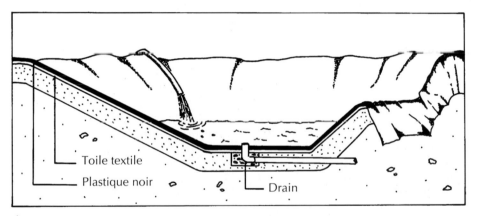

Toile textile

Plastique noir

Drain

Étendez sur la couche de sable la toile textile et le plastique noir.

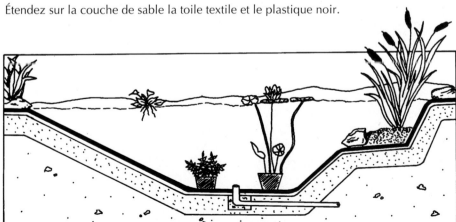

Installez les plantes durant la période de croissance.

Procurez-vous des matériaux durables et des accessoires de qualité. Approvisionnez-vous chez un spécialiste.

Creuser le trou

- Creusez un trou en pente douce, irrégulière, pour imiter le fond d'un lac. Donnez aux côtés une pente d'environ 20 degrés. La profondeur minimum nécessaire pour cultiver des nénuphars et élever des poissons de bonne taille est de 60 cm. Il faut prévoir 30 cm de plus pour la couche de sable compacté sur laquelle reposeront les toiles formant le fond du bassin. La profondeur minimum du trou est donc de 90 cm.
- À l'endroit le plus creux, coulez un drain de vidange dans le béton. Raccordez ce drain à un drain français, à un fossé ou à un puisard. Prévoyez un joint d'étanchéité que vous installerez sur le drain une fois les toiles posées.
- Avec la terre mise de côté, créez des monticules autour du bassin pour donner à l'ensemble une allure naturelle.
- Si vous avez l'intention d'installer un système de recirculation de l'eau, un jet d'eau ou une cascade, amenez l'électricité qui alimentera la pompe (110 volts et prise à trois trous).

Si vous voulez un bassin de style classique, rectangulaire ou carré, vous pouvez le surélever en érigeant un muret de blocs de béton de la forme et de la hauteur souhaitées. Il suffira alors de recouvrir l'intérieur des blocs avec des toiles.

Poser les toiles

1. Une fois la couche de sable façonnée selon le relief désiré, étendez dessus une première toile textile, en polypropylène non tressé, qui servira de coussin et protégera la toile de plastique.

Comment connaître les dimensions des toiles nécessaires pour un bassin de 60 cm de profondeur? Mesurez la longueur et la largeur du bassin et ajoutez 2 m à chacune.

2. Étendez ensuite une toile de plastique noir, en chlorure de polyvinyle. Une épaisseur de 20 millième est amplement suffisant. N'essayez pas de défaire tous les plis, c'est inutile. Tirez la toile jusqu'à la base des monticules.

Pour protéger la toile de plastique contre les rayons ultraviolets qui la décomposent et contre le choc des pierres dont vous tapisserez le fond du bassin, étendez par-dessus une deuxième toile textile noire. Tirez-la, elle aussi, jusqu'aux monticules. L'installation de cette toile comporte deux autres avantages:

- elle donne au fond de l'eau un aspect harmonieux;
- elle vous permet de marcher dans le fond du bassin sans risquer de déchirer la toile de plastique.

3. Pour terminer, maintenez les toiles en place à l'aide de grosses pierres de rocaille ou de pierres plates que vous disposerez tout autour du bassin pour créer l'illusion d'une berge naturelle. Sous chaque pierre, placez trois ou quatre morceaux de toile textile en guise de coussin.

La finition

- Une fois le joint d'étanchéité posé, enfoncez dans le drain français un tuyau de plastique dont la longueur déterminera la profondeur de l'eau. En cas de fortes pluies, ce tuyau servira de trop-plein. Pour vidanger le bassin, il suffira de l'enlever.
- Prévoyez un système de remplissage automatique à flotteur. Il vous évitera d'avoir à surveiller constamment le niveau d'eau en période de fortes chaleurs.
- Vous avez le choix entre laisser le fond du bassin noir — les poissons rouges n'en seront que plus visibles — et le recouvrir de pierres de rivière de 3 à 8 cm de diamètre. Ces pierres sont du plus bel effet sur les berges du bassin.

- Pour empêcher l'eau de chauffer et de s'évaporer trop vite, pour rendre en même temps le décor plus paisible et pour donner de l'ombre, plantez quelques petits arbres autour du bassin, mais pas directement au-dessus de l'eau.
- Autour du bassin, recouvrez la terre avec du sable pour qu'en cas de fortes pluies l'eau ne soit pas souillée.
- Au moins une semaine après avoir rempli le bassin, décorez-le avec des plantes aquatiques et des plantes de rivage.

- Pour terminer, invitez des grenouilles à élire domicile dans le bassin et offrez-leur la compagnie de quelques poissons rouges.

UN MONDE VIVANT

Que vous ayez opté pour un bassin préfabriqué ou pour un bassin creusé, transformez-le en jardin d'eau en y installant quelques spécimens du règne animal et du règne végétal.

Les plantes

Installez les plantes durant leur période de croissance. Pour un équilibre biologique idéal et une décoration harmonieuse, incluez dans votre jardin d'eau une ou plusieurs plantes de chacune des catégories suivantes.

Les plantes submergées
Les plantes submergées aident à garder l'**eau claire.** L'oxygène qu'elles dégagent dans la journée est respiré par les poissons et assainit l'eau.

Les plantes à feuilles flottantes
Nénuphars et lotus en tête de liste, les plantes à feuilles flottantes, très décoratives et

colorées, sont offertes dans plus de quarante variétés. L'ombre des feuilles aide l'eau à rester **fraîche.** Pour y parvenir efficacement, plantez suffisamment de ces plantes pour couvrir environ la moitié de la surface de l'eau. Vous pouvez choisir des plantes à grand développement ou à petit développement; tout dépend de la dimension du bassin.

Les plantes flottantes

Les plantes flottantes, par exemple la laitue et la jacinthe d'eau, diminuent l'intensité lumineuse pénétrant dans l'eau, ce qui a pour effet de rendre l'eau plus fraîche et de limiter la croissance des **algues.** En absorbant les minéraux en suspension,

comme l'iris versicolore, l'iris des marais, le butome et la quenouille. Il est donc facile, en les utilisant, de recréer des paysages naturels. Plantées dans l'eau peu profonde, ces plantes **adoucissent** les lignes parfois rigides des bords du bassin et donnent à l'ensemble un aspect plus doux.

Les plantes tropicales

Les plantes tropicales ne sont pas nécessaires à l'équilibre du jardin, mais lui donnent une allure exotique qui séduit. Les plus connues sont les papyrus et les nénuphars tropicaux. Il faut les **rentrer** en automne, de préférence dans un endroit spécialement aménagé, éclairé et chaud.

les racines des plantes flottantes purifient l'eau.

Les plantes de rivage

Aussi appelées plantes à feuillage émergent, les plantes de rivage sont avant tout décoratives. Plusieurs sont **indigènes** au Québec,

POUR VOUS DISTINGUER

Une manière très originale de conserver les plantes aquatiques tropicales en hiver consiste à les installer dans un bassin préfabriqué déposé dans une des pièces de la maison. Pourquoi pas au salon?

Ces conseils ne s'appliquent que si vous achetez des plantes qui ne sont pas déjà empotées.

Pour éviter la formation de boue, déposez les plantes dans des paniers spéciaux que vous trouverez à votre centre de jardinage. Au bout d'un an ou deux, on ne verra presque plus les paniers. Avant la plantation, couvrez l'intérieur des paniers avec de la jute.

Remplissez-les ensuite de terre à jardin sans produits chimiques ou d'un terreau de rempotage sain, puis installez les plantes.

Pour empêcher les poissons de creuser la terre, couvrez la surface avec du gravier.

Les poissons

Deux à trois semaines après la plantation, quand l'eau s'est stabilisée, vous pouvez mettre des poissons dans le bassin. Il existe des poissons **rustiques,** qui peuvent passer l'hiver dehors, par exemple la carpe japonaise, le Comet, le Saraza, le Shubunkin. On peut aussi agrémenter le bassin de poissons tropicaux qu'il faut rentrer en automne.

Pour qu'ils puissent vivre en harmonie et trouver dans l'eau leur nourriture, on estime qu'il faut 1 m^2 d'**espace vital** pour chaque poisson de petite taille et presque 3 m^2 par poisson de grande taille.

Introduisez d'abord les petits poissons dans l'eau et donnez-leur le temps de s'habituer au bassin. Pour que l'écosystème s'adapte sans heurt, ajoutez les poissons **progressivement**: deux ou trois tous les deux jours. Avant de les lâcher, laissez flotter pendant 30 minutes le sac dans lequel ils nagent. Ce délai permet à la température de l'eau dans le sac de s'équilibrer avec celle du bassin. Le choc en sera d'autant moins grand.

La nourriture que l'on apporte aux poissons sous forme de bâtonnets flottants doit être considérée comme un **supplément** alimentaire. La quantité de nourriture est proportionnelle à la température de l'eau.

En hiver, il faut faire hiberner les poissons d'eau froide. Ou bien vous les placez dans un aquarium intérieur à température contrôlée, ou bien vous les laissez dehors. Pour ce faire, procurez-vous une petite pompe qui fonctionnera tout l'hiver pour un coût minime; le mouvement de l'eau empêchera celle-ci de geler et oxygénera l'eau. Si une couche de glace se forme sur le bassin, faites-en fondre un coin avec de l'eau chaude.

L'ENTRETIEN DU BASSIN

Pour jouir d'un bassin propre et limpide tout le temps, la méthode la plus expéditive et la moins écologique consiste à le vider et le rincer une ou deux fois par été. Mais si plantes et poissons essaient d'y vivre en harmonie, il est préférable d'équilibrer l'écosystème en y installant des plantes variées, aux fonctions nettoyantes et oxygénantes. **Pas de chlore, pas d'algicide:** ils tuent tout.

Si vous ne tenez pas **absolument** à ce que l'eau de votre étang soit claire, vous pouvez laisser feuilles mortes et débris s'y déposer.

Pour qu'il y ait de la vie dans un bassin, il faut que l'eau contienne de l'**oxygène.** Il y a trois façons d'apporter de l'oxygène:
- ajouter fréquemment de l'eau fraîche;
- agiter l'eau à l'aide d'un jet d'eau ou d'une cascade;
- mettre des plantes aquatiques (elles fabriquent de l'oxygène pendant la journée).

À la fin de l'automne, rentrez les poissons et les nénuphars **tropicaux.** Avant l'hiver, si vous ne gardez pas de poissons dans le bassin, videz-le à moitié.

Si votre bassin est envahi par les algues, ne le traitez pas avec un algicide. Ce produit est toxique pour les plantes et les poissons. Nettoyez à la main.

AMÉNAGER LE POURTOUR

Dessinez tout autour du bassin une plate-bande dont la largeur variera entre 1 et 3 m selon les modulations du terrain. Ménagez-y des **sentiers** en gravier ou en rondins de bois (perches débitées).

Pourquoi ne pas construire un petit **ruisseau**? Et si votre budget le permet, installez un pont qui enjambe le ruisseau.

En donnant au terrain la pente voulue, on peut imiter des **cascades** ou des **rapides.** Attention cependant de bien harmoniser les styles.

- Une bonne façon de profiter de votre jardin d'eau consiste à installer sur une des berges un pavillon de jardin (gloriette).
- Si votre décor en vaut la peine, installez ou faites installer de l'éclairage. Il existe des luminaires qui fonctionnent sans électricité, à l'énergie solaire.

Autour du bassin: des plantes pleureuses (mélèze) et des plantes de rivage.

JEUX D'EAU

Il existe un grand choix de fontaines et de jets d'eau qui ne demandent qu'une pompe pour fonctionner. Le mouvement créé par ces accessoires facilite l'**oxygénation** de l'eau.

Vous pouvez également installer des **statues** autour du bassin pour lui donner un cachet particulier.

Attention! Prenez garde de vous assurer que tous ces éléments **s'harmonisent** avec votre jardin d'eau et son environnement.

POUR VOUS DISTINGUER

Au lieu d'installer un jet d'eau en plein milieu du bassin, placez-le d'une façon originale. Voici comment:

- procurez-vous une vieille piscine portative pour enfants;
- à l'une des extrémités du bassin, creusez un trou qui contiendra la piscine de sorte que les rebords arrivent à 5 cm sous le niveau du sol;
- au fond de la piscine, installez une pompe et un jet d'eau vertical, que vous raccorderez à une prise de courant (110 volts et prise à trois trous);
- couvrez la piscine avec un quadrillage de fers à angle (comme armature) et de tiges d'acier pour béton armé (comme soutien); appuyez le métal sur des pierres plates ou des briques déposées en pourtour;
- recouvrez le quadrillage avec les mêmes galets de rivière que vous avez utilisés dans le fond du bassin et sur ses berges; choisissez les plus gros galets possible;
- faites partir la pompe et le jet d'eau: l'effet est superbe.

Ce petit bassin est séparé du patio par un muret de pierres sèches à travers lesquelles coule un mince filet d'eau.

Le coin des enfants

Bien sûr, c'est important pour les enfants de disposer de leur propre espace de jeu. Mais, pourquoi ne pas leur inculquer le goût et le respect de la nature en intégrant leur espace dans les plates-bandes? Quelle joie pour un enfant de pouvoir dire à tout le monde qu'il a un jardin à lui! En plus, c'est une bonne façon pour les parents de s'assurer que les enfants s'occupent avec leurs amis sans déranger personne.

UN CARRÉ DE SABLE DANS UN JARDIN D'EAU

Voici une façon très sécuritaire de créer un jardin d'eau pour les enfants. En fait c'est un mini terrain de jeux dans lequel on retrouve une plage, un bassin et quelques jouets pour faire des pâtés et des châteaux de sable. Tout est là pour plaire aux enfants: de l'eau pour arroser les copains et se rafraîchir, du sable que l'on peut mouiller à volonté, une petite cascade et des fleurs colorées.

De l'eau saine

Dans ce jardin, l'eau n'est pas une menace pour les enfants. D'abord elle est très propre: elle est nettoyée et oxygénée par les plantes. Si elle est en mouvement grâce à une cascade ou à une fontaine, l'oxygénation est encore meilleure.

Il n'y a pas de danger si un enfant avale de l'eau du bassin et ce, même si l'eau n'est pas vraiment faite pour être bue.

À ÉVITER

Deux précautions valent mieux qu'une. Ne vaporisez aucun pesticide et n'épandez aucun engrais à proximité du jardin d'eau d'enfants. Installez-le loin des zones de culture.

Juste assez d'eau

Assurer la sécurité des enfants est essentiel même si les risques sont quasi inexistants. Cela commence par un choix judicieux de l'**emplacement**. Le jardin d'eau devrait être placé à un endroit facilement visible de l'intérieur et de l'extérieur de la maison.

Le carré de sable peut être à l'ombre, mais le bassin lui-même doit recevoir au moins cinq à six heures de **soleil** par jour afin que les plantes qui l'habitent puissent vivre et fleurir en beauté.

Idéalement, le carré de sable aura environ 1,50 m de largeur; on aménagera une allée d'accès en graviers ronds, doux sous les pieds, de 60 cm de largeur; quant au bassin, divisez-le en **deux** parties égales d'environ 1 m de diamètre.

La première partie du bassin accueille les enfants. Elle a une quinzaine de centimètres de profondeur et reçoit le jeu d'eau choisi (cascade, fontaine, «forme vive», etc). Son fond est recouvert de **graviers ronds,** comme l'allée.

La seconde partie, plus **profonde,** est destinée à recevoir les plantes décoratives (il leur faut au moins 60 cm de profondeur, mais prévoyez un palier à 15 cm de profondeur pour les plantes de rivage). Pourquoi des plantes? Pour trois raisons.

* Parce que les enfants aiment les fleurs.
* Parce qu'un jardin d'eau sans au moins un nénuphar, ce n'est pas vraiment un jardin d'eau.
* Parce que pour empêcher les enfants d'aller dans la partie profonde, il convient d'installer une barrière végétale entre les deux parties.

À ÉVITER

Ne vous laissez pas séduire par les poissons rouges. Ils se réfugient dans la partie profonde et les enfants risquent de vouloir les y rejoindre.

Un jardin de fleurs

Les plantes aquatiques et semi-aquatiques jouent bien sûr un rôle décoratif, mais elles font **plus encore** (voir le chapitre *Construire et aménager un jardin d'eau*). Par exemple, les larges feuilles flottantes des nénuphars forment une ombre qui empêche le réchauffement trop rapide de l'eau.

Dans un jardin d'eau **équilibré** et esthétique, il faut au moins un nénuphar, une douzaine d'élodies (plantes oxygénantes) et au moins trois massifs de plantes de rivage (acore, iris, sagittaire, pondétérie, quenouille, papyrus, etc.) qui vivent les pieds dans l'eau (sur le palier à 15 cm de profondeur, dans la partie creuse).

Pour compléter la plantation et décourager les enfants d'aller vers l'arrière, vous pouvez planter, **sur les berges,** à mi-chemin entre l'avant et l'arrière du bassin, une autre barrière végétale. Elle sera constituée de végétaux à feuillage dense (arbustes) ou à feuillage irritant (rosiers).

Surtout, n'ayez pas peur pour les **plantes.** La grande majorité des enfants les respectent instinctivement. Ce qui ne vous empêche pas de leur donner quelques consignes.

De l'eau qui bouge

De l'eau en mouvement s'oxygène rapidement et fascine les enfants. Installez une **pompe** dans la section creuse et faites ressortir l'eau sur une pierre, sur une pièce de béton en forme de rosace (appelée «forme vive»), en fontaine ou en cascade. Méfiez-vous: des plantes aquatiques constamment arrosées vivent mal et risquent de pourrir. Assurez-vous donc que l'eau bouge doucement.

Sur le bord du bassin, installez quelques grosses **pierres plates** ou construisez un sentier de **bois** pour que les enfants puissent s'asseoir en laissant leurs pieds tremper dans l'eau.

Vous n'aurez jamais à **vider** l'eau du bassin sauf si tout le sable du terrain de jeux est rendu là, ce qui est peu probable. Les enfants préfèrent en effet transporter l'eau dans le sable que l'inverse.

En hiver

Le plus tard possible en automne (juste avant que la glace se forme), **remisez** la pompe dans un endroit où il ne gèle pas.

Coupez les feuilles des plantes et déménagez tous les pots dans la partie la plus **profonde** du bassin pour leur assurer une hivernation paisible.

Dès que la glace a fondu au **printemps,** réinstallez la pompe et remettez les plantes au bon endroit. Une fois la chaleur revenue, les enfants se laisseront irrésistiblement attirer par leur jardin d'eau.

UN CARRÉ DE SABLE DANS LES FLEURS

Rien de plus fatigant que d'avoir à **contourner** un carré de sable rectangulaire quand on tond la pelouse. Voici comment l'éviter.

À l'extrémité d'une plate-bande, le long d'une haie ou d'une clôture, réservez un endroit pour installer le sable des enfants. Plutôt que de donner au «carré» de sable une forme carrée ou rectangulaire, donnez-lui la forme de l'**extrémité** de la plate-bande.

Creusez environ 20 cm et récupérez la terre pour l'étendre dans d'autres coins du jardin ou l'entasser sur le compost.

Installez ensuite la **structure** de bois. En choisissant ses dimensions, pensez à ménager

une **allée** de 60 à 75 cm de largeur tout autour d'elle. Les enfants aiment bien jouer de l'extérieur vers l'intérieur.

Remplissez le trou de sable neuf préalablement lavé.

Garnissez la plate-bande environnante avec des fleurs ou des arbustes que vous aurez fait choisir aux enfants.

POUR RÉDUIRE L'ENTRETIEN

Creusez une tranchée de 10 cm de largeur autour de la structure de bois et remplissez-la de sable. Moins humide, le bois durera plus longtemps.

POUR VOUS FACILITER LA TÂCHE

Pour empêcher les animaux domestiques de prendre le carré de sable pour leur litière tout en permettant à la pluie de mouiller le sable, voici une méthode rapide et efficace:

- Dénichez un vieux rideau ou une vieille couverture d'une couleur neutre, légèrement plus grand que le carré de sable.
- À chaque extrémité du morceau de tissu, agrafez un morceau de bois, par exemple un 5 cm x 10 cm, de la bonne longueur.
- Déposez un des deux morceaux de bois par terre, à l'extérieur du carré de sable, sur un des côtés. Déposez l'autre morceau du côté opposé. Le carré de sable est alors fermé pour la nuit ou pendant votre absence.
- Les enfants sont capables d'ouvrir le carré de sable tout seuls: il suffit de lever l'extrémité d'un des morceaux de bois, de le faire rouler en enroulant le tissu autour de lui et de le déposer sur l'autre morceau de bois qui n'a pas bougé.

Quand l'espace est assez grand, délimitez le contour du terrain de jeux pour empêcher le sable d'aller dans la pelouse.

TROISIÈME PARTIE

*Choix, culture
et entretien
des plantes*

CHOIX, CULTURE ET ENTRETIEN DES PLANTES

Annuelles

- Dates de semis à l'intérieur et à l'extérieur
- Bien choisir ses plants
- La plantation
- L'entretien estival
- La plantation et l'entretien des paniers suspendus
- Comment rentrer quelques plantes pour fleurir dans la maison

Arbres

- Le choix des plants
- Notions de taille
- La fertilisation
- Quoi faire avec les feuilles

Arbustes

- Le choix des plants
- Notions de taille
- Faire un arbre avec un arbuste

- La multiplication par bouturage et marcottage
- Le forçage des tiges
- La protection hivernale

Bulbes annuels

- Choix et plantation de 15 espèces
- L'entretien estival et la cueillette
- Comment les hiverner
- Le forçage

Bulbes vivaces

- Choix et plantation des tulipes
- Choix et plantation des narcisses
- Dix petits bulbes prolifiques
- Cinq bulbes spectaculaires
- Quoi faire avec le feuillage
- Les pelouses fleuries
- Le forçage
- La culture du lis

Conifères

- Le choix des plants
- L'entretien estival
- Notions de taille et utilisation des branches taillées
- La protection hivernale

Fruits

- Le choix des espèces et des plants
- La culture des gros fruits
- La culture des petits fruits
- Le forçage du fraisier et de la rhubarbe

Grimpantes

- Choix et culture

Légumes

- Dates de semis à l'intérieur et à l'extérieur
- Le choix des plants
- Principes généraux de culture

- Culture simplifiée de 12 légumes
- Démarrer le potager en automne
- Le coin des fines herbes: culture et conservation

Rosiers

- Le choix des espèces et des formes
- Création d'une roseraie
- Plantation, entretien et protection
- La taille simplifiée

Vivaces

- Le choix des plants
- La multiplication par division
- Le bouturage et le marcottage
- Pour une floraison prolongée
- Le forçage
- La culture des pivoines
- La culture des iris à rhizomes

Dates de semis à l'intérieur
et à l'extérieur

La période pendant laquelle on peut semer chaque espèce de fleur annuelle à l'intérieur s'étend sur deux à trois semaines. Pour avoir de beaux plants vigoureux, il vaut mieux semer un peu trop tard qu'un peu trop tôt: la lumière est plus forte et les jours sont plus longs.

Impatiens.

Nom	Date* de semis intérieur	Date* du 1er semis extérieur
Agérate	1er au 15 mars	
Alysse	1er au 15 avril (ext)	8 jours avant la fin des gelées
Aster	15 mars au 1er avril	
Bégonia	1er au 15 mars	
Browallia	1er au 15 mars	
Capucine	1er au 15 mars (ext)	après tout risque de gel (rép)
Célosie	15 mars au 1er avril	
Centaurée	1er au 15 avril (ext)	8 jours avant la fin des gelées (rép)
Cinéraire	1er au 15 mars	
Clarkia	1er au 15 avril (ext)	8 jours avant la fin des gelées (rép)
Cléome	15 au 30 mars (ext)	au dégel
Coléus	15 au 28 février	

Nom	Date* de semis intérieur	Date* du 1er semis extérieur
Cosmos	15 au 30 mars (ext)	au dégel (rép)
Dahlia	15 février au 1er mars	
Délosperma	15 au 30 mars	
Eustoma	1er au 15 mars	
Gazania	1er au 15 avril	
Géranium	15 au 28 février	
Giroflée	15 au 30 mars	
Godétia	1er au 15 avril (ext)	8 jours avant la fin des gelées (rép)
Héliotrope	1er au 15 mars	
Immortelle	1er au 15 avril	
Impatiens	15 au 28 février	
Kochie	1er au 15 avril	
Lavatère	15 au 30 mars	
Lierre allemand	1er au 15 mars	
Lobélie	15 au 30 mars (ext)	8 jours avant la fin des gelées
Mimulus	15 au 30 mars	
Muflier	15 mars au 1er avril	
Némésia	15 au 30 mars	
Nicotine	15 au 30 mars (ext)	au dégel
Œillet d'Inde	15 au 30 mars (ext)	au dégel
Pavot annuel	1er au 15 avril (ext)	au dégel
Pensée	1er au 15 mars (ext)	au dégel
Penstémon	15 mars au 1er avril	
Pétunia	1er au 15 mars	
Phlox de Drummond	15 au 30 mars	
Pois de senteur	1er au 15 avril (ext)	8 jours avant la fin des gelées (rép)
Pourpier	15 au 30 mars	
Ricin	15 au 30 mars	
Rose d'Inde	15 au 30 mars	
Sauge (rouge, bleue)	1er au 15 mars	
Sénécio	15 au 30 mars	
Souci	1er au 15 avril (ext)	au dégel (rép)
Statice	15 au 30 mars	
Tournesol		au dégel (rép)
Verveine	15 au 30 mars	
Zinnia	1er au 15 avril (ext)	8 jours avant la fin des gelées (rép)

COMMENT SEMER

Voir le chapitre *Savoir semer* dans la première partie.

* Les dates s'appliquent à la grande région de Montréal. Pour l'Estrie, le Centre du Québec et Québec, ajoutez une semaine. Pour les autres régions, ajoutez deux à trois semaines.
(ext) Peut être semée directement à l'extérieur, mais la floraison commence fin juin, début juillet.
(rép) Peut être semée à répétition jusque vers le 20 juin.
N.B.: Les plantes qui ne figurent pas dans la colonne de semis extérieur pourraient être semées quand même dehors, mais leur floraison commencerait en plein été.

Bien choisir ses plants

Contrairement à ce que l'on pourrait penser, ce ne sont pas les plants les plus gros et les plus fleuris qui donnent les meilleurs résultats. En faisant vos achats, surveillez quelques points importants.

LA COULEUR DU FEUILLAGE

L'intensité du vert varie d'une espèce à l'autre. Toute nuance de jaune est un signe que les plants ont souffert de sécheresse ou de malnutrition.

LA LONGUEUR DES TIGES

Plus un plant est court, trapu et ramifié, mieux il pousse au jardin.

LE NOMBRE DE FLEURS

Moins il y a de fleurs, mieux c'est: au moment de la transplantation, les fleurs prennent l'énergie dont les racines ont grandement besoin pour s'installer au jardin. Si possible, achetez des plants dont les fleurs ne font que montrer leur couleur.

POUR VOUS DISTINGUER

En arrivant à la maison avec vos plants, coupez toutes les fleurs et tous les bourgeons. Couper les fleurs donne de la force aux racines et oblige chaque plant à se ramifier donc à produire un plus grand nombre de fleurs. Vous passerez deux ou trois semaines sans fleurs, mais par la suite vos plants seront débordants de fleurs tout l'été.

L'ÉTIQUETAGE

Chaque caissette d'annuelles devrait porter une étiquette indiquant au moins le nom de la variété et la couleur.

LA QUALITÉ DE LA TERRE

Plus la terre des caissettes est friable, plus les plants risquent d'avoir souffert de sécheresse à un moment ou à un autre. Une terre friable rend aussi la transplantation difficile: les racines n'y adhèrent pas et risquent de sécher si vous les laissez à l'air libre plus de deux ou trois minutes.

L'ENRACINEMENT

Pour vous assurer que les plants sont bien enracinés (et ils le sont généralement), observez si des racines sortent par les trous situés sous la caissette ou bien soulevez délicatement une plante dans un coin de la caissette: le chevelu racinaire devrait être dense.

LE NOMBRE DE PLANTS PAR CAISSETTE

Voici les normes édictées par le Bureau de normalisation du Québec en ce qui concerne le nombre de plants:
- Petites caissettes (17,8 cm x 25,4 cm): 9 plants des espèces longues à produire: bégonia, impatiens, célosie, coléus.
- Grandes caissettes (17,8 cm x 30,5 cm): 12 à 18 plants selon la rapidité de production des espèces autres que les précédentes.

La plantation

Les plantes annuelles ne sont pas exigeantes et poussent un peu n'importe où. Mais pour en tirer le maximum de couleurs, il faut prendre quelques précautions.

De haut en bas: lavatères, zinnias et alysses.

LA PRÉPARATION DU TERRAIN

À l'automne, bêchez en enrichissant la terre. Voir le chapitre *Enrichir sa terre.*
Si vous en avez le courage ou si la terre risque de contenir des racines de chiendent, bêchez une autre fois **au printemps,** dès que la terre est débarrassée de l'eau de la fonte des neiges.
Épandez sur le sol l'équivalent de quatre poignées de poudre d'os par mètre carré de plate-bande. **Ameublissez** ensuite un peu plus la terre: passez d'abord le croc,

puis le râteau. Voir le chapitre *Le jardinier bien outillé.*

LES DISTANCES DE PLANTATION

À ÉVITER

Planter serré donne un bel effet plus rapidement, mais en juillet et en août, la plate-bande ne sera pas plus belle que les autres. De plus, le coût de l'opération peut être très élevé.

Voici les intervalles à respecter entre les plants au moment de la plantation:

- Entre les plantes de moins de 25 cm de hauteur: 20 cm.
- Entre les plantes de 25 à 50 cm de hauteur: 30 cm.
- Entre les plantes de 50 à 80 cm de hauteur: 40 cm.
- Entre les plantes de plus de 80 cm: 50 cm et plus, selon l'envergure de la plante adulte.

POUR VOUS FACILITER LA TÂCHE

Servez-vous de votre main pour mesurer l'intervalle entre les plants. Lorsque votre main est écartée au maximum, la distance qui sépare l'extrémité de votre pouce de l'extrémité de votre petit doigt varie entre 16 et 22 cm; elle est donc d'à peu près 20 cm. Quelques centimètres en plus ou en moins ne font pas de différence.

LA SÉPARATION DES PLANTS

POUR RÉUSSIR

Prévoyez un délai de deux ou trois heures minimum entre l'achat des plants et la plantation. Dès que vous arrivez chez vous, arrosez les caissettes. Laissez aux plants le temps de se gorger d'eau. Ils ne reprendront que mieux.

Dans les caissettes, les racines sont mêlées. Pour les séparer en nuisant le moins possible aux plants, il vaut mieux les trancher avec un couteau bien aiguisé que les arracher à leurs voisines. Une plaie nette se cicatrise toujours mieux qu'une déchirure. Voici ce qu'il faut faire.

- Sortez la motte de la caissette en retournant légèrement celle-ci.
- Remettez la motte à l'endroit et déposez-la sur le sol.
- Avec un grand couteau, divisez-la en autant de petits carrés qu'il y a de plants.

LA PLANTATION

Pour assurer une bonne reprise, il vaut mieux ne pas planter au cours d'une journée ensoleillée. Choisissez une journée **nuageuse** ou, mieux, une journée pluvieuse.

Dans une terre bien ameublie, il vous sera très facile de **creuser avec la main** ou avec un plantoir. Le travail est plus rapide et mieux contrôlé avec la main. Le trou doit être plus large et plus profond que chaque carré de racines.

Prélevez une plante et son carré de racines et déposez-la dans son trou en vous assurant que le dessus du carré et la base de la tige sont **enterrés** de quelques centimètres. Il se formera ainsi sur la tige un surplus de racines activant la croissance et la floraison.

Remplissez le trou avec la terre environnante et **tassez** légèrement. Dans un mouvement tournant de la main, ménagez une **cuvette** tout autour de la tige afin de recueillir l'eau d'arrosage et l'eau de pluie. **Arrosez** ensuite copieusement, même si la terre est humide et même s'il pleut. Puis, recouvrez le sol d'un paillis. Voir le chapitre *Des paillis à tout faire*.

PRÉCAUTION À PRENDRE

Si vous n'utilisez pas immédiatement tous les plants d'une caissette, remettez-les dans leur contenant et recouvrez les racines exposées avec quelques poignées de terre d'une plate-bande. Arrosez légèrement. Placez la caissette à l'ombre. Ainsi protégés, les plants pourront facilement attendre deux ou trois jours avant d'être plantés.

L'entretien estival

Dans une bonne terre, les annuelles se contentent d'être admirées pour fleurir sans arrêt. Mais si vous leur prodiguez des soins attentifs, sans pour autant y consacrer tous vos temps libres, vous verrez qu'elles sont capables de prouesses peu communes.

L'ENTRETIEN GÉNÉRAL

Pour ne pas avoir à trop arroser ni à passer votre temps à désherber, recouvrez le sol d'un **paillis** (voir le chapitre *Des paillis à tout faire)*. Si vous n'utilisez pas de paillis, binez régulièrement pour casser la croûte qui se forme sur la terre à la suite des pluies et des arrosages répétés.

Désherbez régulièrement si le besoin s'en fait sentir.

N'arrosez que lorsque la terre est sèche sur au moins 3 cm d'épaisseur. Pour vérifier, soulevez le paillis et grattez un peu la terre. Lorsque vous **arrosez,** soyez certain de donner assez d'eau pour mouiller la terre sur 20 à 30 cm de profondeur.

Si vous voulez mettre de l'engrais

Vaporisez vos plants avec un engrais soluble riche en phosphore, par exemple du 15-30-15.

LA TAILLE

Tout de suite après la plantation, si vous ne l'avez pas fait avant, **coupez** le bout de toutes les tiges. Cette opération oblige les plants à se ramifier, donc à produire un plus grand nombre de fleurs par la suite.

Si les plantes utilisent leur énergie pour fabriquer des graines, elles ne l'utilisent pas pour produire d'autres fleurs. **Enlevez** donc le maximum de fleurs fanées au fur et à mesure qu'elles apparaissent.

POUR VOUS FACILITER LA TÂCHE

Si vous tenez absolument à récolter des graines de vos annuelles, faites-le en fin de saison: août ou septembre.

POUR VOUS DISTINGUER

Pour faire durer jusque tard en saison la floraison des espèces peu sensibles aux premières gelées d'automne, **raccourcissez** en août chaque tige d'environ un quart de sa longueur. La floraison sera suspendue pendant deux ou trois semaines, mais elle n'en sera que plus abondante par la suite.

Géraniums dans le Vieux-Montréal.

La plantation et l'entretien des paniers suspendus

Le plus gros obstacle pour garder beaux les paniers suspendus de fleurs annuelles est le manque d'eau. On entasse plusieurs plantes à végétation vigoureuse dans un pot où les racines sont à l'étroit et où elles ne trouvent pas en abondance l'eau dont elles pourraient disposer dans une plate-bande. Par-dessus le marché, les paniers sont exposés au vent et le soleil chauffe le contenant. Quelques précautions s'imposent si on veut sauver la vie de ses annuelles en paniers suspendus.

Verveine.

OÙ LES METTRE

Placez les paniers suspendus à un endroit où le soleil ne frappe pas plus de quatre ou cinq heures par jour. Évitez aussi les endroits très venteux, spécialement pour les fuchsias qui risquent de se casser.

Placez les paniers à la hauteur des yeux: vous les verrez mieux, c'est plus beau et vous risquez moins d'oublier de les arroser.

LE POT QUI CONVIENT

Plus le pot est gros, mieux c'est. Mais attention, un gros pot est très lourd quand on vient de l'arroser. Installez les supports et les crochets appropriés.

Les pots de plastique ne dépassent pas 25 cm de diamètre, mais il existe des modèles en fil de fer dont on tapisse l'intérieur avec de la mousse de sphaigne.

Les meilleurs pots sont ceux qui sont dotés d'une réserve d'eau. Ils sont assez chers, mais le résultat est très satisfaisant.

POUR VOUS DISTINGUER

Vous pouvez fabriquer vous-même un panier suspendu. Donnez à un morceau de grillage une forme semi-sphérique. Accrochez au pourtour trois ou quatre fils de fer qui serviront de soutien. Tapissez l'intérieur du panier avec une plaque de gazon, l'herbe à l'intérieur. Remplissez de terre et plantez.

LA BONNE TERRE

Pour faciliter l'entretien, la terre doit pouvoir contenir un maximum d'eau et d'éléments nutritifs. Utilisez votre propre recette, un terreau de rempotage commercial ou la recette suivante:
- 3 volumes de terre de jardin;
- 2 volumes de compost;
- 1 volume de tourbe de sphaigne;
- 1 volume de vermiculite.

L'ENTRETIEN GÉNÉRAL

Pour limiter les pertes d'eau, recouvrez la terre d'un paillis, du gazon séché par exemple. Arrosez au besoin: quand la terre commence à sécher et avant que les plantes ne flétrissent.

POUR VOUS FACILITER LA TÂCHE

Apprenez à reconnaître qu'un panier a besoin d'eau seulement par son poids. Soupesez-le tout de suite après un arrosage. Soupesez-le ensuite une fois par semaine en vérifiant en même temps le degré d'humidité de la terre. Vous apprendrez à le connaître.

MISE EN GARDE

Si votre panier se trouve sous un abri ou un toit, vous devrez surveiller l'arrosage sans tenir compte des pluies.

Si vous voulez mettre de l'engrais
Arrosez toutes les deux ou trois semaines avec un engrais soluble à teneur élevée en phosphore, utilisé à demi-dose.

Si vous ne voulez pas mettre d'engrais
Assurez-vous que votre mélange de terre contienne une bonne dose de compost au départ.
Enlevez à mesure feuilles mortes et fleurs fanées.

Fuchsia.

Comment rentrer quelques plantes pour fleurir la maison

Les annuelles fleurissent tout l'été, puis gèlent dès les premiers froids de l'automne. Certaines, comme les pétunias et les nicotinias, résistent à des gelées légères, d'autres, comme les œillets d'Inde et les pourpiers, y succombent rapidement. Mais il en existe d'autres que l'on peut rentrer dans la maison pour faire durer la floraison tout l'automne et une grande partie de l'hiver, voire tout l'hiver. Il suffit de quelques soins attentifs.

Coléus.

LES ESPÈCES QUI FLEURISSENT À L'INTÉRIEUR

Théoriquement, toutes les annuelles pourraient fleurir à l'intérieur. Si la liste est réduite, c'est parce que la plupart d'entre elles ont besoin d'une très grande luminosité pour rester en vie. Or, les maisons qui ne comprennent pas une serre ou un solarium sont trop sombres pour la plupart des annuelles. Il ne reste donc pour supporter la vie intérieure que bégonia (jusqu'à Noël), coléus (tout l'hiver), géranium (tout l'hiver) et impatiens (une partie de l'hiver).

L'ARRACHAGE DES PLANTS

Il faut déterrer les plants d'annuelles cinq à huit jours avant les premières gelées, soit vers la mi-septembre dans la plupart des régions du Québec. Voici comment procéder.

- Choisissez les plants les plus florifères.
- Préparez des pots de 20 cm de diamètre pour les plants les plus vigoureux, de 15 cm pour les autres.
- Déterrez les plants avec une bêche en découpant une motte de 15 à 20 cm de diamètre, selon la vigueur du plant.
- Avec un couteau bien aiguisé, réduisez les petites mottes à 10 cm de diamètre et les grosses, à 15 cm. Coupez les racines par-dessous de manière à pouvoir ajouter 2 à 3 centimètres de bonne terre dans le fond du pot sans que la motte dépasse par-dessus.
- Enlevez les feuilles mortes et coupez toutes les tiges fines et courtes qui encombrent

Coléus.

l'intérieur de la plante. Raccourcissez ensuite les tiges vigoureuses d'un quart de leur longueur, puis réduisez leur nombre d'un tiers.

REMARQUE: Si vous désirez rentrer une plante en panier suspendu à l'automne, offrez-lui le traitement décrit au dernier point ci-dessus pour lui donner une nouvelle vigueur.

PAS N'IMPORTE QUELLE TERRE

Vous obtiendrez un mélange qui apportera aux plantes les éléments dont elles ont besoin pour continuer leur floraison en mélangeant les ingrédients de la façon suivante (prenez comme mesure de volume un pot de 20 cm):

- deux volumes de terreau de rempotage commercial;
- un volume de tourbe de sphaigne;
- un volume de sable grossier ou de billes de polystyrène;
- une cuillerée à soupe de poudre d'os;
- une cuillerée à soupe de chaux.

Une fois les plantes taillées, plantez-les dans ce mélange, puis arrosez-les copieusement. Laissez-les dehors quelques jours, le long d'un mur exposé à l'est, jusqu'aux premiers risques de gel. Rentrez-les ensuite. La floraison devrait reprendre au bout d'un mois.

UN ENTRETIEN FACILE

Placez les plantes le plus près possible de la fenêtre la plus ensoleillée de la maison. Gardez la température à l'intérieur aussi fraîche que possible, surtout la nuit.

Laissez sécher la terre entre les arrosages et videz la soucoupe une heure après avoir arrosé.

Si les plantes reçoivent beaucoup de soleil, **il est recommandé mais pas obligatoire** de fertiliser toutes les deux ou trois semaines avec un engrais soluble de type 15-30-15.

DÉMARRER AVEC DES BOUTURES

Au lieu de rentrer les plantes annuelles qui ont passé l'été à fleurir et qui sont peut-être un peu fatiguées, vous pouvez les **bouturer,** c'est-à-dire faire enraciner des portions de tiges. Les plants obtenus sont généralement plus florifères, mais ils prennent plus de temps à fleurir.

On coupe les boutures de **bégonia** et d'**impatiens** a une longueur de 5 cm, juste en dessous d'une feuille. Les boutures de **géranium** et de **coléus,** de 10 cm de longueur, sont prélevées à l'extrémité des tiges vigoureuses.

Plantez les boutures dans un pot rempli de **vermiculite** et placez-les près d'une fenêtre bien éclairée.

Dès que les racines sont formées (au bout de 6 à 8 semaines), **transplantez** les boutures à raison de trois ou quatre par pot de 15 cm.

Le choix des plants

Plusieurs municipalités interdisent de planter certaines espèces d'arbres sur leur territoire, les jugeant trop envahissantes, ce qui n'est pas toujours fondé. Le terme «envahissant» devrait en fait s'appliquer à tous les arbres dont les dimensions sont disproportionnées par rapport à celles du terrain. Soyez donc votre propre censeur et achetez seulement des arbres qui conviennent à vos usages et à la superficie de votre propriété. Sachez quoi rechercher pour qu'ils répondent rapidement à vos attentes.

LES DIMENSIONS À L'ACHAT

Dans les commerces horticoles, la plupart des arbres peuvent être aisément manipulés par une ou deux personnes. Ce sont des sujets de **petit calibre** que vous ne devriez avoir aucun mal à planter.

Par contre, certaines pépinières se spécialisent dans la vente de spécimens de **gros calibre** dont la motte peut peser plus de 1000 kg. Ces arbres donncront rapidement l'ombre souhaitée mais vous aurez besoin d'une pelle mécanique pour les planter.

LA PRÉSENTATION EN PÉPINIÈRE

POUR ÉCONOMISER

Si vous magasinez tôt au printemps, vous pourrez acheter des arbres empotés et invendus l'année précédente. Ils sont bien enracinés, donc beaucoup plus vigoureux que les sujets empotés le printemps même. Leur pot biodégradable est généralement pourri et les racines sortent de partout, mais l'arbre en sera d'autant plus facile à transplanter.

Tôt au printemps, vous pourrez aussi trouver dans les commerces horticoles des arbres dits «à racines nues». Ils ne sont pas dans des pots, et ils doivent impérativement être plantés avant que le feuillage sorte des bourgeons. En mai, juin et pendant tout l'été, vous trouverez des arbres empotés le printemps même. Leurs racines ne sont pas très **développées.** Il faut donc les planter rapidement, les tuteurer et les arroser copieusement.

POUR ACHETER SANS VOUS TROMPER

Au cours de l'été et au début de l'automne, les racines des arbres empotés au printemps ont eu le temps de s'établir dans leur pot. La reprise sera donc meilleure et vous aurez plus de facilité à les planter.

L'ASPECT PHYSIQUE

L'arbre que vous achetez ne doit avoir qu'**un seul tronc,** bien droit. La hauteur à laquelle partent les premières branches latérales varie de 1,50 m à 2 m.
Une forme **irrégulière** n'est pas forcément laide, mais dans la plupart des cas, on choisit un arbre dont les branches latérales sont également réparties autour du tronc.

MISE EN GARDE

En cours de manutention, l'écorce des arbres a pu être endommagée, spécialement dans la partie inférieure du tronc. Une éraflure légère ou une petite coupure se cicatrise rapidement et sans séquelles. Mais n'achetez pas d'arbres présentant des blessures plus graves.

L'ASPECT SANITAIRE

En pépinière, il est très rare que les arbres présentent des **attaques** d'insectes ou de maladies. Vérifiez cependant que les feuilles

Au-dessus d'un certain calibre, les arbres sont vendus en mottes enveloppées de jute, qui doivent être enfouies dans du sable en pépinière.

ne soient ni décolorées, ni boursouflées, ni enroulées, ni tachées.

MISE EN GARDE

Ne prenez pas pour un jaunissement maladif un feuillage naturellement jaune ou bien des jeunes pousses vert pâle qui deviendront vert foncé avec l'âge.

Dans les pots, la terre doit être légèrement **humide.** Dans le cas contraire, on peut supposer que les arbres ont été négligés et sont donc affaiblis.

ARBRES

Notions de taille

Pour éviter que les arbres ne deviennent la victime de leur propre croissance, pour éviter qu'ils ne deviennent prématurément la proie des haches et des scies avides, il faut les tailler régulièrement, dès leur plus jeune âge, en suivant quelques principes.

La taille ne doit être pratiquée qu'après la chute des feuilles.

UNE QUESTION DE RESPECT

Voici quelques règles préliminaires à respecter. Les négliger peut causer un réel traumatisme à l'arbre.

- Tailler un arbre ne doit pas empêcher celui-ci de prendre la forme adulte propre à son espèce.
- La taille ne peut avoir lieu pendant la période de croissance active car, tant que les feuilles sont sur les branches, elles jouent un rôle dans la mise en réserve d'éléments nutritifs dont l'arbre a besoin pour passer l'hiver et pour repartir sans problème au printemps.
- Quand la taille a lieu dans les premières années de la vie de l'arbre, même une fois arrivé chez vous, on l'appelle la taille de formation. Elle a pour but de donner une charpente solide à l'arbre et de stimuler la multiplication active du nombre de branches dans la partie basse. On retarde ainsi d'autant l'apparition des branches dans les fils électriques et les fils de téléphone.
- La taille régulière est préventive.
- Quand il est effectué sur des arbres adultes, l'élagage sévère signe généralement l'arrêt de mort d'un arbre. Un poteau ne repousse jamais. On s'insurge souvent contre l'utilisation des souris en laboratoire. Il

NOTIONS DE TAILLE DES ARBRES

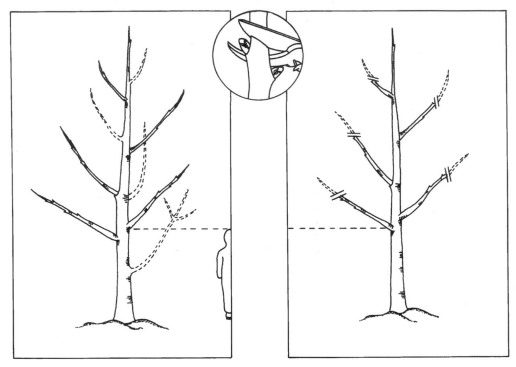

Ne gardez que les branches bien placées.

Raccourcissez les branches restantes du quart.

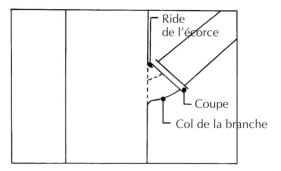

Coupez les grosses branches à la scie.

faudrait aussi s'élever contre le massacre des arbres à la scie.

- On ne coupe jamais une grosse branche — ou pire un tronc — sans laisser à l'extrémité une petite branche où la sève se précipitera au printemps. On appelle ces branches des «tire-sève».

- Si vous voulez planter des arbres mais que votre ciel est infesté de fils électriques ou téléphoniques, choisissez des espèces à petit développement (voir en quatrième partie) qui ne demandent pratiquement aucune taille.

266

Un arbre ne devrait avoir qu'un seul tronc. C'est une question d'esthétique mais aussi une question de solidité. Si deux troncs partent de la base, ne laissant entre eux qu'un angle très fermé, la jonction des deux cache une faiblesse et une simple chute de verglas peut entraîner une rupture dangereuse. Ne gardez donc qu'un tronc par arbre.

PRINCIPES DE BASE

Voici quelques principes de base pour vous aider à vous lancer dans la taille des arbres dès leur jeune âge. Si vous ne vous sentez pas capable de le faire, adressez-vous à un arboriculteur.

- Utilisez toujours des outils bien aiguisés. Un sécateur et une scie égoïne sont les deux outils dont vous avez besoin.
- Gardez toujours, dans le prolongement du tronc, une branche centrale (flèche), et une seule, que vous laisserez pousser sans la tailler pendant plusieurs années.
- À environ 1,50 m du sol, choisissez cinq ou six branches latérales disposées à intervalles réguliers autour du tronc et dont la base forme un angle de 40 ° à 70 ° avec le tronc.
- Au fur et à mesure que l'arbre grandit, sélectionnez d'autres étages de branches latérales distancées des précédentes de 1 m à 1,50 m.
- Éliminez toutes les branches dont l'angle est fermé (inférieur à 30 °).
- Éliminez toutes les branches frêles et celles qui poussent vers l'intérieur de l'arbre sur les branches latérales.
- Pour forcer l'arbre à s'étoffer et à se ramifier, coupez l'extrémité des branches latérales juste au-dessus d'un bourgeon dirigé vers l'extérieur de l'arbre.
- Pour cette même raison, lorsque l'arbre atteint au moins 3 m de hauteur, coupez l'extrémité de la flèche, juste au-dessus d'un bourgeon.
- Au sécateur, coupez les jeunes tiges le plus ras possible.
- Quand vous coupez une grosse branche latérale à la scie, ne la coupez pas à ras. Gardez un angle d'environ 40 ° avec la branche porteuse.

Quand vous coupez une branche, quel qu'en soit le diamètre, ne laissez pas de chicot. En grossissant, l'arbre va l'absorber; le chicot va pourrir à l'intérieur et l'arbre va devenir creux. Il faudra donc l'abattre avant qu'il ne se casse et tombe sur quelqu'un.

Si vous avez d'importants travaux d'élagage à faire, peu importe si vous le faites vous-même ou si vous le faites faire, procurez-vous la brochure BNQ 0630-100 du Bureau de normalisation du Québec. Vous y trouverez la définition des termes usuels et des techniques, la description des opérations d'élagage et des illustrations sur les meilleures façons de tailler.

Ne mettez jamais d'**enduits** sur les plaies de taille. Ces produits n'ont qu'un effet psychologique rassurant sur la personne qui les applique. Ils empêchent le bois de sécher et la plaie de se cicatriser rapidement.

CAS PARTICULIERS

- Tous les deux ans, dès la deuxième année suivant la plantation et jusqu'à la huitième année, coupez tout le haut des **peupliers.** Cette opération les force à se ramifier

Enlevez les pousses qui naissent sur le tronc des féviers.

dans le bas et semble les aider à mieux passer les hivers.

- Quand une branche portant des feuilles vertes apparaît sur l'**érable de Drummond** à feuilles panachées, vert et blanc, coupez-la à ras immédiatement. Pour une question génétique, elles sont plus vigoureuses que les autres et risquent carrément de les étouffer.
- Au printemps, sur les jeunes **féviers,** éliminez toutes les jeunes pousses qui naissent le long du tronc. Ne gardez que la flèche et les branches latérales déjà formées.
- Certaines espèces d'arbres dont la forme naturelle est une boule, comme l'**érable globulaire** ou le **catalpa parasol,** n'ont pas besoin de taille. D'autres, comme les **pommetiers,** les **érables** et les **chênes en colonne** n'ont besoin que d'une taille réduite. Au printemps ou en automne, après la chute des feuilles, coupez toutes les

jeunes tiges qui se sont formées à la base de la partie de la flèche qui s'est développée l'été précédent. Raccourcissez ensuite les branches latérales d'environ un quart de leur croissance la plus récente.

- Ne taillez les espèces à fleurs (**pommetier, aubépine**) qu'après la floraison.

POUR VOUS DISTINGUER

Si les érables situés en avant de chez vous jouent d'un peu trop près avec les fils, faites en sorte que les émondeurs ne percent pas des trous inesthétiques dans la ramure. Demandez-leur plutôt de faire comme à L'Assomption. Dans cette municipalité, les branches maîtresses des érables sont dégarnies jusqu'au-dessus des fils. L'effet est très particulier: les arbres ont l'air plus majestueux, l'ombre est plus légère et les maisons ne sont ni camouflées ni écrasées par la végétation.

Ce jeune pommetier de quatre ans a été taillé sévèrement pour qu'il produise un grand nombre de latérales.

La fertilisation

Dans un bon sol, les arbres se développent pratiquement sans qu'on s'en occupe. Mais si vous souhaitez stimuler leur croissance avec des engrais minéraux ou organiques, assurez-vous de savoir exactement où se trouvent leurs racines nourricières. Ou bien vaporisez les feuilles avec de l'engrais soluble.

L'EMPLACEMENT DES RACINES NOURRICIÈRES

Il est **inutile** de mettre quelque nourriture que ce soit directement autour du tronc d'un arbre. Ce n'est pas là que se trouvent ses racines nourricières. Les racines que l'on voit à la surface du sol sont des racines de soutien seulement. C'est à leur extrémité que se trouvent les racines nourricières.

Si les racines nourricières étaient sous les arbres, elles n'auraient jamais d'**eau.** La pluie glisse en effet sur les feuilles et tombe en grosses gouttes sur le sol à l'aplomb de l'extrémité des branches latérales les plus longues. Voir le croquis dans le chapitre *L'arrosage bien pensé.* On estime qu'en moyenne, dans les sols profonds, le volume qu'occupent les racines dans le sol est légèrement inférieur au volume de l'arbre lui-même. Les racines les plus profondes sont **inaccessibles.**

Pour **déterminer** approximativement l'emplacement des racines nourricières, suivez les étapes suivantes:

- Attachez l'extrémité d'une corde au tronc et tenez l'autre dans une main. Dans l'autre main, serrez une dizaine de piquets de bois.
- Placez-vous directement sous l'extrémité des branches latérales les plus longues, à la base de l'arbre.
- Faites le tour de l'arbre en restant toujours à la même distance du tronc.
- Tout en avançant, plantez les piquets à intervalles réguliers.

TECHNIQUE GÉNÉRALE

Appliquez l'engrais choisi sur une bande de terrain circulaire de 80 cm de largeur (40 cm de chaque côté des piquets).

La façon de faire la plus efficace est la méthode des trous:

- Avec une barre de fer, pratiquez tous les 50 cm un trou de 50 cm de profondeur, sans sortir de la zone délimitée plus haut.
- Arrosez abondamment à la main, trou par trou.
- Finissez de remplir les trous avec de la terre de jardin.

Si vous voulez mettre de l'engrais

Versez dans les trous une poignée d'engrais granulaire adapté à l'espèce et environ 1/2 litre de solution d'un engrais soluble minéral (20-20-20) ou organique (algues liquides, émulsion de poissons, etc.).

Si vous ne voulez pas mettre d'engrais

Remplissez les trous de compost ou de fumier.

AVEC UNE SONDE

Les sondes vendues dans les commerces horticoles injectent dans le sol, à plus de 50 cm de profondeur, des engrais solubles. Voici comment on les utilise.

- Raccordez la sonde au tuyau d'arrosage.
- Versez dans le réservoir la quantité d'engrais soluble voulue.
- Enfoncez la sonde tous les 50 cm dans la zone délimitée plus haut.

- Appuyez sur la manette.
- L'eau dilue l'engrais en passant dans la sonde et s'infiltre latéralement et verticalement dans le sol.
- Pour connaître la durée de l'injection, suivez les instructions du fabricant.

LA VAPORISATION FOLIAIRE

La méthode de fertilisation foliaire est basée sur la capacité des feuilles à absorber directement de petites quantités d'éléments fertilisants. Pour la mettre en pratique, procurez-vous un vaporisateur portatif, ainsi que l'engrais soluble approprié au type d'arbre (à fleurs ou non) que vous voulez fertiliser.

POUR RÉUSSIR

En général, les engrais à haute teneur en phosphore stimulent la croissance de tous les arbres. Dans la formule de l'engrais (voir le chapitre *La fertilisation, un surplus pour les plantes*), le chiffre indiquant la teneur en phosphore est le deuxième de la formule.

Versez dans le vaporisateur un peu moins que la dose recommandée par le fabricant. Une plus petite dose appliquée à haute fréquence est plus efficace qu'une grosse dose appliquée à de plus grands intervalles.

PRÉCAUTION À PRENDRE

Bien qu'il n'y ait pas de preuves scientifiques pour corroborer cette expérience de jardinier, les arbres relativement peu rustiques, comme les catalpas et les liriodendrons, semblent passer un meilleur hiver lorsque les feuilles sont vaporisées, à la fin du mois d'août, avec un engrais soluble à haute teneur en phosphore.

LA FRÉQUENCE

Si vous utilisez du compost, du fumier ou du terreau, fertilisez vos arbres tous les deux ans, au printemps. Si vous utilisez de l'engrais soluble: une fois au printemps et une autre en été. Si vous utilisez de l'engrais granulaire, la bonne fréquence est tous les deux ans, au printemps.

PRÉCAUTION À PRENDRE

Quel que soit l'engrais utilisé, chaque fois que vous fertilisez, mettez l'engrais dans des trous différents.

Si vous vaporisez de l'engrais soluble sur les feuilles, deux fois au printemps et une fois en été suffisent, mais certains jardiniers zélés fertilisent toutes les deux semaines de mai à septembre.

Quoi faire avec les feuilles

Le ramassage et le compostage des feuilles par les municipalités font partie de la prise de conscience générale de l'environnement que l'on a connue récemment. Mais on s'est rendu compte également que jeter ou brûler cette matière renouvelable était du gaspillage d'énergie. Voyons à quoi elle peut servir.

PROTECTION

Vous pouvez utiliser les feuilles à l'état brut comme isolant pour les cultures fragiles:

- Autour des rhododendrons et autres arbustes peu rustiques: remplissez l'enceinte de clôture à neige qui entoure les plants avec des feuilles mortes sèches.
- Couvrez vos rosiers greffés d'un lit de feuilles mortes de 1 m d'épaisseur. Maintenez les feuilles en place avec des planches jetées sur le tas.
- Si vous conservez vos bulbes annuels à l'extérieur (voir *Comment les hiverner*, dans les chapitres sur les bulbes annuels), recouvrez l'abri d'un épais lit de feuilles.

ENGRAIS ORGANIQUE

Les feuilles sont de la matière organique contenant des éléments nutritifs fabriqués par les arbres. Il est donc normal de redonner cette nourriture aux plantes. Voir le chapitre *Le compost, plat préféré des végétaux*.

MISE EN GARDE

Les feuilles d'arbres fruitiers malades peuvent infester vos cultures. Ce sont les seules feuilles qu'il faut absolument jeter.

Enfouir les feuilles directement au potager ou dans les plates-bandes est une bonne pratique, mais elles prennent plus d'un an à se décomposer. Vous pouvez aussi les empiler telles quelles dans votre composteur, mais elles risquent de former des galettes avant de se décomposer. Elles se décomposeront plus facilement et plus rapidement si vous les hachez au préalable avec la tondeuse dont la hauteur des roues est réglée à 7-8 cm. Deux façons de faire s'offrent à vous:

- Ou bien vous passez la tondeuse sur la pelouse avant de ramasser les feuilles. Cette méthode est très efficace si votre tondeuse est munie d'un sac de ramassage: vous n'avez pas besoin de passer le râteau.
- Ou bien vous ramassez les feuilles et vous les amenez dans un coin de la pelouse — ou sur une terrasse de pavés ou de dalles — et là, vous passez la tondeuse en formant de nouveaux tas au fur et à mesure que vous hachez. Ramassez ensuite les feuilles au râteau ou au balai et portez-les dans votre composteur.

FAITES UN DON

Si vous souhaitez absolument vous débarrasser de vos feuilles, donnez-les à un voisin ou à la municipalité. Les villes et les villages organisent de plus en plus de collectes de feuilles mortes. Pour quelques sous, elles mettent même à la disposition des citoyens des sacs de collecte en papier recyclable.

S'il existe dans votre localité un organisme environnemental ou un jardin communautaire, renseignez-vous: on a peut-être besoin de vos feuilles pour fabriquer du compost.

Le choix des plants

Quand on a de grands pieds, on n'aime pas les petites chaussures. Quand on est un arbuste désireux de pousser jusqu'à 2 m de largeur, on n'aime pas se trouver coincé entre deux conifères. Choisissez vos arbustes en fonction de l'espace disponible, pas seulement en fonction de vos goûts personnels. Pour bien acheter, soyez attentif à l'apparence des plants.

LA PRÉSENTATION EN PÉPINIÈRE

Les arbustes sont disponibles en pots de fibres bruns ou en pots de plastique.

Dans les pots de fibres, les plants ont généralement été empotés le printemps même. Si vous visitez les pépinières tôt au printemps, vous pourrez trouver des sujets empotés l'année précédente, bien établis dans leur pot.

Dans les pots de plastique, vous pouvez trouver deux sortes de plants:
- ceux qui y ont été plantés au moment où ils n'étaient que des boutures: on parle alors d'arbustes en conteneurs;
- ceux qui y ont été transplantés récemment: ce ne sont pas des arbustes en conteneurs.

Les arbustes en conteneurs sont très vigoureux et surtout bien enracinés. Ils sont de meilleure qualité que les arbustes empotés en pots de plastique. Avant d'acheter, sortez le plant de son pot (ou faites-le faire par un vendeur). Les racines doivent occuper au moins un tiers du volume: plus il y en a, mieux c'est.

Arbuste en conteneur.

L'ASPECT PHYSIQUE

Choisissez des arbustes bien ramifiés à leur base, aux branches vigoureuses, au feuillage sain. La présence de branches séchées n'est pas grave si la plante est en bonne santé, mais il faudra les couper au moment de la plantation.

MISE EN GARDE

En cours de manutention, l'écorce des arbustes a pu être endommagée, surtout dans la partie inférieure. Une éraflure légère ou une petite coupure se cicatrise rapidement et sans séquelles. Mais n'achetez pas d'arbustes présentant des blessures plus graves.

LA SANTÉ

En pépinière, il est très rare que les arbustes présentent des attaques d'insectes ou de maladies. Vérifiez cependant que les feuilles ne soient ni décolorées, ni boursouflées, ni enroulées, ni tachées.

MISE EN GARDE

Ne prenez pas pour un jaunissement maladif un feuillage naturellement jaune ou des jeunes pousses vert pâle qui deviendront vert foncé avec l'âge.

Dans les pots, la terre doit être légèrement humide. Dans le cas contraire, on peut supposer que les arbustes ont été négligés donc qu'ils sont affaiblis.

Notions de taille

Dans la nature, les arbustes poussent sans qu'on les taille. Pour des raisons esthétiques et pour que son arbuste ait toujours une ramure fraîche et vigoureuse, le jardinier a recours à son sécateur ou à sa scie égoïne. Les raisons de tailler sont nombreuses, mais il convient de respecter quelques principes.

RAISONS DE TAILLER

À ÉVITER

Si vous devez tailler pour restreindre la croissance d'un arbuste, vérifiez donc s'il n'est pas planté trop près de ses voisins. Assurez-vous par la même occasion qu'il a suffisamment d'espace pour s'épanouir dans toutes ses dimensions adultes.

La taille a pour but:

- de stimuler la croissance des sujets faibles;
- d'orienter la croissance dans une direction donnée;
- de rajeunir les vieux sujets;
- de stimuler la floraison;
- d'éliminer le bois mort ou malade;
- de redonner une belle forme à un arbuste endommagé;
- de réduire la vigueur d'un arbuste zélé;

Le rajeunissement des vieux sujets consiste non seulement à raccourcir les vieilles branches, mais aussi à en réduire le nombre. Ici, un chèvrefeuille.

Ce prunier pourpre des sables a été sévèrement taillé tôt après la floraison; deux mois après, il aura produit des pousses de 50 à 75 cm de longueur.

- de donner une forme particulière à un arbuste vigoureux. Voir le chapitre *Faire un arbre avec un arbuste.*

QUAND TAILLER?

La taille des arbustes **à floraison printanière** doit être faite tout de suite après la floraison.

La taille des arbustes **à feuillage décoratif** et des arbustes **à floraison estivale** a lieu au printemps, de préférence avant la sortie des premiers bourgeons. Cette taille est généralement sévère pour permettre la production de nouvelles tiges qui porteront les fleurs.

LE SENS DE LA TAILLE

On taille toujours en **biseau.** De manière générale, quand vous raccourcissez une branche, coupez juste **au-dessus d'un bourgeon** orienté vers l'extérieur de l'arbuste de manière à aérer l'intérieur.

S'il y a un «**trou**» dans la ramure, vous pouvez le boucher en raccourcissant deux ou trois tiges voisines juste au-dessus d'un bourgeon orienté vers le trou en question.

Si, dans le cas du sureau par exemple, les bourgeons sont **groupés par deux** tout le long des tiges et opposés l'un à l'autre, taillez juste au-dessus et, quand les deux nouvelles pousses apparaissent, éliminez celle qui ne se dirige pas dans la direction souhaitée.

Quand vous taillez une grosse branche, essayez de couper juste au-dessus d'une petite branche, même minuscule. On appelle celle-ci un «**tire-sève**». Elle assure une croissance rapide.

Éliminez toutes les tiges courtes et frêles qui poussent le long des branches les plus vigoureuses.

PRINCIPES GÉNÉRAUX

- **Ne badigeonnez pas** les plaies avec un enduit. Celles qui ont été faites avec un sécateur

peuvent rester telles quelles. Celles qui ont été faites à l'aide d'une scie ont besoin d'être rafraîchies. Cette opération consiste à couper horizontalement la partie superficielle de la plaie avec un couteau bien aiguisé, un greffoir ou une serpette. Le principe est le suivant: **une coupure se cicatrise toujours mieux qu'une déchirure.**

- Les drageons (tiges qui poussent directement sur les racines) sont utiles quand vous voulez donner de l'expansion à un arbuste (sureau, sorbaria, lilas). Sinon, creusez un peu et allez les couper au ras de la racine qui les a émis.

- Quel que soit le diamètre de la branche latérale que vous taillez, coupez toujours **au ras** de la branche maîtresse: les chicots nuisent à la bonne croissance de l'arbuste, l'affaiblissent pour longtemps et constituent une porte d'entrée pour les maladies.

- Dans le cas d'un arbuste non taillé, le volume de terre occupé par les racines est sensiblement égal à l'espace occupé par les branches et les feuilles. Si l'on taille sévèrement, l'arbuste cherche à **rééquilibrer** les deux volumes. Il produit donc rapidement des tiges vigoureuses et longues: jusqu'à 1,50 m en une saison chez certaines espèces.

POUR RÉUSSIR

Un arbuste taillé sévèrement tous les ans a besoin d'une bonne quantité de nourriture. Assurez-vous que la terre contienne suffisamment d'éléments nutritifs. Enfouissez à la surface du sol un peu de compost tous les ans ou au moins tous les deux ans. Si le besoin s'en fait sentir, vaporisez un engrais soluble sur les feuilles. Voir le chapitre *Arbres, la fertilisation.*

- Éliminez systématiquement les branches **mortes ou malades**: coupez le plus près possible d'une branche saine ou du sol, selon le cas.

- On considère qu'une branche est vieille lorsqu'elle a plus de **cinq** ans: son écorce est foncée et les nouvelles pousses qu'elle porte sont de plus en plus courtes et menues.

POUR RÉDUIRE L'ENTRETIEN

La meilleure façon de conserver un arbuste jeune sans avoir à le tailler sévèrement est la suivante:

- Limitez le nombre de branches maîtresses qui partent du sol à 5 ou 10 ou 15, selon la vigueur de l'arbuste.
- Au printemps, taillez au ras du sol le quart ou le cinquième des branches maîtresses et sélectionnez le nombre équivalent de tiges de l'année précédente.
- Répétez la même opération chaque année. Au bout de quatre ou cinq ans, vous aurez complètement renouvelé les branches et aucune d'entre elles ne vieillira assez pour s'affaiblir.

CAS PARTICULIERS

- S'ils sont plantés en plein soleil, dans une terre riche et profonde, les **cornouillers** peuvent être taillés à 20 cm du sol tous les ans. Mais une fois tous les trois ans suffit. Le reste du temps, raccourcissez les tiges principales à 60-80 cm de longueur.
- Après la floraison de l'**amandier décoratif,** raccourcissez d'un tiers les branches les plus vigoureuses et des deux tiers les branches secondaires, plus courtes, plus frêles.
- Au printemps, taillez au ras du sol toutes les tiges de l'**hydrangée arborescente.**
- Sur l'**hydrangée paniculée,** éliminez seulement les vieilles branches. Si vous voulez en faire un petit arbre avec un

tronc, consultez le chapitre *Faire un arbre avec un arbuste.*

- La taille d'entretien des **lilas** se limite à l'élimination des vieilles branches et des drageons superflus. Gardez quelques drageons vigoureux pour remplacer les vieilles branches. La taille de rajeunissement consiste à couper les vieilles branches à la hauteur des yeux environ, puis à éliminer tous les drageons. La floraison n'a lieu que deux printemps plus tard.
- Le **stéphanandra** est un magnifique arbuste de petite taille, aux tiges arquées et orangées. Chaque printemps, gardez 10 à 15 tiges par plant et coupez les autres à 1 ou 2 cm de leur base.
- Tous les ans, les **spirées naines** et **japonaises** produisent une grande quantité de nouvelles tiges qui naissent à la base du plant. Au printemps, vous pouvez couper à leur base jusqu'à 30 % des tiges âgées de plus de deux ans. En répartissant la taille des tiges les plus vieilles sur plusieurs années, vous aurez toujours des arbustes équilibrés.

LA TAILLE ESTIVALE

La taille estivale des arbustes n'est pas nécessaire, à l'exception des haies.

À ÉVITER

N'importe quelle taille demande que l'on respecte autant que possible la forme naturelle de l'arbuste. Ne taillez donc pas en boule les seringats et les physocarpes. L'effet est inesthétique et, quand la taille est trop sévère, les vieilles branches apparaissent sous les quelques feuilles restantes. Pour redonner leur forme naturelle à ces arbustes, procédez à une taille de rajeunissement en coupant les branches maîtresses à 30 cm du sol.

Faire un arbre avec un arbuste

Un arbuste sera toujours un arbuste. Naturellement, il pousse en buisson, c'est-à-dire que les branches partent du sol. Certaines espèces peuvent être contrôlées pour prendre la forme de petits arbres, avec un tronc dégarni et des branches latérales qui partent à 1,50 m de hauteur. L'effet est intéressant et permet d'apporter de la diversité dans un aménagement.

Sureau doré.

LES CONDITIONS

Pour qu'on puisse «faire un arbre avec un arbuste», l'espèce choisie doit:
- être vigoureuse, c'est-à-dire avoir des pousses de 1 m et plus par année, et
- porter des tiges qui, avec l'âge, deviennent rigides et dures, et peuvent former un tronc capable de soutenir la ramure.

De plus, le plant choisi doit être jeune.

LES ESPÈCES SUGGÉRÉES

Les meilleures espèces pour ce genre d'expérience sont: amandier décoratif, amélanchier, caragana arborescent, érable de l'Amur, fustet, hydrangée paniculée, lilas japonais, magnolia étoilé, physocarpe, prunier pourpre des sables, sureau, viorne 'Boule de neige'. Vous pouvez tenter l'expérience avec d'autres espèces, mais il se peut que le manque de rigidité des tiges vous cause des problèmes et que vous ayez à attendre plus longtemps les résultats.

MISE EN GARDE

Il existe sur le marché des espèces d'arbustes (cornouiller, cotonéaster, lilas, amandier décoratif, etc.) vendues avec un tronc d'environ 1,50 m de hauteur, mais ce sont des **espèces greffées.**

FAIRE UN ARBRE AVEC UN ARBUSTE

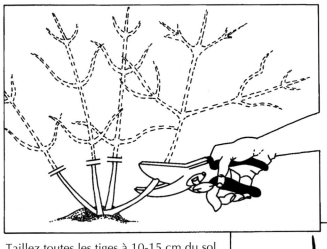

Taillez toutes les tiges à 10-15 cm du sol.
(Première année)

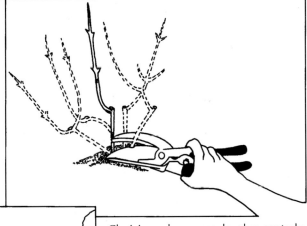

Choisissez la pousse la plus centrale, la plus vigoureuse et la plus droite. Coupez les autres pousses le plus ras possible. (Deuxième année)

Éliminez les pousses qui naissent à la base et, quand la tige centrale vous arrive à la hauteur des yeux, coupez-lui la tête. (Troisième année)

LES ÉTAPES DE FORMATION

Voici comment procéder:
1. Commencez tôt au printemps avec un arbuste planté chez vous depuis moins de deux ans ou avec un arbuste que vous venez de planter.
2. Taillez toutes les tiges à 10-15 cm du sol.
3. Quand les nouvelles pousses apparaissent, laissez-les toutes atteindre de 40 à 50 cm de hauteur.
4. Choisissez la pousse la plus centrale, la plus vigoureuse et la plus droite.
5. Coupez les autres pousses le plus ras possible.
6. Si des tiges sortent du sol (ce sont des drageons), creusez un peu et allez les couper au ras de la racine qui les a émises.
7. Éliminez systématiquement toutes les pousses qui naissent sur les racines ou à la base de l'arbuste.
8. Quand la tige que vous avez gardée vous arrive à la hauteur des yeux, coupez-lui la tête. Elle est devenue le tronc de votre nouvel arbre.
9. Tuteurez-la.
10. Si des jeunes pousses apparaissent le long du nouveau tronc, faites-les sauter avec vos ongles. Ne gardez que les quatre ou cinq tiges latérales qui poussent à l'extrémité du tronc et laissez-les se développer jusqu'en automne.

LES ANNÉES SUIVANTES

Au printemps suivant, raccourcissez les tiges latérales des deux tiers. Si des jeunes pousses apparaissent le long du nouveau tronc, faites-les sauter avec vos ongles. Éliminez aussi les drageons: il s'en forme un peu tous les ans, mais au bout de la troisième année, il n'y en a presque plus.

DANS LE PAYSAGE

Les arbustes transformés en arbre deviennent des **plantes vedettes** dans le paysage. Isolez-les donc dans un endroit où ils seront bien visibles. Ou bien placez-les dans une plate-bande de plantes bulbeuses, de vivaces et d'annuelles. Votre petit arbre aura fière allure s'il a l'air de **dominer** la végétation environnante. Faites donc pousser à ses pieds des plantes à petit développement.

Chicots et branches mortes enlaidissent les arbustes tout en favorisant le développement des maladies.

La multiplication par bouturage et marcottage

Le marcottage des arbustes est facile et la réussite en est presque garantie, mais il exige beaucoup d'espace. Le bouturage est plus délicat mais il permet de produire un plus grand nombre de nouveaux plants à la fois.

DEUX MÉTHODES

- Le **bouturage** consiste à prélever une portion du végétal que l'on veut reproduire et à provoquer la formation de racines ou de tiges sur cette portion.
- Le **marcottage** consiste à provoquer la formation de racines sur des tiges **avant** de les séparer de la plante qui les a produites.

LE BOUTURAGE DE RACINES

On peut multiplier par le bouturage de racines les arbustes suivants: cognassier du Japon, cotonéaster, daphné, fustet, lilas, sorbaria, symphorine et vinaigrier. Il faut le faire en avril ou en mai, dès qu'on peut travailler la terre. Voici comment on procède.

1. Prélevez des portions de racines de la grosseur d'un crayon et de 5 à 6 cm de longueur.
2. Plantez-les droites dans des pots de 10 cm de diamètre remplis de terre légère, l'extrémité la plus grosse dépassant légèrement.
3. Placez-les dans un endroit ombragé du jardin, ne recevant pas plus de deux heures de soleil par jour.
4. Quand les nouvelles tiges ont 10 cm de longueur, plantez-les à l'endroit voulu.

LE BOUTURAGE DE TIGES ENCORE VERTES (SEMI-HERBACÉES)

Vous pouvez multiplier par bouturage de tiges encore vertes les arbustes suivants: amandier, caragana, chèvrefeuille, cornouiller, cotonéaster, deutzia, forsythia, fusain, genêt, groseillier, mahonia, physocarpe, potentille, prunier pourpre, saule arctique, spirée, symphorine. Cela se fait à la mi-juillet, quand les tiges commencent juste à durcir. Voici la marche à suivre.

1. Prélevez la partie terminale de tiges vigoureuses. Elle doit mesurer de 10 à 12 cm de longueur.
2. Enlevez les deux feuilles ou paires de feuilles de la base et réduisez de moitié le nombre de celles qui restent.
3. Trempez la base des boutures dans une poudre d'hormone d'enracinement.
4. Plantez-les jusqu'aux premières feuilles dans une caissette contenant du terreau stérilisé. Surélevez la caissette pour qu'elle ne touche pas le sol: elle se maintient plus chaude ainsi, ce qui profite aux boutures.
5. Placez-les dans un coin du jardin recevant une ombre légère. Confectionnez-leur une tente avec une feuille de plastique blanc pour garder l'humidité à l'intérieur. Aérez deux ou trois fois par semaine.
6. Arrosez quand le dessus de la terre commence à sécher.
7. Transplantez les boutures fin août début septembre dans une plate-bande qui sera protégée par une épaisse couche de neige en hiver.

LE BOUTURAGE DE TIGES ENDURCIES (AOÛTÉES) AVEC FEUILLES

Le terme «**aoûté**» vient de août et désigne l'état d'une jeune pousse qui a durci en se couvrant d'une écorce. Vous pouvez tenter le bouturage de tiges aoûtées des arbustes suivants: groseillier, hydrangée, hibiscus, mahonia, millepertuis, potentille, raisin d'ours, rosier rustique, sorbaria, spirée, sureau, symphorine, tamaris. Cela se fait à la fin d'août ou au début de septembre, de la façon suivante.

- Prélevez la partie terminale de tiges de vigueur moyenne, l'extrémité des tiges trop vigoureuses pouvant ne pas être suffisamment aoûtée. Les boutures doivent mesurer de 8 à 12 cm de longueur.
- On plante et on entretient ces boutures de la même façon que les boutures encore vertes, mais on peut les exposer un peu plus au soleil. Rentrez-les la nuit quand il fait froid.
- Si possible, faites hiverner les boutures dans une serre ou un solarium dont la température ne dépassera pas 8 °C jusqu'au printemps. Sinon, enfouissez la caissette dans une plate-bande recevant une bonne couche de neige.

POUR RÉUSSIR

Pour empêcher que les boutures se dessèchent avant de faire des racines, couper les feuilles restantes de moitié. Cela réduit l'évaporation.

LE MARCOTTAGE

Le marcottage est une manière plus simple et plus sûre que le bouturage pour obtenir rapidement de nouveaux arbustes, mais il exige de l'espace et ne peut être

Marcottage de sureau doré.

pratiqué que sur des arbustes aux rameaux flexibles, par exemple: caragana, cognassier, cornouiller, cotonéaster, daphné, fusain, fustet, genêt, genévriers rampants et évasés, groseillier, hydrangée arborescent, lilas, mahonia, physocarpe, potentille, raisin d'ours, saule arctique, seringat, sorbaria, spirée, sureau, symphorine, viorne. On peut entreprendre le marcottage de juin à août. Voici la méthode à suivre.

1. Choisissez des branches vigoureuses et arquez-les vers le sol.
2. Au point de contact des branches avec le sol, creusez des trous (un trou par branche) de 5 cm de profondeur et 20 cm de diamètre. Enfouissez une section de chaque branche après l'avoir effeuillée; recouvrez-la de terre.
3. Tassez, arrosez et maintenez les branches au sol avec une pierre.
4. Il faut environ un an pour obtenir un bon enracinement. Taillez ensuite la nouvelle plante juste en dessous des dernières racines et plantez-la à l'endroit voulu.

Le forçage des tiges

Le forçage consiste à faire fleurir une plante à une époque différente de sa floraison normale. Forcer les arbustes a pour but d'obtenir des fleurs coupées dans la maison en plein hiver.

MISE EN GARDE

En serres, on peut forcer des arbustes entiers de la même manière que les vivaces, mais la technique décrite ici consiste à faire fleurir seulement les branches de certains arbres et arbustes à floraison printanière. L'opération dure près de deux mois et exige des soins réguliers.

Les espèces les plus faciles à faire fleurir sont les suivantes: amandier à fleurs, forsythia, lilas, pommetier, pommier et prunier à fruits, spirée Van Houtte. On peut entreprendre le forçage n'importe quand au cours de l'hiver, mais on le fait de préférence en janvier et février, quand les jours rallongent. Voici comment procéder.

1. Coupez des rameaux d'arbres ou d'arbustes de la longueur désirée. Laissez-les dégeler pendant 2 ou 3 heures à la température ambiante.
2. Recoupez la base en biseau avec un sécateur puis plongez la base des tiges dans un seau contenant 20 cm d'eau tiède.

À ÉVITER

N'utilisez pas de ciseaux: ils écrasent les tiges et gênent l'absorption de l'eau.

3. Placez le seau près d'une fenêtre ensoleillée, mais à bonne distance d'une source de chaleur.
4. Changez l'eau une ou deux fois par semaine. Chaque fois, désinfectez aussi le seau à l'eau de Javel et recoupez la base des tiges (environ 1 cm) avant de les remettre dans l'eau propre.
5. Quand les bourgeons commencent à ouvrir, disposez les fleurs harmonieusement dans un ou plusieurs vases.

On recommande parfois d'écraser la base des tiges pour faciliter l'absorption d'eau, mais il n'est pas prouvé que cette technique soit plus efficace que la taille en biseau.

POUR RÉUSSIR

Pour accélérer la floraison:
- Placez le seau sous un éclairage artificiel que vous laisserez allumé 14 à 16 heures par jour.
- Changez l'eau tous les deux jours (avec de l'eau tiède).
- Ajoutez à l'eau quelques pincées d'un produit de conservation utilisé par les fleuristes.

Amandier décoratif.

La protection hivernale

Les arbustes réputés rustiques dans une région donnée n'ont pas besoin de protection hivernale spéciale, mais quelques petites attentions leur permettent de passer un meilleur hiver. Les principes suivants s'appliquent en général à tous les arbustes et aux haies d'arbustes.

Julie Francœur

LA PRÉPARATION

- Ne donnez **pas d'engrais** azoté à vos plantes après le mois de juin. L'azote favorise la croissance; or, plus celle-ci se prolonge, moins les branches ont le temps de s'endurcir avant l'hiver et plus elles risquent de geler.

- En **octobre,** épandez une mince couche (2 à 3 cm) de compost ou de fumier composté au pied des arbustes, sur un cercle de 80 cm à 1 m de diamètre autour du tronc. Cette opération a un double rôle: protéger les racines contre le froid dans les cas où la couverture de neige serait mince, et nourrir la plante tôt le printemps suivant.

Il ne faut surtout pas faire de monticule de terre au pied des arbustes: cela favorise la formation de racines au-dessus du niveau du sol. Ces racines risquent donc de geler.

- Débarrassez l'intérieur de l'arbuste des feuilles et branches **mortes** qui ont pu s'accumuler au cours de l'année. Cela permet de prévenir en grande partie le développement des maladies et la prolifération des insectes, pas seulement de ceux qui s'attaquent aux arbustes, mais de ceux qui nuisent aux plantes ornementales en général.
- Assurez-vous toujours que les plantes ne souffrent pas de **sécheresse**: ni en été ni même en automne.

PRÉVENIR L'ÉCRASEMENT

Avec les grands froids, les plus grands ennemis des arbustes à branches flexibles sont la **neige** et la **glace.** Lorsqu'on la laisse s'accumuler sur les branches, la neige les fait plier et, souvent, les casse. Au mieux, l'arbuste est alors complètement déformé: ce n'est pas forcément une catastrophe (on peut aimer les plantes biscornues), mais en règle générale, ce n'est pas très esthétique.

La glace se forme quand, au cours de l'hiver, la neige fond au niveau du sol. Elle emprisonne alors les branches basses et, en fondant, les tire vers le bas et les casse. En automne, **raccourcissez** donc de moitié toutes les petites branches situées à moins de 20 cm du sol.

Fin octobre début novembre, selon les régions, **attachez** les grandes branches ensemble à leur sommet, en les attirant au centre de l'arbuste. Un seul point d'attache suffit, mais deux peuvent être nécessaires sur les gros spécimens.

Si un arbuste adulte a besoin d'une taille de rajeunissement, celle-ci peut être exécutée dès que les feuilles sont tombées. Il faut se rappeler cependant qu'un arbuste muni de toutes ses branches force la neige à s'accumuler autour de lui. La neige étant un excellent isolant, elle peut protéger les plantes vivaces environnantes. Si une telle protection était nécessaire, reportez la taille de rajeunissement tôt au printemps.

LA PROTECTION DES HAIES D'ARBUSTES

Les principes de protection hivernale exposés ci-dessus s'appliquent aussi aux haies d'arbustes, mais comme il serait fastidieux et long d'attacher les arbustes un par un, on protège la haie avec une **clôture à neige,** qu'on place de chaque côté.

Si la haie est basse, inclinez légèrement la clôture vers le **milieu,** comme pour faire un toit.

REMARQUE: Cette protection est absolument nécessaire si la haie risque de recevoir la neige des souffleuses municipales.

LES ARBUSTES FRAGILES

Les arbustes qui ne sont pas tout à fait rustiques dans votre région doivent recevoir un **complément** de protection, spécialement quand ils sont jeunes. Au milieu de l'automne, entourez-les de quatre piquets entre lesquels vous tendez une toile géotextile ou une toile de jute. Dès que le sol est gelé (mais pas avant), remplissez l'espace ainsi ménagé avec de la paille, des feuilles mortes sèches ou des branches de conifères coupées en petites sections.

Choix et plantation de 15 espèces

Les plantes bulbeuses annuelles ne sont pas rustiques sous notre climat. Elles constituent un groupe de plantes souvent délaissées parce qu'il faut les arracher en automne et les conserver pendant l'hiver si l'on ne veut pas avoir à en racheter tous les ans. Dommage, ce sont d'excellentes fleurs coupées qui apportent une touche d'originalité au jardin, jusqu'aux gelées.

LES PRINCIPALES ESPÈCES

Acidanthera

Plante très élégante de plus de 50 cm de hauteur, portant des fleurs blanches, parfumées, à cœur presque noir.

Anémone

Grande variété de couleurs. Fleurs simples ou doubles. Hauteur: 20 à 30 cm.

Bégonia tubéreux

Grande variété de couleurs. Petites ou grandes fleurs. Feuillage très décoratif. Formes droites, naines ou retombantes, d'environ 25 cm de hauteur. On peut les acheter en bulbes ou déjà fleuris, en paniers suspendus.

Caladium

Plante tropicale à feuillage décoratif, dans les tons de vert, rose et blanc, souvent considérée comme une plante d'intérieur. Peut être plantée dehors à l'ombre. Hauteur moyenne: 35 cm.

Canna

Il ne pousse pas vraiment sur des bulbes, mais sur des rhizomes faciles à séparer. Couleurs limitées: jaune, orange, rose, rouge. Formes naines (75 cm) ou géantes (1,50 m). Feuillage vert ou cuivré.

Crocosmia

Petites fleurs rouges, jaunes ou orange. Plante ressemblant au glaïeul, atteignant 80 cm de hauteur. S'entretient de la même façon. Dans des plates-bandes bien abritées, il arrive que les crocosmias arrivent à passer l'hiver dans la terre.

Dahlia

Formes variées: à grandes fleurs, à pompons, à fleurs de cactus. Disponibles dans un grand choix de couleurs: toutes sauf bleu. Hauteur moyenne: 1,25 m.

POUR VOUS DISTINGUER

Pour obtenir des grosses fleurs, gardez seulement le bourgeon central et éliminez les bourgeons latéraux dès qu'ils se forment. Pour obtenir une grande quantité de fleurs plus petites, éliminez plutôt le bourgeon central.

Freesia

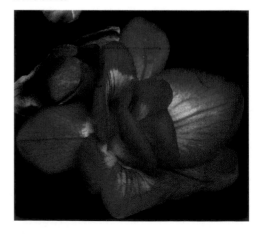

Cette espèce parfumée n'est pas facile à faire pousser au jardin, c'est plutôt une plante de serre. Mais on y arrive à condition de la démarrer à l'intérieur. Hauteur moyenne: 25 cm. Fleurs simples ou doubles, jaunes, blanches, cuivrées, roses ou mauves.

Glaïeul

Formes naines (60 cm) ou géantes (1,25 m). Couleurs des fleurs variées, y compris le vert, les bicolores, etc. Plusieurs centaines de variétés. Excellentes fleurs coupées que l'on cueille dès que le bourgeon du bas commence à ouvrir. Doivent être tuteurés. Dans les plates-bandes bien protégées, on a déjà vu des glaïeuls nains (glaïeul de Byzance) passer l'hiver dans la terre.

Hyménocalle ou ismène

Plante d'environ 40 à 50 cm de hauteur, portant des fleurs blanches parfumées à l'allure d'une araignée quand elles sont ouvertes.

Iris

Les iris nains (15 cm) et les iris de Hollande (30 cm), plantés en touffes, produisent un effet spectaculaire au jardin. Fleurs jaunes, bleues ou blanches. Excellentes fleurs coupées.

Ixia

Cette plante n'est pas toujours facile à faire pousser. Tiges d'environ 30 cm de hauteur, se terminant par un épi d'une dizaine de fleurs étoilées, blanches, rouges, jaunes ou orange.

Nérine

C'est parfois un défi de faire pousser cette magnifique plante de 50 cm de hauteur, à fleurs originales, roses. Fleur coupée de longue durée.

Renoncule

Idéale autour des bassins ou dans les endroits humides. Fleurs à nombreux pétales arrangés en boule, dans les tons de jaune, rouge, blanc, rose, orange. Hauteur moyenne: 30 cm. Fleur coupée de longue durée.

Tigridia

Très belles fleurs au cœur moucheté et aux pétales de couleur rouge, jaune, blanche ou rose. Cette plante d'environ 30 cm de hauteur est idéale pour créer des surprises un peu partout au jardin.

DANS LE PAYSAGE

Les **dahlias** forment des masses de verdure devant lesquelles vous pouvez planter des annuelles basses colorées.

Plantez les **glaïeuls** de façon que le feuillage soit partiellement camouflé par des conifères ou des arbustes bas, ou encore par des touffes de vivaces hâtives de 30 cm de hauteur. Ils sont aussi très jolis en rangées dans le potager.

Les **cannas** occupent avec panache le centre des massifs d'annuelles, mais vous pouvez les planter tout seuls en massifs pour impressionner votre entourage.

Le **caladium** donne de la clarté dans les jardins d'ombre.

POUR VOUS DISTINGUER

Plantez une plate-bande à l'ombre uniquement avec des caladiums. L'effet est spectaculaire, surtout en façade.

Acidanthera et **crocosmia** font des merveilles parmi les arbustes ou quand ils dominent une plate-bande de vivaces de petites dimensions.

Les **petites plantes** (moins de 50 cm) peuvent être plantées de plusieurs façons:

• en bordure des plates-bandes ou du potager,

• isolément ou en petites touffes un peu partout dans le paysage, comme des surprises que l'on découvre en se promenant.

LE DÉMARRAGE À L'INTÉRIEUR

Pour gagner quelques semaines sur la nature, vous pouvez planter en pot quelques espèces de bulbes annuels (pas tous) et les cultiver à l'intérieur pendant **1 mois ou plus** avant de les transplanter au jardin.

Les espèces

Les bégonias, les caladiums, les cannas, les dahlias, les freesias, les glaïeuls, les iris et les tigridias peuvent être démarrés à l'intérieur.

Les conditions

Vous avez besoin d'un endroit très **éclairé,** ensoleillé de préférence: une fenêtre au sud, au sud-ouest ou au sud-est, un solarium, une véranda, une serre ou encore une installation d'éclairage au néon.

La température idéale est de **18 °C** avec des variations de plus ou moins 3 °C. Une température trop élevée provoque la croissance de tiges minces et faibles. Abaissez la température de 5 °C la nuit si possible.

Quand?

Empotez vos bulbes de 30 à 40 jours avant la transplantation au jardin, qui se fait quand la terre est réchauffée et qu'il ne risque plus de geler la nuit.

Les pots

Vous pouvez planter plusieurs bulbes dans une caissette, mais la meilleure solution consiste à planter **un** bulbe par pot: la transplantation est plus facile et les racines ne sont pas perturbées.

Utilisez un pot de 10 cm de **diamètre** pour les petits bulbes, y compris les glaïeuls, les caladiums et les bégonias, un pot de 15 cm pour les petits dahlias et un pot de 20 cm pour les grands dahlias et les cannas.

POUR VOUS FACILITER LA TÂCHE

S'il est dans vos intentions de décorer vos boîtes à fleurs avec des bégonias retombants, démarrez les bulbes directement dedans si possible.

L'empotage

Faites **tremper** les bulbes dans l'eau tiède pendant la nuit qui précède l'empotage. Utilisez du terreau de rempotage commercial ou votre propre mélange.

Remplissez les pots de manière que les bulbes puissent être recouverts de **5 cm** de terre et qu'il y ait un peu d'espace sur le dessus pour arroser.

Arrosez tout de suite après l'empotage. Gardez ensuite la terre légèrement humide.

LA PLANTATION AU JARDIN

L'emplacement

La plupart des espèces ont besoin du **plein soleil** pour donner le meilleur d'elles-mêmes, sauf le caladium qui pousse à l'ombre.

Les **bégonias** vivent un peu partout mais préfèrent de loin ne pas recevoir plus de trois heures de soleil par jour.

La terre où seront plantés les bulbes doit être abondamment **cnrichic** en matière organique. Voir le chapitre *Enrichir sa terre.*

Le xantedeschia ou lis calla est un bulbe annuel récemment introduit dans les jardins québécois. Il est rose, rouge, blanc ou jaune. Il se plaît bien au bord de l'eau.

Dahlias et glaïeuls font d'excellentes fleurs coupées.

Quand?

La date de plantation varie d'une région à l'autre. La règle à suivre est la suivante: il ne doit plus y avoir de risque de gel nocturne et la terre doit être **réchauffée.** Dans la région de Montréal, cela signifie: début juin.

La profondeur

La profondeur de plantation varie selon les espèces et s'exprime par l'épaisseur de terre qui doit recouvrir les bulbes:
- 2 à 3 cm pour les bégonias;
- 5 à 8 cm pour anémone, caladium, freesia, iris, ixia, nérine, renoncule, tigridia;
- 15 cm pour acidanthera, crocosmia, dahlia, glaïeul, hyménocalle;
- 20 cm pour les cannas.

Lorsque vous plantez des bulbes démarrés à l'intérieur, tenez compte de la profondeur à laquelle se trouve le bulbe dans le pot.

Les intervalles

Les distances de plantation varient selon les dimensions de la plante et l'effet que l'on veut produire:
- Moins de 10 cm: acidanthera, anémone, crocosmia, freesia, glaïeul nain, iris, ixia, renoncule, tigridia;
- De 15 à 25 cm: bégonia, caladium, glaïeul, hyménocalle, nérine;
- De 30 à 40 cm: canna nain;
- Plus de 50 cm: canna géant et dahlia.

Anémones.

L'entretien estival et la cueillette

Pendant l'été, les bulbes annuels sont peu exigeants. Les seuls soins qu'ils demandent sont routiniers pour le jardinier soucieux de garder son jardin éclatant sans pour autant compromettre sa tranquillité.

L'ENTRETIEN

Arrosez régulièrement pour éviter que les plantes ne manquent d'eau. Si vous ne l'avez pas fait au moment de la plantation, recouvrez le sol d'un **paillis**. Voir le chapitre *Des paillis à tout faire.*

Enlevez les fleurs **fanées** au fur et à mesure qu'elles apparaissent. Les fleurs qui pousseront par la suite auront plus d'énergie pour se développer.

Si vous voulez mettre de l'engrais

Arrosez toutes les deux semaines avec un engrais soluble de type 15-30-15 ou toute autre formule convenant aux plantes à fleurs.

Si vous ne voulez pas mettre d'engrais

Deux ou trois arrosages durant l'été avec de l'émulsion de poisson ou du «thé de compost» feront l'affaire.

> POUR RÉUSSIR
>
> Fabrication du «thé de compost»: Dans un arrosoir de 4 ou 5 litres, versez 4 ou 5 grosses poignées de compost mûr. Remplissez avec de l'eau chaude — mais pas bouillante. Laissez reposer pendant 24 heures. Mélangez quatre ou cinq fois. Quand le compost est entièrement déposé dans le fond, arrosez vos plantes à fleurs.

CAS PARTICULIERS

Si le besoin s'en fait sentir, **tuteurez** les glaïeuls, les dahlias et les crocosmias.

Pour obtenir une grosse fleur par tige de dahlia, enlevez tous les **bourgeons** latéraux dès qu'ils se forment. Pour obtenir une foule de petites fleurs, enlevez plutôt le bourgeon central.

Si vous souhaitez **déménager** une ou plusieurs plantes pendant la période de croissance ou la floraison, c'est possible. Procédez de la façon suivante.

1. Arrosez abondamment la veille.
2. Préparez le trou au nouvel emplacement et tapissez-en le fond avec du compost.
3. Avec une pelle, une bêche ou un plantoir, selon l'espace dont vous disposez autour de la plante, soulevez une grosse motte de terre contenant le bulbe.
4. Installez cette motte dans le nouveau trou.
5. Assurez-vous que la plante soit enfoncée un peu plus profondément qu'au premier emplacement; arrosez.

LA CUEILLETTE

Pour faire durer longtemps les fleurs des plantes bulbeuses annuelles lorsque vous les coupez, quelques précautions s'imposent.

- Coupez toujours avec un **sécateur** ou un couteau bien **aiguisé.**
- Cueillez ixias, glaïeuls, freesias, crocosmias et nérines quand la couleur apparaît sur le premier bourgeon. Cueillez anémones, dahlias et renoncules quand les bourgeons sont encore fermés mais un tout petit peu colorés.
- Ne laissez pas les tiges à **l'air libre** plus de 10 minutes avant de les plonger dans un vase rempli d'eau tiède.

BULBES ANNUELS

Comment les hiverner

Ceux qu'on appelle «bulbes annuels» ne sont pas tous des bulbes, mais pour simplifier, on regroupe sous ce terme les vrais bulbes (iris), les cormus (glaïeul) et les tubercules (dahlia). Ils ne sont pas rustiques sous notre climat, mais on peut les garder plusieurs années à condition de les arracher à l'automne et de les replanter au printemps. Pour les conserver en hiver, ils ne doivent ni se dessécher ni pourrir. Voici comment.

LES ESPÈCES

Les bulbes annuels qu'il faut rentrer en automne sont: les glaïeuls, les dahlias, les bégonias tubéreux, les acidanthéras, les anémones de Caen, les cannas, les crocosmias, les freesias, les ixias, les nérines, les renoncules, les sparaxis, les tigridias, les tubéreuses, les xantedeschias (ou callas).

L'ARRACHAGE

Le signal de l'arrachage est donné quand le feuillage **meurt** sous le coup des premières gelées. Pas avant, même si certains feuillages ont déjà perdu de leur esthétique et jauni.
Il ne faut jamais enlever les feuilles avant l'arrachage des bulbes. Elles sont indispensables pour que le bulbe se remplisse des matières dont il a besoin pour redémarrer au printemps. Choisissez pour l'arrachage une journée où la terre est humide, mais pas collante. Voici la marche à suivre.
- Le meilleur outil pour arracher les bulbes est la fourche à bêcher. Une pelle ou une bêche risquerait de les trancher accidentellement en deux. Enfoncez l'outil dans la terre, sur toute sa longueur, à une dizaine de centimètres à l'arrière des tiges pour ne pas risquer d'endommager les bulbes.
- Répétez l'opération tout autour des plantes. De retour au point de départ, soulevez la motte de racines et de bulbes et déposez-la à côté du trou.
- Avec les mains, extirpez les bulbes et leur tige et secouez légèrement la terre qui y adhère.

NETTOYER LES BULBES

Lorsque les bulbes sont sortis de terre, procédez ainsi:
1. Ne lavez pas les bulbes. Déposez-les sur du papier journal dans un endroit abrité et bien aéré: le cabanon, le sous-sol, la serre ou le solarium.
2. Coupez les tiges à 2 cm au-dessus du bulbe.
3. Laissez sécher la terre pendant 4 à 10 jours, puis secouez pour la faire tomber. Quand le morceau de tige accroché au bulbe est sec, il se détache facilement.
4. Enlevez les restes de vieux cormus des glaïeuls et les vieilles racines de bégonias.
5. Jetez les bulbes blessés ou qui commencent à pourrir.
6. S'il y a de jeunes bulbes autour du gros, faites-les hiverner, puis replantez-les séparément au printemps; ils fleuriront au bout de deux ou trois ans.

À titre préventif, pour éviter la pourriture, **il est recommandé mais pas obligatoire** de saupoudrer un fongicide sur les bulbes avant de les remiser.

LA CONSERVATION À L'INTÉRIEUR

Les bulbes sont conservés dans des sacs de papier brun dans lesquels on pratique une

Une grande variété de glaïeuls peuvent être forcés à l'intérieur.

vingtaine de trous avec un tournevis pour faciliter l'aération. On les range comme ceci.

- Versez une couche de tourbe de sphaigne sèche de 10 cm d'épaisseur dans le fond du sac. Déposez une première rangée de bulbes. Ils ne doivent pas se toucher.
- Recouvrez ces bulbes d'une autre couche de tourbe, et ainsi de suite jusqu'à ce que le sac soit plein.
- Placez le ou les sacs dans un endroit aéré, frais et pas trop humide. La température idéale pour la conservation des bulbes se situe entre 4 °C et 12 °C, mais on obtient des résultats satisfaisants jusqu'à 18 °C. Au-dessus, les risques de déshydratation sont élevés, avec tout ce que cela entraîne comme perte de vigueur pour les bulbes, l'année suivante.
- Au moins une fois au cours de l'hiver, vérifiez que les bulbes se conservent en bonne condition.

LA CONSERVATION À L'EXTÉRIEUR

La méthode de conservation à l'extérieur a fait ses preuves sur les dahlias et les glaïeuls, mais elle demande des soins attentifs. Un hiver plus rigoureux qu'à l'accoutumée peut toutefois déjouer votre mise en scène. Voici ce qu'il faut faire.

- Creusez un trou de 75 cm de profondeur dans une plate-bande à l'abri du vent et où la neige s'accumule en bancs épais. La longueur et la largeur dépendent du nombre de bulbes et de tubercules à conserver.
- Au choix, recouvrez le fond du trou de cendres, de paille sèche, de tourbe de sphaigne sèche ou de vermiculite sèche.
- Déposez dessus les bulbes et les tubercules sans qu'ils se touchent.
- Remplissez le trou avec des feuilles mortes sèches et saines.
- Au niveau du sol et en travers du trou, installez des morceaux de bois solides. Ne laissez pas d'espace entre eux.
- Recouvrez le bois avec un lit compact de paille ou de branches de conifères.
- Surmontez le tout d'un monticule de terre de 30 cm d'épaisseur.
- **Il est recommandé mais pas obligatoire** de couvrir le monticule avec un lit de feuilles mortes.

Le forçage

Si vos plantes bulbeuses annuelles vous ont ébloui au jardin, attendez de les voir s'épanouir au salon en plein hiver...

LES ESPÈCES

Les espèces les plus faciles à forcer à l'intérieur sont: les anémones, les bégonias, les freesias, les glaïeuls nains ou géants, les iris de Hollande.

LES CONDITIONS

On peut forcer les bulbes annuels en **automne** pour qu'ils fleurissent aux Fêtes, ou attendre l'**hiver** pour égayer les longs mois de février et de mars. Pour réussir, il faut surveiller certains points.

Dès les premières gelées, **rentrez** les bulbes, nettoyez-les et entreposez-les jusqu'à ce que vous soyez prêt. Si vous voulez les forcer immédiatement, laissez-les sortis.

Pour chaque espèce, choisissez les bulbes les plus **gros.**

Vous avez besoin d'une fenêtre très ensoleillée, d'une serre ou d'un solarium. Les bulbes, eux, ont besoin d'une courte période de froid. Une fois empotés, vous les mettrez dans une **cave** ou au **réfrigérateur** pendant 4 à 5 semaines. Pour les glaïeuls, tout de suite après avoir soumis les bulbes à la période de froid nécessaire, enfoncez un tuteur de bambou. Vous y attacherez les tiges au fur et à mesure de leur croissance.

MISE EN GARDE

Les bulbes forcés sont vidés de leurs réserves et ne peuvent plus être utilisés au jardin. Ils seront juste bons à jeter au compost.

LA DURÉE

Il faut compter 8 à 10 semaines entre l'empotage et l'apparition des premières fleurs.

LA PRÉPARATION

Plantez les bulbes dans du terreau de rempotage ordinaire.

POUR VOUS FACILITER LA TÂCHE

Si vous n'avez pas de terreau sous la main, sachez que la tourbe de sphaigne pure ou la vermiculite pure suffisent pour forcer les bulbes annuels. Mais vous aurez de meilleurs résultats si vous y ajoutez quelques poignées de compost.

Comptez un pot de 10 cm pour deux petits bulbes ou un pot de 15 cm pour quatre ou cinq, selon leur grosseur.

Remplissez les pots de manière que les bulbes soient enfouis à 2 ou 3 cm sous la terre.

Arrosez tout de suite après l'empotage.

Jusqu'à la fin de la floraison, arrosez quand le dessus de la terre commence à sécher.

Choix et plantation des tulipes

Les tulipes sont les plantes bulbeuses par excellence. Elles sont vivaces, c'est-à-dire qu'elles repoussent d'une année à l'autre. Mais il faut les changer de place tous les trois ou quatre ans pour les installer dans un sol neuf, plein d'énergie. Prenez le temps de choisir celles qui vous plaisent le plus en vous rappelant qu'il existe une multitude de variétés et de couleurs dans chaque catégorie.

Triomphe 'Bel canto' (rouge), Darwin 'Golden melody' (jaune).

toute une gamme de fleurs aux pétales frangés, gaufrés, bariolés, sans oublier les fleurs doubles et triples. Il existe des tulipes naines, à peine plus grosses qu'un crocus, et d'autres qui atteignent facilement 60 cm de hauteur.

Le grand nombre de variétés de tulipes serait suffisant pour créer les plus beaux jardins. Mais en plus, la nature s'arrange pour que les tulipes ne fleurissent pas toutes en **même temps.** Certaines le font tôt en avril, d'autres tard en mai. Seules ou avec des vivaces printanières, elles produisent une profusion de fleurs en attendant l'été.

POUR VOUS DISTINGUER

- Juxtaposez les couleurs au lieu de les mélanger.
- Plantez plusieurs groupes d'une même espèce à différents endroits du jardin. La répétition donne un effet très spectaculaire.
- Chaque groupe devrait comporter un minimum de 5 bulbes et un maximum de 25.

DES TULIPES POUR TOUTES LES SITUATIONS

Contrairement aux autres bulbes vivaces, les tulipes arrivent au printemps dans une multitude de couleurs, dans certains cas sur une même fleur. Leur forme **varie** beaucoup, du cône habituel à la fleur de lis, en passant par

LES TULIPES DE DÉBUT DE PRINTEMPS

Les tulipes qui fleurissent au début du printemps sont excellentes dans la rocaille et en bordure des plates-bandes, mais elles font aussi merveille en massifs et sous les arbres feuillus.

- Les tulipes dites **botaniques**: ce sont des tulipes naines. Elles s'épanouissent généralement dans les tons de rouge, blanc et jaune. Excellentes dans les rocailles, en petits groupes.

Tulipa urumiensis.

- Les tulipes **simples hâtives** sont de hauteur moyenne (40 cm).

Double hâtive.

- Les tulipes **kaufmanniana** sont basses (25 cm) et de forme allongée. Certaines variétés présentent des feuilles striées ou tachetées.

Simple hâtive 'Garden party'.

Kaufmanniana 'Ancilla'.

- Les tulipes **doubles hâtives** sont courtes (20 à 25 cm). Elles ont deux à trois fois plus de pétales que les autres.

- Les tulipes **fosteriana** ont de grosses fleurs portées par des tiges de 40 cm de hauteur.

Fosteriana 'Red Emperor'.

LES TULIPES DE MI-SAISON

Certaines tulipes ont leur période de florai-son à la mi-printemps.

- Les tulipes **Greigii** à feuillage marbré, portent des fleurs allongées à l'extrémité de tiges de 20 à 30 cm de hauteur.

Greigii.

- Les tulipes **Triomphe** aux pétales parfois bicolores, mesurent environ 50 cm de hauteur.

Triomphe 'Dreaming maid'.

- Les **hybrides de Darwin** représentent la plus grande classe de tulipes. Ils ont les tiges les plus longues (60 cm). On en trouve de toutes les couleurs sauf le bleu et le vert, les pétales parfois bordés d'une autre couleur disposée comme un joli coup de pinceau par Dame Nature.

Darwin 'Spring song'.

LES TULIPES TARDIVES

D'autres tulipes ne fleurissent qu'à la fin du printemps.

- Les tulipes **Cottage** ressemblent à s'y méprendre aux tulipes Darwin, mais leur tige s'élève à 50 cm de hauteur seulement.

Cottage 'Rosy wings'.

- Les tulipes **Perroquet** donnent de la fantaisie au jardin. Elles ont des pétales bariolés, gaufrés et découpés, aux couleurs vives. Hauteur: 50 cm.

Perroquet.

- Les **fleurs de lis** ont des pétales pointus, incurvés vers l'extérieur, très élégants, monochromes ou bicolores. Hauteur: 50 cm.

Fleurs de lis 'Elegant lady'.

- D'autres variétés ont les **pétales frangés** *(Tulipa crispa)* à la partie supérieure; jolie dentelle jaune, orange, blanche, rouge, mauve, ou de différents tons de rose. Hauteur: 60 cm.

Tulipa crispa.

- Les tulipes **Rembrandt** sont populaires pour les nuances pastel mêlées dans leurs pétales. Elles atteignent 55 cm de hauteur.

Rembrandt.

- Les tulipes **doubles tardives** sont généralement basses (25 cm) et aussi spectaculaires que leur consœurs hâtives. On les appelle «tulipes pivoines» à cause de leur grosseur.

Double tardive 'Jean Vermeer'.

- Toutes nouvelles, les tulipes **viridiflora** sont des simples tardives qui ont la particularité de porter une trace de vert en plein milieu des pétales par ailleurs très colorés: rouge sang, rouge pourpre, blanc, jaune, orange, pêche, etc. Ces pétales ont la forme de ceux des fleurs de lis, mais sont moins effilés. Véritables curiosités, les tulipes viridiflora atteignent 40 à 60 cm de hauteur et fleurissent pendant deux à trois semaines.

Tulipa viridiflora.

BIEN PLANTER

Vous pouvez planter les bulbes de tulipe de la fin de septembre jusqu'à ce que le sol commence à geler.

La méthode du massif

Vous pouvez regrouper les tulipes en massif. Bêchez la plate-bande en enfouissant du fumier composté ou du compost, à raison d'un sac par mètre carré. Sur toute la surface de la plate-bande, **enlevez** une couche de terre

de 15 cm d'épaisseur pour les tulipes botaniques, doubles hâtives, kaufmanniana et greigii, et de 20 cm pour les autres. Mettez la terre dans une brouette.

Saupoudrez ensuite quelques poignées de poudre d'os, puis installez les bulbes dans la plate-bande, le côté **pointu vers le haut,** en pressant légèrement la base dans la terre. Espacez-les, selon l'effet recherché, de 5 à 15 cm, puis recouvrez-les délicatement avec la terre de la brouette.

Il est recommandé mais pas obligatoire de couvrir la plantation d'un tapis de feuilles mortes ou de gazon séché.

Arrosez abondamment, même si le sol est humide.

POUR RÉUSSIR

Tous les trois à quatre ans, arrachez les bulbes en juillet après avoir coupé le feuillage **jauni** et conservez-les dans un endroit frais jusqu'en septembre. Replantez ensuite les plus gros tel qu'indiqué précédemment.

La méthode du petit groupe

La seconde façon de planter les tulipes est de les rassembler en petits groupes.

Munissez-vous d'un plantoir assez large, un genre de petite pelle pointue. Creusez des trous assez grands pour contenir 1, 3, 5, 7, 9, 11, 13 ou 15 bulbes espacés de 5 cm.

Rappelez-vous qu'un nombre **impair** de fleurs est toujours plus esthétique qu'un nombre pair. Les trous doivent avoir 20 cm de profondeur pour les tulipes botaniques, doubles hâtives, kaufmanniana et greigii, 25 cm pour les autres. On ne met qu'une seule variété par trou.

Quelle que soit la nature du sol, versez dans le fond du trou environ **5 cm** d'épaisseur de terre de jardin en sac, de terreau de rempotage ou de terre enrichie d'une de vos plates-bandes. Déposez dessus les bulbes, le côté **pointu vers le haut,** en pressant légèrement la base dans la terre.

Rebouchez le trou avec la terre que vous avez enlevée en creusant et **tassez** légèrement avec la main.

Il est recommandé mais pas obligatoire de couvrir la plantation d'un tapis de feuilles mortes ou de gazon séché.

Arrosez copieusement même si la terre est humide.

POUR VOUS DISTINGUER

Dans la plate-bande où vous plantez vos bulbes, disséminez les groupes de façon irrégulière et faites varier la forme des trous et la dimension des groupes. De temps en temps, plantez une tulipe seule dans son trou. Le tout donnera à la plantation un aspect naturel. Pour cacher le feuillage après la floraison, plantez des vivaces qui commencent à pousser après la floraison des tulipes.

Choix et plantation des narcisses

Une catégorie de narcisses s'appelle «narcisse jonquille», mais il n'existe pas de vraies jonquilles. On baptise faussement de ce nom les narcisses trompettes, reconnaissables par leur partie centrale (ou coupe) plus longue que les pétales (ou périanthe). Il existe des espèces de narcisses moins connues.

Narcissus juncifolius.

FORMES ET COULEURS

Les narcisses sont offerts dans une multitude de présentations:

'Tahiti'.

- à fleurs simples ou doubles;
- à coupe plus ou moins développée, et à périanthe court ou long, droit ou en cloche;
- à deux, trois ou quatre fleurs par tige (assez rares).

La palette de couleurs est **limitée.** La coupe est jaune, orange, blanche ou, chez quelques variétés nouvelles, rose; le périanthe est jaune ou blanc. L'intensité du jaune et de l'orange varie d'une variété à l'autre.

Il existe des espèces naines, autrefois sauvages, appelées «narcisses botaniques», et des espèces cultivées, qui ont donné naissance à une foule d'hybrides.

Certains narcisses ont des fleurs **odorantes.** C'est le cas du narcisse des poètes et en particulier de la variété 'Paper White', que l'on peut forcer à l'intérieur.

Il existe aussi quelques espèces très particulières, très recherchées des **collectionneurs**: narcisses à bouquets, narcisses à fleurs de cyclamen, narcisses triandres, etc.

DÉCORER AVEC DES NARCISSES

Les narcisses peuvent être plantés dans une **plate-bande** soit pour la couvrir complètement, soit par groupes de 10 à 20. On peut aussi les utiliser dans des situations particulières où ils font merveille.

Dans un **sous-bois** ou sous les arbres, ils égayent avant même que les feuilles se forment sur les branches. Les narcisses aiment la matière organique, abondante dans ces endroits par suite de la décomposition des feuilles.

Au pied des **arbustes** aussi, ils auront fini leur floraison avant l'apparition des feuilles, dont l'ombre les empêcherait de fleurir.

Au milieu ou en bordure des **pelouses,** l'effet d'émerveillement sur les passants et les visiteurs est garanti. Mais il faut tondre la pelouse deux ou trois fois sans toucher au feuillage avant d'éliminer celui-ci. C'est pourquoi il est recommandé de semer des herbes à pelouse à croissance lente (voir le chapitre *Les pelouses fleuries*) et de planter les narcisses en bordure de la pelouse, dans un coin qui pourra passer inaperçu une fois la floraison terminée.

CHOISIR LES MEILLEURS BULBES

Les bulbes de narcisses sont parfois simples, comme ceux des tulipes, parfois **groupés** par deux ou trois sections plus petites que les bulbes simples. Chacune de ces sections produit des plantes plus petites que les bulbes simples. Ils coûtent le même prix que les autres et permettent de remplir plus rapidement l'espace à fleurir.

Au pied des arbres, les narcisses fleurissent avant l'apparition des feuilles.

BIEN PLANTER

Vous pouvez planter les bulbes de narcisse en septembre et en octobre.

La méthode du massif

Pour planter les narcisses en massif, **bêchez** la plate-bande en enfouissant du fumier composté ou du compost, à raison d'un sac par mètre carré. Sur toute la surface de la plate-bande, enlevez une couche de terre de 20 cm d'épaisseur. Mettez la terre dans une brouette.

Saupoudrez quelques poignées de poudre d'os, puis installez les bulbes dans la plate-bande, le côté **pointu vers le haut,** en pressant légèrement la base dans la terre. Selon l'effet recherché, laissez entre eux de 10 à 15 cm. Recouvrez délicatement les bulbes avec la terre de la brouette. Tassez un peu.

Il est recommandé mais pas obligatoire de couvrir la plantation d'un tapis de feuilles mortes ou de gazon séché.

Arrosez abondamment, même si le sol est humide.

Tous les dix ans, arrachez les bulbes en juillet après avoir coupé le feuillage jauni et conservez-les dans un endroit frais jusqu'en septembre. Replantez-les ensuite tel qu'indiqué précédemment.

La méthode du petit groupe

Pour planter les narcisses en petit groupe, munissez-vous d'un plantoir assez large, genre de petite pelle pointue. Dans une plate-bande bien travaillée, creusez des trous assez grands pour contenir 1, 3, 5, 7, 9, 11, 13 ou 15 bulbes espacés de 10 cm. Rappelez-vous qu'un nombre **impair** de fleurs est toujours plus esthétique qu'un nombre pair.

Les trous doivent avoir **20 à 25 cm** de profondeur. On ne plante qu'une seule variété par trou.

Quelle que soit la nature du sol, versez dans le fond du trou environ 5 cm d'épaisseur de terre de jardin en sac ou de terreau de rempotage. Déposez dessus les bulbes, le côté **pointu vers le haut,** en pressant légèrement la base dans la terre.

Rebouchez le trou avec la terre que vous avez enlevée en creusant et **tassez** légèrement avec la main.

Il est recommandé mais pas obligatoire de couvrir la plantation d'un tapis de feuilles mortes ou de gazon séché.

Arrosez copieusement même si la terre est humide.

Dans la plate-bande où vous plantez vos bulbes, disséminez les groupes de façon irrégulière et faites varier la forme des trous et la dimension des groupes. De temps en temps, plantez un narcisse seul dans son trou, espacé des autres. Le tout donnera à la plantation un aspect très naturel. Pour cacher le feuillage après la floraison, plantez des vivaces qui commencent à pousser après la floraison des narcisses.

Dans la pelouse

Pour planter des narcisses dans la pelouse, utilisez un **plantoir à bulbes,** sorte de cylindre à poignée que l'on enfonce dans la terre. Une fois le trou fait, versez-y un peu de bonne terre avant de placer le bulbe, côté pointu vers le haut.

Pour planter un groupe de plus de trois bulbes, découpez une **plaque de pelouse,** mettez-la de côté, creusez à 15-20 cm de profondeur, versez un peu de bonne terre, déposez les bulbes, rebouchez le trou, tassez, reposez la plaque de pelouse et arrosez abondamment.

'King Alfred'.

Dix petits bulbes prolifiques

Les petits bulbes du printemps se plantent en septembre et en octobre par groupes de 10 à 20 dans les rocailles, par groupes de 20 à 30 dans les plates-bandes et les pelouses (sauf l'iris). Ils font aussi des merveilles au pied des arbres, des arbustes et même des conifères.

LES MÉTHODES DE PLANTATION COMMUNES

Les petits bulbes se contentent de sols pauvres, mais préfèrent les sols riches en humus.

À l'unité

Que ce soit pour planter dans une plate-bande ou dans la pelouse, servez-vous d'un plantoir ordinaire (petite pelle au bout pointu) et procédez ainsi:

1. Enfoncez le plantoir à un angle de 45 ° avec le sol.
2. Soulevez légèrement le plantoir pour laisser passer le bulbe.
3. Déposez le bulbe sous le plantoir en vous assurant que sa base est en contact avec la terre.

POUR RÉUSSIR

Si le bulbe est planté incliné, ce n'est pas grave, mais assurez-vous qu'il n'est pas planté à l'envers. Les plantes ne sont pas contorsionnistes et ne poussent pas la tête en bas. Avant la plantation, apprenez à distinguer le dessus d'où partiront les fleurs, du dessous (généralement plus plat) d'où partiront les racines.

4. Sortez le plantoir de la terre en le glissant doucement.
5. Tassez légèrement la terre ou la pelouse sur le bulbe.

Il est recommandé mais pas obligatoire de recouvrir les plantations dans les plates-bandes d'une couche de feuilles mortes ou de gazon séché.

6. Arrosez copieusement, même s'il a plu la veille.

Par groupes

Pour planter des bulbes en groupes dans la pelouse, découpez une **plaque de gazon,** mettez-la de côté et creusez si nécessaire pour atteindre la profondeur voulue: tenez compte de l'épaisseur de la plaque que vous avez enlevée. Dans une plate-bande, creusez à la profondeur voulue. Ensuite:

1. Versez 2 cm de terre de jardin en sac ou de terreau de rempotage.
2. Déposez les bulbes, le côté plat vers le bas, en pressant un peu sur la terre.
3. Recouvrez de terre et, dans la pelouse, reposez la plaque de gazon.
4. Arrosez copieusement.

LES ESPÈCES

Voici dix petits bulbes qui feront votre bonheur et celui de vos visiteurs.

Anémone blanda

L'anémone blanda produit très tôt une petite fleur ressemblant à une marguerite, de couleur blanche, bleue, rose ou mauve selon la variété. Elle est rustique en zones 4 et 5.
- Plantation: à 5 cm de profondeur et à 5 cm d'intervalle.

Anémone de Caen

L'anémone de Caen est moins rustique que la précédente et fleurit plus tard. Ses fleurs sont beaucoup plus grosses et revêtent une plus grande variété de couleurs: blanc, rose, mauve, rouge à cœur blanc, blanc à cœur rose, etc.
- Plantation: à 5 cm de profondeur et 5 cm d'intervalle.

Chionodoxe

Le chionodoxe porte de petites fleurs en forme d'étoiles, bleues, blanches ou roses selon la variété, groupées par 5 ou 10 sur chaque tige. Les pétales sont incurvés vers le bas. Les groupes forment de jolies colonies dans les sous-bois où l'on peut les planter par groupes de 50.
- Plantation: à 10 cm de profondeur et à 5 cm d'intervalle.

Crocus

Le crocus est le plus connu des petits bulbes de printemps. Il en existe de multiples variétés, à petites et à grosses (variété *grandiflora*) fleurs, dans les tons de jaune, bleu, mauve, blanc ou cuivré; à pétales unis ou rayés. Ils sont rustiques en zones 3, 4 et 5, prolifiques et peu exigeants.
- Plantation: à 5 cm de profondeur et à 5 cm d'intervalle.

Éranthis

L'éranthis est une fleur jaune qui ressemble à un bouton d'or et qui fleurit tôt au printemps. Pour un effet maximum, on le plante sous les arbres ou dans une pente, par groupes de 50 ou 100.

- Plantation: à 5 cm de profondeur et à 5 cm d'intervalle.

Iris

L'iris réticulé (*Iris reticulata*) est un petit iris qui ne dépasse pas 15 cm de hauteur. Très belle fleur pour la rocaille, il existe en bleu, en jaune, en blanc et en mauve. À cause de la constitution attrayante de la fleur, on le plante de préférence par petits groupes de 5 à 20 bulbes.

- Plantation: à 10 cm de profondeur et à 5 cm d'intervalle.

POUR VOUS DISTINGUER

Si vous pouvez mettre la main sur des bulbes en automne, essayez l'**iris de Hollande** qui fleurit bleu, jaune, violet, jaune et blanc ou blanc en haut d'une tige d'environ 50 cm de hauteur. Sachez cependant que cette espèce n'est pas très rustique sous nos climats et qu'on la cultive souvent comme bulbe annuel.

Muscari

Le muscari est une des fleurs les plus connues parmi les bulbes de printemps. Il en existe des variétés bleues à marge blanche qui fleurissent à mi-printemps et des variétés blanches qui fleurissent plus tôt. La croissance des feuilles commence en automne dès la deuxième année. Il se répand rapidement.

- Plantation: à 5 cm de profondeur et à 5 cm d'intervalle.

Nivéole

Peu connue, la nivéole (*Leucojum*) porte des fleurs blanches et ressemble au perce-neige. Il en existe deux variétés: l'une, courte, fleurit au début du printemps (*L. vernum*), l'autre,

Scille.

s'élevant à 30 cm, fleurit quelques semaines plus tard (*L. œstivum*). Elles préfèrent les endroits ombragés.

- Plantation: à 10 cm de profondeur et à 10 cm d'intervalle.

Perce-neige

Le perce-neige (*Galanthus*) est le premier bulbe du printemps. Il apparaît souvent avant la fin de la fonte des neiges. Ses fleurs sont blanches, tournées vers le sol, parfumées. Il existe une variété à fleurs doubles. Les deux variétés sont rustiques en zones 4 et 5.

- Plantation: à 10 cm de profondeur et à 5 cm d'intervalle.

Scille

Le scille de Sibérie (*Scilla sibirica*) est une plante très prolifique, rustique, peu exigeante, qui pousse un peu partout et qui fleurit tôt au printemps. Il en existe deux variétés: une à fleurs blanches et une autre, plus répandue, à fleurs bleues.

- Plantation: à 10 cm de profondeur et à 5 cm d'intervalle.

POUR VOUS DISTINGUER

Si vous pouvez mettre la main sur des bulbes en automne, plantez des **glaïeuls nains** (*Gladiolus colvillii* ou *bizanthus*) qui fleurissent blanc, rose, rose et blanc en haut de tiges d'environ 60 cm de hauteur. Sachez cependant que ce bulbe n'est pas rustique partout et qu'on le cultive surtout comme plante annuelle.

Cinq bulbes spectaculaires

Les amateurs de printemps et de couleurs printanières ne se limitent pas aux narcisses et aux tulipes. Voici donc quelques suggestions pour une mise en scène originale. Un petit coin dans une plate-bande de vivaces ou d'arbustes deviendra, avec trois ou quatre des bulbes suivants, un véritable spectacle.

L'AIL DÉCORATIF

Les espèces

Allium giganteum.

L'ail décoratif le plus commun, qui fleurit après les tulipes, en début d'été, porte une masse de petites fleurs arrangées en **boule** en haut d'une tige pouvant dépasser 1 m de hauteur. Les plus grosses boules, portées par les tiges les plus longues, sont **violettes** ou mauves (*Allium giganteum* et *Allium aflatunense*). Il existe aussi des variétés à petites boules de fleurs **mauves** (*Allium sphæroce-phalum*), rustiques en zones 4 et 5.

Les fleurs des variétés **roses** sont groupées en boule en haut de tiges ne dépassant pas 25 cm de hauteur (*Allium karataviense*). Elles sont rustiques en zones 4 et 5.

Les variétés à fleurs **blanches,** moins répandues, parfois odorantes, ont généralement de longues tiges (40 à 80 cm), mais les boules sont plus petites que celles des variétés précédentes.

Allium karataviense.

Encore plus rares, les variétés de l'ail des fleuristes sont offertes dans le **jaune** (*Allium 'Moly'*), **blanc** (*Allium cowanii*), **rouge** (*Allium oreophilum*) et **pourpre** (*Allium ostrowskianum*) et sont très spectaculaires dans les rocailles. Les fleurs ne sont pas groupées en boule, mais en bouquets.

Allium 'Moly'.

La plantation

La plantation de l'ail décoratif a lieu en septembre et en octobre. Les espèces géantes doivent être plantées à 20 cm de profondeur, les autres, à 10 cm.

Toutes les espèces ont leur place dans une plate-bande de vivaces, mais elles produisent aussi un très bel effet parmi conifères et arbustes bas.

L'ÉRYTHRONE

Description

L'érythrone, indigène au Québec, est assez **peu répandu** dans nos jardins, sans doute parce qu'il n'est rustique qu'en zone 5. Chaque tige porte de une à trois fleurs ressemblant à un lis aux pétales retroussés. La floraison dure deux semaines.

La variété la plus populaire est l'érythrone à **grandes fleurs** *(Erythronium grandiflorum)*, qui mesure environ 20 cm de hauteur. Ses fleurs sont jaunes; ses feuilles, luisantes, forment un tapis compact quand les bulbes sont plantés en massif.

Il existe quelques **autres variétés,** à feuillage marbré, aux fleurs rosées ou blanches, dont la meilleure place se trouve dans la rocaille.

Erythronium grandiflorum.

La plantation

La plantation de l'érythrone doit être faite en septembre et en octobre. Les bulbes sont placés à 10-12 cm de profondeur.

À part les sous-bois (habitat naturel), la rocaille et les massifs, les érythrones se comportent très bien en bordure d'une plate-bande de vivaces, par groupes de 20 à 30. Mais là où ils produisent l'effet le plus inattendu, c'est dans la pelouse. Voir le chapitre *Les pelouses fleuries*.

LA FRITILLAIRE IMPÉRIALE
(FRITILLARIA IMPERIALIS)

Description et utilisation

La fritillaire impériale mesure jusqu'à 1 m de hauteur et porte, à l'extrémité des tiges, un groupe de fleurs en **cloches** surmontées, à la manière d'un ananas, d'une touffe de

Fritillaria imperialis.

LA FRITILLAIRE PINTADE
(FRITILLARIA MELEAGRIS)

Description et utilisation

Très rustique, la fritillaire pintade porte de **grosses fleurs** en forme de cloche sur des tiges de 20 à 30 cm de hauteur. La variété la plus commune est mauve piquée de blanc et ressemble à la peau d'une tête de serpent. Il existe une variété blanche.

Le feuillage de cette fleur est insignifiant.

Elle est très belle dans les rocailles, parmi les vivaces printanières, dans un jardin sauvage ou dans une pelouse. Voir le chapitre *Les pelouses fleuries*.

feuilles. Il existe trois variétés: une jaune, une orange et une rouge.

Détail intéressant: la fritillaire impériale est une des rares plantes bulbeuses dont la tige porte des **feuilles** sur au moins les deux tiers de sa hauteur. Pour cette seule raison, elle devrait occuper une place bien en vue dans l'aménagement ou le jardin.

Elle produit un très bel **effet** légèrement en arrière d'arbustes ou de conifères bas, ou parmi d'autres plantes vivaces, par groupes de 5 à 10 bulbes.

On peut aussi la planter directement dans la pelouse, sous un arbre ou au sommet d'une rocaille.

La fritillaire impériale est rustique en zones 4 et 5. Sa floraison a lieu en mai.

La plantation

La plantation de la fritillaire impériale doit être faite en septembre ou en octobre. Les bulbes sont déposés à 20 cm de profondeur, dans une terre enrichie de compost ou de fumier composté.

Fritillaria meleagris.

La plantation

On plante la fritillaire pintade en septembre ou en octobre, à 10 cm de profondeur. La terre doit être riche en humus et plutôt humide.

LA JACINTHE

La jacinthe n'est pas un bulbe rare. Mais elle est plus connue comme fleur en pot que comme fleur de jardins. Pourtant, elle a tout pour plaire.

Description et utilisation

Elle est basse, donc on peut la mettre partout: dans la rocaille, dans les massifs, en bordure des plates-bandes. Sa floraison dure plus longtemps que celle de la plupart des tulipes. Ses fleurs sont odorantes. Elles dégagent un **parfum** assez fort qu'il est bon de trouver de chaque côté de la porte d'entrée, quand on sort ou quand on entre.

Il existe des variétés à fleurs roses (plusieurs tons), blanches, bleues ou jaunes; simples ou doubles.

À ÉVITER

Ne plantez pas les jacinthes dans la pelouse. Elles risquent de mourir avant d'avoir pu traverser le tapis d'herbes denses.

La plantation

On plante la jacinthe en octobre, à 15 cm de profondeur. La terre doit avoir été enrichie de compost ou de fumier composté.

Quoi faire avec le feuillage

Les réticences de plusieurs jardiniers à planter des bulbes vivaces, en particulier tulipes et narcisses, sont dues à la nécessité de laisser jaunir le feuillage avant de le couper. Dépourvues de leurs fleurs, amollies, pâlissantes, les feuilles ne sont plus très esthétiques. Voici quelques moyens de remédier au problème.

LE CAMOUFLAGE

La façon la plus simple de ne pas voir le feuillage fané des plantes à bulbes consiste à planifier la plantation pour qu'il passe inaperçu tôt en saison. Vous pouvez planter les bulbes:

- En arrière d'**arbustes** à petit développement: genêt, cotonéaster, daphné, buis, potentille rampante, etc.
- Parmi des touffes de **vivaces**: achillée, ancolie, artémise, campanule, gaillarde, hémérocalle, hosta, lupin, lysimaque, monarde, œillet, œnothère, trolle, véronique.
- Vous pouvez aussi planter des **annuelles** entre les bulbes dès que le temps le permet: célosie, godétia, impatiens, nicotinia, pétunia, œillet et rose d'Inde, sauge.

POUR VOUS FACILITER LA TÂCHE

Il n'est pas nécessaire d'attendre que le feuillage soit complètement jauni et séché avant de le couper.

LE DÉPLACEMENT

Autre solution: vous pouvez déterrer les bulbes et leur feuillage et les replanter en paquets serrés dans un coin du jardin à l'abri des yeux indiscrets. Vous laisserez le feuillage jaunir, puis vous le séparerez des bulbes que vous devrez replanter l'automne venu. Voici la marche à suivre.

1. Une fois le trou creusé (de la profondeur voulue pour chaque espèce), déterrez les bulbes par touffes.
2. En déposant la motte de terre, dégagez soigneusement les bulbes.
3. Placez les bulbes au fond du trou et appuyez le feuillage sur une des parois.
4. Après avoir planté chaque touffe, versez un peu de terre autour des bulbes et pressez légèrement pour qu'elle soit en contact avec les racines.
5. Quand les bulbes sont installés, finissez de combler le trou avec de la terre.
6. Arrosez copieusement.

POUR VOUS FACILITER LA TÂCHE

En automne, plantez les bulbes dans un contenant qu'il vous suffira de déterrer sans risque d'abîmer les bulbes et leur feuillage. Ce contenant peut être:

- une vieille passoire de cuisine dont vous aurez légèrement agrandi les trous avec un instrument de métal;
- un panier que vous aurez confectionné avec du grillage léger;
- un vieux filet d'oignons vide.

MISE EN GARDE

Quel que soit le contenant utilisé, assurez-vous que la base des bulbes est en contact avec la terre. Au besoin versez un peu de terre dans le fond du contenant.

LE FEUILLAGE COUPÉ

Une fois le feuillage coupé, jetez-le sur le compost

Les pelouses fleuries

Fleurir une pelouse, c'est faire preuve d'originalité, mais c'est aussi reconstituer, dans son jardin, un paysage naturel. On utilise des bulbes vivaces qui fleurissent tôt au printemps, de préférence avant la première tonte. Plusieurs d'entre eux auront terminé leur cycle de vie avant cette tonte, d'autres devront garder leur feuillage jusqu'à ce qu'il commence à jaunir, sinon la floraison de l'année suivante sera compromise.

QU'EST-CE QUE LA NATURALISATION?

Naturaliser une pelouse (ou tout autre terrain d'ailleurs), c'est lui donner un aspect un peu **sauvage.**

Pour naturaliser avec des bulbes, on les fait tomber, à pleines poignées, d'une hauteur d'environ 1 m, et on les plante là où ils tombent, c'est-à-dire à des intervalles **irréguliers.**

Pour un effet maximum, il est recommandé de **ne pas mélanger** les espèces et de ne pas planter plus de deux couleurs d'une même espèce au même endroit.

LES MEILLEURES ESPÈCES

Les meilleures **petites** plantes pour la pelouse sont: les crocus, les perce-neige, les muscaris, les éranthis, les scilles, les chionodoxes, les nivéoles, les fritillaires pintades, les narcisses botaniques, les tulipes botaniques.

Les meilleures **grosses** plantes sont: tous les narcisses, les fritillaires impériales, les érythrones.

La **durée** de vie des bulbes plantés dans la pelouse est passablement **réduite** parce qu'on tond souvent leur feuillage avant le moment idéal. Petits et gros bulbes ne dureront guère plus de trois à quatre ans.

LA PLANTATION DANS UNE PELOUSE EXISTANTE

Le choix de l'endroit où on plante les bulbes importe peu, mais les endroits légèrement **ombragés** conviennent mieux parce que les bulbes peuvent passer l'été au frais.

Si l'on choisit le centre de la pelouse, il faut s'assurer que le feuillage des bulbes est **presque jaune** avant la première tonte (c'est le cas de la plupart des petits bulbes).

- La manière la plus simple de planter consiste à soulever le gazon par **plaques** et à creuser de la profondeur voulue pour chaque espèce. Quand les bulbes sont déposés, le **côté pointu vers le haut**, recouvrez-les de terre puis replacez les plaques de gazon. Arrosez abondamment.
- La deuxième manière, surtout valable quand on disperse les bulbes un peu partout, consiste à planter ceux-ci individuellement. Utilisez un **plantoir à bulbes** pour les narcisses, les fritillaires et les érythrones; et un plantoir ordinaire pour les petits bulbes. Dans ce cas, enfoncez le plantoir à un angle de 45° dans le sol puis soulevez-le pour faire passer le bulbe. Déposez celui-ci sous le plantoir en vous assurant que sa base est en contact avec la terre. Sortez ensuite le plantoir en le glissant doucement, puis tassez la pelouse sur le bulbe. Terminez par un arrosage copieux.

CRÉER UNE PELOUSE FLEURIE

Les pelouses fleuries demandant le moins d'entretien sont celles qui ont été créées spécialement à cette fin. Procédez comme suit:
1. En septembre, préparez le terrain comme pour l'établissement d'une nouvelle pelouse.
2. Une fois la terre roulée, plantez les bulbes à la profondeur voulue.
3. Semez un mélange à gazon composé essentiellement d'espèces à croissance lente, comme la fétuque rouge et la fétuque ovine.

Pour de plus amples détails sur la méthode de semis, référez-vous au chapitre *Rôle, création et entretien de la pelouse.*

LA TONTE

Lorsque le moment de tondre arrive, **contournez** narcisses, fritillaires et érythrones jusqu'à ce que leur feuillage commence à jaunir.

Vous devriez pouvoir tondre le feuillage de ces bulbes à la troisième tonte de la pelouse, mais réglez la hauteur de coupe à **8 cm** pour les trois premières tontes.

Le feuillage des petits bulbes peut être tondu avant d'avoir jauni à trois conditions:
1. attendez le plus longtemps possible;
2. contournez-les pendant une ou deux tontes;
3. réglez les roues de la tondeuse à 8 cm de hauteur de manière à laisser le plus de feuillage possible. Les deux tontes suivantes seront effectuées à la même hauteur.

Le forçage

Le forçage consiste à faire fleurir une plante à une époque où d'habitude elle ne fleurit pas. Cette époque est généralement l'hiver. La méthode permet d'avoir des fleurs dans la maison quand la nature est au repos. Les plantes que l'on force le plus couramment sont les bulbes à floraison printanière. La technique de base consiste à leur donner artificiellement la période de froid dont ils ont absolument besoin pour fleurir, puis à les placer dans des conditions normales de lumière, de chaleur et d'humidité pour faire sortir la fleur.

LES ESPÈCES

Pratiquement, tous les bulbes peuvent être forcés. Ceux que l'on force le plus souvent sont les tulipes, les narcisses et les jacinthes.

Tous les petits bulbes se prêtent aussi à la technique: crocus, scille, muscari, iris réticulé, chionodoxe, perce-neige, etc.

Il se vend des bulbes déjà refroidis (narcisses et jacinthes en particulier). Il suffit de les planter pour qu'ils poussent et fleurissent, mais on peut pratiquer le forçage soi-même.

PRÉPARER UNE POTÉE FLEURIE

N'importe quel pot peut faire l'affaire, mais pour des raisons purement esthétiques, il vaut mieux utiliser un pot de terre cuite bas ou un pot de céramique.

Si le pot n'est pas muni de trous de drainage, versez-y d'abord une mince couche de **gravier** ou de **charbon de bois**: environ 1/5 de la hauteur totale.

Remplissez-le ensuite de moitié avec une **terre légère,** se rapprochant le plus possible du mélange suivant: 1/3 de terreau de rempotage, 1/3 de tourbe de sphaigne, 1/3 de sable ou de granules de polystyrène.

Déposez les bulbes, le bout **pointu vers le haut,** en pressant légèrement sur la terre. Finissez de remplir le pot. Laissez la pointe des bulbes **dépasser** légèrement de la terre. **Arrosez** abondamment.

Bulbes de crocus prêts à recevoir du froid.

COMMENT APPLIQUER
LA PÉRIODE DE FROID

La durée de la période de froid doit être d'au moins deux mois et demi à trois mois. Si l'on ajoute à cela la période de croissance, il faut compter de 12 à 16 semaines avant d'avoir des fleurs.

Méthode pour petits pots

La façon la plus simple de donner du froid aux bulbes quand on n'a qu'une ou deux potées, c'est de placer celles-ci sur l'étagère du bas du **réfrigérateur.**
La température doit osciller entre **2 °C** et **8 °C.** Vérifiez-la une fois par semaine.
N'oubliez pas d'inclure une soucoupe si le pot a des trous de drainage: la terre doit être constamment maintenue **humide.**

Méthode pour gros pots
et nombreux petits pots

Bulbes de tulipes dans un panier dont l'intérieur est tapissé d'une feuille de plastique.

Lorsqu'on veut forcer des bulbes dans un gros pot ou dans plusieurs petits pots, la meilleure méthode consiste à creuser une **tranchée** dans un coin du jardin, assez large pour contenir tous les pots.

Avant d'enterrer le panier de tulipes, enveloppez-le dans un sac de plastique.

La **profondeur** de la tranchée est calculée de manière que le dessus des pots puisse être recouvert d'une couche de sable de 10 cm d'épaisseur ou enveloppé dans un sac de plastique.

Recouvrez le tout d'un lit de feuilles mortes, de gazon séché ou de papier journal, qui agissent comme isolant.

Pour terminer, posez une mince **planche** de bois qu'il sera facile de soulever en plein hiver, lorsque tout sera gelé aux alentours.

Déterrez les pots au bout de 10 à 12 semaines.

Enlevez le sable ou le plastique. Placez les pots dans un endroit frais et obscur pendant deux ou trois jours.

Arrosez avec de l'eau **tiède** pour faire croire aux bulbes que le printemps est arrivé et installez les pots à un endroit bien éclairé.

L'ENTRETIEN AVANT ET APRÈS LA FLORAISON

Arrosez de manière que la terre soit **toujours** un peu humide. Utilisez de l'eau froide.

Évitez de placer les pots en plein **soleil** pendant plus de deux heures de suite.

Plus il fait chaud, plus la croissance est rapide. Quand les fleurs commencent à apparaître, il est recommandé de placer les pots dans un endroit **frais** la nuit, ou d'abaisser la température nocturne de la pièce.

Coupez les fleurs dès qu'elles sont **fanées,** mais gardez les feuilles jusqu'à ce qu'elles jaunissent.

MISE EN GARDE

Il est très difficile de faire refleurir des bulbes forcés. Une fois sur deux, les résultats sont nuls. Vous pouvez toujours essayer en procédant de la façon suivante:

1. Une fois que le feuillage a jauni, coupez-le à 1 cm au-dessus du bulbe.
2. Dépotez les bulbes et plantez-les à la bonne profondeur dans un coin du jardin où la terre est particulièrement riche.
3. Au printemps de l'année suivante, pousseront peut-être quelques feuilles, pas de fleurs. Ne les coupez pas avant qu'elles aient jauni.
4. Si elles doivent apparaître, les premières fleurs, timides, feront leur apparition le printemps de la deuxième année.

La culture du lis

Contrairement aux autres plantes bulbeuses vivaces, le lis fleurit au cours de l'été. Il en existe plusieurs espèces, dont certaines, comme le lis du Canada, sont indigènes au Québec. Ceux dont nous parlons dans ce chapitre sont les lis hybrides, aussi appelés lis américains. Vous en trouverez plusieurs variétés de différentes couleurs (orange, rose, rougeâtre, jaune, blanc), des courts (40 cm de hauteur) et des longs (plus de 1 m).

L'EMPLACEMENT

La terre

Les lis **n'aiment pas** les sols très humides et où l'eau s'écoule mal. Ne les mettez donc pas dans une plate-bande située au bas d'une pente car l'eau aura tendance à s'y accumuler.

Pour bien se développer et bien fleurir, les lis doivent pousser dans une terre **riche** en humus. Enrichissez-la copieusement avec du compost avant la plantation (voir le chapitre *Enrichir sa terre*). Ajoutez aussi deux ou trois pelletées de tourbe de sphaigne par mètre carré pour alléger la texture du sol.

Si la terre est très argileuse, ajoutez un peu de **sable** tous les ans, mais jamais sans apporter une quantité équivalente de **compost.** Sinon, votre terre risque de devenir comme du béton. **Ameublissez** la terre comme pour toute autre nouvelle plantation. Voir le chapitre *Bien travailler sa terre*.

L'ensoleillement

Les lis ont besoin d'au moins sept heures de soleil par jour. Par contre, leurs racines sont sensibles à la grosse chaleur. La règle à retenir est donc la suivante: les lis doivent avoir **la tête au soleil et les pieds à l'ombre.**

DANS LE PAYSAGE

Les lis donnent de l'**élégance** et de la majesté aux plates-bandes de vivaces. Vous pouvez aussi les associer aux rosiers greffés.

En façade de la maison ou dans un coin du jardin, ils forment des **massifs** très spectaculaires. Pour un effet maximum, n'en plantez pas moins de 30 à la fois.

LA PLANTATION

La plantation du lis a lieu tôt au printemps. Les distances de plantation varient selon la hauteur. Espacez les courts de 10 à 15 cm et les hauts d'environ 20 cm. Toujours recouvrir le dessus des bulbes d'environ 15 cm de terre.

La méthode

Si vous en plantez moins de 10 dans la même touffe, servez-vous d'un plantoir.

Si vous créez des touffes de plus de 10 sujets ou des massifs:

1. Creusez la surface sur 20 cm de profondeur.
2. Saupoudrez deux ou trois poignées de poudre d'os par mètre carré.
3. Déposez les bulbes, côté pointu vers le haut.
4. Rebouchez le trou lentement.
5. Arrosez abondamment.

Pour garder les pieds au frais

Pour donner un peu d'ombre aux pieds des lis, vous avez le choix entre:

- recouvrir le sol d'un paillis (voir le chapitre *Des paillis à tout faire)*;
- planter une vivace couvre-sol;
- planter une annuelle basse (lobélia, phlox annuel, pourpier, verveine).

L'ENTRETIEN

Enlevez les fleurs **fanées** pour permettre aux suivantes de s'épanouir avec éclat. Arrosez s'il fait sec et tant que le feuillage reste vert. Quand le feuillage jaunit, cessez les arrosages. Les **trous** apparaissant parfois dans les feuilles sont faits par un insecte rouge. Il existe une méthode manuelle de s'en débarrasser:

1. arrosez, avec un jet d'eau à bonne pression, sur et sous les feuilles;
2. quand les insectes ou les larves tombent par terre, écrasez-les;
3. recommencez aussi souvent que nécessaire.

Cette méthode est beaucoup moins radicale et plus lente que l'utilisation de produits synthétiques, mais elle finit par porter des fruits, sans nuire à l'**équilibre** naturel de votre jardin.

LA MULTIPLICATION

On peut multiplier les lis de deux façons.

La division

Déterrez les bulbes à la mi-automne, quand le feuillage a jauni. Séparez-les les uns des autres et replantez-les aussitôt à l'endroit voulu.

La plantation d'écailles

Les bulbes de lis sont constitués d'écailles charnues qui peuvent **toutes** donner de nouvelles plantes. Arrachez tôt au printemps le nombre de bulbes dont vous avez besoin. Pour ne pas détruire complètement les bulbes, on enlève seulement les écailles extérieures qui ont tendance à se détacher toutes seules.

Enfoncez les écailles dans un sol bien préparé sur la moitié de leur hauteur. Des racines se formeront, puis quelques feuilles. Vous pourrez transplanter les nouveaux bulbes à leur place définitive dès la **saison suivante.**

CONIFÈRES

Le choix des plants

Avec les conifères, encore plus qu'avec toute autre plante, on a tendance à planter trop serré. Résultat: il faut tailler sévèrement pour les empêcher de prendre leurs dimensions naturelles. Comme les conifères ne produisent que très rarement de nouvelles pousses sur les branches de plus de deux ans, c'est la catastrophe: ils restent défigurés pour la vie et sont souvent l'objet d'un arrachage intempestif.

LES DIMENSIONS

La règle à suivre dans le choix des conifères, qu'ils soient géants, érigés, évasés ou rampants, est la suivante:

- Au moment de la plantation, la distance entre deux petits conifères ou entre un petit conifère et un arbuste doit être équivalente à environ 35 % de la somme de la largeur adulte des deux espèces considérées.
- Les grands conifères (pin, épinette, pruche, sapin, mélèze) ont besoin d'un cercle de 10 à 20 m de diamètre autour d'eux pour se développer pleinement.

POUR ÉCONOMISER

Espacer largement les conifères, petits et grands, permet de mettre en valeur leur forme, leur couleur, la texture du feuillage. Cela vous fait aussi économiser.

LA PRÉSENTATION

Les **grands** conifères et quelques espèces de petits conifères sont vendus en pots de fibres bruns. La motte des plus gros spécimens est enveloppée dans de la toile de jute.

La plupart des **petits** conifères sont présentés en conteneurs: pots de plastique noir dans lequel les plantes sont cultivées depuis leur tout jeune âge.

Genévrier en conteneur.

Pour connaître les meilleures techniques de **plantation** en fonction du pot, consultez le chapitre *Savoir planter et transplanter.*

L'ASPECT PHYSIQUE

Choisissez des plants dont la couleur naturelle (vert, bleu, jaune) est sans équivoque **de haut en bas.** Pas de jaunissement ni de brunissement douteux.

Pour vérifier la qualité d'un conifère en conteneur, sortez-le de son pot (ou demandez à un vendeur de le faire). Les **racines** devraient occuper un tiers de la motte au moins.

Vérifiez si la terre est **humide.** Si elle est sèche, c'est peut-être un signe que les plantes ont été négligées et si elles le sont, elles sont affaiblies, donc elles reprendront moins bien.

DES CONIFÈRES EN BONNE SANTÉ

Les risques d'infestation par un insecte ou une maladie sont rares.

L'entretien estival

En général, les conifères se débrouillent tout seuls une fois installés dans leur nouvelle terre. La plupart du temps, quand ils ont bien passé un premier hiver, ils ne connaissent pas de problèmes. Il y a des petits points à surveiller, mais le plus important, c'est l'arrosage. Un mauvais entretien estival peut avoir des conséquences fâcheuses sur la survie des conifères pendant l'hiver.

À SURVEILLER

Si vous avez de grands conifères fraîchement plantés (pins, épinettes, pruches), vérifiez deux ou trois fois pendant l'été — surtout après une période de grands vents — que les **tuteurs** sont encore en place et qu'ils n'abîment pas le tronc.

Coupez les **branches mortes** au fur et à mesure qu'elles apparaissent. Si un nombre élevé de branches meurent, c'est qu'il y a un problème majeur, la plupart du temps au niveau des racines.
Si l'intérieur des **thuyas** («cèdres») se charge de feuillage séché, secouez le plant, passez votre main à l'intérieur et faites tomber tout ça. Ce phénomène est normal: il est causé par la croissance (au fur et à mesure que les nouvelles tiges apparaissent, celles du centre n'ont plus assez de lumière et meurent).
Les conifères sont rarement affectés par des maladies ou des insectes. En cas de doute, consultez un horticulteur.

LA FERTILISATION

Voir le chapitre correspondant en ce qui concerne les arbres.

L'ARROSAGE

Les racines des petits conifères érigés (thuya, genévrier) et évasés (genévrier surtout) vivent surtout en surface. La moindre **sécheresse** prolongée peut leur nuire. Surveillez que la terre ne sèche pas sur plus de 10 cm d'épaisseur.
Au pied des petits conifères, ménagez une **cuvette** de 50 à 60 cm de diamètre. En cas de sécheresse, remplissez-la au moins deux fois de suite la même journée, chaque semaine. Faites la même chose pour les grands conifères fraîchement plantés.
Après **trois ans** de croissance au même endroit, les grands conifères ont des racines suffisamment profondes pour subvenir à leurs besoins en eau et en éléments nutritifs. Toutefois, si l'été et l'automne sont très secs, arrosez abondamment avant que le sol gèle. Voir le chapitre *Protection hivernale*.

DES PAILLIS

Pour conserver l'eau dans le sol le plus longtemps possible, recouvrez celui-ci d'un paillis. Les meilleurs **paillis** sont: le thuya haché («cèdre» haché) ou les résidus de taille des haies de thuyas.

À ÉVITER

Ne laissez rien pousser au pied des conifères tant qu'ils n'ont pas au moins cinq ans. Ce délai leur permettra de bien s'établir sans concurrence. Si vous désirez planter quelques fleurs, rappelez-vous que sous les conifères, la terre est très acide. Voir le chapitre *Un jardin à l'ombre* dans la deuxième partie.

Notions de taille et utilisation des branches taillées

La taille des conifères n'est pas absolument nécessaire. Les seules vraies raisons sont: faire ramifier les branches pour rendre la plante plus fournie et renforcer les branches pour qu'elles résistent mieux au poids de la neige. La méthode est la même pour atteindre ces deux buts.

MISES EN GARDE

- Si vous devez tailler un conifère pour réduire ses dimensions, demandez-vous s'il n'est pas planté trop près de ses voisins ou d'une construction. Si tel est le cas et si ses dimensions le permettent, essayez de le déménager le plus tôt possible après la fonte des neiges.
- Contrairement aux arbres et aux arbustes, il est extrêmement rare, sur les conifères, que de nouvelles tiges naissent sur des branches, ou des troncs, de plus de deux ans. À moins que vous ne soyez prêt à prendre le risque, essayez autant que possible de ne tailler que des tiges de l'année en cours.

QUAND?

Le moment auquel on peut tailler les conifères varie selon l'espèce.

Les jeunes pousses des **pins** s'appellent des **chandelles.** La taille s'exécute à la fin du printemps, quand les aiguilles sont encore allongées, collées, sur la chandelle.

Taillez les jeunes pousses de **sapin,** d'**épinette** et de **pruche** quand elles sont complètement développées.

Taillez les **thuyas,** les **genévriers,** les **ifs** et les **faux-cyprès** en juillet, même si la croissance n'est pas complètement terminée.

Respectez les distances de plantation.

MÉTHODE GÉNÉRALE

MISE EN GARDE

Si vous taillez la tête d'un conifère érigé (petit ou grand), la croissance en hauteur est quasi terminée. Par contre le plant met toute son énergie à pousser en largeur: c'est peut-être l'effet que vous recherchez. Cette règle s'applique aussi aux haies (de thuyas ou de pruches): ne coupez pas la tête avant que la haie ait atteint la hauteur désirée.

À chaque taille annuelle, réduisez la moitié ou les deux tiers des pousses **de l'année** en cours. Outil: le sécateur.

Si vous voulez **orienter** la croissance dans un sens ou dans un autre, coupez l'extrémité de toutes les branches sauf de celles qui vont dans la bonne direction. Outil: le sécateur.

CAS PARTICULIERS

- Tailler normalement un **pin,** c'est couper entre le quart et la moitié de la longueur des chandelles. Outil: le sécateur.
- Tailler normalement une **épinette** ou un **sapin,** c'est couper environ le tiers des nouvelles pousses. Outil: le sécateur.

POUR RÉDUIRE L'ENTRETIEN

Si vous jugez qu'un pin, un sapin ou une épinette a assez pris d'expansion, vous pouvez éliminer toutes les nouvelles pousses dès qu'elles atteignent 3 cm de longueur. Il suffit de les tordre avec les doigts pour qu'elles se séparent de la branche qui les porte. Attention cependant: une telle taille répétée plus de deux ans de suite peut considérablement affaiblir la plante. D'où l'importance, encore une fois, de planter les conifères à une distance raisonnable de tout obstacle. Si toutefois l'opération doit être continue, taillez de cette façon deux ans de suite, puis laissez la croissance se faire normalement une année. Recommencez la taille l'année suivante.

- Réduisez les jeunes pousses des **thuyas, ifs** et **pruches** de la moitié ou des deux tiers de leur longueur, mais pas plus. Outil: le sécateur ou la cisaille à haie.
- Pour les **genévriers** et les **faux-cyprès,** deux méthodes s'appliquent selon le but visé:
1. Pour une taille d'entretien annuel, réduisez les nouvelles pousses d'environ la moitié de leur longueur. Outil: le sécateur ou la cisaille à haie.
2. Pour une taille de réduction (quand la plante prend trop de place), qu'on effectue surtout sur les genévriers évasés et rampants: taillez les branches longues une par une, raccourcissez-les en coupant en biseau juste au-dessus d'une petite branche latérale dirigée vers le haut. Pour être moins visible, le biseau doit être orienté vers le bas. Outil: le sécateur.

Quand les genévriers évasés atteignent une certaine hauteur, enlevez les branches du bas sur environ 1 m pour pouvoir créer une plate-bande à leur pied.

POUR RÉUSSIR

- Si une taille sévère est nécessaire, étalez-la sur deux ans. La plante en souffrira moins et elle sera moins laide.
- Respectez la forme générale de l'espèce à tailler. Après une taille, même sévère, la longueur de chacune des branches doit être proportionnelle à la longueur des autres.

Si vous devez tailler une **grosse** branche de gros conifère, suivez les principes énumérés dans le chapitre *Notions de taille* qui concerne les arbres.

LA SCULPTURE VÉGÉTALE

Vous pouvez donner aux conifères la forme que vous voulez à condition de respecter les règles énoncées plus haut. Les meilleures **espèces** pour une taille de sculpture sont les genévriers érigés et évasés.

Quel que soit le modèle que vous vouliez représenter, ne vous attendez pas à obtenir des **résultats** d'une année à l'autre. La sculpture végétale doit tenir compte du rythme de croissance de chaque espèce ou variété. Les résultats sont bien meilleurs si l'opération débute quand la plante est très jeune.

QUAND LA TAILLE EST TERMINÉE

Les branches de conifères, en particulier celles des épinettes et des pins, sont excellentes pour la **protection hivernale** des plantes sensibles. Non seulement elles forment un écran protecteur, mais leurs aiguilles érigées forcent l'accumulation de la neige.

POUR VOUS FACILITER LA TÂCHE

Si vos mains sont **collantes** à cause de la sève des conifères, voici une façon très efficace de les nettoyer rapidement:
- frottez les taches sur vos doigts avec un corps gras: huile, beurre ou margarine;
- rincez à l'eau chaude;
- lavez vos mains avec un savon ordinaire ou du savon à vaisselle.

327

La protection hivernale

Les conifères rustiques dans une région donnée n'ont pas besoin de grande préparation à l'hiver, mais quelques petites attentions leur permettent de mieux supporter cette saison. Les principes suivants s'appliquent à tous les conifères individuels et aux haies.

LA PRÉPARATION

Ne donnez **pas d'engrais** azoté aux conifères après le mois de juin. L'azote favorise la croissance et une croissance tardive augmente les risques de gel des jeunes pousses.

En **octobre,** épandez une mince couche (2-3 cm) de compost ou de fumier composté au pied des conifères, sur 80 cm à 1 m autour du tronc pour les jeunes sujets. Cette opération a un double rôle: protéger les racines contre le froid dans le cas où la couverture de neige serait mince, et nourrir la plante tôt le printemps suivant.

La plantation ou la transplantation doit être **terminée** en septembre, même pour les conifères vendus en conteneurs. Les racines nourricières doivent avoir atteint, avant novembre, la couche de sol qui ne gèle pas. Un conifère a parfois besoin d'un surplus d'eau en hiver quand soufflent des vents doux: prises dans la glace, les racines ne pourraient pas puiser cette eau.

Lorsque l'automne est sec, il faut arroser. Un conifère doit arriver à l'hiver **gorgé** d'eau.

MISE EN GARDE

Lorsque les conifères manquent d'eau l'hiver, un certain nombre d'aiguilles subissent un traumatisme fatal. Cela se traduit par un brunissement plus ou moins généralisé. L'arbre perd alors un peu de sa beauté.

ATTENTION À LA NEIGE

D'autres grands ennemis des conifères sont la **neige** et la **glace.** Si on la laisse s'accumuler sur les branches, la neige les fait plier et souvent les casse. Or une branche de conifère cassée n'est pratiquement **jamais remplacée,** contrairement aux branches des arbres et des arbustes.

La glace se forme quand, au cours de l'hiver, la neige **fond** au niveau du sol. Elle emprisonne alors les branches basses et, en fondant, les tire vers le bas et les casse.

Les conifères rustiques — la plupart le sont — n'ont **pas besoin** d'être emmaillotés dans de la toile de jute ou dans tout autre matériau. Une telle couverture coupe le soleil et risque de nuire aux plantes plutôt que de les protéger.

Le plus tard possible en automne, enveloppez les petits conifères érigés, comme les genévriers et les thuyas, dans un filet de **plastique** spécialement conçu, qui empêche la neige d'écarter les branches. Vous pouvez remplacer ce filet par une **ficelle** montée en spirale à partir de la base du conifère; chaque tour est fait à 15 à 20 cm du précédent.

Les conifères bas trouvent leur protection sous la neige. Cependant, pour prévenir la casse, couvrez les espèces globulaires et évasées d'un chapeau de clôture à neige en forme de demi-lune. Le chapeau est maintenu en place par deux piquets plantés de chaque côté de la plante.

Réduisez les accumulations de neige sur les grands conifères jeunes (pins, épinettes) et sur les haies en **balayant** leurs branches dès que la neige a fini de tomber. Si elle est humide et lourde, il faudra sans doute balayer plus d'une fois au cours de la précipitation pour éviter la casse.

Au cas où les branches basses de ces conifères seraient **prises dans la glace,** émiettez celle-ci avec une pelle, une pioche, une masse ou coupez les branches: un conifère dégarni à la base est toujours très esthétique.

Tout conifère qui se trouve dans la ligne de tir des **souffleuses** devrait être protégé par de la clôture à neige, ou, mieux encore, déplacé.

LA PROTECTION DES HAIES

Les principes de protection hivernale précédents s'appliquent aussi aux haies de conifères.

La clôture à neige est **indispensable** pour empêcher la neige de s'accumuler, d'écraser les branches et de former une brèche irréparable dans la haie. On en met de chaque côté.

Lorsque la haie est basse, on incline légèrement la clôture vers le milieu, comme pour faire un **toit.** Cette protection est absolument nécessaire si la haie reçoit la neige des souffleuses.

PROTECTION HIVERNALE DES CONIFÈRES

Enveloppez les petits conifères érigés dans un filet de plastique.

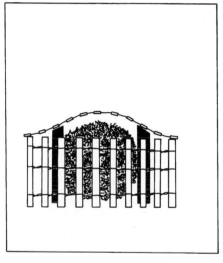

Couvrez les espèces globulaires avec de la clôture à neige.

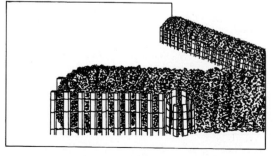

Protégez vos haies de chaque côté avec de la clôture à neige.

329

Le choix des espèces et des plants

Quand on parle fruits, on parle aussi bien des arbres fruitiers (pommiers, poiriers, pruniers, abricotiers, cerisiers) que des arbustes fruitiers (framboisiers, groseilliers, cassissiers, sureaux, etc.) et des vivaces fruitières (fraisiers). Les arbres produisent des gros fruits; les arbustes et les vivaces, des petits fruits. Voici quelques conseils pour vous aider à les choisir.

GROS FRUITS

Choisir une espèce

Critères généraux

Quand vient le temps de choisir quelle espèce d'arbre fruitier vous planterez chez vous, il faut tenir compte de quatre critères généraux.

1. Vos **goûts personnels.**
2. L'**espace disponible**: pour obtenir des récoltes importantes d'abricots, de poires, de pommes, de prunes, il est recommandé de planter au moins deux arbres de deux variétés différentes. Ce n'est pas absolument obligatoire pour les pommiers et les poiriers.
3. Le **temps à consacrer**: deux ou trois arbres demandent plus de soins qu'un seul. La taille est la tâche qui demande le plus de temps.
4. Autant que possible, plantez des espèces qui **mûrissent** à des moments différents:
   - fin juillet: cerises aigres;
   - début août: abricots, cerises sucrées, certaines pommes;
   - fin août: pêches, certaines prunes japonaises, certaines pommes;
   - début septembre: certaines poires, certaines pommes, certaines prunes japonaises, américaines et européennes;
   - fin septembre: certaines poires, certaines pommes, certaines prunes européennes et américaines.
   - octobre: certaines pommes.

Prune italienne.

Critères spécifiques

Il importe aussi de choisir des arbres fruitiers qui sont rustiques dans la région où vous habitez.

> **POUR VOUS FACILITER LA TÂCHE**
>
> Pour savoir dans quelle zone de rusticité se trouve votre localité, consultez le chapitre *Jardinage régional* dans la première partie.

- Les **abricotiers** peuvent être cultivés jusqu'à Québec (zone 4), les **pêchers,** seulement dans la région de Montréal (zone 5).
- Les **cerises aigres** sont plus rustiques (zone 3) que les **cerises sucrées** (zone 5).
- Les **prunes américaines** sont généralement grosses et rouge orangé; les

européennes, petites, bleues ou jaunes; les **japonaises,** petites, rouges ou jaunes.

- Les **poiriers** sont rustiques jusqu'à Québec. Il existe des variétés à fruits verts, à fruits jaunes et à fruits jaune et orange.
- Les **pommiers** sont les plus rustiques: zone 3 en général. Il en existe plus de 20 variétés.

L'aspect physique

L'arbre fruitier que vous achetez ne doit avoir qu'**un seul tronc,** bien droit.

À environ 1 m au-dessus du pot, vous devez trouver une première branche **latérale.** Au-dessus d'elle, deux ou trois autres, disposées de façon régulière tout autour du tronc. Ces branches, appelées **charpentières,** forment la charpente de l'arbre, qui doit être solide pour porter une grosse charge de fruits. Vérifiez que les charpentières forment un angle d'au moins 45 ° avec le tronc. Un angle plus petit affaiblit la branche.

Le tronc doit être exempt de blessures. Le **point de greffe** (tous les arbres fruitiers sont greffés) est légèrement renflé. Il doit être situé à quelques centimètres au-dessus du niveau du sol, pas enterré. Si vous remarquez au niveau du point de greffe que les tissus sont décollés ou que la partie supérieure est plus mince que la partie inférieure, choisissez un autre arbre.

La dimension du **pot** doit être proportionnelle au diamètre de l'arbre. Par exemple: un pot de 30 cm pour un tronc de 2,5 cm de diamètre.

Pour vérifier si l'arbre est bien **enraciné,** demandez à un vendeur de le soulever par le tronc. Le bas de la motte devrait être tapissé de racines.

Si l'arbre porte des fleurs ou des fruits, **enlevez-les** aussitôt après l'avoir acheté. Il aura besoin de toute son énergie pour fabriquer des racines, pas pour porter une récolte.

La santé

Le feuillage ne doit montrer ni **tache** noire, jaune ou brune, ni trou.

À la jonction des branches entre elles ou avec le tronc, surveillez la présence de **plaies** infectées ou de **verrues,** surtout sur les pruniers.

Sur les cerisiers, il ne doit y avoir aucun écoulement de **gomme** jaunâtre: c'est un signe de stress.

Le service

Pour être sûr que vous achetez la bonne variété, vérifiez que chaque arbre porte une étiquette descriptive.

PETITS FRUITS

Choisir une espèce

Critères généraux

Voici trois éléments auxquels il faut penser quand vous désirez acheter des plants de petits fruits.

1. Vos **goûts personnels.**
2. L'**espace disponible**: L'avantage des petits fruits, c'est qu'on peut les incorporer sans problème à l'aménagement en les utilisant carrément comme plantes ornementales:
   - on peut plantrer une haie de framboisiers, de cassissiers ou de groseilliers;
   - on peut mettre des cassissiers, groseilliers, bleuetiers et sureaux en mélange avec des arbustes ou des vivaces;
   - on peut utiliser mûrier, kiwi et vigne comme plantes grimpantes sur des treillis, des tonnelles, des pergolas.
3. Le **temps à consacrer**: Il faut plus de temps pour entretenir un arbuste fruitier qu'un arbuste à fleurs.

Critères spécifiques

N'oubliez pas de respecter votre zone de rusticité. Rien ne sert d'acheter un plant qui ne passera pas l'hiver.

Pour savoir dans quelle zone de rusticité se trouve votre localité, consultez le chapitre *Jardinage régional* dans la première partie.

- Il existe des fraisiers et des framboisiers dits **remontants** qui produisent de juin à septembre.
- Certaines variétés de framboisiers produisent des fruits **jaunes,** d'autres des fruits **noirs.**
- Certaines variétés de **mûriers** ne portent **pas d'épines.** Il faut mettre deux plants côte à côte pour obtenir une bonne production.
- Les sureaux sont avant tout des plantes ornementales.
- Il existe des bleuetiers **nains** à petits fruits et des bleuetiers **géants** à gros fruits. Les premiers sont plus rustiques (zone 2) que les seconds (zone 4), mais tous demandent une terre acide. Voir le chapitre *La tourbe de sphaigne pour améliorer la terre.*
- Un plant de kiwi mâle peut féconder six plants femelles, mais il faut planter les deux pour avoir des fruits. Les kiwis grimpants sont rustiques jusqu'à Québec (zone 4) dans les endroits abrités.
- Il suffit d'un plant de groseillier ou de cassissier pour avoir une bonne production, mais vous obtiendrez une meilleure récolte avec deux plants de chacun. Ils sont rustiques jusqu'en zone 3.
- La vigne, rustique jusqu'à Québec, produit plus quand deux variétés sont plantées proches l'une de l'autre.

Une famille moyenne (2 adultes et 3 enfants) peut amplement se nourrir (fruits frais, jus, confitures, pâtisseries et vins) avec une plantation constituée de:

- 5 framboisiers,
- 5 bleuetiers,
- 3 groseilliers ou cassissiers,
- 30 fraisiers,
- 2 mûriers,
- 2 vignes.

L'aspect physique

Les plants offerts à racines nues (pas en pots) doivent avoir une dizaine de racines de couleur **pâle.** Des racines foncées sont un signe de gel ou de maladie.

Achetez des plants de fraisiers en pots.

Si vous achetez des plants de n'importe quelle espèce à racines nues, essayez de les planter **avant** l'apparition des feuilles. La reprise est bien meilleure, même sur les fraisiers.

Les feuilles ne doivent montrer ni de signe de **jaunissement** ni de **taches.** Le feuillage des fraisiers mal conservés est noirci et ramolli.

S'il y a des fleurs sur les plants, **enlevez-les.** Les racines ont besoin de toute l'énergie disponible.

Des plants certifiés

Certaines variétés de fraisiers et de framboisiers sont soumises à un programme de certification anti-virus du ministère de l'Agriculture du Québec. Les plants certifiés sont reconnaissables à l'étiquette officielle qu'ils portent, identifiée du sceau du ministère et indiquant en gros caractères: fraisiers certifiés ou framboisiers certifiés, selon le cas. Sur l'étiquette, sont aussi inscrits le nom de la variété, l'année de production et le nom du producteur.

La culture des gros fruits

Pommes, poires, prunes, pêches et abricots obtiennent, dans nos jardins, des succès mitigés. C'est surtout une question de climat. Cela mis à part, un bon sol, de bonnes conditions de pollinisation (voir le chapitre Le choix des espèces et des plants*) et une taille élémentaire sont les conditions primordiales pour s'assurer des récoltes savoureuses et abondantes.*

APRÈS LA PLANTATION

Aussitôt après avoir planté vos arbres fruitiers, **éliminez** toutes les fleurs. L'arbre a besoin de toute son énergie pour s'établir chez vous et pour former sa charpente, pas pour faire des fruits. Si la tentation est trop forte, attendez que les fruits soient formés et gardez-en deux ou trois seulement.

Dans le choix des espèces, tenez compte du fait que les arbres fruitiers sont décoratifs quand ils fleurissent. Ici, un prunier.

Vous devriez continuer d'éliminer les fleurs pendant les **deux** années suivant la plantation. Pour satisfaire votre gourmandise, gardez-en un maximum de cinq (pommes, poires, pêches) à dix (prunes et cerises).
Ne **plantez rien,** ni fleurs ni pelouse, au pied des arbres fruitiers pendant au moins trois ans: la concurrence risquerait de les affaiblir. Arrosez régulièrement dès que la terre est sèche sur 3 cm d'épaisseur.

Si vous voulez mettre de l'engrais
Trois ou quatre fois dans l'été, vaporisez le feuillage avec un engrais riche en phosphore.

Si vous ne voulez pas mettre d'engrais
Étendez un peu de compost au pied des arbres et enfouissez-le en surface avec un outil approprié. Voir le chapitre *Un jardinier bien outillé.*

L'écorce des arbres fruitiers est sucrée. Pour éviter qu'elle ne se fasse ronger par les mulots, surtout en hiver, sous la neige, protégez la base du tronc avec une **spirale** de plastique.

CONTRE LES INSECTES ET LES MALADIES

Renseignez-vous: il existe maintenant des variétés d'arbres fruitiers **résistantes** aux maladies, surtout du côté des pommiers.
Pour éloigner insectes et maladies, comme pour les légumes, pratiquez le **compagnonnage,** technique qui consiste à mêler toutes sortes de plantes pour brouiller le système de

repérage des insectes. Voir les chapitres *Fruits et légumes dans les fleurs*, en deuxième partie, et *Méthodes générales de culture des légumes*.

Il existe des insecticides et des fongicides dits **naturels** qui ne sont nuisibles ni pour l'environnement ni pour le jardinier.

Par ailleurs, des **pièges** sexuels ont été mis au point pour attirer et détruire les mâles de certaines espèces d'insectes. Il suffit de les suspendre dans les branches.

Si vous décelez des pucerons sur vos arbres fruitiers, vaporisez avec de l'eau chaude que votre main peut supporter.

Jetez systématiquement feuilles et fruits infestés dans les **déchets** et non sur le tas de compost.

Soyez préventif: au printemps, avant la sortie des feuilles, vaporisez les arbres avec des **huiles de dormance.** Ces huiles détruisent les insectes qui ont hiverné sur le tronc ou les branches.

LA TAILLE DE FORMATION

Pour qu'un arbre puisse porter sans effort la récolte que l'on souhaite, il lui faut une charpente **solide.** La taille de formation a pour but de créer cette charpente.

Lorsque vous achetez un arbre, il devrait avoir, à environ 1,50 m du sol, trois ou quatre branches latérales disposées régulièrement, à différentes hauteurs, tout autour de l'axe principal. Ce sont les **charpentières.** La première année, coupez à ras du tronc toutes les autres pousses. Ne raccourcissez pas les charpentières avant la **quatrième** année, sauf si l'une ou l'autre est beaucoup plus vigoureuse que ses voisines. Dans ce cas, réduisez celle-ci d'environ un cinquième de sa longueur. Taillez juste au-dessus d'un bourgeon dirigé vers l'extérieur.

La première année, coupez à ras les pousses latérales qui se développent sur les charpentières. Dès la deuxième année et les années suivantes, conservez quelques branches **latérales** en commençant par la base de la charpentière. Ces latérales vont porter les fruits.

Les branches arquées d'un arbre fruitier produisent plus que les branches droites. Il faut en tenir compte dans la taille.

NOTIONS DE TAILLE ANNUELLE

Ces principes s'appliquent aux arbres nains.

POUR VOUS FACILITER LA TÂCHE

Apprenez à reconnaître les bourgeons qui donneront des fleurs et des fruits (on les appelle «boutons») et ceux qui donneront des tiges et des feuilles (un «œil» ou des «yeux»). Les premiers sont plutôt arrondis et plus gros que les seconds, plutôt coniques.

La taille a lieu de préférence **avant** la sortie des feuilles et des fleurs. Celles-ci sont très fragiles et pourraient se casser au cours de la manipulation.

L'axe principal (prolongement du tronc) doit toujours être **plus long** que les branches latérales. Ne laissez jamais l'axe principal

L'ÉCLAIRCISSAGE

Pour éviter que les pommiers et les poiriers produisent en abondance une année sur deux et que l'autre année la production soit faible, pratiquez ce qu'on appelle l'éclaircissage. Les fleurs sont groupées en bouquets. Une fois fécondées, elles donnent des bouquets de fruits. Quand les fruits sont formés et assez gros (2 à 3 cm de diamètre), ne laissez pas plus de **deux** fruits par bouquet.

LA FERTILISATION

Voir le chapitre *La fertilisation* en ce qui concerne les arbres.

C'est en fin d'été et au début de l'automne que se décide la floraison de l'année suivante. Les yeux se transforment en boutons. Il est donc impératif de ne pas fertiliser avec des engrais azotés après le mois de **juin.**

Si vous voulez mettre de l'engrais
Utilisez plutôt un engrais riche en phosphore. Voir le chapitre *Connaître sa terre.*

se ramifier à son extrémité, sauf si l'arbre a atteint la hauteur souhaitée.

Raccourcissez les tiges latérales d'environ **un tiers** de leur croissance de l'année précédente. Taillez juste au-dessus d'un œil dirigé vers l'extérieur.

Pour faciliter l'**aération** et la pénétration du soleil, éliminez les tiges courtes et minces et toutes celles qui poussent vers l'intérieur de l'arbre.

Éliminez les tiges qui poussent à la **verticale** sur les branches: elles sont trop vigoureuses pour porter des fruits.

Éliminez aussi les grosses tiges vigoureuses qui poussent à la base de l'arbre. Ce sont des «**gourmands**» qui consomment beaucoup de sève sans espoir de porter de fruits.

Pour cueillir les pommes, exercez un mouvement vers le haut. N'arrachez pas la queue (pédoncule) ni les petites branches auxquelles elles sont accrochées.

La culture des petits fruits

Chaque espèce fruitière a des exigences particulières, mais une bonne terre bien enrichie (voir le chapitre Enrichir sa terre*) et une exposition ensoleillée (au moins six heures par jour) permettent au jardinier de cultiver à peu près tout ce qu'il veut sans avoir à acquérir de grandes connaissances. Voici les particularités de culture de chaque espèce.*

BLEUETS

Les bleuets ont besoin d'une terre **acide**. Voir le chapitre *La tourbe de sphaigne pour améliorer la terre.*

Pour avoir une belle récolte, plantez **côte à côte** au moins un plant de deux variétés différentes. Espacez les plants d'environ 1 m. Pour garder les racines au frais, recouvrez le sol d'un paillis.

Au printemps, **taillez** en éliminant les branches faibles. Coupez aussi à la base les branches âgées de plus de trois ans.

Si vous voulez mettre de l'engrais
Appliquez au printemps un engrais de formule 7-7-7 ou 20-20-20, sur un diamètre de 50 cm autour des plants.

CASSIS

Une **seule** variété suffit pour obtenir une bonne récolte. Espacez les plants d'environ 1 m. Pour garder les racines au frais, recouvrez le sol d'un paillis.

Si vous voulez mettre de l'engrais
Utilisez une formule équilibrée (10-10-10, 20-20-20).

Éliminez les **vieilles** branches de plus de quatre ans et remplacez-les par des jeunes partant de la base. Coupez les tiges et les branches qui poussent à l'intérieur de la plante: autrement, les fruits n'auraient pas assez de soleil.

FRAMBOISES

Il existe des variétés de framboisiers à fruits rouges, à fruits jaunes ou à fruits noirs.

Achetez seulement des plants **certifiés**. Voir le chapitre *Le choix des espèces et des plants*. Espacez les plants d'environ 40 cm.

Si vous voulez mettre de l'engrais
Épandez au pied de chaque plant, tôt au printemps, une poignée d'un engrais granulaire pour plantes à fruits.

Si vous ne voulez pas mettre d'engrais
Enfouissez chaque printemps une couche de compost de 2 cm d'épaisseur.
Surveillez la venue de **pucerons** au sommet des jeunes pousses et l'apparition de taches brunes sur les tiges. Éliminez les parties infestées avant d'utiliser insecticide ou fongicide.
Au printemps suivant la récolte, **coupez** à ras du sol les tiges qui ont porté des fruits. Parmi les plus jeunes, gardez seulement les plus vigoureuses. À la fin de la taille, vous ne devriez pas avoir plus de 10 tiges par mètre linéaire de culture et la largeur de la plantation ne devrait pas excéder 60 cm.
Les plantations de framboisiers doivent être **remplacées** tous les 10 à 12 ans.

FRAISES

Achetez seulement des plants **certifiés.**
Voir le chapitre *Le choix des espèces et des plants.* Plantez-les à 40 cm d'intervalle.

Les fraisiers sont exigeants: **changez-les** de place tous les trois ans et replantez les plus jeunes plants dans une terre riche en compost et en poudre d'os (une poignée par plant).

La première année, **enlevez** toutes les fleurs pour que les plants s'installent solidement avant de commencer à produire.

Pour garder les racines au frais et humides, et pour empêcher les fruits de se salir et de pourrir, étendez un **paillis** sur le sol tout de suite après la plantation.

Si vous n'avez pas besoin des **stolons** (jeunes pousses au bout d'une longue tige), coupez-les au fur et à mesure qu'ils poussent. Sinon, plantez-les dans un petit pot pour qu'ils s'enracinent avant de les séparer du plant-mère.

GROSEILLES

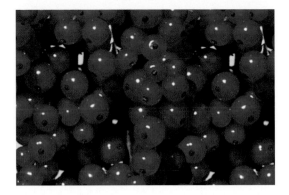

Une **seule** variété suffit pour obtenir une bonne récolte.

Pour garder les racines au frais, recouvrez le sol d'un **paillis.**

Si vous voulez mettre de l'engrais

Utilisez une formule équilibrée (10-10-10, 20-20-20).

Éliminez les vieilles branches de plus de quatre ans et remplacez-les par des jeunes partant de la base. Coupez les tiges et les branches qui poussent à l'intérieur de la plante: autrement les fruits n'auraient pas assez de soleil.

MÛRES

Pour obtenir une meilleure récolte, plantez côte à côte **deux** jeunes plants de la même variété ou de deux variétés différentes. Espacez-les d'environ 1 m.

Faites **grimper** les plants sur un treillis ou traitez-les comme des **arbustes.**

Enfouissez une pelletée de **compost** au pied de chaque plant au printemps.

Coupez à ras du sol les tiges de plus de **deux** ans, elles ne produiront plus. Après la taille, il ne devrait pas y avoir plus de cinq tiges par mètre linéaire: éliminez les superflues. Au printemps, quand les nouvelles pousses atteignent 1 m, coupez l'extrémité pour favoriser la ramification.

SUREAUX

Sureau doré en fleurs. Les fruits noirs apparaissent peu après. Ils sont comestibles et aimés des oiseaux. Le sureau à feuilles vertes est aussi productif que celui-ci.

En traitant le sureau juste comme un **arbuste** décoratif, on obtient de bonnes récoltes.

Stimulez la croissance de nouvelles tiges porteuses de fleurs et de fruits en **réduisant** au printemps les plus grosses tiges de la moitié de leur longueur. Éliminez les tiges faibles et toutes celles qui poussent vers l'intérieur de l'arbuste.

RAISINS

Les vignes aiment les terres **riches** en compost, mais arrivent aussi à vivre dans les sols pauvres. La nature du sol a une influence sur le goût des raisins.

La taille doit être faite impérativement **tôt** au printemps, avant que les bourgeons ne commencent à ouvrir. Gardez trois ou quatre tiges vigoureuses sur chaque plant et coupez les autres au-dessus du quatrième bourgeon à partir de la base.

Les vignes sont des plantes **grimpantes**: elles peuvent pousser sur un treillis ou une pergola, mais aussi sur du fil de fer tendu entre deux poteaux. Dans ce dernier cas, elles prennent des allures de haies.

Au milieu de l'été, enlevez les feuilles qui pourraient empêcher le **soleil** d'atteindre les grappes.

Le forçage du fraisier et de la rhubarbe

Si vous avez une grande fenêtre ensoleillée ou, mieux, un solarium ou une serre, vous pourrez déguster quelques petites fraises en mars. Pour savourer des tiges de rhubarbe en février, il vous suffira d'un placard!

LE FRAISIER

Le plus **tard** possible avant que le sol gèle, déterrez quelques beaux plants de fraises âgés de deux ou trois ans. Ils ne doivent pas nécessairement porter des feuilles; ils en feront à l'intérieur.

Plantez chaque plant dans un **pot** de 15 cm de diamètre rempli d'un mélange composé d'un tiers de terreau de rempotage et de deux tiers de compost. Arrosez copieusement et maintenez la terre humide.

La **récolte** a lieu entre mars et mai. Elle est d'autant plus abondante que la lumière est forte.

Les plants forcés ne peuvent être replantés.

LA RHUBARBE

Le plus tard possible avant que le sol gèle, avec une bêche bien affûtée, tranchez un morceau d'une **vieille** souche de rhubarbe de la grosseur du poing.

Plantez ce morceau dans un pot de **25 ou 30 cm** de diamètre rempli soit de terreau de rempotage ordinaire, soit d'un mélange comme celui-ci:

- ⅓ de bonne terre de jardin,
- ⅓ de tourbe de sphaigne,
- ⅓ de compost,

auquel vous ajouterez quelques poignées de **perlite** pour limiter le compactage du sol. Arrosez copieusement.

Placez le tout à l'**obscurité,** dans un placard par exemple, et à température normale.

Arrosez seulement quand la terre est **sèche** sur 5 cm d'épaisseur.

De jeunes **feuilles** ne tarderont pas à s'allonger. Elles seront pâles, presque jaunes, mais tendres et savoureuses.

La récolte ne dure **pas longtemps**: sans lumière, le morceau de souche s'épuise rapidement.

Quand la croissance est terminée, le plant n'est **pas** récupérable.

POUR VOUS AMUSER

Si vous avez de la place, essayez de forcer le plant de rhubarbe près d'une fenêtre ensoleillée. Les résultats sont plus longs à venir qu'à l'obscurité, les feuilles plus encombrantes aussi.

Choix et culture

Les plantes grimpantes annuelles s'enroulent autour des clôtures, des treillis, des poteaux et des petits arbres, et font des merveilles dans les paniers suspendus. Les espèces vivaces font encore plus: certaines s'agrippent aux murs, d'autres tombent en cascade le long des murets décoratifs, mais toutes peuvent servir de couvre-sol dans les pentes, d'ombre sur les tonnelles et les pergolas.

LES GRIMPANTES ANNUELLES

Toutes les espèces de grimpantes annuelles peuvent être cultivées par semis **directement** au jardin. Faites tremper les graines dans l'eau pendant la nuit qui précède la plantation.

Cardinal grimpant

Le cardinal grimpant a de grandes feuilles très découpées et porte de petites fleurs **rouges.** Il peut grimper jusqu'à environ 4 m. On le plante en **plein soleil** et dans une terre chaude, fin mai début juin. On peut aussi le semer à l'intérieur à la fin d'avril, puis le transplanter au jardin fin mai début juin. Laissez 40 cm entre deux plants. Arrosez avant que la terre ne sèche.

Cobée

La cobée a des tiges de plus de 5 m qui s'accrochent par des **vrilles.** Elle porte de grosses fleurs violettes en forme de cloche.

La cobée aime les sols riches en compost et se contente parfois de **quatre** heures de soleil par jour.

On peut la semer à l'intérieur à la mi-avril et la transplanter au jardin fin mai début juin.

On peut aussi la semer à l'intérieur en septembre, près d'une fenêtre très ensoleillée, pour fleurir en plein **hiver.**

Laissez 50 cm entre les plants.

Dolique

Le dolique a un feuillage dense et des fleurs **rouge bourgogne** groupées en bouquet. Il pousse jusqu'à 3 m de hauteur.

Il se contente d'une terre ordinaire. Le meilleur endroit pour le semer est un mur ou une tonnelle orienté **plein sud.**

Vous pouvez le semer à l'intérieur en avril et le transplanter au jardin fin mai début juin. Laissez 50 cm entre les plants.

Gloire du matin

La gloire du matin a un feuillage très dense et porte de **grandes** fleurs bleues, roses ou mauves. Elle grimpe jusqu'à 4 m.

Elle décore **admirablement** un mur exposé plein sud.

On peut la semer à l'intérieur à la fin d'avril, puis la transplanter au jardin fin mai début juin.

Laissez 40 cm d'intervalle entre les plants.

Haricot d'Espagne

Le haricot d'Espagne a un feuillage dense et des fleurs rouges ou rouge et blanc. Il produit des haricots **comestibles** et pousse jusqu'à 3 m de haut.

Le haricot d'Espagne est très décoratif sur des cônes faits de branches. Il se contente de quatre heures de soleil par jour, mais préfère en recevoir plus. Il faut laisser 50 cm entre les plants. On peut aussi le cultiver dans des **bacs.**

Pois de senteur

Les tiges de plus de **2 m** des pois de senteur s'accrochent avec des vrilles. Elles produisent des fleurs parfumées, bleues, rouges, roses ou mauves qui font d'excellentes fleurs coupées.

Le pois de senteur aime les terres **riches** en compost. On laisse un intervalle de 40 cm entre les plants.

Ne laissez pas la terre **sécher.**

Il peut être semé à l'intérieur à la fin d'avril, puis transplanté au jardin fin mai début juin. Il peut aussi être semé à l'intérieur en septembre, près d'une fenêtre ensoleillée, pour fleurir en plein **hiver.**

Thunbergie

La thunbergie, dont le feuillage est dense et les fleurs **jaunes à cœur noir,** aime la chaleur et le plein soleil, mais se contente parfois de quatre heures d'ensoleillement par jour. Elle grimpe à environ 2 m de hauteur.

LES GRIMPANTES VIVACES

Bignone

La bignone (*Campsis radicans*), une plante à floraison estivale, est rustique jusqu'à Québec. Son feuillage est léger et ses fleurs en trompettes, **orange vif,** sont groupées en bouquet. Elle s'accroche d'elle-même à tout support poreux.

La bignone doit être plantée en situation ensoleillée **seulement,** plein sud de préférence. Elle vit dans tous les sols, mais préfère les terres riches en compost.

Tôt au printemps, taillez les tiges secondaires à 8-10 cm de leur base.

Bourreau des arbres

Très **vigoureux,** voire envahissant, le bourreau des arbres s'enroule de lui-même autour des supports naturels ou décoratifs. On l'apprécie pour son feuillage très dense. Il pousse dans tous les sols, mais doit être planté en plein **soleil.**

Chèvrefeuille

Le chèvrefeuille a une végétation dense, mais des fleurs délicates, tubulaires, orange, roses, jaunes ou blanches, excellentes pour attirer les **colibris.** Il est rustique jusqu'au Saguenay, en milieu abrité. On doit lui fournir un support.

Le chèvrefeuille pousse en plein soleil, mais il **tolère** d'avoir quatre heures seulement d'ensoleillement par jour. Il aime les terres riches et profondes.

Ne laissez pas la terre sécher.

Taillez en éliminant les vieilles branches et les tiges mal placées.

Clématites

Il existe des clématites à grandes fleurs et d'autres à petites fleurs. Elles sont **peu rustiques** au nord de Montréal.

Elles aiment avoir la tête au soleil et les pieds au frais: recouvrez donc le sol d'un **paillis.** Fournissez-leur un support.

En automne, **protégez** la base des variétés à grandes fleurs avec un épais lit de feuilles mortes. Le plus tard possible en automne, **taillez** les variétés 'Jackmannii', à 40-50 cm du sol. Sur les autres, enlevez seulement, après la floraison, les tiges qui ont fleuri.

Houblon

On trouve du houblon à feuillage vert et du houblon à feuillage jaune et vert. Il est très **vigoureux.**

En été, il produit des fleurs **jaunes** et des fruits jaunâtres.

Il aime les sols riches en compost, et les situations ensoleillées **seulement.** Il est rustique jusqu'à Québec.

Le plus tard possible en automne, **taillez** les tiges à 40-50 cm du sol.

Hydrangée

Hydrangée venant de fleurir.

L'hydrangée, au feuillage très dense, produit des pousses vigoureuses quand elle est bien installée. L'été, elle porte des fleurs **blanches** groupées en larges grappes plutôt plates. Elle est peu rustique au nord de Montréal.

L'hydrangée préfère les sols **acides.** Voir le chapitre *La tourbe de sphaigne pour améliorer la terre*. Plantez-la au soleil ou à l'ombre. Elle s'accroche toute seule.

Ne laissez pas la terre sécher.

Kiwi

Actinidia kolomika.

346

Il existe une espèce de kiwi à feuilles vertes et à fleurs blanches parfumées (*Actinidia arguta*); une autre à feuilles vertes, blanches et roses, à fleurs blanches parfumées (*Actinidia kolomika*). Elles sont peu rustiques au nord de Montréal.

Les kiwi tolèrent **quatre** heures de soleil par jour.

Il faut planter un plant mâle et un plant femelle **riche** pour obtenir des fruits.

On les plante dans une terre riche en compost et on leur offre un support.

Lierre de Boston

Les feuilles vertes, découpées en trois lobes égaux du lierre de Boston, rougissent à l'automne. Il est peu rustique au nord de Montréal. Il s'accroche **de lui-même** aux murs de bois, de pierres, de briques.

Le lierre de Boston est utilisé pour son feuillage seulement dans les endroits recevant **au moins** quatre heures de soleil par jour. Il pousse dans tous les sols.

Ménisperme

Plante indigène du Québec, à larges feuilles, le ménisperme s'enroule **tout seul** autour des supports, des clôtures en particulier. Il pousse dans tous les sols. Il préfère le plein soleil, mais peut vivre avec quatre heures d'ensoleillement par jour.

Rustique jusqu'à Québec, il est très **vigoureux.**

Renouée

La renouée est une plante très **vigoureuse** à feuillage dense, dont les tiges s'enroulent d'elles-mêmes. Sa floraison est peu spectaculaire, mais elle produit un amas de fleurs blanchâtres en été.

Peu rustique au nord de Montréal, elle pousse dans **tous** les sols.

Vigne vierge

La vigne vierge est une plante vigoureuse à feuillage vert qui tourne **rouge** en automne. Elle est rustique jusqu'au Saguenay.

Elle pousse dans tous les sols, même pauvres, et tolère les **sécheresses passagères.** Elle s'accroche d'elle-même. Ne laissez pas les tiges **envahir** les gouttières et les fenêtres.

La vigne vierge ne vit que dans un endroit **ensoleillé.**

Dates de semis à l'intérieur et à l'extérieur

La période pendant laquelle on peut semer à l'intérieur chaque légume s'étend sur deux à trois semaines. Mais pour avoir de beaux plants vigoureux, il vaut mieux semer un peu trop tard qu'un peu trop tôt.

Nom	Date* de semis intérieur	Date* de semis extérieur
Aubergine	15 au 30 mars	
Bette à carde		au dégel
Betterave		au dégel (rép7)
Brocoli	1er au 15 avril	
Carotte		au dégel (rép7)
Céleri	15 au 30 mars	
Chou de Bruxelles	15 mars	
Chou-fleur	1er avril au 15 mars	
Chou frisé	1er avril	
Chou pommé hâtif	1er mars	
Chou pommé tardif	1er avril	
Chou rouge	1er avril	
Citrouille		fin des risques de gel
Concombre		fin des risques de gel
Cornichon		fin des risques de gel
Courge, courgette	15 avril (ext)	fin des risques de gel
Épinard	10 jours avant	fin des gels (rép7)
Haricot		fin des risques de gel (rép7)
Laitue	15 avril (ext)	au dégel (rép7)
Maïs		10 jours avant fin des gels (rép6)
Melon	15 avril (ext)	10 jours avant fin des gels
Navet hâtif		au dégel
Navet tardif		juillet
Oignon	15 mars (ext)	au dégel
Panais		au dégel
Poireau	15 mars (ext)	au dégel
Pois		au dégel (rép6)
Poivron (piment)	1er au 15 avril	
Radis		au dégel (rép7)
Salsifis		au dégel
Tomates	1er mars au 1er avril	

* Les dates s'appliquent à la grande région de Montréal. Pour l'Estrie, le Centre du Québec et Québec, ajoutez une semaine. Pour les autres régions, ajoutez deux à trois semaines.

(ext) Peut être semé directement à l'extérieur.

(rép6) Peut être semé à répétition jusqu'au 15 juin.

(rép7) Peut être semé à répétition jusqu'au 31 juillet.

Le choix des plants

Contrairement à ce que l'on pourrait penser, ce ne sont pas les plants les plus gros qui donnent les meilleurs résultats. En faisant vos achats, surveillez les points suivants.

LA COULEUR DU FEUILLAGE

L'intensité du vert varie d'une espèce à l'autre. Toute nuance de **jaune** est un signe que les plants ont souffert de sécheresse ou de malnutrition.

LA LONGUEUR DES TIGES

Plus un plant est **court,** trapu et ramifié, mieux il repousse au jardin. Tomates, poivrons (piments verts) et aubergines devraient avoir des tiges aussi courtes que possible. Si elles sont longues, mais pas étiolées, il faudra les planter plus profondément pour couvrir jusqu'à un tiers de la tige.

LE NOMBRE DE FRUITS

Les conseils ci-dessous ne s'appliquent qu'aux plants vendus en **caissette.** Les plants de tomates, de courges et de concombres vendus en gros pots de fibres bruns peuvent garder tous leurs fruits puisque leurs racines ne seront pas perturbées au moment de la transplantation.
En ce qui concerne les autres espèces, **moins** il y a de fruits, **mieux** c'est: à la transplantation, les fruits prennent l'énergie dont les racines ont besoin pour s'installer au jardin. Si possible, achetez des plants sans fruits. S'il y a des fruits, enlevez-les en arrivant chez vous.

POUR VOUS DISTINGUER

Couper les fruits aide les racines mais favorise aussi la ramification donc la production d'un plus grand nombre de fruits par la suite.

L'ÉTIQUETAGE

Chaque caissette devrait porter une étiquette indiquant au moins le **nom** de la variété.

LA QUALITÉ DE LA TERRE

Plus la terre des caissettes est **friable,** plus les plants risquent d'avoir souffert de sécheresse à un moment ou à un autre. Une terre friable rend aussi la transplantation difficile: les racines n'y adhèrent pas et risquent de sécher si vous les laissez à l'air libre plus de deux ou trois minutes.

L'ENRACINEMENT

Pour vous assurer que les plants sont bien enracinés (et ils le sont généralement): observez si des racines sortent par les **trous** situés sous la caissette ou bien soulevez délicatement une plante dans un coin de la caissette: le chevelu racinaire devrait être dense.

LE NOMBRE DE PLANTS PAR CAISSETTE

Voici les normes édictées par le Bureau de normalisation du Québec:
- petites caissettes (17,8 cm x 25,4 cm): 12 plants en général; 9 pour les tomates et les poivrons (piments verts);
- grandes caissettes (17,8 cm x 30,5 cm): 18 plants en général; 12 pour les tomates et les poivrons.

Principes généraux de culture

Les économistes sont formels: on ne cultive pas les légumes pour l'économie mais pour le plaisir. Or, le plaisir s'envole quand on se complique la vie. Mais il y a quand même des règles préventives à respecter pour que ce plaisir se concrétise par une récolte abondante et savoureuse. En ce qui concerne l'emplacement, la dimension, la forme et la terre du potager, consultez le chapitre Un potager tout neuf, *en deuxième partie.*

LE COMPAGNONNAGE

Un mélange de légumes, de fleurs et de fines herbes dérange les insectes et les éloigne.

Le terme «compagnonnage» désigne une technique qui consiste à faire pousser à proximité les uns des autres des végétaux (légumes, fleurs, fines herbes) qui se **protègent** entre eux, le plus souvent contre les insectes.

Ces végétaux peuvent aussi s'entraider **physiquement.** Ainsi, par exemple, le maïs et le tournesol peuvent servir de tuteur au concombre, et le basilic améliore la croissance et le goût des tomates.

Exemples de plantes compagnes

Voici quelques exemples de plantes qui gagnent à être mises côte à côte.
- Ail et betterave.
- Betterave, aubergine et haricot.
- Choux, thym et carotte.
- Concombre, tournesol et oignon.
- Courge, maïs et camomille.
- Laitue, betterave et épinard.
- Oignon, tomate et poivron.
- Petits pois, radis et carotte.
- Poivron, aubergine et oignon.
- Pomme de terre, haricot et petits pois.
- Radis, carotte et concombre.
- Tomate, céleri, basilic et persil.

Quelques plantes bénéfiques au potager

En plus de cultiver les plantes compagnes ensemble, cultivez aussi des plantes dont les effets sont intéressants comme protection:
- Camomille, marjolaine, œillet d'Inde, romarin, souci, sauge et thym éloignent plusieurs **insectes** nuisibles.
- La capucine sert d'appât pour les **pucerons**; les coccinelles sont friandes de pucerons et dévorent au passage ceux qui sont sur les autres plantes.
- L'alysse, la coriandre, le cosmos et le sarrasin **attirent** des insectes utiles au jardinier.

Mode d'application

Les suggestions de cultures combinées énoncées précédemment ne sont pas des règles strictes, mais tout au plus des façons de rendre le jardinage à la fois **plus amusant, plus reposant et moins polluant.**

Divisez votre potager en sections où vous tenterez des **expériences** à la fois écologiques et esthétiques, ou encore placez des légumes dans vos plates-bandes de fleurs ou d'arbustes. Voir le chapitre *Fruits et légumes au milieu des fleurs.*

LA ROTATION DES CULTURES

Un potager divisé en sections permet une meilleure rotation des cultures.

Pratiquer la rotation des cultures, c'est éviter de faire pousser les légumes deux années de suite au **même** endroit.

Selon la façon dont ils produisent, les légumes ont des exigences **différentes,** ils ne consomment donc pas les mêmes éléments nutritifs dans le sol. La rotation permet une meilleure utilisation du sol.

De manière générale, quand une plante est toujours cultivée au même endroit, les **maladies** et les **insectes** qui l'affectent se développent de façon épidémique. La rotation diminue les risques d'infestation.

Les catégories de légumes

Pour simplifier, on regroupe les légumes en trois grandes catégories:
- les **légumes-racines**: betterave, pomme de terre, carotte, panais, radis, navet, oignon.
- les **légumes-feuilles**: céleri, épinard, laitue, choux (tous), échalote, ciboulette, fines herbes.
- les **légumes-fruits** et **légumes-graines**: concombre, courge, melon, tomate, aubergine, poivron, haricot, petits pois, gourgane, maïs.

Mode d'application

Divisez le potager en **quatre**: une section par catégorie de légumes et une section où vous cultiverez un engrais vert (voir le chapitre *Enrichir sa terre)*, de préférence un trèfle ou une féverole.

Chaque année, changez chaque catégorie de légumes de place.

LES CULTURES INTERCALAIRES

Le terme de «cultures intercalaires» désigne une technique qui consiste à cultiver des légumes à croissance rapide (radis, laitue et même carotte) **entre les rangs** des légumes à croissance plus lente (tomate, choux, oignon).

Cette technique oblige le jardinier à **espacer** les légumes à croissance lente d'environ 30 % de plus que la normale. Ainsi, les légumes rapides auront toute la place voulue pour se développer sans concurrence ni au niveau des racines, ni pour l'ensoleillement. Vous pouvez faire plusieurs semis successifs de légumes à croissance rapide.

LES SEMIS SUCCESSIFS

Plusieurs légumes ont une période de croissance assez courte pour que vous puissiez les semer plusieurs fois de suite au cours de l'été — mais **jamais** au même endroit. Pour

Des semis successifs de carottes permettent une consommation de légumes frais tout l'été.

connaître les espèces concernés, consultez le chapitre *Dates de semis à l'intérieur et à l'extérieur.*

LE CONTRÔLE DES MAUVAISES HERBES

Principes généraux

Consultez les chapitres *Contrôler facilement les mauvaises herbes* et *Des paillis à tout faire.*

Un coup de râteau hebdomadaire empêche les mauvaises herbes de germer et embellit le potager.

La méthode de la toile noire

Pour protéger chaque rang de légumes, vous pouvez vous procurer une toile de **plastique** noir, du genre de celles dont on se sert pour créer des bassins, ou une toile **géotextile,** perméable.

Arrosez si le temps est sec, puis étendez la toile sur le sol.

Aux endroits où vous mettrez chaque légume, taillez une **croix** dans la toile avec une lame, puis semez ou plantez selon le cas.

La toile a d'autres avantages que d'empêcher la croissance des **mauvaises herbes**: elle **réchauffe** la terre et maintient l'**humidité** au sol.

POUR VOUS FACILITER LA TÂCHE

Quand les récoltes sont terminées, identifiez les toiles du nom des légumes qui composaient les rangs. L'année suivante, il vous suffira de les dérouler pour obtenir les mêmes résultats. Mais attention, respectez la rotation des cultures: placez les toiles à des endroits différents chaque année.

L'ARROSAGE

Si vous utilisez une toile ou un paillis, vous pouvez **espacer** les arrosages et vos légumes ne souffriront pas des possibles sécheresses.

Arrosez vos légumes de préférence le soir, à la main, le bout du tuyau muni d'une pomme d'arrosage genre douche. Arrosez directement **au pied** de chaque plant en évitant, autant que possible, de mouiller le feuillage.

Après un arrosage normal, la terre doit être humectée sur au moins **20 cm** de profondeur.

Culture simplifiée de 12 légumes

Chaque légume peut avoir des exigences particulières. Mais en général, quand la terre est bonne et suffisamment enrichie, quand on respecte les principes généraux de culture (voir chapitre précédent) et quand on fait confiance à la nature, les récoltes arrivent sans qu'on ait eu à se compliquer la vie. Voici quand même une description des besoins spécifiques de 12 espèces.

L'artichaut est une culture assez facile, pratiquée par les jardiniers aventureux.

AUBERGINE

La saison de croissance de l'aubergine est assez longue et elle a besoin de beaucoup de **chaleur** pour arriver à maturité: elle ne pousse donc pas partout au Québec.
Plantez-la au début de juin, à **60 cm** d'intervalle. Ne laissez pas sécher la terre.
Gardez seulement quatre tiges et deux fleurs par tige. Quand les fruits sont formés, éliminez toutes les pousses qui se développent. Consommez les fruits bien **mûrs.**
L'espèce originale a la peau violette, mais il existe une variété blanche.

BETTERAVE

Semez la betterave **tôt,** dès que la terre peut être travaillée aisément. Elle tolère les gelées de printemps. Choisissez une terre peu sablonneuse, sinon elle pourrait souffrir de sécheresse.

Espacez les graines de **3 à 5 cm** et enfouissez-les à 1 cm de profondeur. Quand les plants ont 5 cm de hauteur, éclaircissez en ne laissant qu'un plant tous les 10-15 cm.

POUR VOUS FACILITER LA TÂCHE

Quand vos doigts sont écartés, la distance entre l'extrémité de votre pouce et l'extrémité de votre auriculaire est d'environ 20 cm. Servez-vous de votre main comme mesure.

POUR VOUS DISTINGUER

Vous pouvez laisser les betteraves grossir avant de les éclaircir. Enlevez alors les superflues et consommez-les comme entrée, c'est délicieux.

CAROTTE

Semez la carotte **tôt,** dès que la terre peut être travaillée aisément. Elle tolère les gelées de printemps.

Le feuillage des carottes est très décoratif dans les plates-bandes de fleurs.

Il existe des carottes longues et pointues, d'autres à l'extrémité arrondie, d'autres enfin qui ont l'aspect de petites boules.
Pour obtenir des carottes bien formées, assurez-vous que la terre ne contient aucune **pierre** ou **obstacle** quelconque sur au moins 20 cm de profondeur.
Espacez les graines de 2 à 3 cm. Ne les semez qu'à 0,5 cm de profondeur. Quand les plants ont 5 cm de hauteur, laissez seulement un plant tous les **5-10 cm.**
Répétez les semis jusqu'à la fin de juillet.

POUR VOUS FACILITER LA TÂCHE

Vous pouvez laisser les carottes commencer à grossir avant de les éclaircir. Enlevez les superflues au fur et à mesure que vous les consommez. Mangez-les en entrée, c'est délicieux.

CÉLERI

Enrichissez la terre **copieusement** avant la plantation. Espacez les plants de 30 cm. Quand ils atteignent 40 cm de hauteur, procédez au **blanchiment** des feuilles en adoptant une des façons suivantes: enfilez un sac brun autour des plants ou bien buttez-les avec de la terre sur 30 cm de hauteur.

Plant de céleri entouré d'une toile de plastique noir.

CHOU

Plantez les choux tôt, dès que la terre peut être travaillée: ils résistent aux gelées printanières. Les choux poussent mieux dans les terres **lourdes.**
Enfoncez les plants **plus** profondément que dans la caissette, à 40 cm les uns des autres. Ne laissez pas la terre sécher.
Ne mettez **pas** d'engrais azoté dans les cultures de choux-fleurs, de choux de Bruxelles et de brocolis.

CONCOMBRE

Semez le concombre dès que la terre est réchauffée.

Le concombre est un **perpétuel** affamé: semez-le dans une terre enrichie en fumier ou en compost. Ou encore, creusez une fosse de 40 cm de côté et de profondeur et remplissez-la de fumier ou de compost; recouvrez d'une mince couche de terre dans laquelle vous sèmerez des graines.
Espacez les graines de 20 cm, et mettez-les à 1 cm dans la terre.

Ne laissez pas la terre sécher.
Dans les petits jardins, faites **grimper** le concombre sur des tournesols, du maïs, un treillis ou un grillage.

HARICOT

Semez les haricots en petits **groupes** de trois à cinq graines. Espacez les groupes de 30 à 40 cm.
La terre doit être sèche sur les 3 à 5 premiers centimètres. Déposez les graines là où la terre commence à être humide (elle est plus foncée). Recouvrez-les de 2 cm de terre. **Ramenez** de la terre au pied des plants dès qu'ils atteignent 30 cm, sur environ 10 cm de hauteur. **Répétez** les semis tout l'été.

Si vous voulez mettre de l'engrais
Un engrais soluble à base de phosphore fait durer la floraison, donc la production.

LAITUE

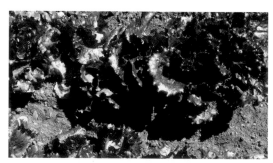

Il existe une foule de variétés de laitues dont certaines à feuilles rouges.

Semez la laitue dès que la terre peut être travaillée: elle supporte les gelées printanières. Auparavant, **enrichissez** la terre avec du compost ou du fumier.

Si vous n'avez pas de potager, semez des laitues en bordure des plates-bandes.

Semez sur une terre **fine,** sans mottes ni cailloux. Autant que possible, espacez les graines d'au moins 5 cm.

Quand les plants ont 5-6 cm de hauteur, n'en laissez pas plus d'un tous les **20 cm.** Vous pouvez transplanter ailleurs les plants superflus ou les consommer en salade.

Répétez les semis jusqu'à la fin de juillet.

MAÏS

Semez le maïs quand la terre est **réchauffée,** généralement au début de juin.

Pour une production maximum, il faut que les plants puissent se féconder entre eux. Pour obtenir une fécondation optimale, semez au moins **trois** rangées de maïs espacées de 40 cm.

POUR VOUS FACILITER LA TÂCHE

Avec une seule rangée, on peut obtenir des épis délicieux, mais ils ne seront pas aussi pleins qu'avec trois rangées.

La distance à respecter entre les plants est de 40 cm. Enfouissez les graines à **3 cm** dans le sol.

Surveillez l'arrosage: il faut environ 500 litres d'eau pour produire 1 kg de grains.

Les plants de maïs peuvent servir de support aux plants de concombres.

POIS

Les pois n'aiment pas les grosses chaleurs. Semez-les dès que la terre peut être travaillée,

Les petits pois se comportent mieux s'ils s'agrippent à des fils de fer.

même s'il reste cinq semaines avant la fin officielle des gelées de printemps. La germination des pois se fait le plus aisément quand la terre est à **12 °C.**

Comme le trèfle et la luzerne, les pois ont des racines qui fixent l'**azote** de l'air. L'année d'après, on peut faire pousser des laitues ou des choux avec succès à l'ancien emplacement des pois.

Espacez les graines de 3 cm et enfouissez-les à 3 cm de profondeur.

Les pois ont besoin d'un **support** auquel ils accrochent leurs vrilles. En début de croissance, aidez-les à s'accrocher.

Ne laissez pas la terre sécher.

Récoltez les pois quand les graines sont bien formées sous la gousse.

POMME DE TERRE

POUR ÉCONOMISER

Vous pouvez planter des pommes de terre entières, des moitiés ou des morceaux comportant au moins un bourgeon.

Les pommes de terre donnent les meilleurs résultats dans les terres légères. N'enfouissez **pas de fumier ni d'engrais azoté** juste avant la culture.

Plantez de préférence au fond d'une **cuvette** de 5 cm de profondeur. Espacez les plants de 40 cm.

Quand les plants ont 20 cm, commencez à ramener de la terre en **butte** à leur pied. Répétez l'opération une fois toutes les deux semaines, au fur et à mesure que les plants grandissent.

Dès le début de l'été, **surveillez** sous les feuilles l'apparition d'amas d'œufs de doryphores de couleur orange. Détruisez les feuilles attaquées. Si des larves ou des adultes apparaissent, arrosez avec un jet à pression. Quand les insectes sont au sol, écrasez-les.

Il existe un produit écologique pour détruire les doryphores: le *Bacillus thuringiensis*

(B.T.). On a par ailleurs identifié une guêpe parasite du doryphore.

POIVRON (PIMENT)

Il existe des **variétés** rouges de poivron (consommées vertes), d'autres jaunes, orange ou violettes, à gros fruits ou à petits fruits.

Plantez-les un peu **plus** profondément que dans la caissette après que tout risque de gel soit passé. Espacez les plants de 50 cm.

Ne laissez pas la terre sécher.

Si vous voulez récolter des **graines,** attendez que les fruits soient bien mûrs.

TOMATES

Si les plants de tomates sont **hauts,** plantez-les de telle sorte que la tige soit enterrée sur les deux tiers de sa longueur. Enrichissez bien la terre avant la plantation. Espacez les plants de 60 cm.

Juste après la plantation, plantez un **tuteur** à moins de 5 cm de la tige. Attachez la tige au tuteur tous les 30 cm, au fur et à mesure qu'elle grandit. Pour ne pas abîmer la tige, utilisez des morceaux de vieux bas de nylon. Quand des pousses naissent **à l'aisselle des feuilles,** éliminez-les. Il faut examiner les plants toutes les semaines jusqu'à la fin de la récolte. Les pousses latérales prennent l'énergie qui pourrait servir à faire grossir les fruits.

Assurez-vous que les plants ne subissent pas une **alternance** trop prononcée de sécheresse et d'humidité dans le sol: les fruits risquent d'éclater.

Au plus tard à la mi-août, **coupez l'extrémité** des plants: toute la sève doit alors servir à faire grossir et mûrir les fruits en place. Pour activer la maturation, **enlevez** les feuilles qui cachent les fruits du soleil.

POUR VOUS DISTINGUER

Si vous cultivez des tomates dans des bacs surélevés, peints de couleur foncée, la récolte commencera plus tôt. Attendez la fin d'août avant de couper l'extrémité des plants.

Que faire avec les tomates vertes en fin de saison

Voici quatre solutions:

- Emballez-les une par une dans du papier journal et mettez-les dans un endroit frais.
- Faites-les mûrir sur le bord d'une fenêtre ne recevant pas plus de deux heures de soleil direct par jour.
- Jetez-les au compost.
- Faites des confitures de tomates vertes: poids égal de tomates et de sucre, un citron et une orange pour 5 kg de fruits, pas d'additifs.

Démarrer le potager en automne

Au printemps, tout est à faire, le potager comme le reste. Mais la nature nous réserve bien des surprises. Elle a créé des légumes qui peuvent être semés ou plantés en automne, mais qui ne commenceront à pousser qu'au printemps.

Des graines de laitue semées en automne germent dès que la neige a fondu.

OÙ ET QUAND

Semis et plantations d'automne auront plus de chances de réussir si vous les exécutez dans un endroit — potager ou plate-bande — qui reçoit beaucoup de **neige** protectrice en hiver. Si nécessaire, installez des clôtures à neige pour en forcer l'accumulation.

Il vaut mieux opérer **avant** que le sol gèle, mais vous pouvez essayer de semer des laitues, par exemple, sur un sol gelé, préalablement bien travaillé.

Le seul véritable obstacle à la préparation du potager en automne, c'est la **neige hâtive,** celle qui ne fond pas.

LES LÉGUMES À SEMER

- Parmi les **légumes-feuilles,** on peut semer: laitue, épinard, céleri, bette à carde, chou. Les meilleurs résultats sont donnés par les laitues et les épinards.

- Parmi les **légumes-racines,** on sème à l'automne: carotte, navet, panais. Les résultats sont irréguliers.
- Les **légumes-graines** sont généralement trop sensibles pour passer l'hiver, mais, dans les meilleures conditions, le petit pois peut donner de bons résultats.
- La tomate est le seul **légume-fruit** qui puisse germer au printemps après un hiver sous la neige. La meilleure méthode consiste à laisser pourrir des tomates mûres sur une terre bien travaillée en fin d'automne. Au printemps, transplantez les jeunes plants qui auront germé.

LES LÉGUMES À PLANTER

On plante des tulipes pour qu'elles fleurissent au printemps, pourquoi ne pas planter de l'ail ou des échalotes françaises? Et pour obtenir de gros oignons, semez-en.

En automne et au début du printemps, étendez sur le sol de la cendre de bois, que vous enfouirez au bêchage.

Le coin des fines herbes: culture et conservation

Un potager sans fines herbes, est-ce vraiment un potager? Chose certaine, elles ont leur place partout dans l'aménagement, dans les plates-bandes de tulipes, de vivaces, d'annuelles, dans les boîtes à fleurs ou les mosaïcultures. Certaines sont en effet très décoratives, soit par la couleur, soit par la texture de leur feuillage. Toutes gardent leur saveur quelle que soit la façon dont vous voulez les conserver.

LES ESPÈCES

Les annuelles

Les espèces qu'on doit cultiver tous les ans à partir de la graine sont: l'aneth, le basilic (vert ou rouge, à feuilles plates ou frisées), la bourrache, le cerfeuil, la coriandre, le fenouil, l'origan (vert ou doré), le persil (plat ou frisé), le romarin et la sarriette.

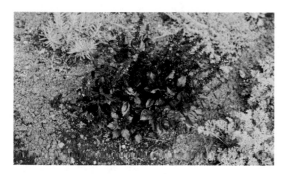

Basilic pourpre.

Les vivaces

Les espèces qui survivent à l'hiver prennent de l'expansion chaque année. Il faut parfois réduire leur développement. Ce sont: la ciboulette (ordinaire ou à l'ail), l'estragon, la marjolaine (verte ou panachée), la menthe (ordinaire, à l'ananas, à l'orange ou poivrée),

Ciboulette à l'ail.

la sauge (verte, rouge ou tricolore), le thym (anglais, français, argenté, au citron).

CULTURE

Les fines herbes doivent recevoir **au moins** quatre heures d'ensoleillement par jour. Elles poussent dans tous les sols dont la qualité première est d'être aérés. Enfouissez une bonne dose de **compost** en préparant la terre.

L'origan doré est un gourmand de soleil.

Les annuelles

Le persil est très riche en fer.

Semez les fines herbes annuelles **tôt** au printemps, dès que la terre peut être travaillée. Autant que possible, espacez les graines de 10 à 15 cm.

Quand les plants ont 5 cm de hauteur, enlevez les **superflus**: gardez seulement un plant tous les 30 cm. Si vous en avez besoin, vous pouvez répéter les semis jusqu'à la fin de juillet.

Les vivaces

Vous pouvez semer les vivaces ou transplanter les espèces vendues en pots. Si vous semez, faites-le **tôt** au printemps, dès que la terre peut être travaillée. Si vous plantez, faites-le un peu plus tard, deux ou trois semaines avant la fin officielle des gels printaniers, ou n'importe quand au cours de l'été. Espacez les plants de 30 cm.

Tous les quatre ans, **rajeunissez** la plantation:

- **à la fin d'août,** arrachez les touffes;
- avec un couteau tranchant, divisez chaque touffe en une dizaine de plants;
- plantez les jeunes plants à un autre endroit ou au même endroit après l'avoir enrichi en compost.

La ciboulette est bonne même quand elle est en fleurs.

LA RÉCOLTE

On peut récolter des fines herbes tout l'été pour la consommation immédiate. Pour la conservation hivernale, récoltez de préférence **juste avant** la floraison.

Les meilleures parties à consommer sont les feuilles du **tiers supérieur** des tiges.

LA CONSERVATION

Quelle que soit la méthode choisie pour conserver les fines herbes, **lavez** les feuilles et mettez-les à égoutter sur du papier absorbant. Ensuite, procédez tel qu'indiqué pour chacune des méthodes.

La congélation

Faites des petits paquets de feuilles et enveloppez-les **hermétiquement** dans du plastique. Attachez à chaque paquet une feuille de papier sur laquelle est indiqué le contenu. Mettez au congélateur.

À l'air libre

Placez huit à dix tiges lavées dans un grand **sac brun** percé d'une douzaine de trous. Suspendez les sacs dans une pièce chaude pendant deux semaines.

Conservez les feuilles entières dans des flacons hermétiques pour les utiliser pendant tout l'hiver.

Au four

Étalez les **feuilles** sur une plaque, sans les tiges. Réglez le four à 50 °C et laissez la porte entrouverte. Faites sécher les feuilles pendant environ trois heures.

Conservez les feuilles entières dans des flacons hermétiques.

Au micro-ondes

Placez les tiges fraîches sur du papier absorbant. Réglez le four à chaleur moyenne, pendant **deux** minutes. Si le séchage n'est pas parfait, remettez-le four en marche 30 secondes à la fois.

Conservez les feuilles et les tiges dans des flacons hermétiques.

Le choix des espèces et des formes

Malgré la difficulté de conserver les rosiers greffés en hiver, les amateurs et les collectionneurs trouvent toujours un moyen de préserver leurs précieuses plantations contre les rigueurs climatiques. Jusqu'à récemment, les rosiers qui résistaient bien ne plaisaient pas beaucoup à cause de la forme non typique de leurs roses. On trouve maintenant des espèces très résistantes qui satisfont bon an mal an à la fois les débutants et les passionnés. Voici un tour d'horizon des différentes espèces.

LES ROSIERS ANCIENS

'Erfurt'.

sauvages, dont certaines variétés ont été créées au XIXe et même au XVIIIe siècle.

Les rosiers anciens sont divisés en classes dont les plus connues sont: *centifolia, damascena, gallica,* hybrides musqués, hybrides perpétuels, mousseux, etc. Ils sont greffés et nombreux sont ceux qui **résistent** bien à nos hivers, moyennant une protection adéquate.

Ce sont des rosiers de collection.

LES ROSIERS RUSTIQUES

Les rosiers anciens sont rarement vendus dans les centres horticoles, mais plutôt par **catalogue** spécialisé. Cette appellation regroupe une foule de rosiers, issus d'espèces

Les rosiers rustiques sont aussi appelés rosiers arbustifs ou rosiers rugosa, et parfois, à tort, rosiers sauvages. Ce sont des rosiers non greffés qui résistent au froid

sans protection hivernale dans les zones 3, 4 et 5.

La forme de l'arbuste, sa vigueur, sa faculté de drageonner et la quantité d'épines **diffèrent** d'une variété à une autre. Certaines variétés atteignent 2 m de hauteur, d'autres ne dépassent pas 60 cm.

Les fleurs sont simples ou doubles, roses, blanches, jaunes, cuivrées, rouges, plus ou moins parfumées. La **floraison** dure en moyenne trois semaines au début de l'été. Elle dure plus longtemps chez certaines variétés. D'autres variétés refleurissent à la fin de l'été.

On plante les rosiers rustiques isolés sur une pelouse, dans un massif d'arbustes, dans une grande plate-bande entourés de vivaces ou pour former une haie.

LES ROSIERS MINIATURES

Utilisés dans la rocaille ou en bordure des plates-bandes, ou encore pour la confection de grands massifs, les rosiers miniatures résistent assez bien au froid parce qu'ils sont **enfouis** dans la neige, en hiver. Ils conviennent également à la plantation en pots.

Ils mesurent 20 à 30 cm. On trouve des variétés à fleurs rouges, jaunes, blanches, orange et roses.

LES ROSIERS BUISSONNANTS

Les rosiers buissonnants sont les plus populaires. Greffés, ils craignent le froid intense et les temps doux suivis de gels sévères. Il faut les **protéger** en hiver.

On les plante en massifs dans une roseraie, en bordure des plates-bandes, par groupes de trois ou cinq d'une même variété, ou parmi des fleurs vivaces.

Il en existe quatre grandes classes, aux couleurs, formes et parfums variés:

- Les **hybrides de thé** sont très florifères; ils portent de grosses roses généralement seules sur une tige, idéales pour produire des fleurs coupées. Hauteur: 1 m.

'Carmen'.

'Sonia'.

- Les **grandifloras** sont un peu plus hauts (1,20 à 1,50 m); leurs fleurs sont de bonnes dimensions et groupées en petit nombre en haut d'une tige.

'Jacques Cartier'.

- Les **polyanthas** sont les plus petits des rosiers buissonnants; ils portent une abondance de petites fleurs aux couleurs très variées, groupées en bouquets. On les utilise surtout dans les bordures ou en mélange avec des vivaces. Hauteur: 30 à 50 cm.

'Elizabeth of Clamis'.

- Les **floribundas** sont des croisements entre les hybrides de thé et les polyanthas: ils portent un grand nombre de petites fleurs de la forme de celles des hybrides. Hauteur moyenne: 50 cm.

'Playboy'.

LES ROSIERS GRIMPANTS

LES ROSIERS SUR TIGE OU ROSIERS EN ARBRE

Les rosiers grimpants sont, pour la plupart, des variétés d'hybrides de thé, de polyanthas ou de floribundas **greffées** sur une espèce grimpante. Il existe aussi des variétés spécifiquement grimpantes.

Ils fleurissent **une grande partie** de l'été. Leur sensibilité au froid fluctue d'une variété à l'autre, mais ils résistent d'autant mieux que l'automne a été marqué par un refroidissement progressif accompagné de gelées légères. La plupart du temps, il faut les **protéger,** sauf s'ils sont bien abrités du vent et des alternances de gel et de dégel. Voir le chapitre *Plantation, entretien et protection.* On les plante le long d'un mur, au pied d'une arche ou d'une pergola.

POUR VOUS DISTINGUER

Il existe depuis quelques années des variétés de rosiers grimpants entièrement rustiques qui n'ont pas besoin de protection hivernale. Une des plus fameuses est 'John Cabot' que l'on retrouve aussi dans la série des «Explorer».

La plupart des rosiers sur tige sont des variétés d'hybrides de thé, de floribundas et de grandifloras greffées en haut d'un tronc d'environ **1,50 m** de hauteur.

Leur présence dans l'aménagement produit un effet unique. On les plante généralement dans des plates-bandes de rosiers buissonnants ou comme **plante vedette** dans une plate-bande de fleurs diverses.

«Meidiland» 'Bonica'.

Le point sensible étant la greffe, il est indispensable de les protéger en hiver, généralement en les **couchant** dans une tranchée. Voir le chapitre *Plantation, entretien et protection*. On trouve maintenant quelques variétés de rosiers rustiques sur tige qui n'ont pas besoin de protection.

LES ROSIERS «MEIDILAND»

Les rosiers «Meidiland» sont originaires de France. Ils sont très populaires parce qu'ils fleurissent **abondamment** une grande partie de l'été.

Comme ils ne sont pas greffés, ils n'ont **pas besoin** de protection hivernale.

Il en existe des formes rampantes et des formes buissonnantes pouvant atteindre 1,50 m. Leurs fleurs sont **petites** et de couleurs variées: roses, blanches, rouges, principalement.

LES ROSIERS «EXPLORER» ET «MORDEN»

Les rosiers «Explorer» et «Morden» sont parfois appelés «sous-zéro». Ils ont été développés par des chercheurs canadiens et n'ont pas besoin de protection hivernale. Ils sont généralement très **résistants** aux maladies.

Leurs fleurs ne sont pas très grosses mais **nombreuses.** La floraison dure du milieu de l'été jusqu'aux premières gelées.

«Explorer»

La hauteur de ces rosiers varie de 1 à 2 m selon la variété. La plupart peuvent résister à l'hiver même si la couche de neige est mince. Les principales variétés sont: 'Jens Munk' (rose, moyen), 'John Cabot' (rouge, parfumé), 'John Franklin' (rouge, double, parfumé).

«Morden»

La hauteur de ces rosiers varie de 50 cm à 1,25 m selon la variété. Les principales variétés sont: 'Amorette' (rouge), 'Blush' (rose pâle tournant blanc), 'Centennial' (rose, parfumé, semi-double).

Création d'une roseraie

Une roseraie n'est pas forcément un grand espace planté de roses comme on en voit dans les jardins publics. Une roseraie est avant tout un ensemble de rosiers plantés dans des plates-bandes de dimensions et de formes variables. Une roseraie n'a pas besoin d'être très grande pour avoir du charme et attirer l'attention.

CHOIX DES ESPÈCES ET DES VARIÉTÉS

Dans une roseraie, on peut trouver des rosiers de toutes les formes, des miniatures aux grimpants en passant par les rustiques et les hybrides de thé. Pour faire un choix judicieux, voir le chapitre *Le choix des espèces et des formes*. Pour une question d'esthétique et pour faciliter l'entretien, il est préférable de regrouper les rosiers selon leur type.

L'EMPLACEMENT

Sous peine de ne pas fleurir, les rosiers exigent un **minimum** de cinq à six heures de plein soleil par jour. Évitez de les planter trop près des arbres, des conifères ou des haies — concurrents affamés et assoiffés — ainsi que dans les sols où l'eau s'égoutte mal.

Le décor sur lequel les roses produiront le plus d'effet est la pelouse. Découpez des plates-bandes dans la **pelouse** en vous assurant que le niveau du sol soit plus bas que l'herbe. De cette façon, les rosiers qui ont toujours très soif, pourront recueillir le plus d'eau possible. Quelles que soient leurs dimensions, elles doivent être tracées pour suivre les courbes générales du jardin.

Les **îlots** aménagés dans les pavages et les dallages créent aussi de beaux cadres pour les rosiers.

DISTANCES DE PLANTATION

Pour mettre chaque rosier en valeur, il faut l'espacer suffisamment de ses voisins.

Les distances de plantation sont déterminées moins par l'esthétique que par le volume de terre dont chaque rosier a besoin pour s'alimenter et fleurir tout l'été. Voici quelques normes minimales sur les intervalles à respecter.

- rosiers buissonnants: 50 cm à 80 cm selon la classe;
- rosiers rustiques: 2 m;
- rosiers grimpants: 2 m;
- rosiers sur tige: 1 m;
- rosiers miniatures: 20 cm;
- rosiers «Meidiland»: 60 cm à 1 m selon la variété;
- rosiers «Explorer» et «Morden»: 40 cm à 80 cm selon la variété.

CRÉER DIFFÉRENTES COMPOSITIONS

Quand on plante plusieurs variétés d'un même type de rosier dans une plate-bande, il est préférable de **ne pas** mélanger les couleurs. Pour mieux apprécier les caractéristiques de chacune, il vaut mieux les planter par groupes de trois, cinq, sept ou neuf (nombre impair toujours).

Les plates-bandes de rosiers buissonnants peuvent être **bordées** de rosiers miniatures ou de plantes vivaces basses à floraison estivale (campanule, népéta, thym, géranium, coréopsis, etc.).

On peut créer de magnifiques plates-bandes avec quelques rosiers tiges au centre et des rosiers floribundas ou hybrides de thé autour. Choisissez des couleurs contrastantes (jaune et rouge) ou complémentaires, (jaune et orangé, rose pâle et rouge).

Pour obtenir un beau jardin naturel de rosiers mélangés, il faut respecter deux règles.

- D'abord, il doit être établi sur un fond de **verdure,** par exemple une haie de thuya («cèdre») — attention cependant à l'ensoleillement: cinq à six heures minimum.
- Ensuite, les couleurs doivent être **douces** pour inspirer la détente: jaune, rose pâle, lilas et blanc, par exemple.

Dans la rocaille, les rosiers miniatures, quelques floribundas et polyanthas, ainsi que les rosiers «Meidiland» peuvent être accompagnés de conifères à petit développement. Plantez les rosiers à au moins **1 m** du conifère le plus proche.

Les rosiers arbustes, ou rosiers **rustiques,** peuvent être plantés isolés ou en groupes, mais ils peuvent aussi être associés, pour en garnir la base, à des potentilles ou à des vivaces estivales comme les coréopsis et les alchemilles.

L'HARMONISATION DES COULEURS

Un fond de conifères mettra en évidence n'importe quelle couleur.

Toutes les couleurs s'harmonisent avec la pelouse environnante, mais les meilleurs effets **contrastants** sont obtenus par les jaunes, les rouges foncés et les roses foncés. Si des rosiers **roses** sont associés à des plantes vivaces, on choisira celles-ci de préférence dans les tons de **rouge** (cardinale, monarde) ou de **bleu** (népéta, sauge, pied-d'alouette).

Les rosiers **rouges veloutés,** grimpants ou non, accompagnent avec harmonie les clématites **violettes** et les vivaces **jaunes** (œnothère, lysimaque, achillée, rudbeckie).

Les rosiers **blancs et jaunes** sont de préférence plantés en arrière des autres couleurs. Ils attirent le regard vers l'arrière et prolongent les perspectives.

Placez les variétés aux **pétales bariolés** au milieu des plates-bandes et vers l'avant. Choisissez ensuite deux variétés aux couleurs du bariolage et plantez-en plusieurs pieds sur les côtés et vers l'arrière, pour attirer le regard.

Plantation, entretien et protection

Les seuls rosiers qui demandent vraiment une protection hivernale sont les rosiers greffés. Ce sont eux aussi qui ont le plus besoin de soins particuliers pendant la croissance et au moment de la plantation. Mais, malgré la popularité grandissante de toutes les autres formes de rosiers (miniatures, rustiques, «Meidiland», grimpants, sur tige, etc.), les rosiers buissonnants restent ceux que l'on s'arrache.

LA PLANTATION

La plantation peut se faire sur une butte à condition de bien protéger les racines avec un épais paillis, ici du thuya haché.

La terre

Tous les rosiers sont des plantes exigeantes en eau. Ils préfèrent donc les terres argileuses. Dans les terres sablonneuses, ajoutez de la tourbe de sphaigne, de la vermiculite, un peu d'argile et une bonne dose de compost.

Méthode

Les méthodes de plantation générales sont consignées dans le chapitre *Savoir planter*

et transplanter. Elles s'appliquent à la plupart des rosiers, y compris les rosiers greffés en pots.

Les conseils qui suivent s'appliquent spécifiquement aux rosiers greffés vendus dans des **emballages** individuels:

- Faites un trou de 40 cm de largeur et de 30 cm de profondeur.
- La distance entre les plants doit être de 40 cm pour les polyanthas et les floribundas, de 50 cm pour les autres.
- Coupez les racines noircies, brunies ou endommagées. Réduisez d'environ un tiers les plus longues parmi les racines restantes et coupez l'extrémité des plus courtes.
- Trempez les racines ainsi apprêtées pendant quelques secondes dans une boue composée de terre de jardin, de compost et de poudre d'os.
- Faites un petit monticule au fond du trou, sur lequel vous déposerez le rosier, les racines pendant de chaque côté.
- Le point de greffe (renflement entre les tiges et les racines) doit être enterré d'environ 2 cm, une fois la terre tassée — à la main — autour du rosier.
- Taillez immédiatement: choisissez les cinq tiges les plus vigoureuses et coupez-les à 10 cm de leur base, juste au-dessus d'un bourgeon tourné vers l'extérieur. Coupez les autres à ras du tronc.

L'ENTRETIEN ESTIVAL

Pour tous les rosiers

En début de saison, sur un diamètre de 60 cm autour du pied, épandez une mince couche de compost; enfouissez-le légèrement avec un sarcloir ou une griffe à trois dents. Éliminez régulièrement les fleurs fanées, les feuilles mortes et les tiges séchées.

Si des pucerons apparaissent à l'extrémité des jeunes tiges, coupez juste en dessous de la masse d'insectes et détruisez-la.

Si vous tenez à utiliser des insecticides (naturels ou synthétiques), ne coupez pas, et traitez le plant une fois toutes les trois semaines pendant trois mois. On peut aussi s'en débarrasser en vaporisant de l'eau chaude.

Sur les feuilles du bas d'abord, surveillez l'apparition de **taches** noires ou de poudre blanche. Éliminez-les au fur et à mesure ou traitez-les avec un fongicide.

Si vous n'avez pas recouvert le sol d'un paillis, **désherbez** régulièrement.

Pour les rosiers greffés

Arrosez toujours au pied du rosier, directement avec le tuyau d'arrosage, pour ne pas atteindre le feuillage. Mouillez la terre abondamment sur au moins 30 cm de profondeur et sur un diamètre de 60 cm autour du plant.

Si des tiges vigoureuses, vert pâle et non florifères, apparaissent juste **au-dessous** du point de greffe, coupez-les immédiatement: elles épuisent le plant. Mais ne vous leurrez pas, ce symptôme indique que le rosier en question est fatigué.

Quand vous cueillez des fleurs, coupez la tige **le plus long** possible.

LA PROTECTION HIVERNALE

Les rosiers non greffés

Les rosiers non greffés n'ont pas vraiment besoin de protection hivernale, mais ils passeront un meilleur hiver si vous vous assurez que leur pied est **recouvert** en permanence d'une bonne couche de neige.

Les rosiers miniatures, les «Meidiland» rampants, les «Explorer» et les «Morden» (voir le chapitre *Le choix des espèces et des formes*) sont assez bas pour passer l'hiver sous la neige. Il se peut néanmoins qu'il y ait quelques branches mortes, le printemps venu; **coupez-les** à ras dès que vous le pourrez.

Les rosiers grimpants et sur tige

Il existe des variétés de rosiers grimpants parfaitement rustiques. Sans protection, ils peuvent quand même **perdre** quelques branches, mais ce n'est pas alarmant. À l'abri des vents desséchants, il arrive que les rosiers grimpants conventionnels passent l'hiver sans protection.

Les **rosiers sur tige** sont greffés à environ 1,50 m de hauteur; pour eux, la protection est indispensable.

Les trois méthodes de protection suivantes s'appliquent aux deux types de rosiers:

1. Enveloppez les tiges et le point de greffe dans de la **laine minérale** que vous recouvrez d'une toile géotextile. Attachez le tout avec de la ficelle.

2. **Arrachez** les plants, puis réduisez le nombre et la longueur des tiges selon les principes de taille propres à chaque forme de rosier (voir le chapitre *La taille simplifiée)*. Enterrez les plants dans une tranchée de 40 cm de profondeur. Recouvrez le tout d'un lit de feuilles mortes. Au printemps, replantez les rosiers en retaillant les racines.

3. Dégagez les racines sur un côté du rosier, puis **couchez-le** par terre sur le côté

PROTECTION HIVERNALE DES ROSIERS

(1)

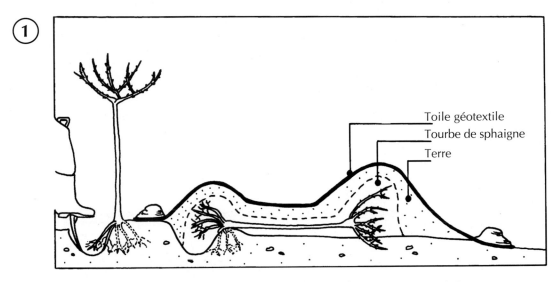

Protégez vos rosiers sur tige en dégageant les racines sur un côté.

(2)

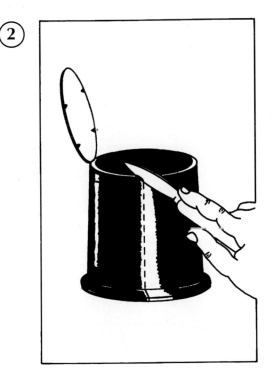

Protégez vos rosiers greffés sous des vieux pots de plastique noir. Coupez le fond et le côté du pot.

Maintenez le pot fermé avec un élastique et remplissez-le avec une terre légère.

opposé. Recouvrez-le de tourbe de sphaigne, puis de terre et enfin d'une toile géotextile maintenue en place par des pierres. Au printemps, dès que le sol est dégelé, redressez le rosier, réenterrez les racines et arrosez abondamment.

Les rosiers greffés

Le point **sensible,** c'est la greffe (entre les tiges et les racines). Le froid peut lui nuire, mais ce qui risque de la détruire, c'est l'alternance de chaleur et de froid. S'il fait doux, la sève commence à circuler; quand revient le froid, elle gèle, dilate les tissus, fait décoller la greffe et mourir le rosier.

Avant de protéger ces rosiers, il faut les raccourcir: quand les feuilles sont tombées, coupez **toutes** les tiges à environ 30 cm de leur base.

Attendez ensuite que le sol gèle. Quatre méthodes de protection s'offrent alors à vous:

1. Si vous avez accès à une impressionnante quantité de feuilles mortes, recouvrez-en votre miniroseraie d'au moins 1 m. **Il est recommandé mais pas obligatoire** de maintenir les feuilles en place avec une toile géotextile.

2. Si vous avez conservé de vieux **pots** de plastique noir d'au moins 25 cm de diamètre, enlevez-en le fond et coupez le côté de haut en bas. Passez ces anneaux de plastique autour des rosiers, au niveau du sol. Maintenez-les fermés avec des élastiques. Remplissez l'espace autour de la greffe avec une **terre** légère, riche en tourbe de sphaigne. Tassez légèrement.

3. Enfouissez la base de chaque rosier dans de la tourbe de sphaigne ou sous un lit de feuilles mortes sèches et saines. Recouvrez-le d'un **cône** à rosier en «styrofoam», que vous maintiendrez en place en le coiffant d'une brique ou d'une pierre de même volume.

4. Recouvrez la plate-bande d'une toile géotextile blanche en la laissant glisser entre les rosiers, puis recouvrez-la d'une toile de polyéthylène blanche. Maintenez le tout en place avec des planches ou des pierres.

POUR RÉUSSIR

Enlevez la protection assez tôt au printemps: dès que le sol est dégelé.

Cône à rosiers.

Rosiers sous toile géotextile.

La taille simplifiée

Toutes les formes de rosiers ont un point commun: les fleurs apparaissent en été sur des tiges qui ont commencé à pousser au printemps. Mais ces tiges doivent naître sur des branches de l'année précédente ou des années antérieures. La taille doit être faite au printemps, de préférence avant la sortie des feuilles. La méthode varie sensiblement selon les formes.

LES ROSIERS MINIATURES

Coupez à ras les tiges minces et courtes. Éliminez les tiges qui ont plus de trois ans. Réduisez des deux tiers les tiges restantes.

LES ROSIERS GREFFÉS

Cette méthode s'applique aux rosiers **buissonnants** et aux rosiers **greffés sur tige**. Voir le chapitre *Le choix des espèces et des formes.*

Éliminez les tiges qui se dirigent vers le **centre** du rosier.

Si les plants ont été taillés en automne avant d'être protégés pour l'hiver (voir le chapitre *Plantation, entretien et protection)*, coupez à ras les **petites** tiges minces et courtes de la base.

Parmi les tiges vigoureuses restantes, **sélectionnez-en** trois, quatre ou cinq qui soient réparties de façon à peu près égale autour de l'axe central.

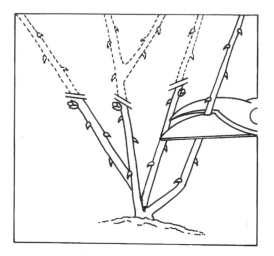

Coupez toutes les tiges des rosiers greffés à 30 cm du sol. Coupez à ras les petites tiges minces et courtes.

Coupez chacune des tiges sélectionnées juste au-dessus d'un bourgeon tourné vers l'extérieur ou sur un côté. La longueur des tiges après la taille varie selon le type de rosier:
- hybride de thé ou ancien: environ 15 cm;
- grandiflora ou greffé sur tige: environ 20 cm;
- floribunda ou polyantha: 10 à 15 cm.

LES ROSIERS GRIMPANTS

Installez le rosier grimpant le long d'un treillis, d'une pergola ou de tout autre support sur lequel vous allez pouvoir attacher les branches. La **charpente** du rosier est constituée de cinq à huit branches vigoureuses qui partent de la base. Le **palissage** consiste à attacher ces branches soit en oblique, soit à l'horizontale. La raison en est simple: la floraison est plus abondante que sur des tiges verticales. Cette règle est valable pour toutes les espèces végétales.

Tous les ans, **remplacez** une ou deux branches de charpente de façon que le remplacement de la totalité soit terminé en quatre ou cinq ans.

Éliminez les branches mortes ainsi que les tiges minces et courtes. Sur chaque branche de charpente, laissez pousser des tiges **latérales** que vous raccourcirez des deux tiers tous les printemps, ainsi que les autres tiges qui naissent sur ces latérales.

En cours d'été, aussitôt qu'une tige a **fini** de fleurir, réduisez-la de moitié: c'est une façon expéditive d'enlever les fleurs fanées, mais qui stimule la floraison de l'année suivante.

LES ROSIERS RUSTIQUES

Au printemps, **éliminez** le bois mort et les tiges faibles de vos rosiers rustiques.

Coupez à leur base les branches qui ont plus de cinq ans.

Gardez six à huit branches **principales** réparties de façon à peu près égale tout autour de l'axe central. Réduisez de moitié les jeunes tiges qui ont fleuri l'année précédente.

Si le rosier est très ramifié et compact, éliminez les branches qui poussent **en parallèle** — ou presque — des branches principales.

En cours d'été, **réduisez** d'un tiers les pousses les plus vigoureuses dès qu'elles ont atteint la hauteur souhaitée. De cette façon, elles vont se ramifier et elles porteront plus de fleurs l'année suivante.

Certains oiseaux sont friands des fruits des rosiers rustiques. Si vous désirez en attirer, laissez les fruits. Sinon, enlevez-les: ils consomment de l'énergie que la plante pourrait mettre à profit pour pousser.

Avant

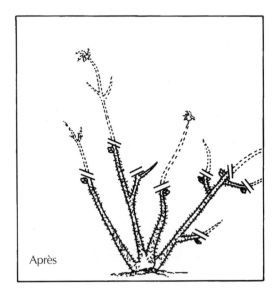

Après

Taillez vos rosiers rustiques en coupant les vieilles branches.

Réduisez de moitié les jeunes tiges qui ont fleuri l'année précédente.

ROSIERS «MEIDILAND», «EXPLORER» ET «MORDEN»

Pour les rosiers «Meidiland», «Explorer» et «Morden», suivez en gros les mêmes règles que pour les rosiers rustiques, tout en respectant la forme générale de la plante et ses dimensions.

Sur les variétés rampantes, choisissez la place des branches principales en fonction des espaces **à couvrir.**

Rosier rustique 'Agnès'.

379

Le choix des plants

Quand on achète des vivaces, on voit rarement les fleurs. Les bons commerçants affichent une photo de chaque espèce. Mais il reste difficile de se faire une idée juste tant que l'on n'a pas essayé. Donc, pour bien choisir les plants, il faut se fier à leur apparence.

LES DIMENSIONS DU POT ET DE LA PLANTE

La plupart des espèces sont vendues dans des pots de 10 cm de diamètre. **Hosta, cœur-saignant et pivoine** sont vendus en pots de 20 cm de diamètre parce que, pour donner de bons résultats la première année de plantation, la touffe doit être assez grosse.

> POUR ÉCONOMISER
>
> Quel que soit le diamètre du pot et quelle que soit l'espèce, choisissez les plants les plus gros. Pas seulement parce qu'ils produiront et s'enracineront plus vite, mais aussi parce que vous pourrez les diviser en deux ou trois jeunes plants pour garnir plus rapidement l'espace que vous leur réservez.

LES FLEURS ET LES FEUILLES

La présence de fleurs n'est pas un signe que le plant est meilleur. Mais elle **ne nuira pas** à la reprise puisque les racines ne seront pas perturbées lors de la transplantation.
Un feuillage **jauni** et quelques feuilles **séchées** peuvent trahir deux situations:
- ou bien le plant est dans un pot trop petit: ce n'est pas grave, vous allez lui donner toute une plate-bande;
- ou bien le plant a manqué d'eau: il en réchappera sans problème, mais essayez de l'avoir à rabais.

LA TERRE ET LES RACINES

La terre doit être **humide.** Une terre sèche le matin est souvent un signe de négligence de la part du commerçant.
Les **racines** doivent occuper environ le tiers du volume de terre dans le pot. Vérifiez en retournant le pot et en sortant la motte.

ÉTIQUETTE

Toutes les vivaces devraient être assorties d'une étiquette portant leur nom, leurs dimensions adultes, la couleur de leurs fleurs et leur exposition préférée.

La multiplication par division

La façon la plus rapide de produire de nouveaux plants d'une espèce, c'est de diviser la souche mère. Mais la division sert également à rajeunir celle-ci et à empêcher une plante de prendre trop d'expansion. Toutes les vivaces peuvent être divisées, mais la méthode varie selon la conformation des racines. Pour la division des espèces tubéreuses (cœur-saignant, pivoine), voir le chapitre La culture des pivoines; *pour la division des espèces rhizomateuses (iris surtout), voir le chapitre* La culture des iris à rhizomes. *Le présent chapitre traite de la division des espèces à racines fines.*

QUAND?

En général, la division a lieu:
- à l'**automne,** environ deux mois avant que le sol gèle, ou
- au **printemps,** dès que les feuilles commencent à apparaître.

Il est possible de diviser en plein **été,** mais alors il faut respecter les conditions suivantes:

1. Attendez après la floraison.
2. Plantez les jeunes plants dégagés de la souche principale dans des pots de 15 cm de diamètre, remplis de terreau de rempotage.
3. Placez les pots à l'ombre, dans une tranchée de 20 cm de profondeur.
4. Arrosez régulièrement et cultivez les plants pendant six à huit semaines avant de les transplanter à l'endroit voulu.

POUR VOUS FACILITER LA TÂCHE

Si, l'automne venu, il vous reste encore des plants en pots, de ceux que vous avez séparés de la souche en été, laissez-les dans la tranchée. Remplissez de terre les espaces entre les pots et recouvrez le tout d'un épais lit de feuilles mortes. Au cours de l'hiver, assurez-vous que la neige s'accumule sur votre petite pépinière.

MÉTHODES DE DIVISION

L'arrachage de la souche

Ne pratiquez la méthode de l'arrachage que **tôt au printemps ou en automne**: les racines de la souche risquent moins de sécher. Voici ce qu'il faut faire.

1. Arrosez abondamment deux ou trois jours avant.
2. Enfoncez la bêche tout autour de la souche, à 10 cm de celle-ci.
3. Une fois la motte délimitée, sortez-la de terre.
4. Secouez la terre des racines.

MULTIPLICATION PAR DIVISION

Arrachez la souche en enfonçant la bêche à 10 cm de celle-ci.

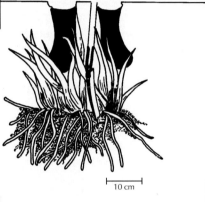

Coupez la motte en sections de 10 cm de diamètre.

Juste avant de planter, coupez l'extrémité des racines.

5. Avec un grand couteau tranchant, une hache ou une bêche, coupez la motte en petites sections de 10 cm de diamètre.
6. Éliminez les feuilles mortes et les racines mortes.
7. Juste avant de planter les mottes, coupez l'extrémité des racines avec une paire de ciseaux.
8. Plantez immédiatement les nouveaux plants dans une terre bien préparée. Voir les chapitres *Enrichir sa terre* et *Bien travailler sa terre*.
9. Arrosez abondamment même s'il pleut.

Le découpage de la souche

Le découpage de la souche peut être pratiqué du printemps à l'automne. Voici la marche à suivre.

1. Enfoncez une bêche bien aiguisée dans le sol en passant au milieu des feuilles.
2. Découpez la souche de cette manière en quatre ou cinq gros morceaux.
3. Quand vous êtes prêt à planter, sortez un des morceaux et bouchez le trou qu'il a laissé.
4. Secouez la terre des racines.
5. Avec un grand couteau tranchant, coupez le morceau prélevé en petites sections d'environ 10 cm de diamètre.
6. Éliminez les feuilles et les racines mortes.
7. Juste avant de planter, coupez l'extrémité des racines avec une paire de ciseaux.
8. Plantez immédiatement dans une terre bien préparée. Voir les chapitres *Enrichir sa terre* et *Bien travailler sa terre*.
9. Arrosez abondamment même s'il pleut.

Le bouturage et le marcottage

Outre la division et le semis, deux méthodes un peu plus délicates peuvent être utilisées pour multiplier les plantes vivaces. Elles peuvent donner rapidement une bonne quantité de plants prêts à fleurir. Il s'agit du marcottage et du bouturage. Essayez-les, pour vous amuser d'abord.

LE MARCOTTAGE PAR COUCHAGE

Les vivaces couvre-sol, celles qui poussent en touffe ou dont les tiges sont **flexibles** et se couchent naturellement sur le sol après la pluie, peuvent être multipliées par la méthode du marcottage par couchage. Par exemple: armoise, géranium, gypsophile, hélianthème, lin, lysimaque, œillet, potentille rampante, véronique, etc.

On peut utiliser cette méthode **en juillet** ou dès qu'une tige plie jusqu'au sol.

Au point de contact de la tige avec le sol, creusez légèrement. Enfouissez une portion de la tige dans le trou. Couvrez de terre. Maintenez la tige en place avec une pierre.

À la fin de l'automne, quand les racines sont formées, **coupez** la portion de tige qui rattache encore le nouveau plant au plant-mère.

Mettez la nouvelle plante à l'endroit que vous lui avez réservé.

LE BOUTURAGE DE PRINTEMPS

Le bouturage de printemps consiste à prélever les **jeunes tiges** poussant à la base des plants, à côté des tiges maîtresses, lorsqu'elles ont 10 cm de longueur. On pratique cette méthode sur les espèces suivantes: anthémis, buglosse, campanule, euphorbe, gypsophile, lin, lupin, pied-d'alouette, scabieuse, véronique.

Coupez les boutures au ras du sol. Plantez-les, en **pots** de 15 cm, à raison de huit boutures par pot, dans un terreau à base de tourbe ou dans un terreau synthétique bien humecté.

Placez chaque pot dans un **sac** de plastique transparent, hermétique, et disposez-le dans un endroit recevant une ombre légère. Enlevez le sac quand les racines commencent à se former.

Au début de septembre, quand les boutures sont bien **enracinées,** transplantez-les dans un coin du jardin qui recevra une bonne couche de neige en hiver.

Au **printemps,** mettez-les à leur place définitive.

LE BOUTURAGE D'ÉTÉ

Le bouturage d'été consiste à prélever, à la mi-juillet, l'**extrémité** de tiges latérales non fleuries mais vigoureuses. On le pratique sur les espèces suivantes: armoise, hémérocalle (jeunes pousses sur les tiges), heuchère (touffe de feuilles), lamier, lavande, lin, lysimaque, népéta, œillet, orpin (sedum), phlox, physostégie, tradescantia.

Coupez des boutures de **10 cm** de longueur sous une feuille ou une paire de feuilles et enlevez celles-ci. Suivez ensuite les mêmes étapes que pour les boutures de printemps.

LE BOUTURAGE DE RACINES

Le bouturage de racines consiste à prélever, très tôt au printemps, des portions de racines que l'on coupe ensuite en sections de 5 cm de long. Ces racines donnent de nouvelles plantes. Vous pouvez pratiquer cette méthode sur ces espèces: acanthe, brunnéra, buglosse, cœur-saignant (*Dicentra*), échinope, gaillarde, panicaut (*Eryngium*), pavot, phlox.

Arrachez une partie de la plante adulte à la bêche.

Coupez les racines.

Plantez-les de la même manière que les boutures de tiges, à cette différence près que c'est la partie **la plus mince** qui doit être orientée vers le bas, pour respecter le sens naturel de la croissance. Enfouissez-les complètement.

Suivez ensuite les mêmes étapes que pour les boutures de printemps.

Pour une floraison prolongée

Quand on adopte les vivaces, c'est pour jouer avec les dates de floraison de façon à avoir toujours au moins une espèce en fleurs à partir de tôt au printemps jusque tard à l'automne. Cela n'empêche pas le jardinier de rechercher les espèces qui fleurissent longtemps ou qui fleurissent deux fois et de développer des moyens pour faire durer la floraison.

LES ESPÈCES À FLORAISON PROLONGÉE

Par floraison prolongée, on entend: une floraison qui dure environ un mois, généralement parce que les fleurs apparaissent progressivement. Chaque fleur a une vie courte. La floraison durera d'autant plus longtemps que vous **éliminerez** les fleurs fanées au fur et à mesure.

Les principales espèces de vivaces à floraison prolongée sont:

- les achillées (jaunes, roses ou blanches),
- l'anthémis (jaune),
- l'aubriétie (mauve),
- la campanule des Carpathes (bleue ou blanche) et la campanule à feuilles de pêcher (bleue ou blanche),
- les centaurées (bleues, mauves ou jaunes),
- le cœur-saignant nain (rose) et le cœur-saignant 'Luxuriant' (rose),
- la digitale (blanche ou rose),
- le doronic (jaune),
- l'éphémère (rose, blanche ou bleue),
- l'érigeron (bleu ou rose),
- la gaillarde (orange à bords jaunes),
- les géraniums (rose ou mauve),
- l'hélianthème (jaune),
- les hémérocalles (certaines variétés),
- l'heuchère (rose),
- la lavatère vivace (rose),
- les liatris (blanc ou rose),
- les ligulaires (jaunes),
- le lin (bleu),

Lysimaque.

- la lobélie cardinale (rouge),
- le lychnis nain (orange),
- la lysimaque (jaune),
- le myosotis (bleu),
- l'œillet des fleuristes (rouge, rose ou blanc),
- le penstémon ou chélone barbue (rose ou rouge),
- les phlox (blanc, rouge, rose, orange, mauve),
- la potentille rampante (jaune),

Lin.

- la pulmonaire (rose),
- la rudbeckie (jaune),
- la salicaire (mauve),
- la saponaire (rose),
- la trolle (jaune ou orange).

LES ESPÈCES QUI REFLEURISSENT NATURELLEMENT

Voici deux petites plantes qui fleurissent au printemps et qui, si les conditions sont bonnes, refleurissent en été:
- l'arméria, ou gazon d'Espagne (rose),
- la géum, ou benoîte (orange).

Pour les aider à refleurir, coupez les fleurs fanées au fur et à mesure.

LES ESPÈCES QUI REFLEURISSENT SI ON LES TAILLE

Le pied-d'alouette (bleu ou blanc), la lysimaque (jaune) et la rudbeckie (jaune) refleuriront si vous les taillez.

Ces trois espèces font d'excellentes fleurs coupées. La taille peut donc simplement être la cueillette des fleurs. Vous pouvez aussi les tailler avec une cisaille à haie: réduisez de moitié la longueur des tiges florales.

Un apport estival de **compost** au pied ou une vaporisation des feuilles avec un engrais soluble pour fleurs stimule la floraison tout en soutenant l'effort des plantes.

POUR DOUBLER LA FLORAISON

Il existe un moyen original de doubler ou même de tripler le nombre de fleurs sur certaines vivaces. L'inconvénient de cette méthode réside dans le **retard** que prennent les plantes à fleurir, retard qui se chiffre parfois à un mois. Mais vous pouvez mettre ce retard à profit pour faire fleurir des plantes à un moment où les autres espèces ne fleurissent pas.

La méthode est simple: au printemps, quand les plantes atteignent 20-30 cm de hauteur, **coupez-les** de moitié avec une cisaille à haies. Elles vont se ramifier, donc le nombre de tiges florales sera plus important.

Vous pouvez utiliser cette méthode pour toutes les espèces que vous désirez, sauf les espèces de moins de 30 cm de hauteur, les iris, les lis et les hémérocalles.

Les résultats ne sont pas spectaculaires sur toutes les espèces, mais vous n'aurez pas de surprises si vous essayez sur le pied-d'alouette, la lysimaque, l'œnothère et la rudbeckie.

Le forçage

Le forçage consiste à faire fleurir une plante à une époque différente de sa floraison normale. Forcer les vivaces a pour but d'obtenir des fleurs dans la maison en plein hiver.

Campanule à feuilles de pêcher.

Benoîte.

LES ESPÈCES

Toutes les vivaces ne peuvent être forcées. Les espèces qui s'y prêtent le mieux sont de dimension moyenne et produisent des fleurs coupées durables. En voici quelques-unes: l'astilbe, la benoîte, la campanule à feuilles de pêcher, la gaillarde, l'heuchère, le liatris, la marguerite naine, le muguet, la physostégie.

QUAND?

Le forçage doit être entrepris entre le 1er et le 15 août.

MÉTHODE

Avec une bêche ou un couteau, **prélevez** sur le pourtour de la touffe trois ou quatre sections de plantes comprenant une ou

Si la floraison des astilbes est abondante, coupez les fleurs pour les mettre dans un vase.

plusieurs tiges et un abondant chevelu de racines. Dans le cas du muguet, prenez de vigoureuses sections de rhizomes.

Coupez toutes les fleurs ou tiges florales existantes.

Plantez les sections dans un pot de 15 cm rempli de **terreau** de rempotage que vous pouvez allonger de quelques pincées de poudre d'os et d'un volume de tourbe de sphaigne égal à un quart du volume de terreau. Arrosez copieusement.

Disposez les pots **à demi-enfouis** dans une plate-bande recevant une ombre légère ou une ombre partielle (trois à quatre heures de soleil par jour).

Laissez les pots dehors jusqu'à ce que le sol soit **gelé,** en arrosant si nécessaire.

Rentrez-les ensuite dans la maison, nettoyez-les et placez-les le plus près possible d'une fenêtre ensoleillée. **Plus il y a de soleil, mieux c'est.**

Si vous voulez mettre de l'engrais

Fertilisez les plants toutes les deux ou trois semaines avec un engrais à fleurs soluble.

Si vous ne voulez pas mettre d'engrais

Ajoutez un peu de compost au mélange de terre.

QUAND LES FLEURS APPARAISSENT ET APRÈS

Les fleurs apparaîtront au bout d'un mois ou deux et la floraison peut durer jusqu'en **mars.** Les fleurs sont moins grosses et moins colorées qu'à l'extérieur mais peuvent être cueillies et mises en vase. La quantité de fleurs varie avec chaque espèce.

Dès que le sol est **dégelé,** au printemps, replacez les pots à l'endroit où vous les aviez enfouis à l'automne.

Transplantez les plantes dans leur plate-bande en **mai** en ajoutant une bonne dose de compost. Il y a de fortes chances qu'elles ne se remettent vraiment à refleurir que l'année suivante. Laissez-les se reposer.

La culture des pivoines

On croit trop souvent que les pivoines n'ont que des grosses fleurs doubles dans les tons de rose pâle, rose foncé et blanc. Certaines variétés affichent aussi une frange blanche ou rose à la pointe des pétales. Mais il en existe à fleurs simples très spectaculaires, à pétales plus ou moins luisants. Elles donnent un sympathique aspect vieillot aux jardins.

POUR LES METTRE EN VALEUR

Les pivoines produisent un excellent effet en grosses touffes dans une pelouse ou parmi des petits arbustes, comme mini-haies printanières, ou dans une plate-bande, en mélange avec des iris, des lysimaques, des hémérocalles, des pieds-d'alouettes et des chrysanthèmes. Une telle association de vivaces produit des fleurs sans interruption du printemps à l'automne.

L'ENSOLEILLEMENT

Les pivoines préfèrent le **plein soleil,** au sud ou au sud-ouest, mais fleurissent très bien dans les endroits semi-ombragés. Quatre à huit heures de soleil par jour suffisent à condition que l'ombre ne soit pas dense comme celle des grands arbres bas.

LA NATURE DU SOL

Les pivoines ne sont pas difficiles en ce qui concerne le sol. Elles poussent dans le même type de sol que les rosiers. Voir le chapitre *Plantation, entretien et protection* (des rosiers).

Que le sol soit à base d'argile ou de sable, l'important c'est qu'il contienne une quantité raisonnable de matière organique et qu'il

'Flame' à fleurs simples.

soit maintenu **frais** (à l'aide de paillis si nécessaire) au niveau des racines pendant les canicules estivales. Autrement, les plantes souffrent et fleurissent moins.

LA PRÉPARATION DU SOL

Les pivoines peuvent rester à la même place pendant **10 ou 20 ans,** c'est-à-dire tant qu'elles fleurissent bien. Il faut donc préparer le terrain en conséquence.

En août, si la terre de surface est profonde, bêchez-la sur une profondeur de 40 cm. Si elle est mince et qu'elle repose sur une couche d'argile, creusez à 60 cm et **éliminez** 20 cm de cette argile. Remplacez-la par un volume égal de tourbe et de terre noire, que vous mélangez à la terre existante en plus du fumier composté.

Pour chaque mètre carré de plantation, enfouissez au moment du bêchage deux sacs de fumier composté. Ajoutez quatre poignées de **poudre d'os** par plant.

LA PLANTATION

On peut planter les pivoines vendues en pot pendant toute la saison chaude. Pour les

sections issues d'une **vieille** souche, mieux vaut procéder au début de septembre. Voir la section *La division* du présent chapitre.

Plantez les plantes en pot à la même profondeur que dans le pot. Quant aux plants issus de division, la couronne (sommet) doit être recouverte de 5 cm de terre, pas plus.

Dans une terre **fraîchement** bêchée, pratiquez un trou de la dimension des sections divisées ou du pot dans lequel la plante est vendue. Laissez un intervalle de 80 cm à 1 m entre les plants.

Rebouchez le trou et **arrosez** abondamment.

LA DIVISION

Quand la plante commence à **moins fleurir,** ou lorsqu'on veut agrandir une plantation, on procède à la division. Le meilleur moment pour une telle opération est le mois de septembre.

> MISE EN GARDE
>
> On peut aussi diviser tôt au printemps, avant la sortie des feuilles, mais il y a une chance sur deux que la floraison n'ait pas lieu cette année-là et si la plante fleurit, les fleurs seront plus petites.

Avant de commencer, **coupez** les feuilles à 3 cm au-dessus du sol. Sortez la souche de terre avec une fourche à bêcher. Éliminez les tubercules morts ou malades.

Avec un couteau tranchant, découpez la souche en **sections** comprenant de trois à cinq bourgeons auxquels sont attachés plusieurs tubercules.

Plantez les sections tel qu'indiqué au paragraphe précédent.

LE TUTEURAGE

C'est la nature qui fait se coucher les pivoines en fleurs après une grosse pluie. Dans les jardins de style **naturel,** il est donc inutile de les tuteurer.

Quand on veut tuteurer, il faut le faire **discrètement** pour ne pas risquer de détruire la beauté naturelle des plantes. Il faut alors procéder dès que les bourgeons montrent leurs couleurs.

Voici un exemple de tuteurage discret:

- en plein milieu de la souche, plantez un piquet solide, de couleur neutre (vert, brun ou beige);
- coupez le piquet pour que son sommet soit caché dans les feuilles;
- nouez quatre à cinq liens de plastique vert sur le piquet, à mi-hauteur;
- à l'autre bout, faites une boucle assez lâche autour de trois à cinq tiges à la fois;
- tendez les liens assez pour que les tiges ne puissent pas se coucher.

L'ENTRETIEN

Au printemps, apportez au pied des pivoines une couche de **compost** ou de **fumier** composté de 2 à 3 cm d'épaisseur.

Pendant l'été, **arrosez** copieusement quand il fait chaud et sec. Coupez les fleurs dès qu'elles sont fanées.

À la fin de l'automne, coupez les feuilles mortes à 3 ou 4 cm au-dessus du sol.

POUR RÉUSSIR

Il n'est pas nécessaire de changer une pivoine de place tant qu'elle fleurit bien, mais si vous désirez modifier l'aménagement, déplacez-la ou bien très tôt au printemps quand les bourgeons sortent du sol, ou bien au début de septembre.

POUR VOUS DISTINGUER

Vous pouvez obtenir des fleurs plus grosses que la normale en éliminant le plus tôt possible les bourgeons latéraux de chaque tige et en ne gardant que le bourgeon terminal.

La culture des iris à rhizomes

Il existe une multitude d'iris à rhizomes: l'iris des jardins ou iris barbu (I. germanica), l'iris barbu nain (I. pumila), l'iris de Sibérie (I. sibirica), l'iris versicolore (I. versicolor), l'iris des marais (I. pseudacorus), l'iris japonais (I. kæmpfæri), les iris Spuria et les iris Arille (nains pour la plupart), ainsi que de nombreuses autres espèces moins connues. Ils fleurissent entre mai et juillet. Chaque espèce regroupe plusieurs variétés, mais c'est parmi les iris des jardins que l'on trouve le plus grand choix de couleurs.

Iris des jardins.

Iris de Sibérie.

LEUR PLACE AU JARDIN

Les iris portent des feuilles élancées et pointues qui leur permettent de jouer un rôle décoratif important dans l'aménagement. Comme leur feuillage reste **vert** toute la saison, il sert de fond de verdure à des plantes vivaces à floraison plus tardive ou à des fleurs annuelles. Certaines espèces, comme les *Iris kæmpfæri variegata,* portent un magnifique feuillage **panaché,** vert et blanc, qui égaye les plates-bandes pendant toute la saison.

Iris versicolore.

Iris des marais.

C'est quand on plante des **massifs** de la même variété d'iris qu'on produit le plus bel effet. On peut planter plusieurs iris dans une même plate-bande, à condition d'agencer les couleurs pour que rien ne jure. Les plantes qui accompagnent bien les iris dans une plate-bande sont: les pivoines, les hémérocalles, les liatris, les lis, les lupins, les salicaires.

L'ENSOLEILLEMENT

Les iris ont besoin d'un minimum de **six** heures de soleil par jour.

LA NATURE DU SOL

Les iris sont peu exigeants, mais préfèrent les terres **riches**. Certains, comme l'iris des marais et l'iris versicolore, poussent bien dans les terres humides, les fossés.
Les iris sont peu sensibles au degré d'acidité de la terre, mais préfèrent un **pH** (degré

d'acidité) entre 6 et 7,5. Voir le chapitre *Connaître sa terre*.

LA PRÉPARATION DU SOL

Détruire les mauvaises herbes

Les rhizomes d'iris poussent très serrés les uns contre les autres. Le désherbage n'est donc pas une opération facile. C'est pourquoi il est essentiel de détruire toute trace de mauvaises herbes **avant** de planter. Le chiendent doit être complètement éliminé.
Il y a deux manières de détruire le chiendent.
1. **Si vous tenez à utiliser des produits commerciaux,** achetez un herbicide total. Par respect pour l'environnement (le vôtre), choisissez un produit qui laisse peu de résidus dans le sol. Vous pourrez alors planter dans un délai assez court.
2. La façon la plus **écologique** de détruire le chiendent consiste à bêcher et à

remuer la terre plusieurs fois avant la plantation. Ramenez les rhizomes du chiendent en surface, faites-les sécher au soleil et éliminez-les au fur et à mesure. Il faut vous y prendre plusieurs semaines à l'avance, de préférence au cours de l'automne précédant la plantation.

Bêcher

Lors du bêchage final, enfouissez, par mètre carré de plantation:
- 1 ou 2 sacs de compost ou de fumier composté, selon la richesse de la terre;
- 1 pelletée de poudre d'os;
- 1 pelletée de chaux.

LA PLANTATION

Les iris vendus en pot peuvent être plantés pendant **toute** la saison.

Les plants issus de la division d'une touffe doivent être plantés en **juillet** ou en **août.** Voir la section *La division* dans le présent chapitre. Laissez un **intervalle** de 30 à 40 cm entre les plants.

Dans une terre sablonneuse, le rhizome est légèrement enterré; dans une terre argileuse, on le laisse à fleur de terre.

Si le rhizome est enraciné dans un **pot,** plantez-le tel quel dans un trou un peu plus grand que le pot. Si le rhizome est à **racines nues,** ménagez un petit monticule au fond du trou et déposez la plante sur le dessus de manière que les racines pendent de chaque côté. Rebouchez le trou et **arrosez.**

POUR RÉUSSIR

Si vous plantez des iris issus de division dans une plate-bande, installez quelques

annuelles (cléome, zinnia, cosmos, nicotine) tout autour. L'ombre projetée par ces plantes facilitera la reprise des iris en réduisant le dessèchement au niveau des feuilles.

LA DIVISION

Quand les touffes d'iris sont **trop denses** ou ne fleurissent plus, il faut les réduire et les diviser pour créer de nouvelles plantations. Cela se fait en juillet ou en août.

Pour les **iris des jardins** et les **iris barbus nains,** soulevez la touffe ou une partie de celle-ci avec une fourche à bêcher. Pour les **autres,** tranchez la touffe en sections avec une bêche.

Dégagez les rhizomes. Avec un couteau, **coupez** des sections comprenant un morceau de rhizome sain, quelques racines et un éventail de feuilles. Éliminez les rhizomes malades ou endommagés et les vieux rhizomes du centre de la touffe.

Coupez la **moitié** supérieure des feuilles et plantez tel qu'indiqué dans la section précédente.

L'ENTRETIEN

Au printemps, enlevez les feuilles mortes des iris; **ajoutez** de la terre au pied des rhizomes soulevés par le gel.

Enlevez les fleurs **fanées** avant que les fruits ne se forment.

En été, désherbez et surveillez les attaques d'insectes, qui se manifestent par un **jaunissement** localisé des feuilles.

POUR RÉDUIRE L'ENTRETIEN

La meilleure façon de contrôler le développement des talles d'iris, en particulier des grands iris barbus, consiste à les planter dans un endroit restreint, c'est-à-dire un espace limité par des bordures de bois ou de béton.

QUATRIÈME PARTIE

Classement des plantes selon leur utilisation

CLASSEMENT DES PLANTES SELON LEUR UTILISATION

- ◆ **Annuelles**
- ◆ **Plantes de milieux aquatiques**
- ◆ **Arbres**
- ◆ **Arbustes**
- ◆ **Conifères**
- ◆ **Grimpantes**
- ◆ **Vivaces**

N.B.: Lorsque le nom d'une plante est suivi d'un astérisque, cela signifie qu'elle est représentée par une photo.

ANNUELLES

Pour l'ombre de plus de 5 heures
Balsamine
Bégonia*
Clarkia*
Impatiens*
Mimulus

Pour l'ombre légère ou de moins de 5 heures
Toutes les espèces pour l'ombre de plus de 5 heures, plus:
Alysse*
Aster
Chou décoratif
Fuchsia
Géranium*
Héliotrope*
Lierre allemand
Nicotinia*
Œillet d'Inde*
Pensée*
Pétunia*
Rose d'Inde
Verveine

Pour le soleil
Toutes les espèces

Rampantes ou retombantes
Alysse*
Capucine*
Délosperma*
Géranium lierre
Godétia*
Lierre allemand
Lobélia*
Pervenche panachée
Pétunia cascade
Phlox de Drummond*
Pois de senteur
Pourpier*
Verveine

Hautes (plus de 80 cm)
Amarante
Cléome*
Cosmos géant*
Ricin
Tithonia*
Tournesol
Zinnia géant

Parfumées (de jour ou de soir)
Alysse*
Giroflée
Nicotine
Œillet d'Inde*
Pois de senteur
Rose d'Inde
Verveine

Comestibles
Capucine*
Calendula*
Cosmos
Œillet d'Inde*
Pensée*
Rose d'Inde

À fleurs blanches
Agérate
Alysse*
Aster
Balsamine
Bégonia*
Centaurée
Cléome*
Cosmos géant*
Datura
Fuchsia
Gazania*
Géranium*
Giroflée
Godétia*
Impatiens*
Muflier
Nicotinia*
Œillet
Pensée*
Pétunia*
Pourpier*

Impatiens.

Bégonia.

Clarkia.

Cosmos géant.

Géranium.

Héliotrope.

Statice
Verveine
Zinnia*

À fleurs bleues
Agérate
Aster
Centaurée
Héliotrope*
Lobélia*
Pensée*
Penstemon
Sauge
Statice

À fleurs orange
Calendula*
Capucine*
Célosie plumeuse
Gazania*
Giroflée
Impatiens*
Lavatère
Muflier
Némésia
Œillet d'Inde*
Pensée*
Pourpier*
Rose d'Inde
Tithonia*
Zinnia*

À fleurs roses
Toutes les espèces, **sauf**:
Agérate
Calendula*
Célosie
Giroflée
Héliotrope*
Lobélia*
Mimulus
Œillet d'Inde*
Rose d'Inde
Sauge
Tournesol

Pour fleurs coupées
Amaranthe tricolore*
Aster
Calendula*
Capucine*
Centaurée
Cosmos
Giroflée
Godétia*
Muflier
Pavot
Pois de senteur
Statice
Tournesol
Zinnia*

À feuillage décoratif seulement
Amaranthe tricolore*
Chou décoratif
Cinéraire argenté*
Kochie*
Lierre allemand
Pervenche panachée
Ricin

Résistantes à la sécheresse passagère
Délosperma*
Gazania*
Œillet d'Inde*
Pourpier*
Rose d'Inde

Résistantes aux premiers gels
Alysse*
Calendula*
Cinéraire argenté*
Gazania*
Géranium*
Godétia*
Muflier
Némésia
Nicotinia*
Pensée*
Pétunia*

Délosperma.

Lobélia.

Œillet d'Inde.

Tithonia.

Phlox de Drummond.

Capucines en salade.

Zinnia.

Godétia.

Pensée.

Calendula.

401

Gazania.

Cinéraire argenté.

Kochie.

Pétunia.

Pourpier.

Alysse.

Capucine.

Amaranthe tricolore.

Cléome.

Nicotinia.

Plantes de milieux aquatiques

Le nom latin permet au jardinier d'obtenir exactement la plante qu'il recherche. Il est suivi du nom français quand il existe.

Matteuccia.

À feuillage émergent (pour les berges)

FOUGÈRES
Matteuccia*
Osmunda — Osmonde

VIVACES RUSTIQUES
Acorus — Acore (vert ou panaché)
Alisma
Aruncus — Spirée barbe de bouc
Astilbe — Astilbe (plusieurs variétés)
Bergenia — Bergénia
Butomus umbellatus — Butome*
Caltha
Carex
Eleocharis — Éléocharide
Glyceria
Hémérocallis — Hémérocalle (plusieurs variétés)
Hosta — Hosta (plusieurs variétés)
Hydrocotyle
Iris kœmpfœri — Iris du Japon (plusieurs variétés)
Iris sibirica — Iris de Sibérie (plusieurs variétés)
Iris pseudacorus — Iris des marais* (feuilles vertes ou panachées)
Iris versicolor — Iris versicolore (plusieurs variétés)
Juncus — Jonc
Ligularia — Sénécio
Lobelia cardinale — Lobélie
Lysimachia nummularia — Lysimaque rampante
Lysimachia punctata — Lysimaque
Lythrum — Salicaire (plusieurs variétés)
Mentha aquatica — Menthe
Myosotis palustris — Myosotis
Nasturtium aquaticum — Capucine d'eau
Phalaris — Phalaride (panachée)
Phragmis — Phragmites (plusieurs variétés)
Pondeteria — Pondétérie* (plusieurs variétés)
Sagittaria — Sagittaire (plusieurs variétés)
Scirpus — Scirpe (plusieurs variétés)
Tradescantia — Éphémère
Typha — Quenouille* (plusieurs variétés, naines ou ordinaires)

Petite quenouille.

Pondétérie.

Colocasia — Colocasie (plusieurs variétés)
Cyperus — Papyrus (plusieurs variétés, géantes ou naines)
Hymenocallis — Ismène
Zantedeschia — Calla (plusieurs variétés, jaunes, blanches, rouges, roses)

À feuilles flottantes

La plupart sont des nénuphars (*Nymphœa*): roses, blancs, rouges, jaunes*
Autres espèces:
Aponogeton
Lotus — Lotus*
Nymphoides

Flottantes

Eichhornia crassipes — Jacinthe d'eau*
Lemna minor — Lentille
Pistia stratiotes — Laitue d'eau
Stratiotes aloides — Aloès d'eau

Submergées

Elodea canadensis — Élodée
Myriophyllum — Myriophylle
Potamogeton pectinatus
Ranunculus aquatilis — Renoncule
Vallisneria spiralis — Vallisnérie

Nénuphars.

Lotus.

Iris des marais.

Butome.

Jacinthe d'eau.

404

ARBRES

Le nom latin permet au jardinier d'obtenir exactement la plante qu'il recherche. Il est suivi du nom français et d'un chiffre représentant la zone de rusticité la plus nordique où peut survivre l'espèce considérée. Voir le chapitre Jardinage régional.

Érable de Norvège vert et blanc.

À feuillage coloré
Acer platanoïdes 'Crimson King' — Érable de Norvège rouge — 4
Acer platanoïdes 'Drummondii' — Érable de Norvège vert et blanc* — 4
Acer platanoïdes 'Schweddleri' — Érable de Norvège bronze — 4
Betula pendula purpurea — Bouleau (pourpre) — 3
Eleagnus angustifolia — Olivier de Bohême (gris) — 3
Gleditzia triacanthos inermis 'Sunburst' — Févier* (jaune) — 5
Malus 'Royalty' — Pommetier (rouge) — 4
Malus 'Royal Beauty' — Pommetier pleureur (rouge) — 3
Populus alba nivea — Peuplier argenté — 4
Prunus padus colorata — Cerisier à grappes (rouge) — 2
Prunus virginiana 'Shubert' — Cerisier (vert puis rouge) — 2
Ulmus carpinifolia 'Wredei' — Orme doré (jaune) — 5

À fleurs
Æsculus carnea 'Briottii' — Marronnier à fleurs rouges* — 5
Æsculus hippocastaneum — Marronnier d'Inde (blanc) — 5
Amelanchier canadensis — Amélanchier* (blanc) — 2
Catalpa speciosa — Catalpa (blanc) — 5
Cratægus mordenensis — Aubépine* (blanc ou rose) — 3
Magnolia 'Kobus' stellata — Magnolia étoilé (blanc) — 5
Magnolia soulangeana — Magnolia de Soulange* (blanc et rose) — 5
Magnolia stellata — Magnolia étoilé (blanc) — 5
Malus — Pommetier* (plusieurs variétés blanches, roses ou rouges) — 3 ou 4
Prunus padus colorata — Cerisier à grappes (blanc) — 2
Prunus virginiana 'Shubert' — Cerisier (blanc) — 2
Sorbus aucuparia — Sorbier* (blanc) — 3
Syringa reticulata 'Ivory Silk' — Lilas japonais* — 2

Marronnier à fleurs rouges.

À fruits
Æsculus hippocastaneum — Marronnier d'Inde* (marron) — 5
Amelanchier canadensis — Amélanchier* (baies rouges) — 2
Catalpa speciosa — Catalpa (gousses vertes) — 5
Cratægus mordenensis — Aubépine* (baies rouges) — 3
Malus — Pommetier (pommettes) — 3 ou 4
Prunus padus colorata — Cerisier à grappes (cerises noires) — 2
Prunus virginiana 'Shubert' — Cerisier (cerises noires) — 2
Sorbus aucuparia — Sorbier* (fruits rouges ou orange) — 3

Pommetier.

Sorbier pleureur.

Lilas japonais.

Chêne en colonne.

Étroits — en colonne

Acer platanoïdes columnare — Érable — 4
Betula pendula fastigiata — Bouleau — 2
Gingko biloba 'Princeton Sentry' — Gingko* — 5
Malus baccata columnaris — Pommetier — 3
Populus alba pyramidalis — Peuplier — 4
Populus canescens 'Tower' — Peuplier — 3
Populus nigra thevestina — Peuplier — 4
Quercus robur fastigiata — Chêne* — 4
Sorbus thuringiaca fastigiata — Sorbier — 4
Ulmus carpinifolia 'Wredei' — Orme doré — 5

Petits — à ombrage

Acer ginnala — Érable de l'Amur* — 3
Catalpa bignonioides nana — Catalpa parasol — 5
Cratægus mordenensis — Aubépine — 3
Malus — Pommetier* — 3
Prunus padus colorata — Cerisier à grappes — 2
Prunus virginiana 'Shubert' — Cerisier — 2
Salix matsudana tortuosa — Saule tortueux — 5
Syringa reticulata 'Ivory Silk' — Lilas japonais* — 2
Ulmus pumila — Orme de Sibérie — 3

Pleureurs

Betula alba Youngii — Bouleau* — 2
Fraxinus excelsior pendula — Frêne — 4
Malus 'Red Jade' — Pommetier à fleurs blanches — 3
Malus 'Royal Beauty' — Pommetier à fleurs rouges — 3
Morus alba pendula — Mûrier — 4
Salix alba tristis — Saule — 4
Sorbus aucuparia pendula — Sorbier* — 5
Ulmus glabra 'Camperdownii' — Orme* — 4

Mes préférés

Robinia pseudoacacia — Faux acacia — Sorbier — 5
Sorbus aucuparia pendula — Sorbier pleureur* — 5
Gleditzia triacanthos inernis 'Sunburst' — Févier* (jaune) — 5

Amélanchier.

Érable de l'Amur.

Magnolia de Soulange.

Sorbier.

Marronnier d'Inde.

Pommetier.

Aubépine.

Gingko.

Bouleau pleureur.

Février.

Viorne Boule de neige.

Érable du Japon.

Cornouiller sur tige.

ARBUSTES

Le nom latin permet au jardinier d'obtenir exactement la plante qu'il recherche. Il est suivi du nom français, de la couleur des fleurs ou du feuillage, selon le cas, et d'un chiffre représentant la zone de rusticité la plus nordique où peut survivre l'espèce considérée. Voir le chapitre Jardinage régional.

À caractères particuliers

Acer palmatum — Érable du Japon* (plusieurs variétés à feuillage très découpé, vert ou rouge) — 5

Corylus avellana contorta — Noisetier tortueux* (branches tordues) — 5

Cotinus coggygria — Arbre à boucane (vert ou rouge, floraison comme de la fumée au bout des branches) — 4

Euonymus alata — Fusain ailé* (tiges aplaties — feuilles rouge vif en automne) — 3

Hamamelis virginiana — Hamamélis* (floraison en automne) — 5

Hibiscus moscheuto 'Southern Bell' — Hibiscus à grandes fleurs (rouge) — 5

Hippophæ rhamnoïdes — Argousier — (branches tordues et épineuses, fruits orange, feuilles grisâtres) — 3

Magnolia soulangeana — Magnolia (grosses fleurs rose et blanc avant la sortie des feuilles) — 5

Perovskia atriplicifolia — Pérovskia* (gèle au sol tous les ans, fleurs bleues, feuilles grises à odeur de sauge) — 5

Tamarix ramossissima — Tamaris (fleurs roses minuscules groupées le long des tiges) — 3

Bas

Buxus microphylla 'Koreana' — Buis de Corée — 5

Lonicera xylosteoïdes 'Clavey's Dwarf' — Chèvrefeuille nain — 3

Physocarpus opulifolius nanus — Physocarpe nain — 2

Spiræa alpina japonica nana — Spirée naine — 3

Spiræa arguta compacta Spirée blanche compacte* — 3

Spiræa bumalda — Spirées* (plusieurs variétés, voir *Arbustes à floraison estivale*) — 3

Spiræa japonica — Spirée japonaise (plusieurs variétés) — 3

Syringa meyerii — Lilas nain de Corée* — 2

Vaccinium vitis-idæa — Airelle rouge — 1

Viburnum opulus nanum — Viorne naine — 2

Weigela 'Minuet' — Weigela nain — 4

Greffés en haut d'un tronc

Caragana arborescens 'Lobergii' — Caragana à feuilles de fougères (jaune) — 2

Cotoneaster adpressus præcox — Cotonéaster* — 5
Cornus alba elegantissima — Cornouiller* — 2
Forsythia intermedia — Forsythia — 5
Hydrangea paniculata — Hydrangée paniculée — 4
Prunus triloba — Faux amandier — 4
Prunus cistena — Prunier pourpre des sables — 3
Syringa meyerii ou *velutina* — Lilas de Corée* — 2
Syringa vulgaris — Lilas commun — 2
Viburnum opulus sterilis — Viorne Boule de neige* — 3
Weigela 'Bristol Ruby' — Weigela* — 5

Pleureurs
Caragana arborescens pendula — Caragana* — 3
Caragana arborescens 'Walker' — Caragana à feuilles de fougères — 3
Morus alba pendula — Mûrier — 4
Salix caprea pendula — Saule Marsault* — 5

Weigela sur tige.

Pour l'ombre (moins de 3 heures de soleil)
Azalea 'Mollis' — Azalée — 4
Azalea 'Northern Lights' — Azalée — 3
Buxus microphylla — Buis — 5
Hydrangea — Hydrangée — 3
Mahonia aquifolium — Mahonie — 5
Rhododendrons — Rhododendron — 5
Sorbaria sorbifolia — Sorbaria — 2
Spirea 'Van Houttei' — Spirée de Van Houtte — 3
Symphoricarpos albus — Symphorine — 2

Rampants et retombants
Arctostaphylos uva-ursi — Raisin d'ours — 2
Andromeda polifolia — Andromède — 2
Cotoneaster adpressus præcox — Cotonéaster* — 5
Cotoneaster apiculatus — Cotonéaster — 5
Cotoneaster dammeri — Cotonéaster — 5
Daphne cneorum — Daphné — 3
Euonymus fortunei — Fusain* (plusieurs variétés) — 5
Gaultheria procumbens — Thé des bois — 2
Genista lydia — Genêt — 3
Genista pilosa — Genêt pileux* — 4
Potentilla arbuscula — Potentille rampante* — 3
Potentilla fruticosa 'Yellow Gem' — Potentille — 2
Stephanandra incisa crispa — Stéphanandra* — 5

Caragana pleureur.

Mes préférés
Arctostaphylos uva-ursi — Raisin d'ours — 2
Betula pendula 'Trost's Dwarf' — Bouleau nain* — 3
Buddleia davidii — Arbre aux papillons* — 5
Caragana arborescens 'Lobergii' — Caragana à feuilles de fougères (jaune) — 2
Cotinus coggygria — Arbre à boucane (vert ou rouge) — 4
Genista lydia — Genêt — 3

Saule Marsault.

Bouleau nain.

Arbre aux papillons.

Sureau doré.

Hippophœ rhamnoïdes — Argousier — 3
Perovskia atriplicifolia — Pérovskia* — 5
Potentilla arbuscula — Potentille rampante* — 3
Prunus triloba — Faux amandier — 4
Robinia hispida — Robinier — 4
Sambucus canadensis aurea — Sureau doré* — 3
Sambucus nigra laciniata — Sureau noir — 3
Stephanandra incisa crispa — Stéphanandra* — 5

À floraison printanière (avril, mai, juin)

Acer ginnala — Érable de l'Amur (blanc) — 2
Amelanchier canadensis — Amélanchier (blanc) — 2
Andromeda polifolia — Andromède (rose) — 2
Arctostaphylos uva-ursi — Raisin d'ours (blanc) — 1
Azalea 'Mollis' — Azalée (rose, blanc, orange) — 4
Azalea 'Northern Lights' — Azalée (rose, blanc) — 3
Caragana arborescens — Caragana (jaune) — 2
Caragana arborescens 'Lobergii' — Caragana à feuilles de fougères (jaune) — 2
Caragana arborescens pendula — Caragana pleureur* (jaune) — 3
Caragana aurantiaca pygmœa — Caragana nain (jaune) — 3
Chœnomeles japonica — Cognassier du Japon (rouge, rose) — 5
Cornus maas — Cornouiller mâle (blanc) — 5
Cornus racemosa — Cornouiller à grappes (blanc) — 2
Cotoneaster acutifolius — Cotonéaster du Japon (blanc) — 2
Cotoneaster adpressus prœcox — Cotonéaster rampant* (blanc) — 5
Cotoneaster apiculatus — Cotonéaster airelle (blanc) — 4
Cotoneaster dammeri — Cotonéaster couvre-sol (blanc) — 4
Cytisus decumbens — Cytise (jaune) — 2
Deutzia lemoinei 'Compacta' — Deutzia (blanc) — 5
Erica carnea — Bruyère de printemps (rose, rouge) — 4
Forsythia intermedia 'Northern Gold' — Forsythia du nord (jaune) — 3
Forsythia ovata 'Ottawa' — Forsythia d'Ottawa (jaune) — 3
Genista lydia — Genêt (jaune) — 3
Genista tinctoria — Genêt des teinturiers (jaune) — 3
Lonicera tatarica 'Rosea' — Chèvrefeuille de Tartarie (rose) — 2
Lonicera xylosteoides 'Clavey's Dwarf' — Chèvrefeuille nain (blanc) — 3
Mahonia aquifolium — Mahonia à feuilles de houx (jaune) — 5
Philadelphus coronarius aureus — Seringat doré (blanc) — 3
Philadelphus virginalis 'Miniature Snowflake' — Seringat nain (blanc) — 4
Philadelphus virginalis 'Minnesota Snowflakes' — Seringat virginal (blanc) — 4
Philadelphus virginalis 'Snowbell' — Seringat virginal (blanc) — 4
Physocarpus opulifolius — Seringat (blanc) — 2
Physocarpus opulifolius 'Dart's Gold' — Physocarpe doré nain (blanc) — 2
Physocarpus opulifolius luteus — Physocarpe doré (blanc) — 2
Prunus cistena — Prunier pourpre des sables (blanc) — 3
Prunus triloba 'Multiplex' — Amandier décoratif (rose) — 3
Pyracantha — Pyracantha (blanc) — 5

Rhododendron — Rhododendron (rose, blanc, rouge) — 4
Ribes odoratum — Groseillier odorant (jaune) — 2
Sambucus aurea — Sureau doré* (blanc) — 3
Sambucus canadensis — Sureau blanc (blanc) — 3
Sambucus nigra laciniata — Sureau noir à feuilles découpées (blanc) — 3
Sambucus plumosa aurea — Sureau plumeux* (blanc) — 3
Shepherdia argentea — Shepherdie (jaune) — 2
Spiræa arguta — Spirée blanche (blanc) — 3
Spiræa arguta compacta — Spirée blanche compacte* (blanc) — 3
Spiræa 'Van Houttei' — Spirée de Van Houtte (blanc) — 3
Symphoricarpus albus — Symphorine (rose) — 2
Syringa meyerii — Lilas nain de Corée* (mauve) — 2
Syringa prestoniæ — Lilas de Preston (mauve, rose, blanc) — 2
Syringa reticulata 'Ivory Silk' — Lilas japonais* (crème) — 2
Syringa vulgaris — Lilas commun (mauve, blanc, rose, bleu) — 2
Tamarix parviflora — Tamaris précoce (rose) — 3
Viburnum opulus roseum — Viorne Boule de neige* — 2
Weigela — Weigela* (rose, rouge, blanc) — 4
Weigela 'Briant Rubidor' — Weigela à feuilles jaunes (rose) — 5
Weigela 'Carnaval' — Weigela Carnaval (rose et blanc sur le même plant) — 5
Weigela florida — Weigela de Floride (rose, à feuillage vert, rouge ou panaché) — 4
Weigela 'Minuet' — Weigela nain (rose) — 4

Sureau plumeux.

À floraison estivale (juillet-août-septembre)

Buddleia davidii — Arbre aux papillons* (blanc, mauve, rose) — 5
Calluna vulgaris — Bruyère (rose, blanc, rouge) — 5
Cotinus coggygria — Fustet* (verdâtre) — 4
Cotinus coggygria 'Royal Purple' — Fustet rouge (rougeâtre) — 5
Hibiscus moscheuto 'Southern Bell' — Hibiscus à grandes fleurs (rouge) — 5
Hippophæ rhamnoides — Argousier (mâle jaunâtre) — 2
Hydrangea arborescens — Hydrangée arborescente* (blanc) — 3
Hydrangea macrophylla — Hydrangée colorée (rose, bleu, violet) — 5
Hydrangea paniculata grandiflora — Hydrangée paniculée (blanc) — 3
Hydrangea quercifolia — Hydrangée à feuilles de chêne (blanc) — 5
Kerria japonica — Corête (jaune) — 5
Kerria japonica 'Pleniflora' — Corête à fleurs doubles (jaune) — 5
Ligustrum vulgare — Troène — 5
Potentilla arbuscula — Potentille rampante* (jaune) — 3
Potentilla fruticosa — Potentille (jaune ou blanche) — 2
Sorbaria sorbifolia — Sorbaria à feuilles de sorbier (blanc) — 2
Spiræ billardii — Spirée de Billiard (rose) — 4
Spiræ bumalda 'Anthony Waterer' — Spirée verte* (rose) — 2
Spiræa bumalda 'Crispa' — Spirée frisée (rose) — 4
Spiræa bumalda 'Frœbelli' — Spirée (rose) — 3
Spiræa bumalda 'Goldflame' — Spirée (rose) — 2
Spiræa bumalda 'Goldmound' — Spirée (rose) — 3

Lilas nain de Corée.

Lilas japonais.

411

Fustet.

Hamamélis.

Fusain à feuillage persistant.

Spiræa japonica — Spirée japonaise (rose ou rose et blanc) — 3
Tamarix ramossissima — Tamaris de Russie — 3
Weigela — Weigela* (rose, blanc, rouge) — 4
Weigela 'Briant Rubidor' — Weigela à feuilles jaunes — 5
Weigela 'Carnaval' — Weigela Carnaval (rose et blanc sur le même plant) — 5
Weigela florida — Weigela de Floride (rose, à feuillage vert, rouge ou panaché) — 4

À feuillage décoratif d'abord

Acer palmatum — Érable du Japon* — 5
Arctostaphylos uva-ursi — Raisin d'ours — 1
Betula pendula 'Trost's Dwarf' — Bouleau nain* — 3
Buxus microphylla 'Koreana' — Buis de Corée — 5
Caragana arborescens 'Lobergii' — Caragana à feuilles de fougères — 2
Cornus alba elegantissima — Cornouiller panaché — 2
Cornus alba 'Gouchaultii' — Cornouiller jaune de Gouchault — 2
Corylus avellana — Noisetier américain — 2
Corylus avellana 'Contorta' — Noisetier tortueux* — 5
Corylus maxima purpurea — Noisetier pourpre — 5
Cotoneaster acutifolius — Cotonéaster du Japon — 2
Cotoneaster adpressus praecox — Cotonéaster rampant* — 5
Cotoneaster apiculatus — Cotonéaster airelle — 4
Cotoneaster dammeri 'Coral Beauty' — Cotonéaster couvre-sol — 4
Eleagnus angustifolia — Olivier de Bohême — 2
Euonymus alata — Fusain ailé* — 3
Euonymus alata compacta — Fusain ailé nain — 3
Euonymus fortunei — Fusain à feuillage persistant* (plusieurs variétés) — 5
Hippophæ rhamnoides — Argousier — 2
Ilex merservea — Houx — 5
Ilex verticillata — Houx nordique — 3
Philadelphus coronarius aureus — Seringat doré — 3
Physocarpus opulifolius 'Dart's Gold' — Physocarpe doré nain — 2
Physocarpus opulifolius luteus — Physocarpe doré — 2
Prunus cistena — Prunier pourpre des sables — 3
Rhus typhina — Sumac ou vinaigrier — 3
Rhus typhina laciniata — Vinaigrier à feuilles découpées — 3
Salix purpurea gracilis — Saule arctique — 2
Sambucus nigra laciniata — Sureau à feuilles découpées — 3
Sambucus plumosa aurea — Sureau plumeux* — 3
Spiræa bumalda 'Anthony Waterer' — Spirée verte* — 2
Spiræa bumalda 'Crispa' — Spirée frisée — 4
Spiræa bumalda 'Fræbelli' — Spirée — 3
Spiræa bumalda 'Goldflame' — Spirée jaune — 2
Spiræa bumalda 'Goldmound' — Spirée jaune — 3
Spiræa japonica — Spirée japonaise — 3
Stephanandra incisa — Stéphanandra* — 5
Viburnum opulus nanum — Viorne naine — 2

À fruits

Acer ginnala — Érable de l'Amur (samarres roses) — 2
Amelanchier canadensis — Amélanchier (rouges) — 2
Andromeda polifolia — Andromède (noirs) — 2
Arctostaphylos uva-ursi — Raisin d'ours (rouges) — 1
Caragana arborescens — Caragana (gousses verdâtres) — 2
Caragana arborescens 'Lobergii' — Caragana à feuilles de fougères
    (gousses verdâtres) — 2
Caragana arborescens pendula — Caragana pleureur* (gousses
    verdâtres) — 3
Caragana aurantiaca pygmœa — Caragana nain (gousses verdâtres)
    — 3
Chœnomeles japonica — Cognassier du Japon (coings jaunes) — 5
Cotoneaster acutifolius — Cotonéaster du Japon (rouges) — 2
Cotoneaster adpressus prœcox — Cotonéaster rampant* (rouges) — 5
Cotoneaster apiculatus — Cotonéaster airelle (rouges) — 4
Cotoneaster dammeri — Cotonéaster couvre-sol (rouges) — 4
Cytisus decumbens — Cytise (gousses verdâtres) — 2
Hippophœ rhamnoides — Argousier (orange) — 2
Lonicera tatarica 'Rosea' — Chèvrefeuille de Tartarie (rouges) — 2
Lonicera xylosteoides 'Clavey's Dwarf' — Chèvrefeuille nain
    (rouges) — 3
Mahonia aquifolium — Mahonia à feuilles de houx (bleus) — 5
Prunus cistena — Prunier pourpre des sables (noirs) — 3
Pyracantha — Pyracantha (orange) — 5
Ribes odoratum — Groseillier odorant (noirs) — 2
Sambucus canadensis — Sureau blanc (noirs) — 3
Sambucus aurea — Sureau doré* (noirs) — 3
Sambucus nigra laciniata — Sureau noir à feuilles découpées
    (noirs) — 3
Sambucus plumosa aurea — Sureau plumeux* (rouges) — 3
Shepherdia argentea — Shepherdie (orange) — 2
Symphoricarpus albus — Symphorine (blancs) — 2
Vaccinium vitis-idœa — Airelle rouge (rouges) — 1
Viburnum lantana — Viorne commune (noirs) — 2
Viburnum trilobum — Viorne trilobée (rouges) — 2

Noisetier tortueux.

Hydrangée arborescente.

Weigela.

Potentille rampante.

413

Genêt pileux.

Spirée blanche compacte.

Pérovskia.

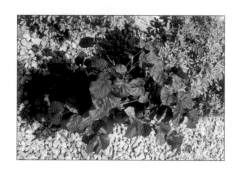

Noisetier tortueux à feuilles rouges.

Spirée verte.

Stéphanandra.

Fusain ailé.

Cotonéaster.

Conifères

Le nom latin permet au jardinier d'obtenir exactement la plante qu'il recherche. Il est suivi du nom français, de la couleur du feuillage et d'un chiffre représentant la zone de rusticité la plus nordique où peut survivre l'espèce considérée. Voir le chapitre Jardinage régional.

Sapin argenté.

Grands (hauteur adulte minimum: 5 m)

Abies concolor — Sapin argenté ou sapin du Colorado* (bleuté) — 4
Larix kœmpfœri — Mélèze japonais (vert) — 2
Larix laricina — Mélèze américain (vert) — 2
Picea abies — Épinette de Norvège (vert) — 2
Picea omorika — Épinette de Serbie (vert) — 3
Picea pungens — Épinette du Colorado verte (vert) — 2
Picea pungens 'Glauca' — Épinette du Colorado bleue* (bleu) — 2
Picea pungens 'Hoopsii' — Épinette du Colorado 'Hoopsii' (bleu) — 2
Picea pungens 'Koster' — Épinette bleue de Koster (bleu) — 2
Pinus mugo pumilio — Pin mugo (vert) — 2
Pinus nigra — Pin noir d'Autriche* (vert) — 4
Pinus strobus — Pin blanc (vert) — 2
Pinus sylvestris — Pin sylvestre ou pin écossais (vert) — 2
Pseudotsuga menziesii glauca — Sapin de Douglas (bleuté) — 4
Thuya occidentalis — Cèdre blanc (vert) — 2
Thuya occidentalis fastigiata — Cèdre blanc étroit (vert) — 4
Thuya occidentalis lutea — Cèdre doré (jaune) — 4
Thuya occidentalis nigra — Cèdre noir (vert) — 3
Thuya occidentalis pyramidalis — Cèdre pyramidal (vert) — 3
Tsuga canadensis — Pruche du Canada (vert) — 4

Épinette naine d'Alberta.

Pleureurs

Chamœcyparis nootkatensis pendula — Faux-cyprès* (vert) — 5
Juniperus scopulorum 'Toleson's Blue' (bleu) — Genévrier — 4
Larix decidua pendula — Mélèze* (vert) — 4
Picea abies pendula — Épinette de Norvège* (vert) — 3
Picea glauca pendula — Épinette bleue* (bleu) — 3
Pinus strobus pendula — Pin blanc* (vert) — 4
Tsuga canadensis pendula — Pruche* (vert) — 4
Thuya occidentalis pendula — Cèdre (vert) — 5

Évasés (Largeur adulte minimum: 2 m)

Juniperus chinensis 'Gold Coast' — Genévrier 'Gold Coast' (jaune) — 4
Juniperus chinensis 'Hetz' — Genévrier de Hetz (vert) — 3
Juniperus chinensis 'Mint Julep' — Genévrier 'Mint Julep' (vert) — 4

Épinette du Colorado bleue.

Genévrier 'Grey Owl'.

Faux-cyprès pleureur.

Pin sylvestre nain.

Juniperus chinensis 'Old Gold' — Genévrier 'Old Gold' (jaune) — 5

Juniperus chinensis pfitzeriana — Genévrier de Pfitzer* (vert) — 4

Juniperus chinensis pfitzeriana aurea — Genévrier jaune de Pfitzer (jaune) — 4

Juniperus chinensis pfitzeriana compacta — Genévrier de Pfitzer compact (vert) — 4

Juniperus chinensis pfitzeriana glauca — Genévrier bleu de Pfitzer (bleu) — 4

Juniperus chinensis 'San José' — Genévrier de San José (vert-bleu) — 4

Juniperus sabina — Genévrier à odeur de sabine (vert) — 2

Juniperus sabina 'Blue Danube' — Genévrier 'Danube Bleu' (bleu) — 2

Juniperus sabina tamariscifolia — Genévrier à feuilles de Tamaris (vert) — 2

Juniperus virginiana 'Grey Owl' — Genévrier 'Grey Owl'* (bleu) — 3

Microbiota decussata — Cyprès de Sibérie (vert) — 2

Taxus canadensis — If du Canada (vert) — 3

Taxus cuspidata nana — If Japonais nain (vert) — 4

Taxus media 'Brownii' — If de Brown (vert) — 4

Taxus media densiformis — If compact (vert) — 5

Taxus media 'Fairview' — If de Fairview (vert) — 5

Taxus media 'Hicksii' — If de Hicks (vert) — 4

Étroits (largeur adulte maximum: 1,50 m), coniques ou en colonne

Juniperus chinensis 'Fairview' — Genévrier 'Fairview' (vert) — 4

Juniperus chinensis 'Mountbatten' — Genévrier 'Mountbatten' (bleu) — 4

Juniperus chinensis 'Spartan' — Genévrier 'Spartan' (vert) — 5

Juniperus media 'Blaauw' — Genévrier 'Blaauw' (vert foncé) — 5

Juniperus scopulorum 'Blue Haven' — Genévrier 'Blue Haven' (bleu) — 3

Juniperus scopulorum 'Gray Gleam' — Genévrier 'Gray Gleam' (bleu) — 3

Juniperus scopulorum 'Greenspire' — Genévrier 'Greenspire' (vert) — 4

Juniperus scopulorum 'Moffat Blue' — Genévrier 'Moffat Blue' (bleu) — 3

Juniperus scopulorum 'Moonglow' — Genévrier 'Moonglow' (argenté) — 3

Juniperus scopulorum 'Pathfinder' — Genévrier 'Pathfinder' (bleu) — 3

Juniperus scopulorum 'Springbank' — Genévrier 'Springbank' (bleu) — 3

Juniperus scopulorum 'Wichita Blue' — Genévrier 'Wichita Blue' (bleu) — 3

Juniperus virginiana 'Skyrocket' — Genévrier 'Skyrocket' (bleu) — 3

Picea glauca Albertiana 'Conica' — Épinette naine d'Alberta* (vert) — 4

Taxus cuspidata capitata — If japonais (vert) — 4

Taxus media 'Hillii' — If de Hill (vert) — 4

Thuya occidentalis 'Emerald' — Cèdre émeraude ou Smaragd (vert) — 3

Thuya occidentalis fastigiata — Cèdre blanc étroit (vert) — 4

Thuya occidentalis 'Holmstrupii' — Cèdre 'Holmstrup' (vert) — 3
Thuya occidentalis lutea — Cèdre doré* (jaune) — 4

Bas et de forme arrondie (globulaires)

Chamæcyparis obtusa nana — Faux-cyprès nain* (vert) — 5
Chamæcyparis pisifera filifera — Faux-cyprès filiforme (vert) — 4
Chamæcyparis pisifera filifera nana — Faux-cyprès nain (vert) — 4
Chamæcyparis pisifera filifera nana aurea — Faux-cyprès nain
    doré (jaune) — 4
Microbiota decussata — Cyprès de Sibérie (vert) — 2
Picea abies 'Nidiformis' — Épinette naine (vert) — 2
Picea abies 'Ohlendorffii' — Épinette d'Ohlendorff (vert) — 2
Picea abies procumbens — Épinette compacte (vert) — 2
Picea glauca 'Albertiana' globosa — Épinette d'Alberta en boule
    (vert) — 4

Pin noir d'Autriche.

Picea omorika nana — Épinette naine de Serbie (vert) — 3
Picea pungens glauca 'Thume' — Épinette bleue 'Thume' (bleu) — 2
Picea pungens 'Globosa' — Épinette bleue naine du Colorado (bleu) — 2
Picea pungens 'Montgomery' — Épinette bleue naine (bleu) — 2
Pinus mugo 'Gnom' — Pin montagnard nain (vert) — 1
Pinus mugo 'Mughus' — Pin montagnard* (vert) — 1
Pinus strobus nana — Pin blanc nain (vert) — 3
Pinus sylvestris glauca nana — Pin sylvestre nain* (grisâtre) — 3
Thuya occidentalis filiformis nana — Cèdre blanc filiforme (vert) — 3
Thuya occidentalis 'Golden Globe' — Cèdre en boule doré (jaune) — 4
Thuya occidentalis 'Little Champion' — Cèdre 'Little Champion'
    (vert) — 3
Thuya occidentalis 'Little Gem' — Cèdre 'Little Gem' (vert) — 3
Thuya occidentalis 'Little Giant' — Cèdre 'Little Giant' (vert) — 3
Thuya occidentalis 'Rheingold' — Cèdre 'Rheingold'* (jaune) — 3
Thuya occidentalis 'Woodwardii' — Cèdre en boule (vert) — 3
Tsuga canadensis 'Jeddeloh' — Pruche naine 'Jeddeloh' (vert) — 4

Cèdre doré.

Rampants et couvre-sols
(largeur adulte minimum: 1,50 m)

Juniperus communis depressa aurea — Genévrier commun doré
    (jaune) — 3
Juniperus communis repanda — Genévrier commun (vert) — 4
Juniperus horizontalis 'Bar Harbour' — Genévrier 'Bar Harbour'
    (bleu) — 3
Juniperus horizontalis 'Blue Chip' — Genévrier 'Blue Chip'* (bleu) — 3
Juniperus horizontalis 'Hughes' — Genévrier 'Hughes' (bleuté) — 2
Juniperus horizontalis plumosa — Genévrier plumeux (vert) — 2
Juniperus horizontalis 'Prince of Wales' — Genévrier 'Prince of
    Wales' (bleu) — 2
Juniperus horizontalis 'Wiltonii' — Genévrier de Wilton (bleu) — 2
Juniperus procumbens nana — Genévrier compact nain (bleu) — 4
Juniperus squamata 'Blue Star' — Genévrier 'Blue Star' (bleu) — 5

Pruche pleureuse.

Genévrier pleureur.

Cèdre 'Rheingold'.

Épinette bleue pleureuse.

Mélèze.

Faux-cyprès nain.

Genévrier de Pfitzer.

Genévrier 'Blue Chip'.

Épinette de Norvège pleureuse.

Pin montagnard.

Pin blanc pleureur.

GRIMPANTES

Le nom latin permet au jardinier d'obtenir exactement la plante qu'il recherche. Il est suivi du nom français, de la couleur des fleurs et, pour les espèces vivaces, d'un chiffre représentant la zone de rusticité la plus nordique où peut survivre l'espèce considérée. Voir le chapitre Jardinage régional.

Clématite à grandes fleurs.

Annuelles (à semer)
Cobea — Cobée (violet)
Convolvulus — Gloire du matin (bleu, rose, mauve)
Dolichos — Dolique (bourgogne)
Ipomea quamoclit — Cardinal grimpant (rouge)
Lathyrus — Pois de senteur (blanc, rose, rouge, mauve, bleu)
Phaseolus — Haricot d'Espagne (rouge)
Thunbergia — Thunbergie (jaune, cœur noir)

Vivaces pour les fleurs et les fruits
Actinidia argula — Kiwi (blanc, fruits bleus) — 5
Actinidia kolomika — Kiwi (blanc à feuillage vert, blanc et rose) — 5
Campsis radicans — Bignone (orange) — 4
Clematis macropetala — Clématite à petites fleurs (bleu, rose, blanc) — 3
Clematis nana — Clématite naine (bleu, rose, blanc) — 2
Clematis paniculata — Clématite à petites fleurs (blanc) — 2
Clematis tangutica — Clématite dorée* (jaune, fruits dorés) — 4
Clematis jackmannii — Clématites à grandes fleurs* (hybrides violet, bleu, blanc, rose, rouge) — 4
Humulus lupulus — Houblon (jaune, feuillage vert ou panaché) — 4
Hydrangea petiolaris — Hydrangée (blanc) — 5
Lonicera 'Berries Jubilee' — Chèvrefeuille (jaune pâle, en juillet et en septembre, fruits rouges) — 4
Lonicera 'Dropmore Scarlet' — Chèvrefeuille* (rose foncé) — 3
Lonicera 'Goldflame' — Chèvrefeuille (orange) — 4
Polygonum aubertii — Renouée (blanc) — 5

Clématite dorée.

Vivaces pour le feuillage
Aristolochia — Aristoloche (feuilles en cœur) — 5
Lonicera japonica aureo-reticulata — Chèvrefeuille réticulé — 5
Celastrus scandens — Bourreau des arbres — 2
Menispermum canadensis — Ménisperme (feuilles d'érable) — 4
Parthenocissus engelmannii — Vigne vierge — 2
Parthenocissus tricuspidata — Lierre de Boston — 5

Chèvrefeuille.

Trolle.

Muguet.

Vivaces

Le nom latin permet au jardinier d'obtenir exactement la plante qu'il recherche. Il est suivi ici du nom français et de la couleur des fleurs ou du feuillage selon le cas. Quand plusieurs couleurs sont indiquées, l'espèce comprend plusieurs variétés. Les espèces à floraison prolongée sont listées dans toutes les saisons où elles fleurissent.

Pour leur floraison

PRINTEMPS

Hautes (entre 70 cm et 120 cm)
Dicentra spectabilis — Cœur-saignant (rose, blanc)
Iris germanica — Iris barbu* (toutes les couleurs sauf rouge)
Iris sibirica — Iris de Sibérie (rose, blanc, bleu)
Papaver orientale — Pavot d'Orient (rose, blanc, rouge, orange)

Moyennes (entre 40 cm et 70 cm)
Aquilegia — Ancolie (hybrides blanc, rouge, jaune, rose, bicolore)
Bergenia — Bergénia (rose, rouge, blanc)
Cheiranthus allionii — Cheiranthe (jaune)
Doronicum — Doronic (jaune)
Incarvillea — Gloxinia vivace (rose)
Papaver orientale — Pavot d'Orient (rouge)
Polemonium — Polémoine (bleu)
Trillium — Trille (rouge, blanc)
Trollius cultorum — Trolle* (jaune)
Trollius europæus — Trolle* (jaune)

Basses (40 cm et moins)
Alyssum montanum — Alysse des montagnes (jaune)
Alyssum saxatile — Alysse corbeille d'or (jaune)
Anemone pulsatilla — Anémone pulsatile (blanc, rouge, violet)
Aquilegia alpina — Ancolie naine (bleu)
Arabis alpina — Arabette corbeille d'argent (blanc, rose)
Armeria maritima — Gazon d'Espagne (rose, blanc)
Aubrietia deltoides — Aubriétie (rouge, bleu, lilas)
Bellis perennis — Pâquerette (blanc, rose, rouge)
Cerastium tomentosum — Céraiste (blanc)
Convallaria majalis — Muguet* (blanc, rose)
Dicentra eximia — Cœur-saignant (blanc)
Dicentra formosa — Cœur-saignant (rose)
Dianthus deltoides — Œillet deltoïde (blanc, rouge, rose)

Iris nain.

Euphorbia — Euphorbe (jaune)
Geum — Benoîte (orange, jaune)
Iberis — Ibéride (blanc)
Iris pumila — Iris nain* (toutes les couleurs sauf rouge)
Lamium — Lamier (bleu)
Myosotis alpestris — Myosotis (bleu)
Myosotis palustris — Myosotis (bleu)
Œnothera — Œnothère rampant* (jaune)
Phlox subulata — Phlox nain (rose, blanc, mauve)
Primula denticulata — Primevère (blanc, bleu, rouge)
Primula japonica — Primevère du Japon (blanc, rose, rouge)
Primula rosea — Primevère* (rose foncé)
Pulmonaria — Pulmonaire (rose, rouge, bleu, blanc)
Saponaria — Saponaire (rose)
Saxifraga — Saxifrage (rose, blanc)
Vinca minor — Pervenche petite (bleu)
Viola odorata — Violette des bois (mauve, bleu, blanc)

Valériane.

ÉTÉ

Très hautes (plus de 120 cm)
Althœa rosea — Rose-trémière* (toutes les couleurs sauf bleu)
Anchusa — Buglosse (bleu)
Aruncus dioicus — Spirée barbe de bouc (blanc crème)
Delphinium — Pied-d'alouette* (bleu, mauve, blanc)
Helianthus salicifolius — Tournesol à feuilles de saule* (jaune)
Heracleum — Héracléum (blanc)
Iris pseudacorus — Iris des marais (jaune)
Lavatera thuringiaca — Lavatère* (rose)
Ligularia — Sénécio* (jaune, orange)
Macleya cordata — Bocconia (orange)
Macleya microcarpa — Bocconia (orange)
Rheum palmatum — Rhubarbe décorative (blanc)
Rudbeckia laciniata — Rudbeckie laciniée* (jaune)
Silphium laciniatum — Silphium (jaune)
Solidago canadensis — Verge d'or (jaune)
Valeriana officinalis — Valériane* (blanc)
Verbascum — Molène* (jaune)
Yucca filamentosa — Yucca* (blanc)

Hespéride.

Hautes (entre 70 et 120 cm)
Achillea filipendula — Achillée (jaune)
Aconitum — Aconit (bleu, rose, blanc)
Anchusa italica — Buglosse (bleu)
Anemone japonica — Anémone du Japon* (rose)
Belamcanda — Bélamcanda (orange)
Campanula latifolia — Campanule (bleu, blanc)
Campanula pyramidalis — Campanule pyramidale (bleu, blanc)
Centaurea macrocephala — Centaurée à grosse fleur (jaune)
Chrysanthemum leucanthemum — Marguerite (blanc)

Liatride.

Lobélie cardinale.

Sagine.

Coréopsis.

Coreopsis verticillata — Coréopsis* (jaune)
Digitalis — Digitale (blanc, rose, jaune)
Echinacea purpurea — Rudbeckie pourpre* (rose, blanc)
Echinops — Petit chardon (bleu)
Gaura — Gaura (rose)
Gypsophila pacifica — Gypsophile (blanc)
Gypsophila paniculata — Gypsophile (blanc)
Helianthus — Tournesol vivace (jaune)
Heliopsis — Héliopside (jaune)
Hemerocallis — Hémérocalle* (rose, jaune, rouge, pourpre, orange, bicolore, etc.)
Iris kœmpfœri — Iris japonais (bleu, rose, pêche)
Ligularia — Sénécio (jaune)
Lobelia cardinalis — Lobélie cardinale* (rouge)
Lobelia siphilitia — Lobélie (bleu)
Lunaria — Monnaie du pape (mauve)
Lupinus — Lupin hybride de Russell (rose, bleu, jaune, mauve et bicolore)
Lychnis chalcedonica — Lychnide (orange)
Lysimachia punctata — Lysimaque* (jaune)
Lythrum — Salicaire (mauve, rose)
Monarda — Monarde* (rouge, rose, violet, blanc)
Pœonia — Pivoine (rose, blanc, rouge, bicolore)
Penstemon barbatus — Chélone barbue (rose)
Phlox paniculata — Phlox paniculé (toutes les couleurs)
Platycodon grandiflorus — Platycodon (blanc, bleu, rose)
Polygonatum — Sceau de Salomon (blanc)
Pyrethrum — Pyrèthre (rose, rouge)
Rudbeckia hirta — Rudbeckie (jaune)
Solidago — Verge d'or (jaune)
Verbascum bombyciferum — Molène feutrée (jaune)

Moyennes (entre 40 cm et 70 cm)
Achillea millefolium — Achillée (rose, jaune, rouge, blanc)
Achillea ptarmica — Achillée (blanc)
Alchemilla — Alchémille (jaune)
Anthemis tinctoria — Anthémis (jaune)
Asclepias — Asclépiade ou herbe à papillons (orange)
Aster amellus — Aster d'été (bleu)
Astilbe — Astilbe* (rose, violet, blanc, rouge)
Campanula calycanthema — Campanule (blanc, bleu, rose, violet)
Campanula glomerata — Campanule (bleu, blanc)
Campanula persicifolia — Campanule à feuilles de pêcher (bleu, blanc)
Centaurea dealbata — Centaurée (rose, violet)
Centaurea montana — Centaurée (bleu)
Coreopsis lanceolata — Coréopsis (jaune)
Coreopsis verticillata — Coréopsis* (jaune)
Dianthus caryophyllus — Œillet des fleuristes (blanc, rose, jaune, rouge)
Dictamnus — Fraxinelle (blanc)
Dicentra eximia — Cœur-saignant nain (blanc)
Erigeron hybride — Érigeron (bleu, rose)

Geranium — Géranium (rose, mauve, bleu)
Hesperis — Hespéride* (blanc, lilas)
Heuchera — Heuchère (rose)
Inula — Aunée (jaune)
Iris versicolor — Iris versicolore* (bleu et violet)
Lavandula — Lavande (bleu, rose, mauve)
Liatris spicata — Liatride* (violet, blanc)
Linum — Lin* (bleu)
Lychnis coronaria — Lychnide (rouge, blanc)
Lythrum salicaria — Salicaire* (violet)
Malva — Mauve (rose)
Œnothera — Œnothère (jaune)
Penstemon pinifolius — Penstemon (rouge)
Salvia superba — Sauge (bleu, blanc)
Scabiosa — Scabieuse* (bleu, blanc)
Stachys lanata — Stachys laineux (rose)
Thalictrum — Pigamon (rose)
Tradescantia — Éphémère (bleu, blanc, rose)
Verbascum phœnicum — Molène (jaune)
Veronica incana — Véronique* (bleu, rose)
Veronica spicata — Véronique (rose, blanc, bleu)

Basse (moins de 40 cm)
Achillea tomentosa aurea — Achillée (jaune)
Ajuga — Bugle (bleu)
Alchemilla — Alchemille (jaune)
Arenaria verna — Sagine (blanc)
Asperula odorata — Aspérule odorante (blanc)
Astilbe simplicifolia — Astilbe (rose, banc)
Brunnera macrophylla — Brunnera (bleu)
Campanula alpestris — Campanule (bleu)
Campanula carpatica — Campanule des Carpathes (bleu, blanc)
Chrysanthemum alpinum — Marguerite (blanc)
Coreopsis verticillata 'Moonbeam' — Coréopsis (jaune)
Coreopsis rosea — Coréopsis (rose)
Dianthus barbatus — Œillet de poète (rouge, blanc, rose)
Dianthus deltoides — Œillet deltoïde (blanc, rose, rouge)
Dianthus plumarius — Œillet mignardise (blanc, rose, rouge)
Dicentra formosa — Cœur-saignant (rose)
Erigeron — Érigeron nain (blanc, bleu)
Gaillardia grandiflora — Gaillarde (orange et jaune, rouge)
Gentiana — Gentiane (bleu)
Geranium — Géranium (rose, mauve, bleu)
Geum — Benoîte* (orange, jaune)
Gypsophila repens — Gypsophile rampant (rose)
Helianthemum — Hélianthème (rouge, jaune)
Hypericum calycinum — Millepertuis (jaune)
Leontopodium — Edelweiss (blanc)
Lotus corniculata — Lotier corniculé (jaune)
Lychnis viscaria — Lychnide (rose)

Salicaire.

Véronique.

Benoîte.

Lin.

Rose-trémière.

Yucca.

Lysimachia nummularia — Lysimaque rampante (jaune)
Matricaria — Matricaire (blanc)
Nepeta — Népéta ou herbe aux chats (bleu)
Œnothera — Œnothère rampant* (jaune)
Opuntia humifusa — Opuntia* (cactus rustique à fleurs jaunes)
Papaver nudicaule — Pavot d'Islande (jaune, orange)
Potentilla nepalensis 'Miss Willmott' — Potentille rampante (rose)
Potentilla reptans — Potentille rampante (jaune)
Ranunculus — Renoncule des fleuristes (jaune)
Sedum acre — Sedum (jaune)
Sedum album — Sedum (blanc)
Sedum ellacombanium — Sedum (jaune)
Sedum spurium — Sedum (blanc, rouge, rose)
Solidago — Verge d'or naine (jaune)
Thymus citriodorus — Thym (rose)
Thymus serpyllum — Thym (rouge, rose, blanc)
Thymus vulgaris — Thym (lilas, rouge)
Veronica repens — Véronique (bleu)

FIN ÉTÉ — AUTOMNE

Très hautes (120 cm et plus)
Eupatorium purpureum — Eupatoire* (rose)
Helenium automnale — Hélénium (jaune, bronze)
Helianthus salicifolius — Tournesol à feuilles de saule* (jaune)
Ligularia dentata — Sénécio* (jaune)
Polygonum cuspidatum — Renouée (rose)
Rudbeckia laciniata — Rudbeckie laciniée* (jaune)
Solidago canadensis — Verge d'or (jaune)

Hautes (entre 70 cm et 120 cm)
Aster novœ-angliœ — Aster hybride (rose, rouge, violet)
Aster novi-belgii — Aster hybride (rouge, bleu, rose)
Cicimifuga — Cicimicairc (blanc)
Echinacea purpurea — Rudbeckie pourpre* (rose, blanc)
Echinops — Petit chardon (bleu)
Eryngium alpinum — Chardon (bleu)
Gaura — Gaura (rose)
Kniphofia — Tritoma (orange)
Liatris spicata — Liatride* (violet, blanc)
Lobelia cardinalis — Lobélie cardinale* (rouge)
Lythrum — Salicaire* (mauve)
Phlox paniculata — Phlox paniculé (rose, rouge, blanc, mauve, jaune)
Physostegia virginiana — Physostégie (blanc, rose)
Physostegia virginiana variegata — Physostégie panachée* (rose)
Rudbeckia hirta — Rudbeckie (jaune)

Moyennes (entre 40 cm et 70 cm)
Chrysanthemum morifolium — Chrysanthème (jaune, blanc, brun, violet, rouge, rose, orange)
Hosta — Hosta* (mauve, blanc)

Inula — Aunée (jaune)
Kirengeshoma — Kirengéshoma* (jaune)
Sedum spectabile — Sedum (rose)

Basses (moins de 40 cm)
Aster hybrides — Aster
Dicentra formosa — Cœur-saignant (rose)
Matricaria — Matricaire (blanc)

Pour leur feuillage

Acœna glaucophylla — Acéna (gris)
Ægopodium — Ægopode (panaché) — envahissant
Ajuga — Bugle rampant (argenté, panaché, vert, rouge, rose)
Arenaria verna — Sagine* (vert, jaune)
Artemisia — Armoise (gris)
Cerastium tomentosum — Céraiste (gris)
Hosta — Hosta (panaché, vert, jaune, bleuté)
Lamium maculatum — Lamier (gris, panaché, doré)
Mentha rotundifolia variegata — Menthe panachée (panaché)
Pachysandra — Pachysandre (vert)
Sempervivum — Joubarbe (vert)
Stachys lanata — Stachys laineux (gris)
Thymus citriodorus — Thym (jaune, vert)
Thymus lanuginosus — Thym laineux (gris)
Thymus serpyllum — Thym (jaune, vert)
Vinca major — Pervenche grande (vert)

À feuilles ou à fleurs parfumées

Achillea — Achillée (feuilles)
Artemisia — Armoise (feuilles)
Convallaria majalis — Muguet* (fleurs)
Dianthus — Œillets (fleurs)
Iris — Iris (fleurs)
Lavandula — Lavande (feuilles)
Monarda — Monarde* (feuilles)
Pœonia — Pivoine (fleurs)
Thymus — Thym (feuilles)

À protéger en hiver (branches de conifères ou paillis)

Anemone japonica — Anémone du Japon*
Cheiranthus — Cheiranthe
Kniphofia — Tritoma
Lavandula — Lavande
Lobelia cardinalis — Lobélie cardinale*

Pour l'ombre

Ajuga — Bugle
Aquilegia — Ancolie
Astilbe — Astilbe*
Bergenia — Bergénia
Convallaria majalis — Muguet*

Pied-d'alouette.

Molène.

Lavatère.

Sénécio.

Eupatoire.

Tournesol à feuilles de saule.

Hosta — Hosta*
Lamium — Lamier
Myosotis — Myosotis
Pachysandra — Pachysandre
Polygonatum — Sceau de Salomon
Polygonum — Renouée
Primula — Primevère*
Tradescantia — Éphémère
Vinca — Pervenche

Pour décor désertique
Festuca glauca — Fétuque* (graminée)
Opuntia humifusa — Opuntia* (cactus rampant, rustique)
Sempervivum — Chou vivace
Yucca filamentosa — Yucca*

Fougères
Adiantum pedatum — Adiantum
Dryopteris — Dryopteris
Matteuccia — Matteuccia
Osmunda — Osmonde
Polypodium — Polypode
Polystichum — Polystichum

Graminées
Acorus — Acore (panaché)
Calamagrostis — Calamagrostis (vert)
Carex (plusieurs variétés de différentes hauteurs et couleurs)
Deschampsia — Deschampsia (doré)
Elymus glaucus — Élyme (bleuté)
Festuca glauca — Fétuque bleue* (bleuté)
Miscanthus — Miscanthus* (plusieurs variétés de différentes formes,
    hauteurs et couleurs)
Panicum — Panicum (vert en été, rouge en automne)
Pennisetum — (vert)

Mes préférées
Belamcanda — Bélamcanda
Geum — Benoîte*
Hemerocallis — Hémérocalle* (Tous)
Iris germanica — Iris barbu*
Iris kœmpfœri — Iris japonais
Iris versicolor — Iris versicolore*
Lysimachia punctata — Lysimaque*
Lysimachia nummularia — Lysimaque rampante
Monarda — Monarde*
Opuntia humifusa — Opuntia* (cactus rampant, rustique)
Trollius — Trolle*
Thymus lanuginosus — Thym laineux
… et toutes les plantes de plus de 120 cm.

Hémérocalle.

Monarde.

Miscanthus.

Hémérocalle.

Iris barbu.

Opuntia.

Rudbeckie pourpre.

Fétuque bleue.

Kirengéshoma.

Anémone du Japon.

Physostégie panachée.

Astilbe.

Hosta.

Scabieuse.

Œnothère.

Rudbeckie laciniée.

Iris versicolore.

Primevère.

Lychnide.

Lysimaque.

INDEX

TABLE DES MATIÈRES